D1245247

Le Marketing

DE L'IDÉE À L'ACTION

Pour être régulièrement informé de la parution de nos nouveaux livres et de notre catalogue, nous vous invitons à consulter notre site Internet à : www.marie-france.qc.ca

Vous pouvez aussi communiquer avec nous à l'adresse suivante :

Éditions Marie-France
9900, avenue des Laurentides
Montréal-Nord (Québec)
Canada H1H 4V1
Téléphone : (514) 329-3700
Télécopieur : (514) 329-0630

Adresse électronique : editions@marie-france.qc.ca

Conception de la couverture et infographie : Mardigrafe inc.

Direction de projet / révision linguistique : France Duval

Première édition :
Dépôt légal : Ottawa, Canada, 2e trimestre 1990

Deuxième édition :
Dépôts légaux : 3e trimestre 1994
Bibliothèque nationale du Québec
Bibliothèque nationale du Canada

Troisième édition :

Dépôts légaux : 3e trimestre 2000
Bibliothèque nationale du Québec
Bibliothèque nationale du Canada

ISBN : 2-89168-719-1

Nous reconnaissons l'aide financière du gouvernement du Canada par l'entremise du Programme d'Aide au Développement de l'Industrie de l'Édition pour nos activités d'édition.

Le Marketing

DE L'IDÉE À L'ACTION

Jean-Paul Sallenave
Alain d'Astous

À nos familles

Table des matières

PARTIE III / QUE VEUT L'ENTREPRISE ?

CHAPITRE 6

CHAPITRE 7

PARTIE IV / LE MARKETING EN ACTION

Préface

Il existe de nombreux ouvrages de marketing meilleurs que celui-ci. Voilà, direz-vous, une introduction peu commune pour vous vendre ce livre ; on ne dirait pas qu'il a été écrit par deux experts en marketing !

Et pourtant, il est vrai que parmi les dizaines de livres de base en marketing disponibles sur le marché, il en est d'excellents, complets, bien écrits, le plus souvent en anglais. Alors, pourquoi en écrire un autre ?

Le Marketing... de l'idée à l'action est un livre de marketing différent des autres qui s'adresse à un marché spécifique : le Canada francophone. En d'autres mots, les auteurs ont appliqué deux préceptes du marketing que vous étudierez dans ce livre :

- la différenciation du produit : ce n'est pas un livre comme les autres ;
- la segmentation du marché : vous n'êtes pas n'importe quel lecteur.

Un livre différent

La plupart des ouvrages de marketing entrent de plein pied dans des considérations théoriques sur la nature du concept de marketing et son rôle dans la société, puis décortiquent systématiquement tous les aspects du marketing : le produit, le prix, la distribution, la publicité, la vente et ainsi de suite.

Ils suivent un plan intellectuellement logique, en allant des aspects généraux aux aspects particuliers du marketing.

Le Marketing... de l'idée à l'action est conçu autrement. Les auteurs se sont mis à votre place, c'est-à-dire à la place de quelqu'un qui un jour a eu, ou pourrait avoir l'idée de lancer un produit ou un service nouveau et qui se demande :

« J'ai une idée, mais comment passer de l'idée à l'action de marketing ?... »

Pour passer de l'idée à l'action, ou de la conception à la fabrication et à la commercialisation du produit, il faut posséder un certain nombre de points de repère pour comprendre et appliquer avec succès les techniques du marketing.

Ce livre vous invite donc à découvrir le marketing selon une approche pratique qui répond en quatre phases à la question posée ci-dessus :

1. Savoir ce que veut le consommateur (Partie I)
2. Déterminer s'il y a un marché (Partie II)
3. Élaborer une stratégie de marketing (Partie III)
4. La mettre en œuvre (Partie IV)

Le Marketing... de l'idée à l'action ne prétend pas vous apporter la somme des connaissances en la matière, mais seulement la matière suffisante pour affronter pratiquement toute question générale en marketing.

Conçu à la fois pour les personnes désireuses d'apprendre par elles-mêmes et pour servir de texte de base aux étudiants de niveau collégial et universitaire, le livre est structuré de manière à faciliter l'acquisition rapide des notions de base. Plusieurs symboles apparaissent dans le texte :

Définition
Les définitions des notions et mots-clefs du marketing sont encadrées.

Retenons que
Les développements du texte sont parfois suivis de propositions sommaires ou d'idées-clefs dans lesquelles on a essayé de saisir sous forme condensée l'essentiel à retenir.

Illustration
Des encarts dans le texte illustrent le sujet traité au moyen d'exemples ou d'anecdotes. La plupart des exemples du texte sont tirés de la réalité québécoise et canadienne.

Outil
Les formules mathématiques, les tables et les graphiques sont présentés sous forme d'outil susceptible d'être utilisé par le lecteur dans l'accomplissement de ses tâches de marketing.

Internote
Afin d'enrichir vos connaissances, laissez marcher vos doigts... sur le clavier de votre ordinateur et visitez ces sites *Web*.

Règle d'or
Le texte est émaillé de 15 règles d'or du marketing. Suivez-les, car comme tous les adages, elles sont le fruit de l'expérience et de la sagesse.

Les exercices et les sujets de réflexion à la fin de chaque chapitre ont pour but d'aider l'étudiant à vérifier sa compréhension des sujets traités. On trouvera également en fin de chapitre un cas-discussion et/ou un cas-lecture. Les cas-discussions présentent en quelques pages une situation problématique de marketing et invitent l'étudiant à formuler une solution. Les cas-lectures sont des documents d'information et d'illustration en rapport avec le sujet du chapitre.

Des lecteurs choisis

Ce livre s'adresse notamment aux personnes qui font partie des groupes suivants :

- l'étudiant francophone nord-américain engagé dans un programme d'auto-apprentissage ou d'enseignement à distance;
- les étudiants du niveau collégial (cégep);
- les étudiants du niveau universitaire (baccalauréat);
- les personnes inscrites à un programme de formation continue (séminaires d'introduction au marketing, d'éducation aux adultes, etc.).

Le Marketing... de l'idée à l'action est divisé en 12 chapitres et peut être étudié en un trimestre, au rythme d'un chapitre par semaine.

Les professeurs peuvent également consulter un **Manuel Pédagogique** contenant des conseils pédagogiques, des acétates, des suggestions de plans de cours et des contenus de séances à l'adresse : www.trytel.com/~jps/marketing

Troisième édition

Nous remercions nos lecteurs, professeurs, praticiens et étudiants qui ont accueilli favorablement les deux premières éditions de ce livre, et nous ont incité à remanier le manuscrit pour vous présenter **un livre de marketing du XXIe siècle**. *Internet* est sans aucun doute le phénomène marquant du marketing aujourd'hui. Non seulement il introduit une nouvelle forme de commercialisation, le **marketing numérique**, mais il facilite la tâche des chercheurs en mettant à leur portée une information riche, et dans la plupart des cas, gratuite. La troisième édition de ce livre permettra au lecteur de vivre l'évolution actuelle du marketing, et de tirer parti de l'outil de marketing qu'est devenu *Internet*.

Remerciements

La rédaction de la première édition de ce livre a été rendue possible grâce à une généreuse subvention de la firme *Bombardier*. Nous la remercions très sincèrement. Merci également à Guy Ara, Andrée-Anne Chénier, Marie Comtois, Jean Guindon, Hans LaRoche, Diane Miquelon, Caroline Roberge et Saïd Zouiten pour avoir contribué directement à la rédaction de la première édition de cet ouvrage. Par ailleurs, les commentaires de Serge Lafrance, François Marticotte et Richard Vézina ont été très utiles lors de la préparation de la deuxième édition, ainsi que ceux de Gilles Corriveau pour la troisième édition.

Enfin, merci aux professeurs et professeures, étudiants et étudiantes qui ont utilisé les premières éditions de ce livre et qui, grâce à leurs commentaires et à leurs encouragements, nous permettent de vous présenter cette troisième édition, revue, corrigée et, nous l'espérons, encore meilleure.

Jean-Paul Sallenave
Alain d'Astous
marketing@softhome.net

Introduction

Chapitre 1

J'ai une idée...

Qui d'entre nous n'a eu l'idée un jour d'un produit ou d'un service nouveau qui puisse être commercialisé ? Ou encore, qui n'a éprouvé le besoin d'innover sachant qu'un produit ou qu'un service faisait défaut ?

Besoin : État de privation ressenti par une personne ou un groupe de personnes — par exemple une entreprise.

Éva Nellas est étudiante en administration dans une université anglophone de Montréal. Quelques jours plus tôt, elle avait décidé d'assurer elle-même le déménagement de ses meubles dans son nouvel appartement. Comme le raconte Alain Tadsous, son copain étudiant en génie mécanique : « *le déménagement a été un désastre du début à la fin : d'abord, le capot du coffre de sa vieille auto ne restait pas ouvert et lui retombait sur la tête chaque fois qu'elle l'ouvrait, et à la fin, elle n'a pas pu le fermer, si bien qu'elle a perdu la moitié de ses meubles en route, tandis que le capot battait à tous vents et endommageait les meubles restants* ».

Éva qui arbore en effet une belle bosse sur la tête est vexée au seul souvenir de cette pénible aventure et s'en prend à Alain pour se soulager : « *Toi, le génie mécanique, au lieu de rigoler, tu aurais mieux fait de trouver un système pour fixer le capot du coffre en bonne position...* »

Nous venons d'identifier un besoin. Tous les automobilistes ont eu à un moment ou un autre à transporter des objets encombrants, et ont vainement essayé d'assujettir le capot du coffre en position semi-ouverte au moyens de cordages, de bandes élastiques ou autres solutions de fortune.

L'exhortation au génie d'Alain n'était pas tombée dans l'oreille d'un sourd. Quelques jours plus tard, il présenta fièrement à Éva le croquis de sa nouvelle invention qu'il avait déjà baptisé le « *homard* ».

Alain (visiblement satisfait de lui-même) : « *Regarde comme c'est ingénieux. Le problème, c'est que les coffres des différents modèles d'auto ont des formes et des dimensions variables, j'ai donc imaginé un dispositif léger, solide et adaptable à tous les modèles grâce à un système de serrage ajustable à la base du coffre et à une pince rotulée au sommet…* »

L'idée

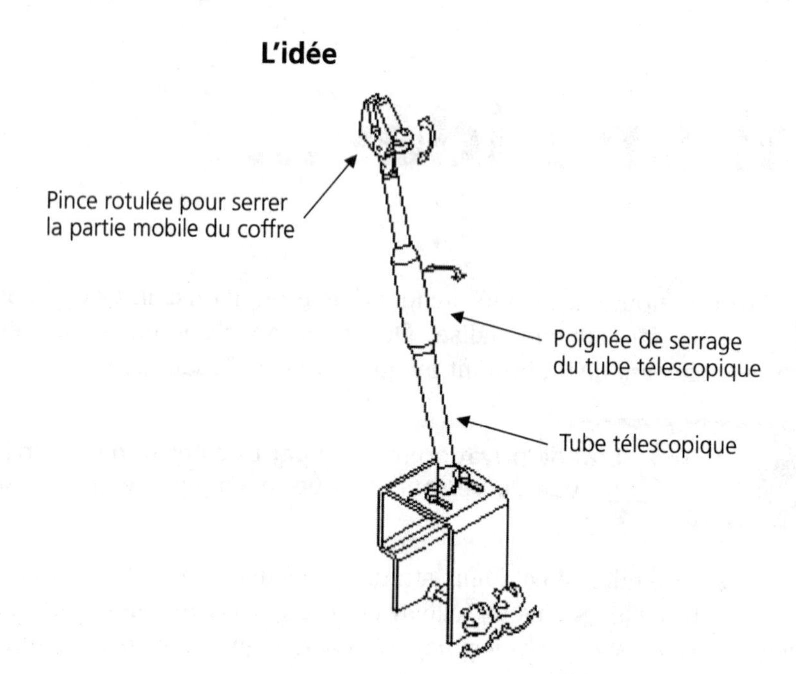

Éva fit une moue dubitative en se frottant la bosse : « *Ouais, mais comment vas-tu maintenir le capot du coffre dans la position voulue ?* »

Alain (sourire pincé) : « *La poignée de serrage du tube télescopique permet de donner au tube la longueur désirée et de la maintenir…* »

Éva (interrompant) : « *Tout ça c'est bien beau sur papier, mais ton "homard" ce n'est encore qu'une idée* ».

Ce ne sont pas les besoins ni même les idées qui manquent. Mais alors, pourquoi tant de besoins demeurent-ils insatisfaits et tant d'idées ne donnent-elles pas naissance à des produits ou à des services facilement accessibles ?

C'est qu'entre l'idée et la commercialisation effective et réussie d'un produit ou d'un service, il y a de nombreuses étapes à franchir. Le chemin que nous allons parcourir ensemble, de l'idée à l'action, constitue le champ d'étude du **marketing.**

figure 1.1 **Champ d'étude du marketing**

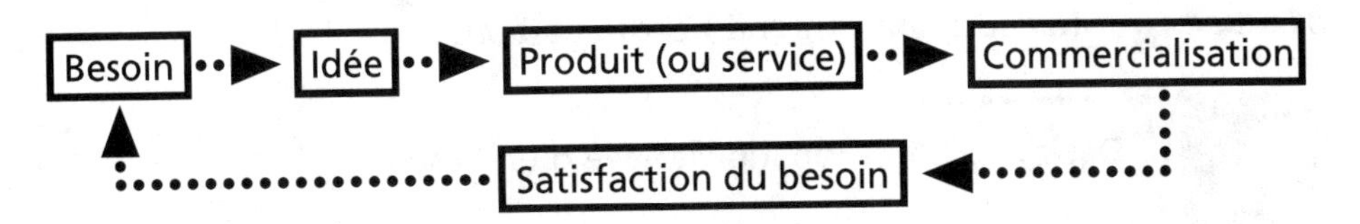

LE CHAMP D'ÉTUDE DU MARKETING

Le champ d'étude du marketing tel que décrit à la Figure 1.1 implique que le périple auquel nous vous invitons dans ce livre commence par l'étude des besoins des consommateurs et a pour but de satisfaire ces besoins. Il ne suffira pas d'avoir l'idée d'un produit, encore faudra-t-il le mettre au point, le produire, le faire connaître, l'acheminer vers l'acheteur potentiel et le lui vendre à des conditions qui satisfassent tous les intervenants : le fabricant, les intermédiaires (distributeurs, grossistes, détaillants) et l'acheteur lui-même.

Mais revenons au point de départ, les besoins, et faisons tout de suite le procès du marketing.

Accusation : Le « marketing » consiste à nous vendre des produits dont nous n'avons pas besoin. Allez au *Salon des Inventions* et vous constaterez que la plupart des produits sont ingénieux mais inutiles. Le marketing, c'est du vol !

Défense : L'accusation prétend que le besoin est créé par le produit, alors que nous disons que le produit répond au besoin. Entendons-nous d'abord sur la notion de besoin.

Les besoins des individus sont nombreux et variés, ils vont des besoins de base, tels que s'alimenter et se vêtir, aux besoins psychologiques plus complexes, tel que se vêtir d'une façon particulière dans le but de projeter consciemment ou non une certaine image de soi. Les besoins des entreprises sont tout aussi nombreux ; il ne faut pas réduire le champ du marketing au seul **marketing des biens de consommation,** mais considérer également le **marketing des services** qui s'adresse tant aux individus (ex : services hospitaliers) qu'aux entreprises (ex : consultation en gestion), et le **marketing des biens industriels** (outillage, matières premières, équipement industriel, etc.). L'accusation concédera sans doute que les besoins dont nous parlons sont réels.

Accusation : Oui, mais s'il est vrai que nous avons tous besoin de nous vêtir, avons-nous besoin d'acheter une chemise de 50 $ portant la griffe d'un fameux couturier étranger alors que nous pourrions acheter une chemise équivalente, de marque inconnue, à moitié prix?

Défense : L'accusation confond **besoin** et **désir**!

Désir : Expression individuelle d'un besoin

Les individus expriment leurs besoins par des désirs qui se matérialisent en des produits ou des services qu'ils aimeraient recevoir. Ces désirs sont très fortement influencés par le contexte psychologique et culturel des individus. Les gens ne s'habillent pas de la même façon à Montréal et à Stockholm, pourtant le besoin est le même. Un Italien prendra du vin, alors qu'un Québécois commandera une bière; pourtant, tous les deux ont la même soif.

Un bon vendeur sait qu'il ne faut pas confondre **besoin** et **désir.** Ainsi, si le client vient acheter du prélart, le bon vendeur s'enquiert aussitôt de l'emploi qui en sera fait, afin de proposer au client la sorte de prélart la mieux appropriée à son besoin, ou lui présentera peut-être d'autres options de recouvrements de plancher.

Il influence ainsi la **préférence,** c'est-à-dire le choix que fait le consommateur entre plusieurs options de produits ou de marques.

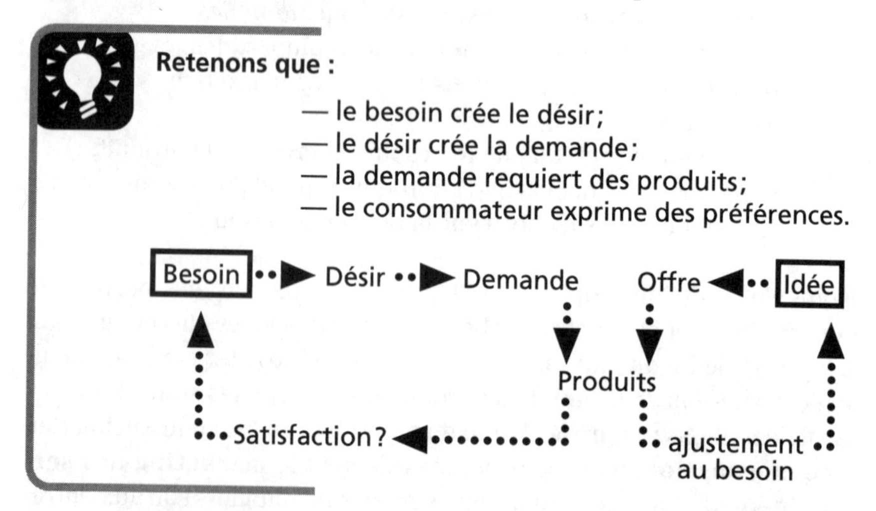

Le marketing est donc une activité dont l'objectif est de satisfaire les besoins et désirs de certaines personnes ou organisations. Le marketing requiert un *échange* entre le vendeur qui offre un *produit* et l'acheteur qui lui verse un *paiement.*

L'accusation voudrait nous laisser croire que l'on peut vendre à quelqu'un un produit dont il n'a pas besoin. À cela nous répondons qu'il ne nous appartient pas de décider ce dont les individus ont besoin, c'est à eux de décider librement, du moins dans les pays d'économie libérale et dans une économie d'abondance, c'est-à-dire lorsque les consommateurs ont un **pouvoir d'achat** suffisant pour satisfaire leurs besoins de base et faire des **dépenses discrétionnaires.** Nous concédons à l'accusation que le marketing stimule les besoins existants ou latents des consommateurs et leur en fait prendre conscience, mais vous n'arriverez pas à nous convaincre que l'on puisse « attraper des mouches avec du vinaigre » ou vendre un produit à quelqu'un qui ne le désire pas. Les entreprises qui ont du succès sont celles qui conçoivent et adaptent leurs produits ou services en fonction de leur clientèle. On estime que 80 % des nouveaux produits ne suscitent aucun intérêt. La plupart des échecs sont dûs à une mauvaise analyse des besoins de la clientèle, ou au fait que le produit mis en marché ne répond pas adéquatement au besoin qu'il prétend satisfaire. Or, **un produit, c'est une promesse de satisfaction d'un désir ou d'un besoin faite par un vendeur à un acheteur.**

Ainsi, au sens économique, le produit englobe tout ce qui est susceptible d'être vendu, ou de servir de base à un échange, c'est-à-dire :

les produits tangibles : ceux que l'on peut voir et toucher (produits alimentaires, produits industriels);

les produits intangibles : tel joueur de hockey célèbre « vend » son nom, ou plutôt en concède l'usage à un fabricant de bâtons de hockey qui l'utilisera comme marque de commerce : le nom est alors un produit intangible;

les services : hôpitaux, agences de voyage, banques;

les technologies : la compagnie Concast vend l'expertise technique de la fabrication d'acier selon la méthode de la coulée continue partout dans le monde.

Produit : Promesse de satisfaction d'un besoin ou d'un désir d'un client, susceptible d'être vendue ou de servir de base à un échange.

Dans ce livre, le mot « produit » sera utilisé, sauf spécification contraire, au sens énoncé ci-dessus et englobe les produits, les services et les technologies.

La Figure 1.2 montre ce que l'on appelle communément la vente. Cette activité est avant tout un **échange** entre le vendeur qui remet le produit à l'acheteur en contrepartie d'un paiement **en nature** (marchandises ou services donnés en échange, troc) ou **en espèces** ($). Cet échange est l'aboutissement du marketing. Tout ce que vous apprendrez dans ce livre tend vers un but : que cet échange ait lieu à la satisfaction des deux parties. Pour y parvenir, certaines conditions préalables doivent être réunies :

- il faut qu'il y ait deux parties : l'offreur et le demandeur; chaque partie peut être une personne physique ou une organisation (entreprise, institution);
- chaque partie possède quelque chose qui a de la valeur pour l'autre. L'offreur a un produit, un service ou une technologie; le demandeur paie avec de l'argent ou échange un produit, un service ou une technologie de valeur jugée équivalente;
- les deux parties peuvent communiquer et effectuer l'échange;
- chaque partie peut accepter ou rejeter l'offre : il n'y a pas de marketing par contrainte.

figure 1.2 **L'échange est au cœur du marketing**

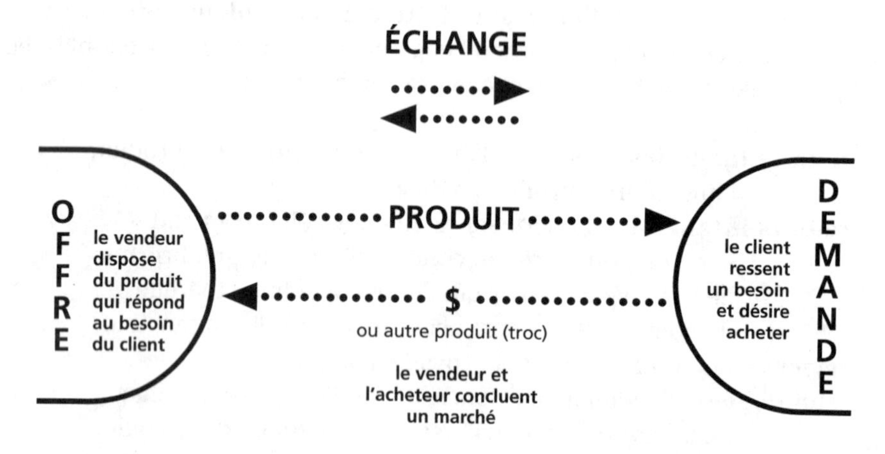

Cet échange réciproque (la vente) se déroule à la satisfaction mutuelle des parties et est l'aboutissement du marketing. La vente n'est qu'une étape du marketing, étape critique certes, puisque sans elle il n'y a pas de marketing possible, mais il ne faut pas réduire tout le marketing à la vente. Enfin, il est aussi illégitime de parler d'« aboutissement » du marketing car comme le montre la Figure 1.3, le marketing est une chaîne continue d'activités. Après la vente vient le **service après vente :** pensez seulement au marketing des automobiles. À cette étape, on peut aussi enquêter sur le degré de satisfaction des consommateurs dans le but d'améliorer le produit ou le service ou même d'offrir des produits ou services complémentaires. Dans cette perspective, le marketing ne finit jamais, c'est une activité continue de **recherche** et d'**action,** tant au sein de l'entreprise que dans le milieu environnant, ayant pour but d'ajuster l'offre de l'entreprise aux besoins et désirs des consommateurs. Sans cet ajustement permanent, il n'y aura pas de vente, donc pas de ressources, donc pas d'entreprise. Le marketing est au cœur de l'action d'entreprise.

DU BESOIN AU PRODUIT

Les activités de marketing peuvent, en première analyse, être classées en trois catégories :

Création : ensemble des activités situées en amont du produit, aboutissant à la mise au point de ce dernier;

Mise en marché : ensemble des activités de commercialisation (stockage, distribution, publicité, vente, etc.) du produit;

Recherche : activité continue portant sur tous les maillons de la chaîne des activités de marketing et visant à améliorer la satisfaction de tous les intervenants (entreprise, distributeurs, clients...). En maintenant une activité de recherche, l'entreprise reste à l'écoute de son marché, condition nécessaire pour :

- **créer** de nouveaux produits et **améliorer** les produits existants
- mieux **servir** le client
- mieux **communiquer** avec les clients potentiels

figure 1.3 **Les activités du marketing**

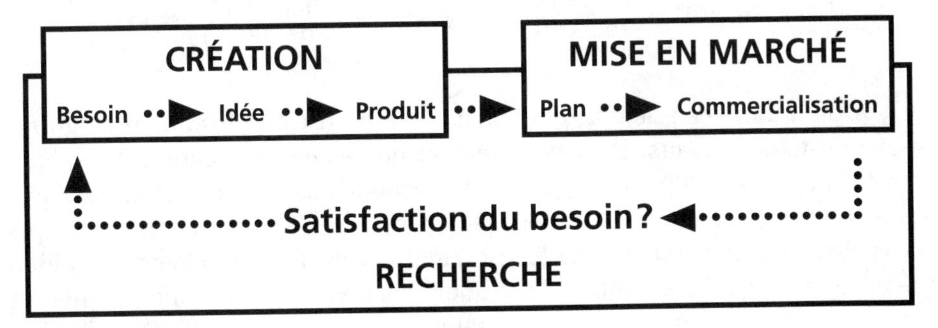

La création

Certaines personnes ne voient dans le marketing qu'un exercice de communication. Elles imaginent un vendeur vantant les mérites d'un produit à un client réticent. Pour d'autres, le marketing évoque des camions de livraison ou encore de la paperasse : factures, bons de commandes, certificats de garantie et ainsi de suite. En fait, le marketing a bien plus de facettes qu'on ne l'imagine communément et l'un des aspects les plus méconnus du marketing est sans doute la **création.** Le marketing est une activité créatrice qui met au monde un produit qui a pris racine dans l'analyse des besoins des clients.

La création d'un produit nouveau est un **processus** dont nous allons étudier les étapes une à une. La création se distingue de la **créativité,** cette dernière étant une **qualité** propre à un individu ou un groupe, qui appliquée à la création d'un produit, aboutit à une **innovation.** Dans les chapitres suivants, nous verrons que le marketing requiert de la créativité non seulement pour imaginer un produit qui réponde aux besoins de la clientèle, mais aussi dans pratiquement tous les champs d'action du marketing tels que la publicité, la promotion et les méthodes de recherche. Pour l'instant, nous nous limiterons à la créativité rencontrée sur le chemin qui conduit de l'analyse du besoin à la mise au point du produit :

figure 1.4 **Les étapes de la création**

et examinons de plus près les sous-étapes du chemin :

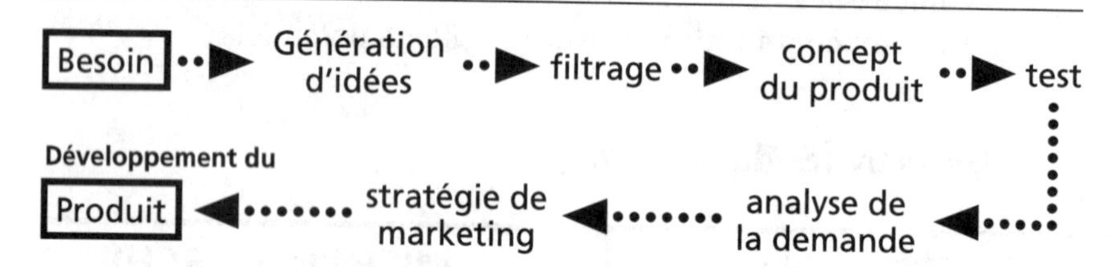

Un produit nouveau ne naît pas spontanément. Il est le fruit d'un long processus de tâtonnements. Bien des idées et des ébauches devront être abandonnées en chemin. Plusieurs études ont démontré le taux de mortalité élevé des idées dans la recherche de nouveaux produits. Cependant, les meilleures entreprises sont constamment à l'affût d'idées nouvelles, car elles savent bien que même si la majorité d'entre elles n'aboutiront pas, quelques-unes donneront naissance à des produits commercialisables, et qui sait, l'une d'entre elles engendrera peut-être un produit qui aura un succès retentissant.

Illustration 1.1

Marchera, marchera pas ?

Comment prédire le succès d'un nouveau produit ? Quelle est la recette miracle ? Beaucoup d'études se sont penchées sur ce problème important de marketing. Cela n'est pas étonnant quand on songe qu'au moins 60 % des nouveaux produits introduits sur le marché connaissent des échecs. Malgré tous les efforts des chercheurs en marketing, on ne connaît pas encore les facteurs de succès d'un nouveau produit (autrement, les échecs seraient moins nombreux !). Des chercheurs américains ont récemment étudié la question et en sont venus à la conclusion que la source du succès d'un nouveau produit, c'est l'idée elle-même. Cela peut paraître banal, mais ces chercheurs concluent qu'un produit gagnant est un produit fondé sur une idée gagnante. Mais qu'est-ce qu'une idée gagnante ? Selon ces chercheurs[1], une idée de produit peut être étudiée selon trois aspects : sa nouveauté (pour les consommateurs, pour la firme, du point de vue de la technologie), sa source (découverte d'une solution à un problème, invention de l'esprit, recherche en marketing, analyse d'une tendance) et les principaux bénéfices pour le consommateur (technologique, réponse à un besoin, économique, gadget). À partir des trois critères énumérés ci-dessus, les chercheurs ont demandé à des juges de classer 197 nouveaux produits parmi lesquels 111 ont connu le succès et 86 un échec. Sur la base des résultats, ils conclurent que les produits à succès sont issus d'idées modérément nouvelles impliquant une technologie courante, rencontrant les besoins du marché et s'inspirant des pratiques de consommation existantes. Le shampooing est l'exemple d'un nouveau produit (à l'époque !) rencontrant ces critères. Il s'agissait d'une idée qui n'était pas entièrement nouvelle (le savon existait), qui nécessitait une technologie très simple, qui répondait à un besoin véritable et qui s'inspirait d'une pratique courante (les gens se lavaient les cheveux avec du savon). Par contre, les produits qui connaissent des échecs sont ceux qui font appel à une technologie récente, qui suivent une tendance et dont le but n'est pas de satisfaire un besoin ou de résoudre un problème. La cigarette « sans fumée » est un exemple d'un produit qui a été un échec, parce que la technologie impliquée dans la fabrication de ce produit n'avait pas été éprouvée. Certes, le besoin était là, mais surtout chez les personnes qui sont dans l'entourage du fumeur plutôt que chez le fumeur lui-même. Ces chercheurs affirment que les consommateurs n'aiment pas être des cobayes. Ils aiment le progrès en toute sécurité : ils préfèrent des produits raisonnablement nouveaux et qui ne se différencient pas trop des produits que les firmes mettent habituellement en marché. Avis aux inventeurs !

La génération d'idées et l'innovation

Mais où donc trouver des idées ? Le point de départ, comme toujours en marketing, est le consommateur final. De quoi a-t-il besoin ? Observons-le dans ses tâches quotidiennes et dans l'accomplissement de son travail, et nous aurons peut-être l'idée d'un produit susceptible de répondre à ses besoins.

L'idée du « *homard* » d'Alain et Éva ne provient pas d'un laboratoire de recherche et de développement, mais est née de l'exaspération d'une automobiliste et du génie de son copain.

Les vendeurs sont aussi une excellente source d'idées, car ils sont en contact permanent avec les clients et connaissent leurs besoins et leurs problèmes. Les intermédiaires de distribution, les grossistes et les détaillants, sont également à l'écoute du marché et peuvent relayer des idées au fabricant. Il existe aussi un « marché des idées » en ce sens que des firmes sont prêtes à concéder un brevet ou le droit de fabriquer sous licence, et de commercialiser moyennant le paiement de redevances. Des firmes de recherche et développement et des bureaux de recherche en marketing sont également prêts à offrir leurs services.

À côté de ces sources d'idées externes à l'entreprise, il faut bien sûr tirer le meilleur parti des idées pouvant venir de l'intérieur même de l'entreprise, et non seulement du département de Recherche & Développement s'il existe, mais aussi des employés. Les firmes japonaises ont été les premières à exploiter le potentiel d'idées de leurs employés, en créant des groupes de discussion et des **cercles de qualité** où chacun est invité à suggérer des améliorations et des **innovations.** Il en va de même de la concurrence. L'innovation d'un concurrent peut suggérer des améliorations à une autre entreprise.

Le succès commercial n'est pas forcément lié à une **innovation radicale,** c'est-à-dire à un produit absolument nouveau. C'est souvent une **amélioration** d'un produit existant qui donne l'avantage à un concurrent par rapport à un autre. Enfin, certaines entreprises copient tout simplement le produit d'une autre. Cette stratégie d'**imitation** n'est pas toujours mauvaise, car l'imitateur n'a pas à défrayer les coûts de développement du produit qu'il copie et peut donc l'introduire sur le marché à un prix plus bas, ce qui lui procure un avantage par rapport à l'innovateur. Pendant des années, on a accusé les firmes du Japon, de Taïwan, de Singapour et de la Corée du Sud de n'être que des imitateurs. Cela n'est plus toujours aussi vrai. Par ailleurs, si l'on observe les progrès économiques réalisés par ces pays asiatiques, on doit admettre que ce fut une bonne stratégie.

On a coutume de classer les innovations selon leur **nature,** leur **provenance** et leur **point d'application.**

Une innovation peut être de nature technologique ou bien commerciale.

L'idée innovatrice peut provenir soit d'activités de R & D (Recherche et Développement) conduites dans les firmes ou dans les laboratoires de recherche, soit de suggestions des consommateurs eux-mêmes. Dans le premier cas, on dit qu'il y a innovation par **pression technologique,** alors que dans le deuxième cas, il s'agit d'**aspiration par le marché.** Les entreprises manufacturières sont toujours à l'affût de nouvelles inventions provenant de leurs laboratoires ou de ceux des centres de recherche existant dans les universités. Les progrès technologiques créent des opportunités et les premiers à mettre au point un produit technologiquement nouveau et adapté aux besoins des consommateurs auront un avantage de marketing appréciable. Être à l'affût des découvertes technologiques est essentiel dans les entreprises de haute technologie dont la survie commerciale dépend de la compétitivité technique de leur produit. Par exemple, les grandes entreprises manufacturières d'équipement de télécommunication réinvestissent en moyenne plus de 10 % de leurs ventes en recherche et développement. Elles ont créé en outre des filiales qui se consacrent uniquement à la recherche. De plus, les gouvernements financent des activités de recherche dans les universités et les centres de recherche, ce qui bénéficie directement aux entreprises.

Innovations technologiques	
Matériau nouveau	ex. : nylon
Système nouveau	ex. : pneu radial
Produit fini nouveau	ex. : lentilles cornéennes
Systèmes complexes	ex. : ordinateurs
Conditionnement nouveau	ex. : café soluble
Utilisation de nouveaux ingrédients	ex. : le nouveau Coke
Procédés nouveaux	ex. : chirurgie au laser

Innovations commerciales	
Nouvelle présentation	ex. : Camembert en tube (plus facile à tartiner !)
Nouveau mode de distribution	ex. : DIM (bas-culottes vendus en France par machines distributrices)
Nouvelle utilisation du produit	ex. : Arm & Hammer (bicarbonate de soude)
Nouveau moyen de promotion	ex. : Tupperware (vente par rencontres de voisinages... « Tupperware parties »)
Nouveau système commercial	ex. : paiement par carte de débit

Être à l'affût de la technologie ne dispense pas l'entreprise d'être aussi à l'écoute du consommateur, bien au contraire. C'est le consommateur qui suggère souvent une innovation soit en exprimant un besoin que l'entreprise pourrait satisfaire via un produit nouveau, soit carrément en passant une commande spéciale obligeant ainsi l'entreprise à modifier ses produits existants.

*Exemple : Autrefois, au Canada, tous les téléphones étaient semblables : noirs et lourds, tous du « Modèle 500 » dans la terminologie de Nortel. Aujourd'hui, le téléphone résidentiel n'est plus essentiellement un produit technologique, c'est avant tout un objet décoratif qui doit être assorti au mobilier et aux couleurs de la pièce dans laquelle il se trouve. C'est l'***aspiration** *par le marché qui a amené les fabricants de téléphones à étendre leurs lignes de produits et à innover au niveau du design et des coloris.*

Enfin, une innovation a trois points d'application possible :

- elle peut s'appliquer au **produit** lui-même : l'idée d'un produit nouveau est généralement inspirée par l'existence d'une nouvelle technologie.
  Exemple : la firme Dupont a introduit sur le marché un cuir synthétique sous le nom de Corfam.
- elle peut s'appliquer à la **perception** que le consommateur a du produit, sans en changer les attributs fondamentaux.
  Exemple : le « shampoing pour bébé » de Johnson & Johnson est avant tout un shampoing; cependant, le consommateur le perçoit comme appartenant à une classe différente de shampoing.
- enfin, l'innovation peut consister à provoquer un changement dans le **comportement** du consommateur ou dans l'utilisation qui est faite du produit.
  Exemple : lorsque la firme américaine Arm & Hammer a suggéré de placer un paquet de bicarbonate de soude dans le réfrigérateur pour enlever les mauvaises odeurs, elle n'a pas innové quant au produit, cependant, il s'agissait d'une innovation de marketing.

Le filtrage

La mise au point d'un produit à partir d'une idée coûte cher, en temps et en argent, surtout dans les secteurs de haute technologie. Et même si un nouveau produit pouvait être mis au point à peu de frais, il pourrait en coûter très cher à l'entreprise d'essuyer un échec lors de sa commercialisation. Il faut donc soumettre les nouvelles idées à un filtrage rigoureux. Dans un premier temps, cette étape permet d'abandonner le plus tôt possible les idées les moins prometteuses, avant qu'elles n'entraînent des coûts en temps et en argent. Dans un deuxième temps, le filtrage d'idées permet de promouvoir celles qui ont le meilleur potentiel.

Le filtrage se fait à travers deux tamis que l'on peut décrire sous forme de questions :

1. l'idée est-elle appropriée à nos activités ?

2. l'idée pourra-t-elle aboutir à un produit commercialisable ?

1. Lorsqu'elles développent des nouveaux produits, les entreprises cherchent à créer avant tout des produits qui s'intègrent facilement dans la gamme existante et cela, afin d'obtenir le maximum de **synergie** — les nouveaux produits doivent être complémentaires à ceux que l'entreprise commercialise déjà.

*Dans les années '70, Bombardier a encouragé les idées de produits récréatifs d'**été** (Seadoo, voilier Invitation) de façon à compléter sa gamme de produits récréatifs, qui était jusqu'alors orientée vers les produits d'**hiver** (Skidoo).*
En 1974, Gillette a abandonné l'idée de commercialiser des cassettes audio car ce produit éloignait trop la compagnie de son marché traditionnel. Il n'y avait pas de synergie.

2. Par contre, d'autres firmes se soucient peu de synergie commerciale et recherchent avant tout un produit rentable.

Bic, à travers ses filiales, œuvre dans le secteur du stylo-bille, des rasoirs, des planches à voile et des bas de nylon.

Le concept du produit

Alors que l'idée d'un produit fait surtout appel à l'imagination et à la créativité, le concept du produit précise quelles devront être les caractéristiques perçues par l'acheteur pour que le produit en question soit viable.

Exemple :

Idée : Transporter le bois de coupe de la forêt à la scierie en ballon dirigeable.

Concept du produit :
- *ballon d'envergure comprise entre 30 m et 50 m*
- *amarrage possible en forêt*
- *coût d'opération inférieur à 100 $ / heure*
- *charge utile : 25T*
- *coût ne dépassant pas 20 000 $.*

Le concept, on le comprend aisément, est beaucoup plus facile à tester auprès des acheteurs éventuels qu'une simple idée qui peut parfois paraître farfelue. C'est par le test du concept du produit que l'entreprise parvient à mieux cerner ce que veut le consommateur ou client éventuel. « Que veut le consommateur ? » est en fait la question point de départ de tout exercice de marketing. C'est pourquoi nous approfondirons cette question dans la première partie de ce livre.

Le test du concept

On imagine qu'il serait coûteux de construire d'abord un ballon dirigeable pour le transport du bois, puis d'aller demander aux acheteurs éventuels ce qu'ils en pensent. Il est préférable de définir le plus précisément possible les caractéristiques techniques du produit en termes utiles pour l'acheteur. Avant de se prononcer sur l'achat éventuel d'un tel produit (qui n'existe pas encore), celui-ci voudrait en effet savoir quels en seront les **coûts et bénéfices.**

Le test du concept du produit consiste donc à inviter un groupe d'acheteurs potentiels à imaginer le produit ; après les avoir renseigné sur les caractéristiques et leur avoir remis parfois une maquette ou un prototype, on leur demande d'exprimer leurs opinions. Ils feront ressortir les points forts et les points faibles du produit projeté ; ils suggéreront aussi des modifications à y apporter et diront finalement à quelles conditions ils seraient susceptibles de l'acheter. Il se peut que l'entreprise ne soit pas capable de satisfaire techniquement ou économiquement ces conditions. Dans ce cas, le projet devra être temporairement abandonné. Le télécopieur (fax), que l'on trouve aujourd'hui dans toutes les entreprises et dans de nombreux foyers, a été imaginé il y a plus de quarante ans, mais la convergence des besoins du marché et des possibilités technologiques en ont retardé l'introduction aux années '80. Pourtant, le concept et le produit lui-même ont été pensés bien avant, mais la technologie et les besoins du marché ont obligé les responsables à reporter sa commercialisation à un moment opportun.

L'analyse de la demande

La production de certains biens, en particulier les biens industriels et les produits de haute technologie, requiert des investissements de départ considérables. La mise au point d'une nouvelle gamme de commutateurs téléphoniques, par exemple, exige des investissements en recherche et en développement qui dépassent la centaine de millions de dollars. Dans ces conditions, la fabrication et la commercialisation du produit ne sont envisageables que si la demande est suffisamment forte pour pouvoir répartir les investissements de départ et les frais fixes sur un grand nombre d'unités vendues, sinon l'affaire ne sera pas économiquement rentable. Tel a été le cas de l'avion supersonique *Concorde* dont la réalisation s'est avérée très coûteuse puisque la compagnie n'a réussi à vendre que 16 unités, ce qui n'a pas permis de récupérer les investissements de développement. Une erreur au niveau de l'appréciation de la demande peut donc avoir des conséquences économiques désastreuses pour l'entreprise. Dans la deuxième partie de ce livre, nous étudierons quelques techniques utilisées en marketing pour estimer le mieux possible la demande éventuelle.

La stratégie de marketing

Supposons que nous ayons eu l'idée d'un produit, et que l'idée ait donné naissance à un concept attrayant du produit, tant au point de vue de la satisfaction des besoins du marché visé, que de la taille espérée de ce marché. Il nous faut maintenant élaborer une stratégie de marketing, c'est-à-dire définir nos objectifs commerciaux avec précision et la façon avec laquelle nous les atteindrons. On devra notamment se demander :

- quel est le marché visé ?

Marché : Ensemble d'acheteurs réels ou potentiels d'un produit.

- comment communiquer notre offre au marché visé, étant donné son comportement d'achat ?
- quels sont nos objectifs de vente (en unités et en $)
- de quel budget faudra-t-il disposer ?
- quelles actions de marketing faudra-t-il mettre en œuvre au plan de la présentation du produit, du prix de vente, du système de distribution, de la publicité, etc. ?

Notons que la stratégie de marketing doit être élaborée, du moins dans ses grandes lignes, et ce, avant même de mettre le produit en production. En effet, l'entreprise peut s'apercevoir à cette phase qu'elle ne sera pas en mesure de commercialiser son produit de façon satisfaisante, soit par manque de ressources, soit par incapacité à motiver suffisamment les acheteurs potentiels ou à démontrer l'utilité du produit, soit à cause de la difficulté à trouver des distributeurs, etc.

Le développement du produit

À la lumière des paragraphes précédents, on aura compris que le développement du produit est en fait la dernière étape de la créativité en marketing, et non la première.

L'erreur que toute entreprise se doit d'éviter est de fabriquer un produit (prototype), puis de se demander comment le vendre. Au contraire, il faut partir de l'analyse du comportement du consommateur pour développer un produit qui réponde à ses besoins et à ses désirs, tout en satisfaisant les objectifs économiques et stratégiques du vendeur. L'analyse du marché est un *input* nécessaire au développement du produit. Bien entendu, les ingénieurs de recherche et de production auront aussi leur mot à dire. Ils construiront sans doute plusieurs prototypes et feront des tests de façon à obtenir un produit qui satisfasse les exigences des acheteurs, qui soit fiable, qui respecte les normes légales qui pourraient s'appliquer, le cas échéant, et qui puisse enfin être fabriqué aux coûts et quantités prévus.

Du produit au marché

Le chemin parcouru depuis l'idée initiale d'un nouveau produit semble déjà long, et pourtant, nous ne savons toujours pas si notre produit sera une réussite commerciale ou un échec. Pour l'instant, nous n'avons qu'un prototype dont nos ingénieurs nous disent le plus grand bien, car il a passé tous les tests techniques en usine. Il lui reste à passer le test le plus difficile : le test du marché.

Le test de marché

L'expérience conduit les praticiens du marketing à se donner des règles de conduite permettant d'éviter de grosses erreurs. Parmi ces règles, il en est une avec laquelle tous sont d'accord : ***Ne jamais lancer un produit sans faire un test de marché.***

La raison en est fort simple : tout nouveau produit paraît être un véritable bijou aux yeux de ceux qui l'ont conçu et mis au point, mais ce qui importe en fin de compte, c'est le comportement des consommateurs : l'achèteront-ils, oui ou non ? Pour en avoir le cœur net, faisons un test de marché, c'est-à-dire offrons à un échantillon de clients potentiels la possibilité d'acheter et d'utiliser le produit dans des conditions normales et voyons quelle est la réaction du marché.

Le test peut prendre plusieurs formes selon le type de produit. Voici quelques exemples.

Panels de consommateurs

Cette méthode est surtout utilisée pour tester les produits de consommation courante. Elle consiste à surveiller les achats d'un groupe restreint de consommateurs (**panel**), à vérifier s'ils achètent le produit lorsque celui-ci est disponible en magasin, à mesurer la fréquence des achats et, au besoin, à procéder à des entrevues dans le but d'évaluer la satisfaction des consommateurs.

Les firmes spécialisées dans l'organisation et l'analyse de panels ont de plus en plus recours à l'électronique pour enregistrer les achats de chaque membre du panel et faire des études statistiquespar exemple, pour mesurer l'influence d'une campagne de publicité sur la fréquence des achats.

Villes-tests

On offre le même produit dans plusieurs villes (**villes-tests**), mais à des conditions d'emballage, de prix et de publicité différentes. Cela permet de voir quelle est la stratégie de marketing la plus appropriée : celle utilisée dans la ville qui a obtenu les meilleurs résultats de vente, à un coût de marketing égal.

Test de comparaison

Un échantillon d'acheteurs est invité à utiliser notre produit et un produit concurrent, puis à nous dire lequel il préfère et pourquoi. Parfois, on ne lui dévoile pas la marque des produits qu'il essaie. Il s'agit alors d'un « test à l'aveugle ».

figure 1.5 **Les étapes de la mise en marché**

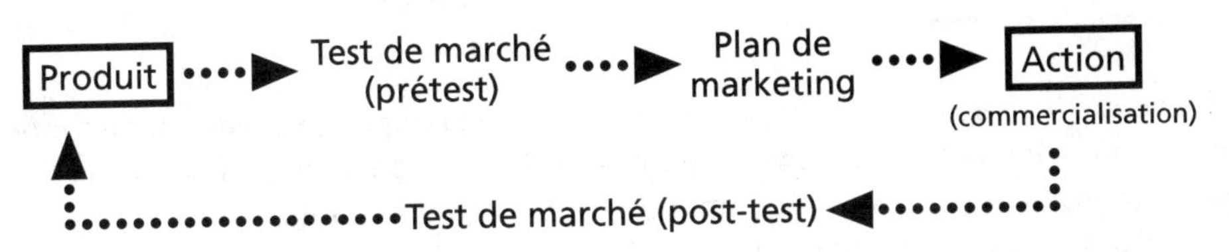

Le but du test de marché (pré-test) est de prédire la performance commerciale d'un nouveau produit lorsqu'il sera mis en marché à grande échelle. On fera un autre test (post-test) après le lancement du produit, afin de mesurer les écarts entre la prévision et le réel et faire les ajustements nécessaires au niveau de la publicité, du prix et de la distribution, et ce, afin qu'il soit bien reçu.

Il est impératif de conduire le test scientifiquement et dans des conditions réalistes, c'est-à-dire qui s'approchent le plus possible des conditions normales d'achat. A.C. Nielsen, une des firmes les plus connues dans l'organisation de tests de marché, estime que 75 % des produits qui sont testés avec succès deviennent effectivement des succès commerciaux lorsqu'on les commercialise à grande échelle, tandis que 80 % des produits non testés échouent.[2]

Le plan de marketing

Décidément, notre idée initiale de produit paraît bonne. Elle nous a permis de définir un concept du produit, de mettre au point un prototype et de tester le produit auprès d'un échantillon de consommateurs. Ceux-ci nous ont sans doute suggéré quelques modifications et nous les avons effectuées. Sommes-nous maintenant prêts à **lancer** ou **mettre en marché** notre produit, c'est-à-dire le commercialiser à l'échelle du marché visé ? Pas tout à fait, car il nous faut respecter une autre règle d'or des praticiens du marketing : **Pas de commercialisation sans plan de marketing.**

On imagine mal qu'un pilote d'avion, s'étant assuré du bon fonctionnement de son appareil, décide tout à coup de décoller. Il ne le fera pas sans plan de vol, et sans une connaissance exacte des conditions météorologiques et du trafic aérien susceptibles d'affecter son voyage. De la même façon, la commercialisation d'un produit n'est pas une aventure dans laquelle on s'embarque sans rédiger d'abord un plan de marketing.

Plan de marketing : Document écrit décrivant les objectifs commerciaux, les programmes d'actions de marketing, les ressources à mettre en œuvre et leur calendrier.

Le plan de marketing est un document qui, en principe, doit répondre à toutes les questions que le président d'une entreprise pourrait poser à son directeur du marketing concernant la commercialisation d'un produit :

- Que veut le consommateur ?
- Y a-t-il un marché ?
- Que veut l'entreprise ?
- Quelles actions de marketing mettre en œuvre ?

On remarque que ces quatre questions générales et inéluctables du plan de marketing forment aussi le plan de ce livre. Dans les chapitres qui suivent, le lecteur trouvera donc les fondements théoriques et les points de référence pratiques qui lui permettront non seulement de savoir ce qu'est le marketing, mais encore de mettre en pratique ses connaissances, s'il avait un jour à rédiger un plan de marketing. Nous conseillons au lecteur d'utiliser le plan-type de la Figure 1.6.

Figure 1.6 **La structure du plan de marketing**

Sommaire

Contexte

- analyse de l'environnement externe
- analyse de l'environnement interne
- hypothèses de travail

Objectifs commerciaux

Stratégie

Programmes de marketing

Documents financiers

Système de contrôle

Plans de contingence

Le SOMMAIRE au début du plan permet au lecteur n'ayant ni le temps ni l'envie de s'informer du plan dans les détails, d'en avoir au moins un aperçu général mettant en lumière les objectifs, la stratégie suivie et les résultats escomptés.

La section intitulée CONTEXTE trace un bref historique du chemin déjà parcouru de l'idée au concept du produit puis au produit lui-même, et donne les résultats des tests de marché.

On procède ensuite à une double **analyse de situation :**

- celle de l'**environnement externe** de l'entreprise, c'est-à-dire : l'analyse du consommateur (voir partie I), l'analyse de la demande et de la concurrence (voir partie II) et enfin, l'étude des facteurs environnementaux susceptibles de modifier les conditions du marché (ex : dispositions légales, découvertes technologiques, etc.);
- le deuxième volet de l'analyse de situation concerne l'**environnement interne** de l'entreprise : ses ressources, ses forces et ses faiblesses dans la perspective de la commercialisation du produit envisagé.

La section CONTEXTE se termine par une description des hypothèses de travail qui sous-tendent l'ensemble du plan. Ces hypothèses peuvent toucher par exemple le consommateur (changera-t-il ou non de comportement d'achat pendant la durée du plan? son revenu moyen variera-t-il? etc.); le comportement de la concurrence (quelle sera sa réaction face à la mise en marché de notre produit?); les disponibilités budgétaires de l'entreprise pour financer l'effort de marketing décrit dans le plan.

Pas de stratégie sans objectif! La section suivante du plan de marketing énonce donc les OBJECTIFS COMMERCIAUX de l'entreprise. Que veut l'entreprise ? (voir partie III). On répond à cette question à la fois en termes **absolus** (chiffre d'affaires à atteindre, rentabilité, ratios financiers) et en termes **relatifs** à la concurrence : part de marché, segmentation et positionnement (termes qui seront explicités dans les chapitres suivants). Les objectifs répondent à la question « où voulons-nous aller ? » : La STRATÉGIE nous dit **comment** nous atteindrons le but, tandis que les PROGRAMMES DE MARKETING décrivent dans le détail les actions à engager, les décisions à prendre quant au *design* du produit, son conditionnement, son prix, la publicité, la promotion, la vente, la distribution... (voir partie IV).

Les trois dernières sections du plan de marketing constituent en quelque sorte des annexes :

- les DOCUMENTS FINANCIERS comprennent les **budgets** (dépenses de publicité, promotion, vente, recherche, améliorations du produit) et les **états de résultats prévisionnels** (coûts, revenus, profits, rentabilité).
- la section SYSTÈME DE CONTRÔLE décrit l'information nécessaire pour contrôler la bonne exécution du plan (encore une règle d'or : **Pas de planification sans contrôle !**), les sources d'information et le traitement de l'information obtenue. On fait généralement la distinction entre les sources d'**information primaire** (renseignements obtenus directement par l'entreprise ou d'un consultant auprès des consommateurs ou des distributeurs) et les sources d'**information secondaire** (renseignements statistiques, rapports des vendeurs, publications).

- enfin, le planificateur bien avisé prévoit toujours des PLANS DE CONTINGENCE, c'est-à-dire des alternatives de stratégie à suivre si les hypothèses de travail s'avèrent erronées ou si, plus simplement, les choses ne se passent pas comme on l'avait prévu.

Le marketing en action

Le plan de marketing est un document écrit. Aussi beau soit-il, ce n'est qu'un bout de papier, un plan de jeu. Il est temps de jouer la partie, c'est-à-dire de voir le marketing en action (voir partie IV), et de constater que le marketing n'est pas un exercice intellectuel et impersonnel. Le meilleur plan échouera si les personnes chargées de le mettre en œuvre ne sont pas à la hauteur. Un produit ne se vend pas tout seul, c'est le vendeur qui fait la vente... ou la rate. Un gros budget ne suffit pas à faire une bonne publicité, c'est le créateur publicitaire qui trouve ou non un bon moyen de communiquer efficacement le message au marché. Supposez que nous vendions des automobiles. Nos modèles sont excellents, notre plan est parfait… mais le succès du marketing dépendra entre autres de l'efficacité des concessionnaires.

Le marketing est une activité humaine. Au bout du compte, il n'y a pas de « bon » marketing sans qu'il y est de « bons » hommes et de « bonnes » femmes de marketing. C'est pourquoi l'entreprise a tout intérêt à veiller à la formation permanente de son personnel commercial, plutôt que de se réfugier derrière des formules dépassées telles que *« on naît vendeur, ou on ne l'est pas »*. De plus, le marketing moderne fait appel à des techniques de plus en plus sophistiquées : il est aussi grave pour une entreprise d'accuser un retard technologique en marketing que d'utiliser des méthodes de production dépassées. Espérons que ce livre contribuera, modestement, à améliorer l'efficacité de ses lecteurs dans l'action de marketing.

La recherche en marketing

Faut-il ou non lancer un produit ? Quels doivent en être les caractéristiques ? À quel prix le vendre ? Comment le faire connaître ? Le marketing est une suite perpétuelle de questions auxquelles le gestionnaire doit apporter des réponses pour mettre en œuvre une action commerciale. Le marketing est un champ de décision.

Prendre une décision de marketing requiert de l'information. Souvent, cette information n'est pas immédiatement disponible. Le responsable du marketing peut alors s'en remettre à son intuition ou à celle d'autres personnes, ou encore, il peut considérer la possibilité d'aller chercher l'information dont il a besoin pour décider. C'est là qu'intervient la recherche en marketing.

Recherche en marketing : Ensemble des activités qui visent à définir, recueillir et analyser de façon systématique des informations permettant d'alimenter le processus de décision en marketing, afin de le rendre plus efficace.

Le rôle de la recherche en marketing est donc d'aider les responsables du marketing à prendre les meilleures décisions en leur fournissant des informations utiles. Il existe plusieurs types de recherches qui peuvent être effectuées à cette fin.

Enquêtes sur le terrain. Dans ce type de recherche, des informations sont obtenues au moyen d'un questionnaire présenté à des personnes. Celles-ci peuvent être des consommateurs ou des acheteurs dans des entreprises. Les personnes interrogées forment un **échantillon** (voir outil 1.1), c'est-à-dire un sous-ensemble d'un groupe plus large qu'on appelle une **population.** L'objectif de l'enquête est de généraliser les informations recueillies dans l'échantillon et de les appliquer à la population à laquelle appartient cet échantillon. L'enquête peut être faite par téléphone, par la poste, par le biais d'Internet, à domicile (ou dans l'entreprise) ou hors domicile (dans un centre commercial). L'illustration 1.2 présente un exemple réel d'une enquête sur le terrain.

Études d'observation. On peut recueillir beaucoup d'informations utiles pour le marketing, simplement en observant les gens ou les phénomènes. L'observation est une méthode simple et généralement peu coûteuse pour faire une recherche en marketing. Dans certaines situations où il est difficile de procéder par interrogation (par ex. études impliquant des animaux, études auprès de jeunes enfants), l'observation peut s'avérer la seule méthode appropriée. On peut faire de l'**observation naturaliste** (par ex. des consommateurs sont observés à leur insu alors qu'ils choisissent une marque d'analgésiques dans une pharmacie); de l'**observation mécanique** (par ex. les magasins *Métro* recueillent une grande quantité de données sur la consommation au moyen des lecteurs optiques situés aux comptoirs-caisses); de l'**observation indirecte** (par ex. en examinant les armoires des consommateurs afin de découvrir les marques qu'ils achètent); de l'**observation des médias** — ou **analyse de contenu** (par ex. les documents publicitaires des concurrents sont étudiés afin de mieux connaître les produits qu'ils offrent); ou de l'**observation participante,** c'est-à-dire un type d'observation où le chercheur participe au phénomène en même temps qu'il l'observe (pour un exemple touchant la vente personnelle, voir l'illustration 9.1 au chapitre 9).

Outil 1.1 **Comment déterminer la taille d'un échantillon**

UNIVERS	Erreur maximum permise					
	±1 %	±2 %	±3 %	±4 %	±5 %	±10 %
500					222	83
1,000				385	286	91
1,500			639	441	316	94
2,000			715	476	333	95
2,500		1,250	769	500	345	96
3,000		1,364	811	517	353	97
3,500		1,459	844	530	359	97
4,000		1,539	870	541	364	98
4,500		1,607	891	549	367	98
5,000		1,667	909	556	370	98
6,000		1,765	938	566	375	98
7,000		1,842	959	574	378	99
8,000		1,905	976	580	381	99
9,000		1,957	989	584	383	99
10,000	5,000	2,000	1,000	588	385	99
15,000	6,000	2,143	1,035	600	390	99
20,000	6,667	2,222	1,053	606	392	100
25,000	7,143	2,273	1,064	610	394	100
50,000	8,333	2,381	1,087	617	397	100
100,000	9,091	2,439	1,099	621	398	100
∞	10,000	2,500	1,111	625	400	100

Comment déterminer la taille d'un échantillon ?

Dans les enquêtes, les chercheurs doivent déterminer la taille de l'échantillon représentatif de la population. Combien de personnes doit-on interroger pour obtenir une information valide ?

Tout dépend de l'univers (N = population) considéré, de la marge d'erreur tolérée (E) et de la fréquence (p) à laquelle se produit le phénomène étudié. Le lecteur désireux d'approfondir les fondements mathématiques de l'échantillonage est invité à consulter un livre sur les techniques de recherche en marketing (voir la note 3). Cependant, la table suivante peut également servir de guide.

On peut y lire la taille de l'échantillon requise pour un intervalle de confiance de 95 % et p = 0,50. Dans ces conditions, il faudrait compléter 1 000 entrevues pour obtenir de l'information valide (± 3 %) sur un univers de 10 000 personnes. Quand la table ne montre aucun chiffre, l'échantillon devrait dépasser la moitié de l'univers, aussi serait-il préférable d'enquêter sur toute la population.

Limite d'application : il n'existe aucune formule mathématique ou table pour résoudre automatiquement les problèmes d'échantillonnage. On doit aussi considérer des facteurs qualitatifs, tels que l'homogénéïté de l'univers et le besoin d'une réponse « scientifique » ou d'une approximation.

Illustration 1.2
Que pensez-vous du marketing ?

Une enquête a été réalisée au Québec il y a quelques années. L'objectif était de rendre compte des perceptions que les consommateurs québécois entretiennent à propos du marketing. Dans une première étape, des gens furent interrogés en petits groupes (8 à 10 personnes) afin d'identifier les croyances les plus populaires concernant le marketing. Cette partie de l'étude était exploratoire et n'avait d'autre but que d'établir une liste des opinions que les gens ont sur le marketing.

Ces informations furent ensuite utilisées pour construire un questionnaire, qui fut testé pour s'assurer que les questions étaient bien comprises. Dans ce questionnaire, on demandait à chaque participant d'exprimer son accord avec un ensemble d'énoncés du genre « À faible prix correspond une qualité inférieure ». Un total de 270 personnes furent contactées et acceptèrent de remplir le questionnaire.

Les résultats de cette enquête sont présentés à l'annexe 1 à la fin de ce chapitre. Ils ont été regroupés en quatre grandes classes : les opinions sur la publicité, les produits, les prix et la distribution. Pour éviter toute ambiguïté, le questionnaire donnait des définitions des termes qui pouvaient être mal compris par les consommateurs. Ainsi, on a défini la **publicité comparative** comme une publicité qui consiste à établir la supériorité du produit annoncé en le comparant à une ou plusieurs marques concurrentes. La **publicité subliminale** fut définie comme une publicité télévisée comportant des messages transmis si rapidement ou encore si bien camouflés, que le consommateur ne peut les percevoir consciemment. La **publicité testimoniale** fut définie comme une publicité qui utilise des gens ordinaires pour témoigner de leur satisfaction à consommer le produit annoncé. Enfin, la **publicité à double sens** a été présentée comme une publicité qui cite à la fois les avantages et désavantages associés au produit.

Cet exemple d'une recherche en marketing n'a pas une orientation décisionnelle. Toutefois, il décrit bien les étapes d'une enquête : formulation du problème (à l'aide d'entrevues de groupe — voir ci-après la discussion portant sur les études qualitatives), construction du questionnaire, collecte des données (auprès d'un échantillon de 270 consommateurs) et résultats.

Études qualitatives. En marketing, des informations utiles sont souvent obtenues à l'aide de méthodes moins structurées, impliquant un petit nombre de participants. L'**entrevue de groupe** *(focus group)* est la plus connue et la plus utilisée de ces méthodes qualitatives. Elle consiste à réunir autour d'une table de 8 à 12 personnes et à les laisser discuter à propos de sujets qui intéressent le chercheur (habitudes de consommation, attitudes envers un nouveau produit, test d'un nouveau concept, opinions sur des publicités). Lorsque le problème de recherche se prête mal à l'entrevue de groupe (par ex. une étude sur l'utilisation des condoms), on peut procéder à des **entrevues individuelles semi-dirigées.** Il s'agit d'entretiens non structurés visant à mettre à jour les motivations profondes des consommateurs. Ces entretiens sont généralement menés par des individus qui ont reçu une formation spéciale (psychologie en relation d'aide, psychothérapie ou même psychiatrie). Les **techniques projectives** sont des procédures qualitatives visant à contourner les blocages qui peuvent se créer chez les consommateurs lorsqu'on cherche à connaître leurs opinions de façon directe. Une technique projective très populaire en marketing consiste à demander à des consommateurs de proposer une représentation animale ou physique des objets dont on cherche à définir l'image. Par exemple : *si cette marque était un animal, quel animal serait-elle*? Ou encore : *si ce politicien était une voiture, quel type de voiture serait-il*? Il existe d'autres techniques comme l'association de mots *(« Dites la première chose qui vous vient à l'esprit lorsque vous entendrez les mots que je vous dirai »)*, les phrases et histoires à compléter (*« Lorsque je me rends chez La Baie pour magasiner je... »* veuillez compléter la phrase) et les jeux de rôle *(« Imaginez que vous êtes un vendeur de voitures de marque Hyundai, un client entre pour s'informer. À vous de jouer... »)*.

Tests. Des études sont souvent menées afin de tester les actions envisagées par les responsables du marketing. Par exemple, si on cherche à connaître les effets d'une modification dans les méthodes de distribution du produit, on pourrait introduire cette modification dans un territoire de vente donné (par ex. la région de l'Outaouais) afin d'étudier son impact. Si l'impact est positif, on introduit ensuite la modification dans tous les territoires. On peut faire la même chose avec une campagne de publicité, un emballage ou une offre promotionnelle. Le **test de marché** dont nous avons parlé auparavant est l'exemple le plus courant de ce type de recherche.

Études utilisant des données secondaires. Les études décrites ci-dessus permettent de produire des informations précieuses, répondant spécifiquement aux objectifs du chercheur. Ces informations sont appelées **données primaires.** Le chercheur en marketing peut aussi faire la collecte d'informations qui ont été recueillies par d'autres personnes ou organismes, à des fins différentes de celles qu'il poursuit. C'est ce qu'on appelle les **données secondaires.** Celles-ci peuvent être disponibles à l'intérieur de l'entreprise (données secondaires **internes**) : rapports de ventes, études de la clientèle, ou à l'extérieur (données secondaires **externes**). Les sources de données secondaires externes utiles en marketing sont nombreuses : **sources gouvernementales** *(Industrie Canada, Industrie et Commerce Québec, Institut de la statistique du Québec, Statistique Canada)* ; **centres de référence** (bibliothèques, journaux et quotidiens) ; **organismes divers** (Chambres de commerce, Maisons régionales de l'industrie) ; entreprises qui vendent des études *(A.C. Nielsen Canada, Find/SVP)* et **banques de données informatisées** *(ABI/Inform, Canadian Business and Current Affairs, CANSIM – Statistique Canada)*. L'annexe 2 de ce chapitre présente une liste de sources de données secondaires utiles pour la recherche en marketing. La plupart des centres de documentation emploient des personnes ayant des connaissances détaillées des données secondaires disponibles et des procédures permettant de faire une recherche efficace. Le responsable de la recherche en marketing devrait toujours consulter ces personnes afin d'éviter des erreurs inutiles.

Ces différents types de recherche en marketing sont souvent employés en combinaison. Par exemple, il arrive fréquemment qu'un responsable de la recherche en marketing conduise d'abord une étude qualitative exploratoire afin de mieux comprendre le problème de marketing qu'il cherche à étudier pour, par la suite, réaliser une étude plus structurée impliquant un grand nombre de participants (voir illustration 1.4).

La recherche en marketing est une fonction vitale pour le marketing. Elle permet à l'entreprise de rester à l'écoute de ses marchés et d'améliorer ses activités de création et de mise en marché (figure 1.3). Les entreprises qui ont compris ce rôle important ont mis en place des **systèmes d'information** qui intègrent les activités principales de production et de dissémination des informations pertinentes pour le marketing. La Figure 1.7 montre que la recherche en marketing vise à collecter des données primaires et secondaires. L'analyse de ces données produit des informations qui sont stockées, récupérées et disséminées auprès des responsables du marketing. Les décisions de marketing génèrent des interrogations nouvelles qui renvoient à des besoins d'informations que la recherche en marketing essaie de combler. La recherche en marketing est une activité continue.

figure 1.7 **La recherche en marketing dans le cadre d'un système d'information en marketing**

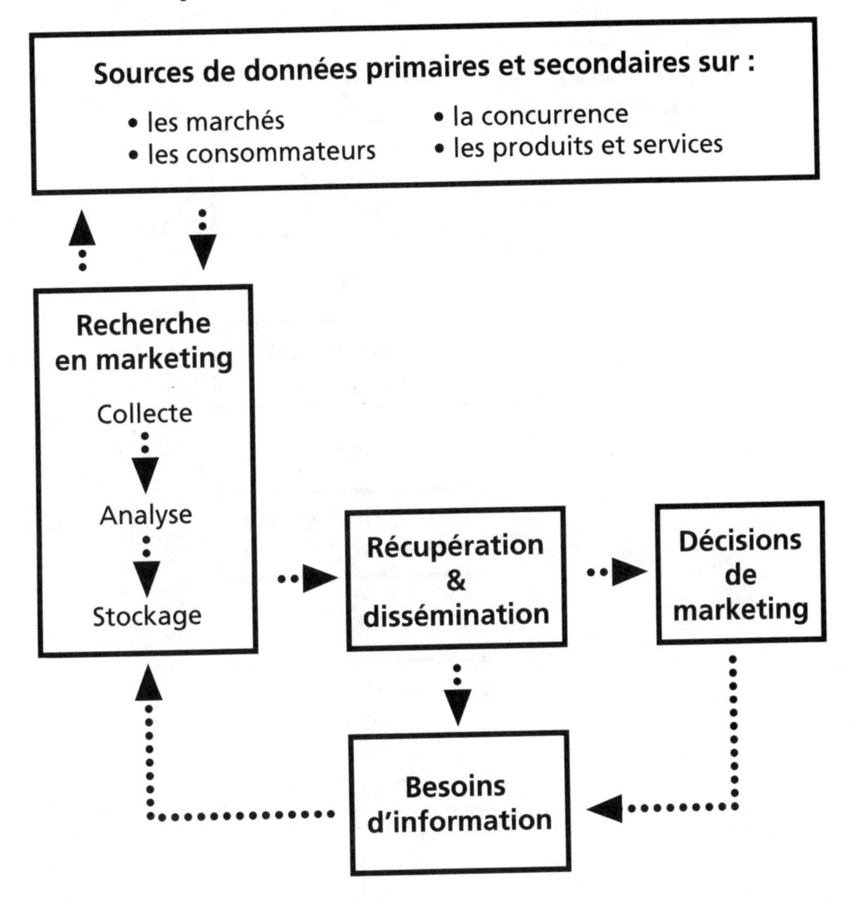

Un cadre opérationnel pour la recherche en marketing

Faire de la recherche en marketing, c'est entreprendre une étude rigoureuse de différents problèmes de marketing pour les résoudre ou pour faciliter la prise de décision. Le terme « rigoureux » implique l'utilisation d'une procédure bien définie. La Figure 1.8 présente un cadre opérationnel de la recherche en marketing dans lequel on retrouve les étapes principales d'une telle procédure[3].

figure 1.8 **Un cadre opérationnel pour la recherche en marketing**

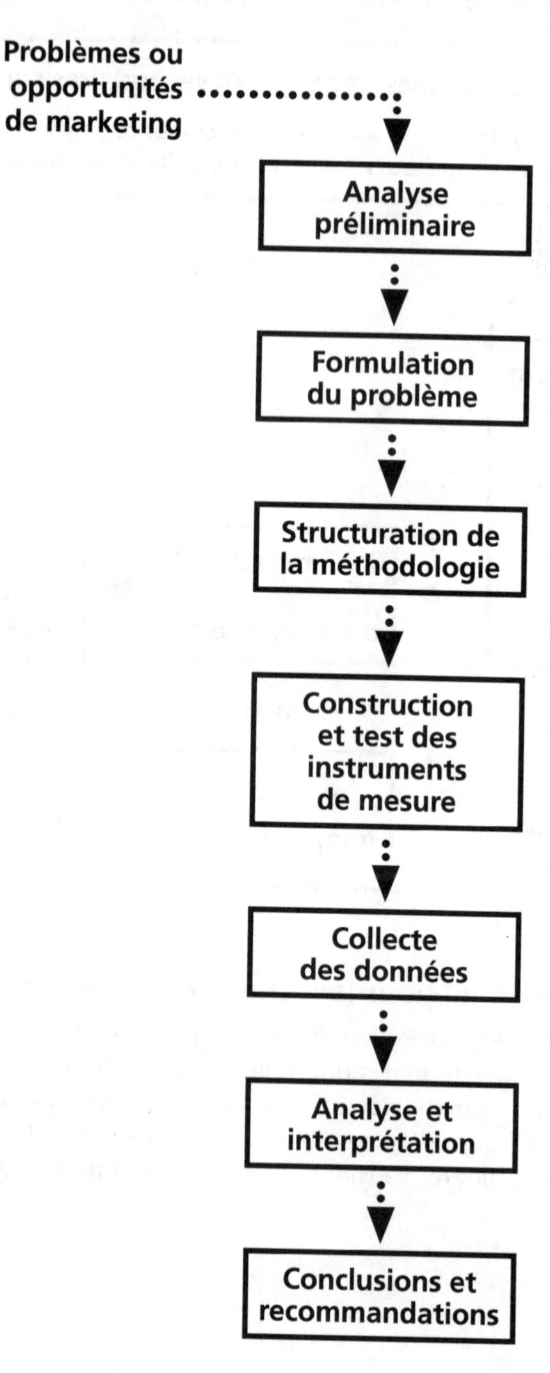

Ce cadre opérationnel est simple, mais combien pratique pour le chercheur en marketing. Lorsqu'un problème ou une opportunité de marketing se présente, le processus s'enclenche et débute par une **analyse préliminaire**. Cette première étape est une sorte d'évaluation globale de la situation. Que l'évaluation soit sommaire ou très détaillée, l'objectif poursuivi est le même : décider si oui ou non une recherche doit être effectuée. Tout problème de marketing ne requiert pas nécessairement qu'une recherche soit faite et il est important de s'interroger sur l'utilité de mettre en branle le processus de recherche.

Si la décision de faire une recherche est prise, l'étape suivante consiste à **formuler le problème de recherche**, c'est-à-dire à en définir toutes les facettes et à énoncer clairement les questions auxquelles on veut trouver réponse. C'est une étape cruciale, car c'est à partir des résultats de la formulation que sont définies les informations requises pour résoudre le problème. L'adage bien connu selon lequel : *« Un problème bien défini est à moitié résolu »* exprime clairement une réalité concrète de la recherche en marketing. Le problème de recherche se définit généralement en conduisant des entrevues avec les décideurs, les acheteurs ou même avec des experts dans le domaine.

Avec une compréhension qu'il juge adéquate du problème de recherche, le responsable de la recherche peut amorcer la partie méthodologique de la recherche. **Structurer la méthodologie** d'une recherche en marketing, c'est établir un plan de route, un canevas des procédures suffisamment circonscrit pour être clair, tout en étant assez flexible pour permettre des modifications en cours de route. Il est impossible de structurer la méthodologie tant et aussi longtemps que le problème lui-même est mal cerné. Lorsque le chercheur saisit mal la nature du problème, qu'il n'arrive pas à identifier clairement les composantes ainsi que leurs interrelations, des procédures de **recherche exploratoire** sont requises. Par contre, lorsque le problème est bien défini et que les informations à recueillir ont une forte probabilité d'aider à la prise de décision, des procédures de **recherche confirmative** sont plus indiquées. La Figure 1.9 fait un sommaire des distinctions importantes entre ces deux types de recherche.

figure 1.9 **Deux procédures de recherche : recherche exploratoire et recherche confirmative**

Composantes du projet de recherche	Recherche exploratoire	Recherche confirmative
But de la recherche	Général : produire des conceptions utiles à propos d'une situation	Spécifique : vérifier des conceptions et aider à la prise de décision
Besoins d'information	Vagues	Clairs
Sources d'information	Mal définies	Bien définies
Instruments de collecte des informations	Non structurés, imparfaits	Généralement structurés
Échantillon	Relativement petit : sélectionné subjectivement de façon à maximiser la production d'idées utiles	Relativement grand : sélectionné objectivement de façon à permettre la généralisation des résultats
Collecte des données	Flexible ; pas de procédure définie	Rigide ; procédure bien définie
Analyse des données	Informelle ; typiquement non quantitative	Formelle ; typiquement quantitative
Conclusion / recommandations	Préliminaires	Finales

Les informations de la recherche en marketing sont obtenues par le biais de différents **instruments de mesure** : grilles de codification, caméras, magnétophones, instruments physiologiques, lecteurs optiques, etc. Dans beaucoup de situations cependant, les informations sont recueillies à l'aide d'un questionnaire. La construction d'un questionnaire est un art, mais c'est aussi une procédure avec des règles simples et efficaces. L'une d'entre elles consiste à vérifier auprès d'un petit nombre d'individus si les questions élaborées par le chercheur sont bien comprises, ce qu'on appelle un pré-test. Le questionnaire est modifié selon les résultats du test et utilisé tel quel, ou il est alors soumis à un nouveau test afin de s'assurer que les problèmes identifiés ont été réglés et qu'il n'en existe pas d'autres.

L'étape de **collecte des données** comporte deux volets : la sélection des sources d'information, que l'on appelle l'**échantillonnage,** et la collecte proprement dite. Selon que la recherche est exploratoire ou confirmative, les procédures de collecte de données seront différentes (voir la figure 1.9).

Les données collectées par le chercheur ne deviennent véritablement des informations que lorsqu'elles ont été **analysées** et **interprétées.** L'objectif de cette étape est de dégager les **conclusions** importantes de la recherche. À partir de ces conclusions, la tâche du chercheur est de faire des **recommandations** qui auront pour but d'aider à la prise de décision. La transition des informations aux recommandations n'est pas toujours simple ni évidente. Pour une même information, il peut y avoir plusieurs recommandations possibles. Il se peut même que le choix d'une recommandation enclenche un nouveau processus de recherche. Quoiqu'il en soit, il faut toujours garder à l'esprit que la recherche en marketing ne peut se substituer à la prise de décision, elle peut tout au plus l'améliorer.

Le concept de marketing

Dans ce chapitre d'introduction, nous sommes partis d'une **idée** pour mettre en évidence que le marketing est une activité créatrice et non une simple opération technique. Mais l'idée est vaine si elle ne cherche pas à répondre à un besoin ou à un désir. Enfin, il faut que l'idée se transforme en un produit et que l'entreprise puisse la commercialiser de façon rentable. Pour ce faire, il lui faut établir des objectifs commerciaux, formuler un plan, mettre en œuvre des programmes d'action-marketing et déployer des ressources.

Voilà donc le marketing décrit comme un ensemble d'activités et comme un enchaînement logique d'étapes à franchir, de l'idée à l'action. Une fois délimité le champ d'action du marketing, nous pouvons maintenant nous demander « Qu'est-ce que le marketing ? »

Tout « concept » ou « idée » peut se définir de deux façons : en extension ou en compréhension. Une définition en extension consiste à énumérer les éléments qui font partie de ce que l'on veut définir.

Ainsi, on peut définir en extension le marketing comme l'ensemble des activités qui permettent d'acheminer les biens et les services du producteur au consommateur ou à l'utilisateur. Le défaut des définitions en extension, c'est qu'elles oublient toujours quelque chose dans l'énumération. Ainsi, la définition ci-dessus accorde peu ou pas de place à la recherche en marketing, au service après-vente, au design du produit et ainsi de suite.

Une définition en compréhension essaie de saisir l'essence du concept à travers un ou plusieurs attributs fondamentaux. *« L'homme est un roseau pensant »* (Pascal) est une définition en compréhension de l'Homme. Une définition en extension consisterait à dresser la liste de tous les hommes, ce qui pourrait être long.

Voici un exemple de définition en compréhension du marketing :

Le marketing est une activité humaine visant à satisfaire les besoins et les désirs au moyen d'un échange.

Le défaut des définitions en compréhension, c'est qu'elles peuvent atteindre des niveaux d'abstraction qui donnent le vertige au commun des mortels. Sans nous préoccuper davantage de trouver une définition qui satisfasse tout le monde, rappelons seulement, en conclusion de ce premier chapitre, les attributs fondamentaux du concept de marketing.

CONCLUSION

Le marketing affirme la **prééminence du consommateur.** Ce sont les besoins et désirs de ce dernier qui guident l'action commerciale de l'entreprise.

Le marketing est un **ensemble d'activités humaines intégrées** visant à satisfaire les consommateurs **et** les objectifs de l'entreprise.

Le marketing implique un **échange** qui est à la base de toute transaction commerciale et, dans un sens plus large, de toute **communication.**

Le marketing s'exerce dans un contexte de **concurrence** ou de liberté, car le consommateur est libre d'accepter ou de rejeter l'offre qui lui est faite.

Le marketing joue un rôle important dans la société contemporaine caractérisée par l'interdépendance croissante des nations, des secteurs industriels et des groupes sociaux.

Hormis quelques tribus isolées vivant en autarcie, les sociétés modernes multiplient les échanges commerciaux tant à l'intérieur de chaque pays qu'au niveau international. Nous vivons à l'ère du marketing global.

Annexe 1

Que pensez-vous du marketing ?

Une étude a été conduite au Québec dont l'objectif était de rendre compte des perceptions que les Québécois ont du marketing.[1]

La région hachurée des échelles représente la moyenne (sur sept) des réponses de toutes les personnes interrogées.

Comparez vos perceptions avec celles de l'échantillon. Sur quels points diffèrent-elles ?

Perceptions du marketing au Québec

À PROPOS DE LA PUBLICITÉ...

La publicité comparative

1. L'entreprise qui présente le message publicitaire comparatif paie une certaine somme d'argent aux entreprises concurrentes, afin de pouvoir utiliser le nom de leurs marques durant le message publicitaire.

   Absolument pas d'accord — **Tout à fait d'accord**

2. La publicité comparative est avantageuse pour l'entreprise qui est comparée, car le message comparatif constitue, en quelque sorte, la preuve de sa supériorité.

   Absolument pas d'accord — **Tout à fait d'accord**

3. La compétition directe et ouverte de deux entreprises (*Coke* et *Pepsi*, *McDonald* et *Burger King*) provoque une sensibilisation qui se traduit par un encouragement envers la compagnie la plus dynamique et la plus innovatrice. On opte pour la meilleure !

   Absolument pas d'accord — **Tout à fait d'accord**

---

1. Alain d'Astous et Lucie Francœur (1990), « Consumers' Intuitive Theories about Marketing and the Marketplace », in *Proceedings of the Annual Conference of the Administrative Sciences Association of Canada*, éd. J. Liefield, Whistler, Colombie-Britannique, pp. 92-99.

La publicité subliminale

4. La publicité subliminale imprimée influence les consommateurs en jouant sur leurs motivations inconscientes, par le biais d'images et de formes mystérieuses.

Absolument pas d'accord | **Tout à fait d'accord**

La publicité testimoniale

5. Les figurants des messages testimoniaux ne sont pas sincères et ne croient pas nécessairement aux avantages du produit qu'ils annoncent.

Absolument pas d'accord | **Tout à fait d'accord**

6. Les figurants des messages testimoniaux touchent généralement une somme d'argent pour leur apparition publicitaire.

Absolument pas d'accord | **Tout à fait d'accord**

7. Les responsables du marketing font appel à des personnes inconnues pour passer des messages testimoniaux parce qu'elles paraissent sincères.

Absolument pas d'accord | **Tout à fait d'accord**

La publicité à double sens

8. La publicité à double sens souligne le caractère honnête d'une entreprise et lui donne une bonne image ; c'est ce que recherche l'entreprise d'abord et avant tout.

Absolument pas d'accord | **Tout à fait d'accord**

La publicité humoristique

9. L'utilisation de l'humour lors d'un message publicitaire attire l'attention et maintient l'intérêt des consommateurs.

Absolument pas d'accord | **Tout à fait d'accord**

10. L'utilisation de l'humour lors d'un message publicitaire suscite une attitude favorable envers le produit.

Absolument pas d'accord | **Tout à fait d'accord**

La publicité et les vedettes

11. L'utilisation de vedettes et de célébrités lors d'un message publicitaire accole une bonne image au produit et à l'entreprise, si ces vedettes et célébrités sont populaires au moment du message.

Absolument pas d'accord ▭▭▭▭▭▭▭ **Tout à fait d'accord**

12. L'utilisation de vedettes et de célébrités lors d'un message publicitaire n'est pas toujours favorable car bien souvent, l'attention est plutôt portée sur la vedette, et ce, aux dépens du produit annoncé.

Absolument pas d'accord ▭▭▭▭▭▭▭ **Tout à fait d'accord**

La répétition publicitaire

13. La répétition fréquente d'un message publicitaire traduit un certain inconfort concurrentiel de l'entreprise car, semble-t-il, un bon produit se vend tout seul.

Absolument pas d'accord ▭▭▭▭▭▭▭ **Tout à fait d'accord**

La publicité et le produit

14. Les effets d'un message publicitaire se répercutent sur le produit annoncé : si le message plaît, le produit sera bien perçu; si le message est décevant, le produit sera perçu négativement.

Absolument pas d'accord ▭▭▭▭▭▭▭ **Tout à fait d'accord**

À PROPOS DES PRIX…

La fixation du prix et l'image de marque

15. Le prix d'un produit n'est pas établi en fonction de ses coûts de production, mais plutôt selon la concurrence et l'image de marque désirée (la réputation de la compagnie et de ses produits.)

Absolument pas d'accord ▭▭▭▭▭▭▭ **Tout à fait d'accord**

16. Le prix que peut afficher une compagnie pour ses produits dépend de sa réputation sur le marché.

Absolument pas d'accord ▭▭▭▭▭▭▭ **Tout à fait d'accord**

17. Le prix de certains produits est souvent plus élevé qu'il ne devrait l'être pour éviter que les consommateurs croient qu'ils ne sont pas bons.

Absolument pas d'accord | | | | | | | | **Tout à fait d'accord**

La relation prix-qualité

18. À faible prix correspond une qualité inférieure.

Absolument pas d'accord | | | | | | | | **Tout à fait d'accord**

19. En l'absence de connaissance et d'information sur un produit, le prix est généralement un bon indice de la qualité du produit.

Absolument pas d'accord | | | | | | | | **Tout à fait d'accord**

Le prix psychologique

20. Un prix dont les chiffres sont non-entiers (par ex. 7,99 $) par opposition à un prix arrondi (par ex. 8 $) est psychologiquement plus efficace : nous avons l'impression de payer beaucoup moins que 8 $.

Absolument pas d'accord | | | | | | | | **Tout à fait d'accord**

21. Les prix dont les deux derniers chiffres sont identiques (par ex. 0,88 $, 1,77 $ ou 1,44 $) sont utilisés afin de donner une impression de rabais.

Absolument pas d'accord | | | | | | | | **Tout à fait d'accord**

La manipulation des prix

22. Une réduction de prix très importante sur un produit est douteuse. Elle l'est d'autant plus si elle ne figure pas au plan d'une grande vente.

Absolument pas d'accord | | | | | | | | **Tout à fait d'accord**

23. Quelques semaines avant une vente à rabais, les commerçants augmentent le prix des articles qui seront soldés, afin que le rabais offert soit plus important.

Absolument pas d'accord | | | | | | | | **Tout à fait d'accord**

24. Le prix régulier apparaissant sur l'étiquette de rabais d'un produit est souvent augmenté pour accroître l'importance de la réduction de prix offerte.

Absolument pas d'accord | | | | | | | | **Tout à fait d'accord**

25. Le prix de certains produits est augmenté à cause des coûts qu'engendrent les coupons-rabais (bons de réduction) qui s'y rattachent.

Absolument pas d'accord | | | | | | | | **Tout à fait d'accord**

À PROPOS DES PRODUITS…

Le format et l'emballage

26. Les formats des produits changent d'une compagnie à l'autre pour rendre les comparaisons de prix difficiles.

Absolument pas d'accord | | | | | | | | **Tout à fait d'accord**

27. Les dimensions de l'emballage des produits sont souvent trompeuses : l'utilisation de contenants trop grands ou gonflés est très fréquente et vise à berner les consommateurs.

Absolument pas d'accord | | | | | | | | **Tout à fait d'accord**

28. Les produits de qualité supérieure ou ceux qui veulent se donner une telle image ont un emballage où le rouge, le jaune et les autres couleurs saisissantes sont délaissées en faveur de teintes plus sobres (le noir, le marin…).

Absolument pas d'accord | | | | | | | | **Tout à fait d'accord**

29. L'utilisation du mot « Amélioré ! » sur l'emballage d'un produit n'est pas toujours véridique. Il s'agit là d'une stratégie pour attirer l'attention.

Absolument pas d'accord | | | | | | | | **Tout à fait d'accord**

L'obsolescence planifiée

30. La durée de vie moyenne des produits ne s'améliore pas malgré les nombreuses innovations technologiques. En effet, la détérioration prématurée des produits est préméditée et désirée des responsables du marketing, afin de provoquer un plus grand roulement des ventes des produits et de leurs pièces de rechange.

Absolument pas d'accord | | | | | | | | **Tout à fait d'accord**

Les produits importés

31. Les produits importés d'Europe sont très bien perçus. Sachant cela, les responsables du marketing en profitent pour augmenter le prix de ces produits ; l'écart de prix observé ne reflète pas uniquement les coûts de transport et les taxes douanières.

Absolument pas d'accord | | | | | | | | **Tout à fait d'accord**

Les marques privées et génériques

32. Les marques privées et génériques (produits sans nom) sont fabriqués par les entreprises nationales et proviennent tout particulièrement de lots ratés ou de lots de qualité inférieure de ces entreprises.

Absolument pas d'accord | | | | | | | | **Tout à fait d'accord**

33. Les marques privées et génériques (produits sans nom) s'adressent aux gens dont le revenu familial n'est pas très élevé, particulièrement les familles nombreuses, les personnes âgées, les étudiants.

Absolument pas d'accord | | | | | | | | **Tout à fait d'accord**

34. Le prix des produits privés et génériques est moins élevé en raison de la mauvaise qualité des produits.

Absolument pas d'accord | | | | | | | | **Tout à fait d'accord**

À PROPOS DE LA DISTRIBUTION...

Le merchandising

35. Au niveau de l'étalage en magasin, les produits de nécessité (la farine, le sucre, les sacs à déchets) ou ceux qui procurent une faible marge de profit se retrouvent généralement sur les tablettes du bas alors que les produits superflus ou de luxe (la confiture, les bonbons, les sauces) ou ceux qui procurent une bonne marge de profit figurent sur les tablettes à la hauteur des yeux.

Absolument pas d'accord | | | | | | | | **Tout à fait d'accord**

36. Les produits sont agencés sur les tablettes selon leurs couleurs et formats afin d'attirer davantage l'attention.

Absolument pas d'accord | | | | | | | | **Tout à fait d'accord**

37. C'est une pratique de marketing courante que de situer les produits pour enfants (céréales, chocolats, friandises,...) sur les tablettes du bas, à hauteur de leurs yeux.

Absolument pas d'accord | | | | | | | | **Tout à fait d'accord**

38. Les étalages de bout de rangée de grandes dimensions proposent l'idée d'abondance, laquelle projette l'impression de bas prix.

Absolument pas d'accord | | | | | | | | **Tout à fait d'accord**

39. Certains produits qui sont vendus à perte durant les grandes ventes sont placés sur les étalages à l'extrémité des premières et des dernières rangées (qu'on ne voit pas beaucoup) afin de réduire le volume de ventes de ces produits en rabais qui ne sont pas rentables.

Absolument pas d'accord | | | | | | | | **Tout à fait d'accord**

La vente personnelle

40. La rémunération de la plupart des vendeurs est basée sur la commission, ce qui les incite à vendre n'importe quoi à n'importe qui.

Absolument pas d'accord | | | | | | | | **Tout à fait d'accord**

COMMENTAIRES

Deux résultats de l'étude méritent qu'on s'y attarde un peu plus. D'abord, la perception des prix et la relation prix-qualité. Depuis longtemps, les chercheurs en marketing ont voulu comprendre comment les consommateurs interprètent les prix des produits. La perspective économique classique assume qu'ils y voient simplement une représentation du coût d'achat des produits. L'implication logique est qu'une augmentation des prix entraîne une baisse de la demande pour les produits. En réalité, les choses ne sont pas aussi simples. Beaucoup d'études menées aux États-Unis ont montré que les consommateurs vont au-delà de la notion de coût d'acquisition et utilisent le prix comme indicateur de qualité. L'expression « *On en a toujours pour notre argent* » traduit bien l'association que les consommateurs font entre prix et qualité, particulièrement lorsque le prix est la seule information qui permet de distinguer les produits. Ce qu'il faut noter cependant, c'est que les consommateurs québécois ne sont pas très d'accord avec l'idée d'une relation prix-qualité (voir les énoncés 18 et 19). Ces résultats sont d'autant plus intéressants qu'ils semblent correspondre à la réalité. Une étude dans laquelle on a examiné les prix de plusieurs produits et leur qualité telle que mesurée par des tests objectifs, montre que la relation est généralement faible et qu'elle dépend du type de produit. De plus, il appert que la relation est la plus faible pour les produits de consommation courante[4].

Le second résultat d'intérêt concerne les perceptions des Québécois face à la publicité subliminale (voir l'énoncé 4). De toute évidence, une majorité pense que ce type de publicité les influence significativement. Qu'en est-il vraiment ? Pour pouvoir répondre à cette question, il nous faut faire un retour en arrière. L'histoire commence aux États-Unis dans les années 1950 où, durant une période de six semaines, un cinéma projeta des messages subliminaux, c'est-à-dire transmis si rapidement qu'ils ne pouvaient être perçus consciemment, incitant les gens à acheter du pop-corn et à boire du *Coca-Cola.* Résultats ? On rapporte que les ventes de pop-corn augmentèrent de 58 % et celles de *Coca-Cola* de 18 %! Bien qu'ils n'aient jamais été véritablement corroborés de façon scientifique, les résultats de cette expérience alertèrent critiques et chercheurs. Plusieurs études furent conduites par la suite. Certaines ont montré que la stimulation subliminale est possible, d'autres ont obtenu des résultats moins positifs. Tout le monde s'entend sur le fait que des informations non perçues consciemment peuvent être enregistrées dans la mémoire. En psychologie, un bon nombre d'études l'ont effectivement démontré. On connaît mal cependant les effets de ces perceptions inconscientes sur le comportement.

Annexe 2

SOURCES DE DONNÉES SECONDAIRES UTILES EN MARKETING

Sources gouvernementales
- Statistique Canada (http://www.statcan.ca/)
- Institut de la statistique du Québec (http://www.stat.gouv.gc.ca/)
- Ministères et agences
  - Industrie Canada (http://www.ic.gc.ca/) (http://www.strategis.ic.gc.ca/)
  - Industrie et commerce Québec (http://www.mic.gouv.qc.ca/)
  - Communication-Québec (http://www.comm-qc.gouv.qc.ca/)
  - Les publications du Québec (http://www.gouv.qc.ca/)
  - Centre de recherche industrielle du Québec (http://www.criq.qc.ca/)

Associations et chambres de commerce

Bibliothèques
- Concordia (http://juno.concordia.ca/)
- HEC (http://www.hec.ca/biblio/)
- Laval (http://www.ulaval.ca/sg/annuaires/serv/bibl.html)
- Sherbrooke (http://www.biblio.usherb.ca/)
- UQAM (http://www.unites.uqam.ca/bib/)

Quotidiens, revues, magazines
- Les affaires (http://www.lesaffaires.com/)
- Canadian Business (http://www.canbus.com/)
- Financial Post (http://www.finpost.com/)
- Maclean Hunter Business Publishing (http://www.mhbizlink.com/)
- La Presse (http://www.lapresse.com/)

Banques de données informatisées
- ABI/Inform
- Canadian Business and Current Affairs (CBCA)
- CANSIM (Statistique Canada)
- Proquest Direct
- Predicasts PROMT

Fournisseurs d'études
- A.C. Nielsen (http://www.acnielsen.ca/)
- Claritas Connect (http://connect.claritas.com/)
- Euromonitor (http://www.euromonitor.com/)
- Find/SVP (http://www.findsvp.com/)
- Kalorama Information (http://www.marketresearch.com/)

EXERCICES ET SUJETS DE RÉFLEXION

1. Identifiez quatre innovations à dominante commerciale et quatre innovations à dominante technologique.
2. Avez-vous déjà eu l'idée d'un nouveau produit? Décrivez le concept de ce produit. Quel serait son marché? Quels tests du concept et du produit faudrait-il faire?
3. Le troc est-il une forme de marketing?
4. En quoi le niveau de développement d'un pays et ses habitudes culturelles affectent-ils le marketing?
5. Une firme d'aliments pour chiens et chats a mis au point deux formules d'aliments (A) et (B). Elle ne veut mettre sur le marché que l'une des deux. Décrivez les étapes de la recherche qui la conduiront à choisir entre (A) et (B).
6. Deux questions sont posées au responsable de la recherche en marketing d'une firme d'aliments pour chiens et chats :

   a) les aliments pour chiens devraient-ils être plus salés que les aliments pour chats, ou inversement?

   b) comment déterminer la salaison optimale pour chacun?

   Aidez le chercheur à structurer sa méthodologie de recherche.
7. Imaginez deux situations de recherche en marketing : l'une confirmative, l'autre exploratoire.

CAS-DISCUSSION

Orbitor

Il y a quelques années, la compagnie de télécommunications *Nortel* demanda à des designers et à des experts en marketing d'identifier les besoins des gens en ce qui concerne le téléphone. Ceci, afin de produire une nouvelle génération de téléphones adaptée aux besoins de la population.

Le groupe de recherche de *Nortel* organisa des entrevues de groupe *(focus groups)* et recueillit les commentaires des usagers concernant le téléphone : quel serait pour vous le téléphone idéal? Un grand nombre de répondants évoquèrent tout de suite le « communicateur » du Capitaine Kirk de la série télévisée *Star Trek* :, un téléphone miniature, tenant dans la main, sans fil et pouvant être actionné par le simple geste du poignet immortalisé par le Capitaine Kirk.

Le groupe de design se mit aussitôt au travail. *Nortel* n'en était pas à son premier essai de téléphone sans fil. La compagnie avait déjà introduit le modèle sans fil « Companion » en 1993 qui permet de répondre aux appels, même hors du bureau. Cette fois, il ne s'agissait pas de développer un produit en prévision *(forecasting)* de la technologie du futur, mais plutôt d'après les besoins déjà exprimés des consommateurs (dans le jargon du développement des produits : « *backcasting* »). Le projet Orbitor venait de voir le jour.

Dans le but de développer le téléphone Orbitor, le groupe de recherche étudia toutes les façons de communiquer qui existaient dans les années '90 et découvrit que le problème principal de la communication contemporaine était le manque de temps. C'est pour cette raison que de plus en plus de gens utilisent le télécopieur pour envoyer des mémos plutôt que des lettres, et que des gens d'affaires ont pris l'habitude de prendre leurs message sur le répondeur téléphonique et faire leurs appels pendant les pauses ou en dehors des heures de travail, afin d'éviter le bavardage téléphonique. Autre mode de communication qui symbolise le manque de temps consacré à la communication : les « *post-up notes* », petits pense-bêtes adhésifs jaunes que les collègues bien intentionnés collent sur l'écran de votre ordinateur pour que vous n'oubliez pas de les rappeler. Marilyn French-St-George, membre de l'équipe de recherche de *Nortel* déclare : « *les gens utilisent ces modes de communication à des fins pour lesquelles ils n'ont pas été conçus ; c'est pourquoi nous nous sommes mis en tête de développer un appareil qui réponde véritablement à leurs besoins* ».

« *C'est Sheri, la secrétaire du groupe, qui nous a inspiré le nom Orbitor* » dit Jeff Fairless, chef du design de produit, « *elle est tellement efficace, fait trente choses à la fois, passe d'un poste de travail à un autre. Quelqu'un a remarqué un jour qu'elle était tout le temps* ***en orbite*** *— et le surnom lui est resté* ». Orbitor est donc un nom de code, et non le nom définitif du produit.

Le concept du produit était aussi simple qu'ambitieux. L'Orbitor est à la fois un téléphone sans fil, une pagette, une boîte vocale, un télécopieur, un système d'identification des appels et un agenda. Tout cela dans un appareil léger, de la taille d'un petit porte-mémoire, tenant facilement dans la main et dans la poche... ou même accroché à l'oreille — un vrai bijou ! L'appareil utilise la technologie de reconnaissance de la voix, on peut écrire à la main des messages sur le mini-écran et les transmettre. On peut aussi appuyer sur différentes touches afin de transmettre ou recevoir des messages verbaux ou écrits. Enfin le tout est convivial, c'est-à-dire, facile à utiliser. Selon Jeff Fairless : « *les gens veulent un appareil qui leur serve aussi bien au bureau qu'à la maison, et qui n'enfreigne pas leur liberté de mouvement* ».

Bien que le produit ne soit pas encore au point, *Nortel* a réalisé un vidéo de 11 minutes montrant une maquette du produit (voir photo) et des situations-type dans lesquelles il pourrait servir. On y voit notamment une femme d'affaires qui s'accroche l'Orbitor à l'oreille pour prendre un appel hors de son bureau.

Pendant qu'elle est au téléphone, elle reçoit un message urgent et envoie une note annonçant qu'elle arrivera à une réunion dans cinq minutes. Dans une autre scène, une femme participe à une réunion. Elle écrit une note sur l'écran de son Orbitor, au moyen d'un crayon spécial, pour répondre à son agent de voyages qui lui demande de choisir entre deux vols possibles. La réception et la transmission des messages se fait sans bruit. Les messages vocaux peuvent être enregistrés et ré-écoutés plus tard. Pour souligner l'avantage de l'Orbitor sur le téléphone cellulaire, un frisson d'horreur parcourt la réunion lorsque l'un des participants reçoit un appel sur son cellulaire et dérange tout le monde. Un autre participant bloque tous ses appels pendant la réunion à l'exception de celui d'une vendeuse qui doit lui annoncer les résultats d'une visite de vente. Il bloque les appels par simple instruction verbale à son Orbitor.

Dans une autre séquence, un homme reçoit un message vocal de son agent de change lui conseillant de vendre une action. Le message vocal est accompagné, sur l'écran, d'un graphique montrant que le cours de l'action est à la baisse.

Les entrevues de groupe *(focus groups)* ont fait apparaître que les besoins varient selon le type de clientèle. Les adolescents veulent jouer à des jeux vidéo au téléphone. Les gens du troisième âge aimeraient pouvoir envoyer de courtes notes et bulletins de santé à leurs enfants. Les gens d'affaires se plaignent du téléphone cellulaire qui dérange dans les réunions ; ils aimeraient pouvoir bloquer les appels et faire plusieurs choses à la fois — par exemple, écouter une conférence, tout en expédiant de la correspondance via l'Orbitor. Ils en ont assez de jouer au cache-cache téléphonique avec les répondeurs. « *Avec l'Orbitor*, déclare Jeff Fairless, *vous pouvez bloquer certains appels, et en recevoir d'autres. C'est l'usager qui contrôle, le téléphone n'est plus un boulet que l'on traîne au pied, comme le cellulaire...* »

QUESTIONS

La compagnie *Nortel* a chargé un groupe de travail d'étudier les possibilités de mise en marché de l'Orbitor (en supposant, bien entendu, que Nortel puisse surmonter les barrières techniques qui jonchent le chemin de l'Orbitor).

Si vous participiez à ce groupe de travail,

- quelles questions vous poseriez-vous ?
- quelle démarche proposeriez-vous pour aboutir à la décision de lancer, ou ne pas lancer l'Orbitor ?

NOTES

1. Eileen Roche, *The idea itself: Predicting New Product Success*, Insights from MSI, troisième trimestre 1999, pp. 3-4.
2. Lee Adler, *Test marketing and its pitfalls*, Sales & Marketing Management, premier trimestre 1982.
3. Alain d'Astous *Le projet de recherche en marketing*, 2e édition, Montréal, Chenelière McGraw-Hill éditeurs, 2000.
4. Eitan Gerstner, *Do higher prices signal higher quality ?*, Journal of Marketing Research, mai 1985, pp. 209-215.

Partie I

Que veut le consommateur ?

Chapitre 2

Le comportement d'achat

Dans le premier chapitre, nous avons vu que le concept de marketing affirme la prééminence des besoins et des désirs du consommateur. Pour être efficace, l'action commerciale de l'entreprise doit se définir à travers la compréhension du comportement des consommateurs. Ce n'est pas simple, car comprendre le comportement des consommateurs, c'est un peu comprendre le comportement humain en général, puisque notre vie à tous est en grande partie axée sur la consommation de biens et de services.

Pour simplifier le problème, nous allons considérer deux aspects importants du comportement des consommateurs : la formation des préférences et le processus de décision. Le premier fait l'objet de ce chapitre, le second sera traité au chapitre suivant.

LES CONSOMMATEURS ONT DES PRÉFÉRENCES

Nous savons que les activités du marketing visent à satisfaire des besoins, ceux des individus ou des collectivités (entreprises, organismes publics, associations). Pour arriver à satisfaire ces besoins, les responsables du marketing créent des produits et des services susceptibles de plaire aux consommateurs. Les activités de marketing qui suivent visent à informer les consommateurs de l'existence et de la disponibilité de ces produits ou services et à les convaincre d'acheter. La transaction commerciale, c'est-à-dire l'échange entre vendeurs et acheteurs, constitue l'aboutissement du marketing. Mais pour qu'il y ait échange entre l'entreprise et le consommateur, il faut faire en sorte que l'objet, le produit ou le service échangé soit préféré, qu'il soit choisi plutôt que toute autre option qui remplit les mêmes fonctions. Pour le responsable du marketing, il est donc essentiel de comprendre comment se forment les préférences des consommateurs, afin d'arriver à les influencer à son avantage.

Préférence : Réponse individuelle qui exprime un biais affectif, le désir d'un produit, d'un service ou d'une marque en particulier, et qui peut conduire éventuellement à un achat.

Un modèle de la formation des préférences

Nous l'avons dit, comprendre le comportement des consommateurs n'est pas chose simple. Il en va de même pour ce qui est de comprendre comment se forment leurs préférences. Quand les phénomènes qu'on cherche à comprendre sont complexes, on peut tenter de les simplifier en construisant un modèle. Un modèle est une représentation plus simple d'un phénomène trop complexe pour être compris dans sa totalité. Un modèle identifie les éléments qu'on juge essentiels à la compréhension du phénomène, ainsi que les relations qui existent entre ces éléments.

La Figure 2.1 présente un modèle de la formation des préférences des consommateurs. Ce modèle est à la base de notre discussion dans ce chapitre.

figure 2.1 **Un modèle simple de la formation des préférences**

Les valeurs. Une première observation à faire, dans cette discussion du comportement d'achat, c'est que les produits de consommation, qu'ils soient importants et dispendieux comme l'automobile, ou banals et bon marché comme le shampoing, sont plus ou moins des extensions de l'individu. Au-delà de leur utilité fonctionnelle, les produits et les marques agissent comme des symboles des valeurs des consommateurs. On n'achète pas uniquement une montre *Rolex* à cause de sa grande qualité et de sa précision, on l'achète aussi parce qu'elle est le symbole de la réussite. Les gens qui portent des vêtements signés *Polo Ralph Lauren* ne cherchent pas simplement à satisfaire leurs besoins de se vêtir, ils désirent également que les autres leur reconnaissent du goût et de la classe. Bien sûr, il y a des produits dont la dimension symbolique semble moins importante comme, par exemple, les détergents, les petits pois et les carottes. Mais comme on peut le constater à la lecture de l'illustration 2.1, il ne faut pas se fier aux apparences !

Les préférences des consommateurs pour des produits et des marques dépendent en partie des images ou des symboles que ces produits évoquent. En contrepartie, ces images sont liées aux valeurs personnelles des consommateurs.

Retenons que : Les consommateurs achètent des biens de consommation pour satisfaire des besoins utilitaires comme le transport ou l'habillement, mais aussi pour exprimer aux autres et à eux-mêmes, à travers les symboles que ces produits évoquent, les valeurs personnelles qui les caractérisent.

Illustration 2.1

Le pruneau symbolique

Lorsqu'on parle des dimensions symboliques de la consommation, on pense surtout à des produits de prestige, comme les équipements électroniques, l'automobile, les vêtements haute gamme ou les meubles. Pourtant, certains produits de nécessité courante évoquent, eux aussi, des symboles qui influencent le comportement des consommateurs. Ainsi, vers la fin des années 50, l'Association des producteurs de fruits de la Californie s'inquiétait d'une baisse marquée de la consommation des pruneaux per capita. Le docteur Ernest Dichter, un spécialiste réputé pour sonder l'inconscient des consommateurs, fut alors engagé pour étudier le problème. Selon ce dernier, les consommateurs ne détestaient pas le goût des pruneaux comme tel, mais de façon plus ou moins consciente, ils associaient à ce fruit des symboles négatifs. Plus particulièrement, les consommateurs voyaient dans le pruneau :

- un symbole du vieillissement et de la perte de vitalité (les pruneaux sont desséchés) ;
- un symbole des problèmes de digestion (les pruneaux sont laxatifs) ;
- un symbole de l'autorité des parents (les mères américaines forçaient leurs enfants à manger des pruneaux) ;
- un symbole des goûts plébéiens et de peu de prestige (on n'offre pas des pruneaux à des invités) ;
- un symbole de nourriture pour des gens particuliers (un fruit pour les « granolas » et les hypocondriaques).

L'histoire ne dit pas ce que les responsables du marketing ont fait pour modifier le symbolisme entourant le pruneau, mais on peut imaginer qu'une campagne de publicité ayant pour objectif de donner une image positive à ce fruit a été organisée.

Le style de vie. Nous reviendrons plus loin dans ce chapitre sur la notion de valeur, mais pour l'instant, poursuivons notre cheminement à travers les composantes du modèle de la formation des préférences que nous avons présenté. Nous avons dit que les biens de consommation représentent un moyen d'expression des valeurs des consommateurs. Cependant, les consommateurs ne se limitent pas à ce seul moyen. Les valeurs influencent aussi le **style de vie** *(life style)* des consommateurs, c'est-à-dire tout ce qui les définit comme individus et comme consommateurs.

Le style de vie d'un consommateur est le reflet direct de ses valeurs. Par exemple, une personne qui respecte l'environnement et qui valorise la vie en milieu naturel est plus susceptible de pratiquer des sports de plein air, de s'intéresser aux activités en famille et d'être en accord avec les mouvements écologistes. Quelqu'un qui valorise la réussite professionnelle va sans doute concentrer davantage ses énergies sur son travail, s'intéresser aux rencontres sociales et s'opposer aux politiques de promotion fondées sur l'ancienneté des employés. Comme ces deux exemples le suggèrent, le style de vie comprend trois dimensions de base : les activités (**A**), les intérêts (**I**) et les opinions (**O**). C'est ce qu'on appelle en marketing les AIO. En définitive, le style de vie est le profil général d'un consommateur : ce qu'il fait, ce qu'il aime et ce qu'il pense. C'est à travers le style de vie que se réalisent et s'expriment les valeurs.

Pour le responsable du marketing, la notion de style de vie est très importante, car le lien entre le style de vie et le comportement de consommation est réel. Qui sont les consommateurs qui conduisent des voitures de marque *BMW*? Vraisemblablement, ceux dont le style de vie est axé sur la performance. Quels sont ceux qui achètent des vêtements dernier cri? Les innovateurs. Qui sont les consommateurs qui recherchent des produits « verts »? Les écologistes.

Retenons que : les consommateurs expriment leurs valeurs personnelles à travers les produits qu'ils achètent, mais, de façon plus générale, ces valeurs définissent leurs activités, leurs intérêts et leurs opinions, c'est-à-dire leur style de vie. Pour être conséquents avec eux-mêmes, les consommateurs choisissent alors des produits et des services qui leur permettent d'assumer et de réaliser le style de vie qu'ils ont choisi.

Notre discussion sur le style de vie conduit à deux observations importantes pour le marketing. Premièrement, il semble évident que les consommateurs n'ont pas tous le même style de vie et donc pas tous les mêmes goûts de consommation. L'action commerciale doit donc tenir compte des différents styles de vie des consommateurs auxquels les produits et les services de l'entreprise s'adressent. Deuxièmement, le style de vie est un concept dynamique; les styles de vie actuels ne sont pas ceux qui prévaudront dans dix ans. Les politiques de marketing de l'entreprise doivent donc s'ajuster aux variations de style de vie qui se produisent dans le temps. Par exemple, la popularité des produits alimentaires à valeur calorifique réduite (les bières, liqueurs douces, yogourts et mets congelés « légers ») est la conséquence d'une réponse du marketing à un style de vie axé sur une alimentation saine et équilibrée. De même, l'avènement des condominiums, dans les années 80, correspondait à un ajustement des stratégies de marketing des promoteurs immobiliers à un nouveau style de vie des ménages, orienté vers une plus grande liberté de temps pour réaliser leurs projets.

Comment les gestionnaires du marketing peuvent-ils appréhender les styles de vie des consommateurs et leur évolution dans le temps ? La question est fondamentale, car l'ignorance de cet aspect du comportement des consommateurs peut être désastreuse pour l'entreprise. Par exemple, aux États-Unis, lorsque *Miller* décida d'aller de l'avant avec le lancement de la bière *Lite*, la plupart des brasseries concurrentes ne croyaient pas à l'existence d'un marché pour la bière légère, parce qu'elles n'avaient pas compris que le style de vie des consommateurs américains avait changé. Aujourd'hui, la bière légère représente une part importante de la consommation totale de bière et *Lite* occupe une position avantageuse sur ce marché.

Les spécialistes du marketing étudient les styles de vie des consommateurs à l'aide d'une technique de recherche qu'on appelle la **psychographie.**

Psychographie : Technique de recherche en marketing qui consiste à positionner les consommateurs selon des dimensions psychologiques, généralement au moyen d'une enquête.

L'objectif de la psychographie est de définir des groupes de consommateurs qui ont le même style de vie. Il en résulte une typologie des styles de vie qui suggère des opportunités de marketing. L'illustration 2.2 présente les résultats d'une étude psychographique récente des consommateurs québécois.

Des chercheurs et des organisations ont développé des systèmes généraux permettant de catégoriser les consommateurs en différents groupes selon leur style de vie. Un de ces systèmes est connu sous l'appellation **VALS** *(Values and Life Styles System).* Introduit en 1978 et remanié en 1989 (VALS-2), ce système propose une classification de la société nord-américaine en huit groupes. On trouve des informations sur ce système à l'adresse URL suivante : http://www.future.sri.com/vals/valsindex.html. Répondez au questionnaire sur le site et voyez à quelle catégorie d'internaute vous appartenez.

Selon John M. McCann, professeur de marketing à l'Université Duke aux États-Unis et spécialiste du marketing électronique, les changements technologiques ont des effets profonds et durables sur les médias, le travail et la façon dont nous vivons. Il en résulte de grandes tendances sociales qui influent sur le marketing. On trouve une liste de ces tendances sur le site Web conçu par John M. McCann à l'adresse suivante : http://www.duke.edu/~mccann/cyb-quot.htm.

Retenons que : Les consommateurs n'ont pas tous le même style de vie. La recherche psychographique permet d'établir des profils type de style de vie. Pour être efficace, l'action commerciale de l'entreprise doit tenir compte à la fois des différences et des changements dans le style de vie des consommateurs.

Illustration 2.2
Les sociostyles québécois

La firme québécoise de conseil en marketing Zins, Beauchesne et associés a développé une typologie des consommateurs québécois sur la base de leurs styles de vie, leurs croyances, leurs valeurs, leurs attitudes et leurs comportements[1]. Près de 5 000 Québécois âgés de 15 ans et plus ont répondu à une batterie de questions touchant à ces différents aspects. Après analyse, la firme a identifié 16 Québécois types, caractérisés par des sociostyles spécifiques. Chaque type représente entre 4 % et 9 % de la population québécoise :

Les décideurs
Il s'agit de dirigeants actifs aux revenus supérieurs, au grand train de vie, ouverts au monde et très informés. Ils sont de grands consommateurs de produits de luxe et de voyages.

Les stricts
Ces consommateurs sont élitistes, conservateurs mais ouverts à la différence. Ce sont des gens de principe, des consommateurs suréquipés, peu influencés par la mode et très autonomes dans leurs décisions.

Les fortifiés
Leurs revenus sont assez élevés et leur scolarité plutôt moyenne. Ils sont consommateurs de produits d'aménagement de la maison. Ils bricolent, aiment la culture populaire et les divertissements familiaux.

Les laborieux
Consommateurs parfois endettés pour le confort de la maison, ils recherchent des guides pratiques et des conseils. Ils valorisent l'acharnement au travail pour améliorer leur train de vie.

Les confortables
Ce sont surtout des banlieusards qui recherchent la réussite sociale et financière. Ils sont soucieux de leur intégration dans la vie de quartier entre gens du même monde. Les confortables sont très équipés pour le confort chez-soi.

Les traditionalistes
Ils sont d'ardents défenseurs de la vie traditionnelle québécoise, dans une maison douilllette et classique, un cadre naturel. Ils voyagent surtout au Québec et se méfient des médias. Ils consomment « québécois ».

Les enthousiastes
Ils ont des revenus modestes mais un niveau d'éducation élevé. Ils sont ambitieux aux plans professionnel et social. Innovateurs, ils croient à un travail passionnant, à une société juste et écologique. Ce sont des « touche-à-tout » de la culture qui recherchent l'originalité dans les produits et les loisirs.

Les avant-gardes
Ce sont des intellectuels avec des revenus allant de modestes à élevés. Avides de progrès et d'originalité, ils sont des aventuriers de la culture internationale et de grands lecteurs de médias écrits. Les avant-gardes consomment par plaisir, ils aiment le nouveau et l'excentrique.

Les paroissiens
Ces consommateurs sont en fin de carrière ou retraités. Leurs revenus sont moyens. Ils sont très impliqués dans leur communauté. Sur le plan de

la consommation, ils sont encore actifs ; ils voyagent et aiment les sorties. Ils sont prudents face aux médias.

Les moralistes
Ce sont des personnes d'âge mûr qui croient aux valeurs familiales et religieuses. Elles sont en quête d'une vie tranquille. Les moralistes sont des consommateurs qui « se retiennent » et qui aiment l'information de voisinage.

Les économes
Les économes sont des consommateurs à petits moyens qui achètent des produits à bon marché. Plutôt d'âge mûr, ils sont d'une nature inquiète, mais satisfaite. Ils sont discrets et respectueux des règles sociales. Ils préfèrent magasiner dans leur voisinage.

Les fatalistes
Ce sont des personnes modestes, inactives et seules. Elles sont pessimistes et ont des moyens financiers limités. Sur le plan de la consommation, elles sont en général sous-équipées. Amateurs de culture populaire et de passe-temps, les fatalistes sont méfiants envers les médias.

Les disponibles
Les disponibles sont des matérialistes à faibles revenus. Ils rêvent de plaisirs ostentatoires, mais sont des consommateurs du minimum. Ils recherchent les médias divertissants.

Les durs
Ce sont des jeunes adultes aux revenus modestes. Ils sont individualistes mais sensibles à la culture du sport et des copains. Amateurs de sensations fortes, ils recherchent plaisir, séduction, bon prix et apprécient la publicité et les films chocs.

Les gourmands
En majorité, ce sont des jeunes individualistes, insouciants et libérés qui sont en quête de sensations tous azimuts et consomment mode et divertissement.

Les bons vivants
Ils rêvent de consommation et sont endettés. Ce sont des acheteurs impulsifs au gré de leurs entrées d'argent, avides de télévision et de distractions émotionnelles. Ils sont inquiets par rapport à leur avenir.

À quel groupe appartenez-vous ?

La recherche psychographique constitue un moyen efficace pour caractériser les styles de vie des consommateurs. Cependant, cette analyse est statique : il s'agit d'une description faite à une période définie dans le temps. Pour le marketing, le véritable défi est d'être à l'affût des changements dans le style de vie des consommateurs, car ces changements se traduisent en occasions d'affaires. Certaines firmes de conseil en marketing se spécialisent dans la détection des changements dans le style de vie des gens. L'illustration 2.3 présente dix tendances sociales fondamentales identifiées par les chercheurs en marketing.

Illustration 2.3
Odyssée 2010

Les responsables du marketing aimeraient bien pouvoir prédire l'avenir (ils ne sont pas les seuls !). Plusieurs firmes américaines l'ont compris ; tous les jours, elles font l'analyse de contenu (lecture, synthèse et classification) de centaines de publications et d'émissions, afin de prévoir les tendances sociales importantes qui affecteront notre vie future. Les résultats de ces analyses valent leur pesant d'or. Voici dix tendances sociales fondamentales dont les responsables du marketing du nouveau millénaire devront tenir compte s'ils veulent tirer profit de ce que réserve l'avenir.

Tendance # 1 : l'environnementalisme et le marketing vert
Pour beaucoup de consommateurs, l'environnement est une priorité. Ces consommateurs savent que les ressources de la terre sont limitées et que la consommation effrénée engendre le gaspillage et la pollution. Ils préfèrent les entreprises qui se préoccupent des incidences de leurs actions sur l'environnement et ils sont prêts à payer davantage pour des produits écologiques : produits dont l'emballage est recyclable, sans composantes nocives pour l'environnement, qui n'ont pas été testés avec des animaux. Les consommateurs verts font entendre leur voix, mais ces dernières années, on constate que le mouvement écologique a perdu un peu de son attrait puisque la participation dans des groupes tel que Greenpeace a diminué de façon significative.

Tendance # 2 : la recherche de valeur
Les consommateurs aiment en avoir pour leur argent. Un concept important en marketing est celui de valeur, c'est-à-dire la perception de ce qu'un produit ou un service offre par rapport à ce qu'il coûte. Les consommateurs du nouveau millénaire ne se laissent pas avoir par les beaux magasins où les prix sont trop élevés. Ils sont prêts à magasiner pour trouver ce qu'il cherchent à moindre coût. Tant pis si les produits convoités se trouvent dans des entrepôts *(Price Costco, Bureau en gros),* ce qui compte avant tout pour eux, c'est la valeur. Les commerçants ont compris le message et plusieurs n'ont pas peur de dire qu'ils ont les « prix les plus bas ». Mais le prix n'est pas le seul critère, car tout ce qui accompagne le produit ou le service influe également sur la perception de la valeur. Les responsables du marketing doivent donc faire preuve d'imagination pour attirer les consommateurs et en faire des clients fidèles.

Tendance # 3 : la valeur du temps
L'information instantanée (fax, cellulaires, Internet, courriel, etc.) a augmenté de façon spectaculaire le rythme du travail. Plus question d'attendre quelques jours la documentation envoyée par la poste : grâce au courrier électronique ou au télécopieur, elle se trouve sur votre bureau en moins d'une minute. Les gens n'ont pas le temps de tout faire et ils sont prêts à acheter du temps ! C'est une véritable mine d'or pour les entre-

prises du prêt-à-manger, des services multiples (nettoyage à sec, cordonnerie et confection de vêtements sous un même toit) et du service rapide.

Tendance # 4 :
les femmes et le travail à l'extérieur

Les femmes ont travaillé fort dans notre société pour obtenir le même statut que les hommes et plusieurs diront qu'il reste encore beaucoup à faire. Cependant, l'équité a un coût important au niveau du style de vie. Alors que les femmes des années 70 accordaient une grande importance à l'accomplissement et à la réussite, celles de la prochaine décennie remettront peut-être en question la soi-disant liberté du travail à l'extérieur, pour revenir à des valeurs fondamentales comme la famille et les relations personnelles. Ces dernières années, on a observé un virage vers une sorte de néo-traditionalisme caractérisé par un intérêt accru pour la famille. Pour plusieurs femmes, le travail à la maison est une option de vie de plus en plus courante.

Tendance # 5 :
bien vivre surtout

Une tendance assez nette se démarque dans le désintéressement graduel des consommateurs pour l'exercice et l'alimentation saine. Bien sûr, les gens sont toujours concernés par leur santé, mais l'obsession des régimes amaigrissants et des programmes de conditionnement physique a beaucoup diminué. Des études remettent en question les bénéfices à long terme de certains aliments comme les fibres, et les consommateurs ne sont pas prêts à payer plus cher pour obtenir des produits naturels. Aux États-Unis, on a constaté une augmentation de la consommation de sel et de viande rouge.

Tendance # 6 :
la fin du retranchement (cocooning)

Il y a plus de dix ans, la futurologue Faith Popcorn prédisait que les consommateurs seraient de plus en plus enclins à se retrancher dans la maison-forteresse (le cocon). Pour elle, la civilisation était devenue plus dangereuse que la jungle ! Beaucoup de spécialistes croient maintenant que cette tendance ne se confirme pas. Les consommateurs sont plus enclins que jamais à sortir de leur maison. La fréquentation des cinémas augmente chaque année. *Le Festival de jazz* de Montréal a vu son public tripler durant les trois dernières années. Bref, loin de se retrancher dans leur cocon, les consommateurs vont au restaurant, assistent à des spectacles, vont au théâtre et regardent de moins en moins la télévision.

Tendance # 7 :
l'anticonsommation

La tendance est là, il n'y a pas à en douter. Beaucoup de consommateurs ont adopté le code « NON » pour plusieurs produits de consommation, incluant l'alcool, le tabac et la nourriture (les aliments modifiés génétiquement). Ces anticonsommateurs ne sont pas prêts à répondre aux appels de la surconsommation. Et ils sont écoutés. À preuve, certains produits se positionnent parce qu'ils possèdent des attributs qui ne sont pas recherchés par l'ensemble des consommateurs : les bières sans alcool, les produits légers, les espaces sans fumée et les produits naturels.

Tendance # 8 :
l'individualisme et la fabrication sur mesure

Les consommateurs nord-américains de demain seront de plus en plus orientés vers l'individualisme plutôt que le collectivisme. Les développements technologiques comme Internet, le téléphone cellulaire et le courrier électronique facilitent le travail autonome et à distance. De leur côté, les responsables du marketing exploitent les bases de données sur les consommateurs de façon à rejoindre plus efficacement leurs clientèle cible. Des compagnies comme *Levi Strauss, Hallmark* et autres ont commencé avec succès à fabriquer des produits selon les spécifications précises de leur clients. La production de masse n'est pas disparue, loin de là, mais la tendance des firmes à produire des biens et des services qui rencontrent les besoins précis des consommateurs se confirme.

Tendance #9 :
le style décontracté

Les consommateurs du nouveau millénaire opteront davantage pour un style « relaxe ». Cette tendance est observable au travail. Le code vestimentaire de l'Amérique des affaires (veston et cravate) est remis en question par les nouveaux arrivants sur le marché du travail et les entreprises emboîtent le pas. La compagnie *Levi Strauss* a introduit une ligne de produits vestimentaires destinés à remplacer les complets traditionnels. On s'habille de façon décontractée pour pouvoir mieux performer.

Tendance #10 :
toujours plus d'excitation

Les consommateurs continuent à apprécier et à rechercher les émotions fortes. Les sports extrêmes, le rafting, le bunjee, l'escalade sur glace et le ski de montagne attirent leur lot d'adeptes. La fantaisie est un *business* en pleine expansion et les formes de divertissement sont de plus en plus variées. Les combats extrêmes où des adversaires, sorte de gladiateurs des temps modernes, se livrent une lutte sans merci (et avec un minimum de règles) sont regardés par de vastes auditoires avides de sensations fortes[2].

Les besoins. Le style de vie des consommateurs engendre des **besoins.** Cette observation fondamentale découle de la définition même de style de vie. Rappelons qu'on entend par style de vie les activités, les intérêts et les opinions des consommateurs. Ces trois dimensions recouvrent plusieurs aspects de notre existence : ce que nous aimons faire (travail, loisirs, magasinage, etc.), ce qui nous attire et nous stimule (mode, nourriture, travail, famille, etc.) et ce que nous pensons (de nous, des affaires, de l'économie, de la consommation, etc.). Afin de réaliser tous ces aspects de notre quotidien, nous avons besoin d'une multitude de biens et de services : une auto pour aller travailler, une maison et des outils pour l'entretenir, une institution financière pour faire des transactions financières, un salon de beauté pour l'apparence et des émissions de télévision variées pour la détente. Bref, les besoins des consommateurs sont multiples et ils dépendent, en grande partie, de leur style de vie.

Nous avons déjà discuté de la notion de besoin et de son importance en marketing. Il y a un demi-siècle, le psychologue américain Abraham Maslow[3] proposa une théorie des besoins qui a eu et qui a encore une grande influence en marketing. L'idée centrale de cette théorie est qu'il existe une **hiérarchie des besoins.** Selon Maslow, quand un besoin devient actif, l'individu cherche à le satisfaire. L'environnement joue un rôle important dans l'activation des besoins. Par exemple, il suffit parfois de humer l'odeur d'une pizza pour que la faim s'enclenche, ou encore de sentir l'arôme envoûtant d'un parfum pour attiser le désir sexuel. Lorsqu'un besoin est satisfait, il n'est plus actif et l'individu peut chercher à satisfaire d'autres besoins.

L'originalité de la théorie de Maslow réside dans la spécification des conditions de satisfaction des besoins. Ainsi, selon cette théorie, les besoins humains sont organisés de façon hiérarchique, comme une pyramide (Figure 2.2). Un besoin situé à un niveau donné ne pourra être activé et satisfait que si les besoins situés aux niveaux inférieurs ont déjà été satisfaits.

figure 2.2 **La hiérarchie des besoins de Maslow**

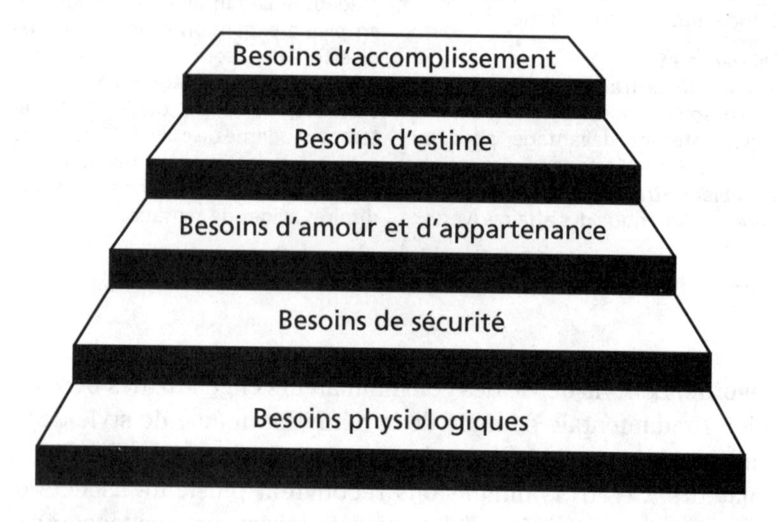

Les niveaux de besoin identifiés par Maslow sont au nombre de cinq. Au premier niveau, on trouve les besoins physiologiques de base : manger, respirer et dormir, c'est-à-dire tout ce qui permet de vivre et d'être en santé. Ce sont les premiers besoins à satisfaire et ils sont prioritaires. Au deuxième niveau, les besoins de sécurité comme la stabilité, la familiarité avec l'environnement et la possibilité de prévoir les événements. Ce sont des besoins importants qui doivent être satisfaits afin d'assurer notre fonctionnement en société. Au troisième niveau, on trouve les besoins d'amour et d'appartenance. Lorsque les besoins physiologiques et de sécurité ont été satisfaits, les individus sont en quête d'affection et d'affiliation. L'union avec une autre personne, la famille, les amis et les groupes constituent des moyens d'y parvenir. Viennent ensuite, au quatrième niveau, les besoins d'estime. Ceux-ci concernent la nécessité pour une personne d'avoir une image positive d'elle-même. Ces besoins se caractérisent par la recherche de prestige, de reconnaissance, d'appréciation et de confiance en soi. Finalement, au sommet de la hiérarchie se trouvent les besoins d'accomplissement, qui représentent les objectifs ultimes de l'être humain; l'actualisation de ses capacités en une réalisation totale de son potentiel.

La théorie de Maslow est élégante et surtout très ambitieuse, car elle vise à expliquer le comportement humain par un petit nombre de catégories de besoins. Cependant, sa simplicité même suscite la critique. Par exemple, la théorie de Maslow s'accommode mal du besoin qu'on ressent parfois d'être seul. Que dire du besoin de nouveauté, du besoin de jouer et de celui de comprendre? Certains spécialistes croient qu'il vaut mieux tenter de dresser une liste exhaustive de tous les besoins, alors que d'autres ont tenté d'identifier les besoins fondamentaux du genre humain. Pour les gestionnaires du marketing, il importe surtout de savoir comment identifier les besoins des consommateurs et comment concevoir des produits et services pour les satisfaire. La Figure 2.3 présente une liste partielle des produits et services qui visent à répondre aux besoins des consommateurs.

Retenons que : Le comportement des consommateurs est influencé par des besoins qui sont probablement organisés de façon hiérarchique, selon un ordre de priorité. Les besoins des consommateurs découlent en partie de leur style de vie et se traduisent par le désir de consommer.

Figure 2.3
Besoins, produits et services

Besoins de base ············▶	Biens et services pour les satisfaire
Réussite : le besoin d'accomplir des choses difficiles, des tâches exigeantes ; d'utiliser ses aptitudes, ses habiletés et ses talents.	Les produits qui améliorent les habiletés des consommateurs ; les livres de savoir-faire ; les cours pratiques ; les programmes de motivation et d'amélioration de soi.
Indépendance : le besoin d'être autonome, d'être libre de l'influence d'autrui ; de faire ses propres choix ; d'être différent.	Les produits qui mettent l'emphase sur la distinction ; services de soins personnels ; automobiles personnalisées ; meubles d'intérieur individualisés ; gadgets.
Exhibition : le besoin de se montrer ; d'être visible ; de révéler sa personnalité ; de se pavaner afin d'attirer l'attention ; de se faire remarquer.	Produits et arrangements inhabituels ; vêtements et bijoux étonnants ; couleurs vives et ornements qui frappent ; coiffures bizarres : produits cosmétiques étranges.
Reconnaissance : le besoin d'être remarqué de façon positive ; de montrer sa supériorité et son excellence ; d'être acclamé ou donné en exemple ; de recevoir des gratifications sociales ou de la notoriété.	Produits qui identifient le consommateur avec des gens ou des institutions réputés ; plaques, trophées, prix ; attirail des mordus des sports, comme des insignes et des vestes ; emblèmes et boutons de l'université d'appartenance.
Pouvoir : le besoin de pouvoir sur les autres ; de détenir une position d'autorité ou d'influencer ; de diriger les autres ; de montrer sa force et sa détermination en battant ses adversaires.	Produits qui symbolisent l'autorité ; choses associées aux figures d'autorité ; armes de toutes sortes ; produits qui sont réputés pour leur puissance comme les détergents, les pesticides.
Affiliation : le besoin d'association avec les autres ; d'appartenance ou d'être accepté ; d'avoir des relations satisfaisantes et utiles.	Les produits qui favorisent les interactions ; les produits qui rendent l'individu plus attirant.
Sexualité : le besoin d'établir son identité sexuelle et son attrait ; d'avoir des contacts sexuels ; de donner et recevoir de la satisfaction sexuelle.	Les produits qui identifient l'individu à son sexe ; produits ou vêtements qui augmentent l'attrait sexuel ; parfums et eaux de toilette ; produits de soins personnels ; produits associés directement aux activités sexuelles ; livres, films, bandes vidéo ; lieux de divertissement et de rencontres.
Diversion : le besoin de jouer ; d'avoir du plaisir ; de rompre la routine ; de relaxer et de s'amuser.	Les biens et services pour se distraire ; jeux ; cinéma, télévision, concerts et pièces de théâtre ; musique ; livres et revues ; passe-temps ; véhicules de promenade ; équipements récréatifs.
Nouveauté : le besoin de changement ; de vivre l'inhabituel ; de faire de nouvelles tâches et activités ; d'acquérir de nouvelles habiletés ; de découvrir un nouvel environnement ; de trouver des objets d'intérêt uniques ; d'être surpris.	Les produits hors de l'ordinaire ; objets provenant de lieux éloignés ou d'autres cultures ; films étrangers et nourriture ethnique ; vêtements et bijoux uniques ; divertissements qui excitent ; voyages dans des endroits exotiques.
Compréhension : le besoin d'apprendre et de savoir ; de faire des associations ; d'inférer la causalité ; d'enseigner ou d'impressionner les autres avec son savoir ; de s'engager dans des activités intellectuelles.	Les produits et services associés à l'acquisition de connaissances ; livres et cours ; passe-temps qui requièrent de l'étude et de la spécialisation ; revues d'information ; programmes d'éducation pour les adultes.
Cohérence : le besoin de l'ordre, de la propreté et de la logique ; de contrôler l'environnement ; d'éviter l'ambiguïté et l'incertitude ; de prédire sans erreur ; de voir les choses arriver comme prévu.	Les produits et services de nettoyage de tous genres : savons, shampoings, détergents ; les accessoires d'entretien ; les vêtements qui s'harmonisent ; les magasins où la marchandise est bien présentée ; les services caractérisés parla régularité.
Sécurité : le besoin d'éviter la menace et d'être rassuré ; de se protéger soi-même, sa famille et sa propriété ; d'avoir une réserve de choses nécessaires ; d'amasser des avoirs ; d'être à l'abri des attaques ; d'éviter les accidents et les malchances.	Les produits et services qui servent la protection ; assurances ; services financiers ; alarmes pour la maison et la voiture ; équipements de secours ; biens qui sont sans risque ; vitamines.

Source : Adapté de Robert B. Settle et Pamela L. Alreck, *Why they buy; American Consumers Inside and Out*, New York, John Wiley & Sons, 1986, pp 24-27.

Les critères de choix. Les consommateurs se voient offrir une grande quantité de produits et de services destinés à satisfaire leurs besoins (Figure 2.3). Ils ont souvent l'embarras du choix. Pour évaluer les services, les produits et les marques qui leur sont offerts, et sélectionner ceux qui répondent le mieux à leurs besoins, les consommateurs développent et utilisent des critères de choix. Les spécialistes du marketing ont beaucoup étudié la façon avec laquelle les consommateurs utilisent les critères de choix pour évaluer les produits de consommation. Ce domaine de la recherche qui se penche sur le comportement des consommateurs est ce qu'on appelle l'analyse des préférences. Étant donné son importance en marketing, la section suivante de ce chapitre y est consacrée.

L'analyse des préférences des consommateurs

Essayez de vous rappeler un achat récent pour lequel vous n'aviez pas de préférence, au départ, pour une marque ou une option particulière (séchoir à cheveux, magnétoscope, restaurant, ordinateur, lecteur de disques compacts…). Il est probable que vous avez examiné les différentes options disponibles pour découvrir leurs similarités et leurs différences, vous permettre d'identifier les critères de choix et évaluer les options au regard de ces critères. Dans votre esprit, cet achat correspondait sans doute à l'option qui semblait être la meilleure.

Ce scénario ne caractérise peut-être pas l'achat dont vous vous souvenez. Bien des facteurs interviennent dans la formation des préférences des consommateurs. Cependant, la plupart des spécialistes du marketing pensent qu'il représente une description valable du processus par lequel les consommateurs évaluent en général les produits, les marques et les services qui s'offrent à eux. Ce processus est illustré à la Figure 2.4.

figure 2.4 **Comment les consommateurs évaluent les produits**

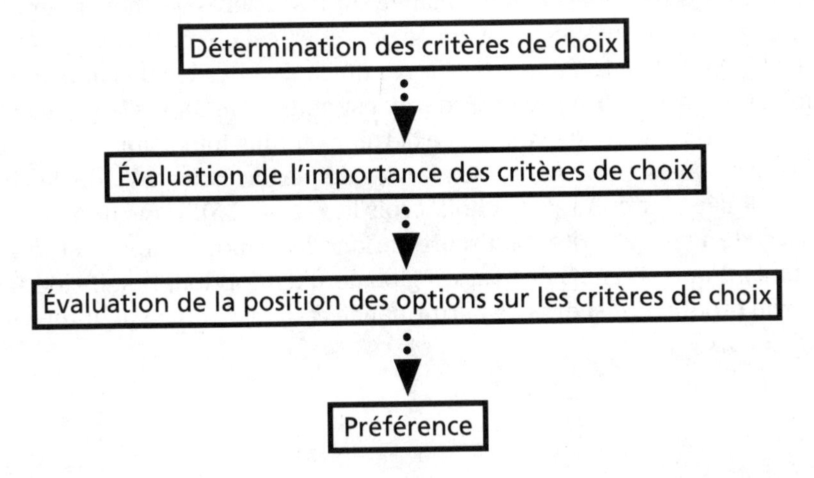

Afin d'illustrer le processus, considérons l'histoire fictive d'un consommateur qui veut évaluer cinq destinations soleil pour ses vacances d'hiver. Ses options sont : Acapulco (Mexique), Cuba, Fort Lauderdale (Floride), la Jamaïque et Puerto Plata (République Dominicaine). En examinant ses finances et ses goûts, ce consommateur a déterminé que ses critères de choix sont, du plus important au moins important : la probabilité de divertissement sur place, la durée du vol, la qualité de l'hôtel et le prix (pour un forfait d'une semaine). Après avoir discuté avec un agent de voyages et consulté quelques brochures, il attribue mentalement, à chaque option, un score de performance sur chaque critère de choix, qui va de 1 (mauvais) à 5 (excellent).

figure 2.5 **L'évaluation de cinq destinations soleil**

Score d'importance		Fort Lauderdale	Acapulco	Puerto Plata	Cuba	Jamaïque
Prix	1	3	1	2	1	1
Qualité de l'hôtel	2	1	1	2	2	3
Durée du vol	3	3	1	1	2	1
Divertissement	4	2	4	2	1	3
Évaluation globale		22	23	17	15	22

Les résultats de ses réflexions apparaissent à la Figure 2.5. Par exemple, on note que ce consommateur attribue un mauvais score à la destination Acapulco sur la dimension prix (trop cher), mais que cette option est bien évaluée sur le critère de probabilité de divertissement sur place. Les autres scores s'interprètent de la même façon.

Comment intégrer toutes ces informations ? Une solution consiste à faire une simple somme des scores de performance sur les critères de choix pour chaque option. Le problème avec cette façon de procéder, est qu'on ne tient pas compte alors de l'importance relative des critères de choix pour le consommateur. Par exemple, un score de 3 sur le critère prix est nettement moins bon qu'un score de 3 sur le critère durée de vol, car ce dernier est plus important. Une méthode plus logique consiste à pondérer les scores de performance à l'aide de l'importance attribuée aux critères de choix (voir la Figure 2.5). Dans notre exemple, on a accordé à chaque critère un score variant de 1 (moins important) à 4 (plus important). Pour obtenir l'évaluation globale d'une option, il suffit de faire la somme du produit des scores de performance et d'importance pour tous les critères de choix.

Ainsi, les évaluations globales des cinq options s'obtiennent aisément :

- Fort Lauderdale : = (1x3) + (2x1) + (3x3) + (4x2) = 22
- Acapulco : = (1x2) + (2x1) + (3x1) + (4x4) = 23
- Puerto Plata : = (1x2) + (2x2) + (3x1) + (4x2) = 17
- Cuba : = (1x1) + (2x2) + (3x2) + (4x1) = 15
- Jamaïque : = (1x1) + (2x3) + (3x1) + (4x3) = 22

Selon les résultats de cette analyse, le consommateur préférera la destination Acapulco, car c'est celle qui correspond à l'évaluation globale la plus élevée. Toutefois, les destinations Fort Lauderdale et la Jamaïque ne sont pas loin derrière. Quant à Puerto Plata et Cuba, il appert que ce sont les destinations les moins intéressantes.

Il est important de noter ici que même si deux options peuvent obtenir un score d'évaluation globale identique, ce n'est pas nécessairement pour les mêmes raisons. Ainsi, dans notre exemple, Fort Lauderdale et la Jamaïque obtiennent toutes deux un score d'évaluation globale de 22. Dans le cas de Fort Lauderdale, il s'agit d'une destination à bon prix, qui ne nécessite pas un long déplacement en avion. La Jamaïque, par contre, compte plutôt des points au niveau de la qualité de l'hôtel et du divertissement attendu.

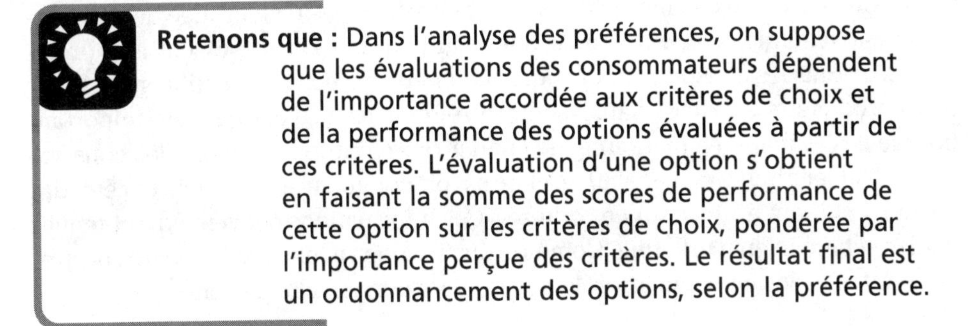

Retenons que : Dans l'analyse des préférences, on suppose que les évaluations des consommateurs dépendent de l'importance accordée aux critères de choix et de la performance des options évaluées à partir de ces critères. L'évaluation d'une option s'obtient en faisant la somme des scores de performance de cette option sur les critères de choix, pondérée par l'importance perçue des critères. Le résultat final est un ordonnancement des options, selon la préférence.

Perspectives stratégiques. Supposons que les données de la Figure 2.5 soient présentées au responsable du marketing pour le forfait Fort Lauderdale. Comment ce dernier pourrait-il convaincre notre consommateur que Fort Lauderdale est la meilleure destination pour ses vacances ? Plusieurs stratégies sont possibles.

Premièrement, il peut essayer d'améliorer la position de Fort Lauderdale sur un ou des attributs jugés importants par le consommateur. S'il lui démontre, par exemple, que l'hôtel est de très bonne qualité (hypothèse : le score passe de 1 à 3), l'évaluation de Fort Lauderdale, dans son ensemble, serait alors égale à 26, soit la plus élevée.

Deuxièmement, le responsable du marketing peut tenter de modifier l'importance des critères sur lesquels cette destination est en position avantageuse, ou diminuer celle des critères sur lesquels sa position est faible. Par exemple, en augmentant l'importance perçue du critère durée de vol (hypothèse : le score passe de 3 à 4), cela affecterait toutes les évaluations et on obtiendrait Fort Lauderdale = 25, Acapulco = 24, Puerto Plata = 18, Cuba = 17 et Jamaïque = 23. Par ailleurs, en diminuant l'importance perçue du critère probabilité de divertissement (hypothèse : le score passe de 4 à 3), on obtiendrait les résultats suivants : Fort Lauderdale = 20, Acapulco = 19, Puerto Plata = 15, Cuba = 14 et Jamaïque = 19. Dans les deux cas, la position de Fort Lauderdale serait améliorée par rapport au classement initial.

Une troisième stratégie consiste à introduire un nouveau critère de choix sur lequel la destination Fort Lauderdale est bien placée et à rendre ce critère important au yeux du consommateur. Par exemple, le responsable du marketing peut essayer de convaincre le consommateur que la ligne aérienne qui se rend à Fort Lauderdale est la plus sécuritaire, et que cet aspect est très important étant donné les catastrophes aériennes fréquentes.

Une dernière stratégie est de tenter d'influencer les scores de performance des options concurrentes. À titre d'exemple, si les scores des destinations Acapulco et Jamaïque baissent d'un point sur le critère probabilité de divertissement, Fort Lauderdale devient l'option la mieux évaluée.

Cet exemple est organisé autour d'un seul consommateur, mais les principes présentés demeurent les mêmes si on parle des préférences d'un groupe de consommateurs. Généralement, les responsables du marketing s'intéressent aux préférences de tous les consommateurs qui achètent ou qui sont susceptibles d'acheter leurs produits et services. L'analyse des préférences suggère qu'il est important pour le gestionnaire en marketing de connaître les critères de choix des consommateurs et leur importance relative, et de savoir comment ses produits et ceux des concurrents sont évalués sur ces critères. Ces informations peuvent être obtenues par la recherche en marketing. Comme nous l'avons vu, elles servent à orchestrer des stratégies visant à améliorer la position concurrentielle de l'entreprise.

Retenons que : L'objectif de l'analyse des préférences est de permettre au responsable du marketing de connaître sa position concurrentielle, ainsi que les facteurs qui la déterminent. Quatre stratégies sont possibles pour modifier les préférences des consommateurs en faveur du produit ou service de l'entreprise : améliorer la performance perçue sur un ou des critères de choix jugés importants, modifier l'importance d'un ou de plusieurs critères de choix, introduire un ou des critères de choix nouveaux sur lesquels on est en position avantageuse, et influencer la performance perçue des concurrents sur les critères de choix.

Jusqu'ici, nous avons discuté de la formation des préférences des consommateurs sur la base du modèle présenté à la Figure 2.1. Nous avons dit que la formation des préférences repose sur les **valeurs** fondamentales des consommateurs. Celles-ci affectent directement leur **style de vie** qui, parce qu'il recouvre plusieurs aspects de l'existence, engendre des **besoins**. Ces besoins permettent de définir des **critères de choix** utilisés par les consommateurs pour évaluer les produits qui sont en concurrence sur le marché et pour établir leurs **préférences.** Il est temps maintenant de compliquer un peu les choses en incorporant à ce modèle d'autres facteurs qui influencent chacune des composantes que nous avons abordées.

La Figure 2.6 présente un modèle plus complexe de la formation des préférences des consommateurs. Dans ce modèle, on trouve l'impact de quatre grandes familles de variables : la culture (incluant les sous-cultures et les classes sociales), les groupes de référence, la famille (et les facteurs situationnels) et les variables psychologiques (incluant la motivation, la personnalité, la perception et l'apprentissage). Voyons un peu comment ces nouvelles variables s'intègrent dans le processus de formation des préférences des consommateurs.

figure 2.6 **Un modèle plus complexe de la formation des préférences**

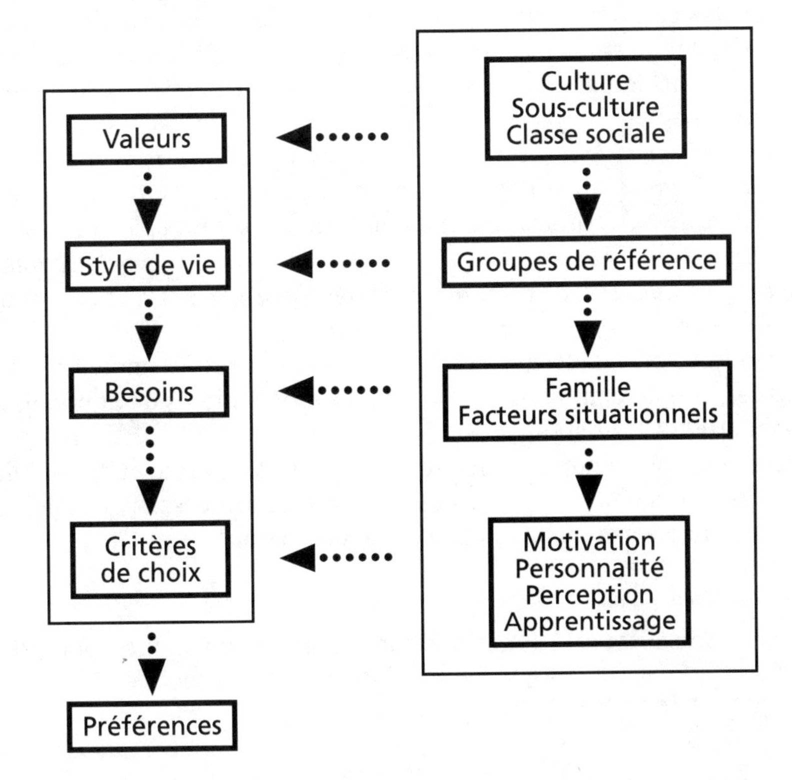

L'IMPACT DE LA CULTURE

Les canadiens qui vont en France y trouvent le café qu'on leur sert dans des dés-à-coudre « trop fort et amer ». Les français qui voyagent au Canada qualifient de « jus de chaussette » le liquide noir qu'on leur sert à volonté.

Le canadien consomme sa salade avant le plat principal, le français la mange après.

Dans les deux cas, on peut argumenter du bon ou du mauvais goût de chacun, mais il s'agit en fait de **différences culturelles.**

Selon la définition classique de l'anthropologue Edward B. Tylor, la culture est *« un tout complexe qui comprend les connaissances, les croyances, l'art, les règles morales, les coutumes et toutes les capacités et les habitudes acquises par l'homme en tant que membre de la société*[4] ». La culture définit les valeurs fondamentales d'une société et de ses membres. Parce qu'elle est si envahissante et qu'elle touche tous les aspects de la vie, son influence sur les comportements de consommation n'est pas vraiment visible. Mais lorsqu'on compare des individus issus de milieux culturels différents, les contrastes sont souvent frappants et toute la richesse et l'importance de la culture, comme variable explicative du comportement des consommateurs, apparaissent.

Les seules différences ayant trait au langage et à ses significations particulières selon les cultures, peuvent causer des problèmes pour qui n'est pas prudent, comme les responsables du marketing l'ont d'ailleurs souvent appris à leurs dépens dans leurs tentatives d'extension de leurs activités commerciales dans d'autres pays.

Les exemples abondent d'échecs à l'exportation liés au fait que le nom du produit était inacceptable dans le pays d'importation : Gillette n'a pas pu vendre ses rasoirs à 2 lames sous le nom Trac II en France (les Français ne voulaient pas « avoir le trac » de se raser); Colgate n'a pas mieux réussi en France avec son dentifrice Cue; la Chevrolet Nova n'a pas fait fureur en Espagne où « no va » signifie « ne marche pas ».

Ces histoires vous amusent? Songez aux pertes énormes encourues par ces compagnies, simplement parce qu'on n'a pas vérifié auprès de la population si le nom du produit était approprié!

Une personne ne vient pas au monde avec tout son bagage culturel. Elle doit faire l'apprentissage de sa propre culture. C'est un processus qui s'échelonne sur plusieurs années et qu'on appelle la **socialisation.**

Socialisation : Processus par lequel une personne apprend à vivre et à fonctionner en société.

Les institutions sociales comme la famille, les médias ou l'école sont des agents de socialisation par excellence. Ce sont elles qui transmettent les valeurs, les normes et les comportements culturels qui caractérisent la société dans laquelle vit chaque personne. La Figure 2.7 présente quelques institutions nord-américaines importantes, leurs raisons d'être, ainsi que certaines des valeurs transmises.

Dans le contexte actuel de mondialisation des marchés, la culture représente une notion importante pour le marketing. L'entreprise qui vise un développement international, soit par l'exportation ou encore l'implantation à l'étranger, doit tenir compte de la réalité culturelle de la société où elle veut commercialiser ses produits. Notre discussion suggère qu'une façon de comprendre cette réalité culturelle est d'étudier les institutions sociales qui la façonnent. Mais, attention! les considérations rattachées à la notion de culture sont toutes aussi importantes pour le marketing dans le pays d'origine. En effet, il est rare de rencontrer une société caractérisée par une culture monolithique, elle comprend généralement des **sous-cultures.**

figure 2.7 **Quelques institutions de la société nord-américaine**

Institutions sociales	Raisons d'être	Exemples de valeurs transmises
La famille	La procréation, l'éducation des enfants, le contrôle de la sexualité.	La fidélité, l'esprit de famille, l'autorité, l'obéissance.
Les médias	La communication, l'information, le divertissement.	Être informé, la belle vie, le matérialisme.
Le système d'éducation	La transmission des connaissances.	La réussite, la compétition, le savoir.
Le système économique	La production et la distribution des biens et services.	L'esprit d'entreprise, le capitalisme, la compétition, l'efficacité.
La religion	L'établissement des valeurs morales et spirituelles.	Faire le bien, croire en Dieu, aimer son prochain.
La science	Comprendre, prédire et contrôler la nature des choses et des événements.	La curiosité, la logique, la rigueur, le progrès.

Sous-culture : Ensemble du bagage culturel particulier à un groupe appartenant à une société.

Notre définition d'une sous-culture est générale et s'applique à tout groupe de personnes qui partagent les mêmes valeurs, normes, attitudes et profils de comportements. Les aspects qui distinguent ces groupes sont variés : la race (les blancs, les noirs, les orientaux, etc.), la nationalité (les Belges, les Français, les Haïtiens, etc.), la localisation géographique (les Québécois, les Montréalais, les gens du sud, etc.), l'âge (les adolescents, les adultes, les aînés, etc.), l'orientation sexuelle (les homosexuels, les hétérosexuels, les bisexuels, etc.) ou le niveau social (les riches, les pauvres, les gens de la classe moyenne).

Mais il faut être prudent ; si toute sous-culture est le fait d'un groupe de personnes, le contraire n'est pas nécessairement vrai. Peut-on parler, par exemple, de la sous-culture des chauves ou de celle des unijambistes ? Qui dit sous-culture dit un ensemble intégré d'éléments matériels (objets de tous les jours, production artistique et littéraire, nourriture, habillement, etc.) et de facteurs idéologiques (croyances populaires, mœurs, rôles, normes et sanctions, etc.) distincts qui définissent la personne et la guident dans son interaction avec l'environnement.

Il arrive qu'un groupe de personnes se définisse à partir d'une implication commune à l'égard d'une catégorie de produit, d'une marque ou d'une activité de consommation. On parle alors d'une **sous-culture de consommation**. Par exemple, les motards associés à la marque de motocyclette *Harley-Davidson* forment une sous-culture distincte qui possède une structure hiérarchique (selon l'ancienneté, l'expérience), un ensemble de valeurs (la liberté, le patriotisme, le machisme), un jargon unique, des rituels (le nettoyage de la moto) et des modes d'expression symbolique (comme les tatouages, les vêtements, le look)[5].

L'existence des sous-cultures offre aux responsables du marketing des contraintes et des opportunités. Au niveau des contraintes, il peut être nécessaire d'adapter l'action commerciale aux caractéristiques distinctes des communautés culturelles susceptibles d'acheter le produit. Des adaptations relativement mineures touchent, par exemple, la langue utilisée sur l'emballage ou dans la publicité. Parfois, il est nécessaire de procéder à des adaptations majeures, par exemple en ce qui a trait au mode de distribution, aux thèmes promotionnels utilisés, au nom du produit ou de la marque. Quant aux opportunités, elles proviennent de l'identification de besoins particuliers attachés aux sous-cultures. Par exemple, au Canada et dans d'autres pays, la population vieillit. Le groupe des aînés représente une portion considérable de la population totale (au

Canada, 11 % de la population est âgé de plus de 65 ans). Pour le marketing, cette réalité offre des opportunités dans les domaines des loisirs, des médicaments, des services de santé, des soins à domicile, des maisons de retraite, des produits et des activités adaptés aux conséquences du vieillissement. Un autre exemple est celui de la sous-culture homosexuelle. Les gais constituent un marché très intéressant pour les responsables du marketing. Aux États-Unis seulement, il y aurait près de 20 millions de gais et lesbiennes et ceux-ci auraient un pouvoir d'achat de plus de 500 milliards de dollars. Ces consommateurs ont des goûts, des attitudes, des comportements de consommation différents et les entreprises qui lorgnent ce marché doivent déployer des stratégies de marketing adaptées.

Retenons que : La culture d'une société ou d'un groupe (sous-culture) comprend l'ensemble des symboles et acquis matériels et idéologiques qui sont transmis aux personnes via la socialisation. Les valeurs personnelles des consommateurs sont un reflet de leur culture. L'efficacité des actions de marketing est conditionnée par la capacité à s'adapter aux contraintes engendrées par la culture et à en saisir les opportunités.

LES CLASSES SOCIALES

Une étude menée aux États-Unis révèle que près de 60 % des consommateurs interrogés ont prétendu que la valeur « égalité » avait une influence sur leur vie de tous les jours[6]. Ce résultat montre bien que plusieurs valeurs auxquelles nous attachons de l'importance sont idéalisées. En d'autres mots, bien qu'elles constituent des standards qui orientent notre existence, elles ne se réalisent pas toujours pleinement. En effet, il faut bien le constater, les sociétés capitalistes comme celles des États-Unis et du Canada ont une structure sociale fondée sur l'inégalité. Cette structure s'organise autour de ce qu'on appelle les **classes sociales.**

Classe sociale : Groupe de personnes qui sont semblables quant à leurs propriétés, leur prestige et leur pouvoir.

Cette définition met en évidence les trois dimensions qui permettent d'identifier la classe sociale d'un consommateur. Les **propriétés** correspondent aux biens possédés : maisons, automobiles, entreprises, terrains, etc. Elles constituent la richesse matérielle d'une personne. Le **prestige** renvoie au statut social de la personne, à l'admiration qu'on lui porte. Il s'évalue, par exemple, par l'occupation, les titres honorifiques, les exploits réalisés ou les antécédents familiaux. Enfin, le **pouvoir** est la capacité que possède une personne à se faire obéir. Il peut être formel, c'est-à-dire conféré par une institution, un groupe ou une personne qui détiennent eux-mêmes du pouvoir ou encore informel, c'est-à-dire provenant des habiletés de la personne (personnalité, leadership, charisme, etc.) ou son réseau d'influence.

La Figure 2.8 présente une façon de concevoir la stratification sociale canadienne. On distingue cinq classes sociales. La **classe supérieure** correspond aux aristocrates de notre société. Ce sont des individus influents, qui possèdent de grandes richesses. La **classe moyenne supérieure** est composée de gens qui réussissent bien, comme les médecins, les avocats ou les directeurs d'entreprise. Leurs revenus sont élevés mais, contrairement aux aristocrates qui souvent sont riches de génération en génération, ils doivent leur aisance matérielle à leur réussite professionnelle. La **classe moyenne inférieure** comprend les employés de bureau, les petits commerçants ou les techniciens ; ceux qu'on appelle parfois les cols blancs. Ils représentent la majorité de la population canadienne. La **classe ouvrière** est formée des travailleurs qualifiés ou semi-qualifiés de notre société. Ce sont les cols bleus et ils représentent une proportion importante de la population. Finalement, la **classe inférieure** est constituée des personnes défavorisées, des assistés sociaux, des chômeurs et des sans-abris. Ils sont généralement restreints sur tous les aspects qui définissent le rang social.

Aux États-Unis, plusieurs études ont démontré que l'influence de la classe sociale sur les comportements de consommation n'est pas négligeable. Les différences observées entre les consommateurs appartenant à des classes sociales distinctes sont souvent évidentes et la généralisation à notre propre réalité se fait sans trop de risques. Ces différences existent, par exemple, quant aux types de produits achetés (contraste entre les buveurs de *Bols* et ceux qui préfèrent le *Chivas Regal*), aux magasins fréquentés (la clientèle de *CPC – C' pas cher* versus celle des boutiques *Mexx*), à l'utilisation des médias (ceux qui lisent *Vie des arts* et écoutent l'émission *Le Point* par rapport à ceux qui lisent *Le Lundi* et écoutent *Piment fort*) et aux réponses face à la publicité (contraste entre les publicités des voitures de marque *Jaguar* et celles de marque *Subaru*).

figure 2.8 **Les classes sociales au Canada**

	Revenus	Propriétés	Occupation	Éducation	Vie personnelle et familiale	Éducation des enfants
La classe supérieure (2 %)*	Très élevés	Grande richesse (souvent héritée)	Présidents de compagnie, dignitaires	Élitique, meilleures écoles	Personnalité autonome, vie familiale stable	Universitaire pour filles et garçons
La classe moyenne supérieure (13 %)	Élevés	Accumulées par l'épargne	Gestionnaires, professionnels, dirigeants	Universitaire	Meilleure santé physique et mentale	S'identifient bien aux valeurs du système d'éducation
La classe moyenne inférieure (51 %)	Moyens	Quelques économies	Fermiers, semi-professionnels, commis, représentants	Secondaire, parfois collégial	Espérance de vie la plus élevée	Peut-être l'université
La classe ouvrière (32 %)	Faibles	Quelques économies	Travailleur qualifiés ou non	Élémentaire, parfois secondaire	Vie de famille instable, conformiste	S'identifient mal aux valeurs du système d'éducation
La classe inférieure (2 %)	Pauvreté	Rien	Chômage	Nulle	Santé physique et mentale mauvaise, espérance de vie plus courte	Peu d'intérêt pour l'éducation, taux élevé d'abandon

* Les pourcentages entre les parenthèses donnent une approximation de la taille relative des classes sociales au Canada. Ils doivent être interprétés avec prudence, car ils sont basés sur des études où la classe sociale est mesurée par auto-évaluation.

Source : Adapté de Nicolas Papadopoulos, William Zikmund et Michaël D'Amico, *Marketing,* Toronto : John Wiley & Sons Canada Ltd, 1988, page 117.

Il faut cependant être nuancé quand on affirme que la classe sociale a un impact sur le comportement des consommateurs. Les exemples que nous avons présentés sont extrêmes et il n'est pas dit que les différences soient si prononcées pour tous les produits, magasins, médias et publicités. Nous vivons à une époque où l'information est la caractéristique dominante de la société, ce qui contribue à rapprocher les classes. De plus, les revenus des consommateurs ne servent plus vraiment à distinguer les classes sociales, sauf si on compare les moyennes. En effet, à l'intérieur d'une même classe sociale, il est possible que les revenus varient grandement. Ceci fait en sorte que les produits de luxe sont accessibles à des consommateurs de toutes (ou presque) les classes sociales. Il faut aussi considérer le fait que plusieurs individus aspirent à accroître leur rang social et se donnent l'illusion d'appartenir à une classe supérieure en adoptant les comportements de consommation qui caractérisent ses membres. Finalement, pour étudier l'impact de la classe sociale sur la consommation, les spécialistes du marketing doivent pouvoir la mesurer correctement. Or, cette évaluation ne se fait pas aisément. Comment peut-on évaluer les propriétés, le prestige et le pouvoir d'un individu sans erreur ? Et en supposant qu'il soit possible de le faire, comment décide-t-on de l'appartenance à une classe donnée (voir l'outil 2.1) ?

Outil 2.1

Comment vous classez-vous ?

Mesurer la classe sociale d'une personne n'est pas chose simple. La méthode la plus précise consiste idéalement à conduire des entrevues avec des personnes qui connaissent le consommateur (des voisins, des collègues de travail) de façon à obtenir un maximum d'informations. Cette méthode est cependant fastidieuse et mal adaptée au contexte de la recherche en marketing. C'est pourquoi les chercheurs en marketing utilisent plutôt des indices construits à partir d'informations que l'individu fournit lui-même dans un questionnaire. Un indice fréquemment employé est celui développé par Hollingshead. Cet indice combine l'occupation et le niveau d'instruction, et permet de distinguer cinq classes. Ces classes correspondent en partie à celles présentées à la Figure 2.8. On attribue d'abord un score à l'individu pour l'occupation selon l'échelle suivante :

	Score
Administrateurs de haut niveau, propriétaires et professionnels majeurs	1
Cadres d'affaires, propriétaires d'affaires de taille moyenne et professionnels de second niveau	2
Personnel cadre, propriétaires de petites affaires et petits professionnels	3
Personnel de bureau, vendeurs, techniciens, propriétaires de très petites affaires	4
Ouvriers spécialisés	5
Préposés aux machines et employés semi-spécialisés	6
Employés non spécialisés	7

On fait la même chose pour le niveau d'instruction :

	Score
Post-secondaire	
Universitaire terminé	1
Universitaire non terminé	2
Collégial terminé	3
Collégial non terminé	4
Élémentaire – Secondaire	
Secondaire terminé	5
Secondaire non terminé	6
Secondaire III ou moins	7

Finalement, l'indice de classe sociale s'obtient en faisant la somme pondérée suivante : (score d'occupation (7) + (score d'instruction (4). Le système de classification de Hollingshead[7] est alors :

	Indice total variant entre
Classe 1 (supérieure)	11 et 17
Classe 2 (moyenne supérieure)	18 et 31
Classe 3 (moyenne inférieure)	32 et 47
Classe 4 (ouvrière)	48 et 63
Classe 5 (inférieure)	64 et 77

À propos, comment vous classez-vous ?

Malgré ces quelques limites, le concept de classe sociale demeure important pour le responsable du marketing. Il nous faut garder à l'esprit que les consommateurs d'une même classe sociale ne sont pas simplement semblables sur les dimensions de propriétés, prestige et pouvoir, ils partagent aussi les mêmes valeurs fondamentales (Figure 2.6) et ont des styles de vie semblables. En ce sens, une classe sociale est une sous-culture et pour le marketing, les implications que nous avons énoncées dans la section précédente s'appliquent directement ici.

Retenons que : Les sociétés capitalistes engendrent naturellement l'inégalité et la hiérarchisation sociale. Les classes sociales sont définies à partir des propriétés, du prestige et du pouvoir de leurs membres. Chaque classe sociale correspond à une sous-culture particulière et les responsables du marketing doivent en tenir compte dans la planification de leurs actions.

L'INFLUENCE DES AUTRES

Les consommateurs ne vivent pas seuls, ils vivent en contexte d'interaction sociale quasi continue. Leurs comportements affectent et sont affectés par ceux des autres : les amis, les collègues, les parents, les vendeurs, etc. Cette influence réciproque prend trois formes principales[8]. Lorsqu'un consommateur se sert des autres pour acquérir des connaissances et des informations utiles, on parle alors d'**influence informationnelle**. Par exemple, lorsque *l'Association Dentaire Canadienne* donne son agrément à une marque de dentifrice, elle influence les consommateurs sans toutefois les contraindre. Son influence découle de son expertise dans le domaine dentaire et de sa crédibilité auprès des consommateurs.

Par contre, l'**influence normative** est différente : elle met en situation un individu ou un groupe d'individus qui usent de leur pouvoir pour imposer des idées ou des comportements. Par exemple, certains promoteurs immobiliers qui développent de nouveaux secteurs résidentiels exigent que les consommateurs qui achètent un terrain construisent leur maison à l'intérieur d'une période de temps donnée, avec des contraintes spécifiques au niveau du style et de la valeur de la résidence. Ce type d'influence sociale contraint l'individu à se conformer à des normes, sous peine de sanctions.

Enfin, l'**influence comparative** est une forme plus subtile d'influence sociale. Elle se produit lorsqu'une personne utilise les autres comme modèles ou comme guides pour définir son propre comportement. Ainsi, les artistes ou autres célébrités qui sont engagés par les publicitaires pour faire la promotion des produits, servent de modèles aux consommateurs (Michael Jordan, porte-parole de la compagnie *Nike*, les personnages de l'émission *Un gars une fille*, sont les porte-paroles de la compagnie *Ford*).

Les groupes de référence. Qui sont ces « autres » qui nous influencent et comment leur influence se concrétise-t-elle ? On appelle **groupe de référence** la ou les personnes dont s'inspire le consommateur pour former ses opinions et guider ses actions. Cette appellation est générale et s'applique à plusieurs cas :

- les groupes formels auxquels on appartient (ex : les collègues de bureau);
- les groupes informels auxquels on appartient (ex. : les amis);
- les groupes auxquels on voudrait appartenir (ex. : les recordmen Guiness);
- les groupes auxquels on ne veut pas être associé (ex. : les fraudeurs).

L'influence des groupes de référence sur les comportements de consommation peut prendre des formes variées : choix des magasins à fréquenter, des marques à acheter, utilisation de produits, type et fréquence de la consommation. Comme le montre la Figure 2.9, l'impact des groupes de référence sur le choix de marques ou l'achat de produits dépend de deux facteurs : la nécessité du produit ainsi que sa visibilité sociale. Puisque, de toute façon, les consommateurs doivent acheter des produits de nécessité, on s'attend à ce que les groupes de référence aient peu d'influence sur leurs décisions d'acheter ces produits. Par contre, il en va autrement des produits de luxe. Le désir de posséder de tels biens (skis, caméra vidéo, etc.) sera, semble-t-il, influencé par les autres. Les produits consommés en public offrent aux autres l'occasion d'observer la marque choisie. Dans cette situation, on s'attend donc à ce que l'influence des autres sur le choix d'une marque soit plus grande, puisque les marques reflètent l'image de la personne. Par contre, si les produits sont consommés en privé et en l'absence du regard des autres, l'influence des autres sera par conséquent moins grande.

Les informations de la Figure 2.9 doivent être interprétées avec prudence. Les décisions relatives à l'achat de produits et de marques sont influencées par de nombreux facteurs : prix, disponibilité, conditions de crédit, situation financière du consommateur, promotion sur le lieu de vente, conditions économiques générales, urgence de l'achat, etc. Les groupes de référence représentent un de ces facteurs et ne peuvent tout expliquer. Le modèle de la formation des préférences présenté à la Figure 2.6, montre une influence plus générale des groupes de référence sur le comportement des consommateurs, une influence se situant au niveau du style de vie. Il n'est pas question d'ignorer que dans certaines situations, les groupes de référence peuvent avoir un impact direct et parfois considérable sur les choix et les préférences des consommateurs, mais il est important de réaliser que l'influence sociale est présente dans tous les aspects de la vie et que c'est souvent à travers cette empreinte générale sur le style de vie que les comportements de consommation sont affectés.

figure 2.9 **L'influence des groupes de référence sur le choix des marques et l'achat des produits**[9]

Comment le produit est-il consommé ?

De quel type de produit s'agit-il ?

	En privé	**En public**	**Influence sur l'achat du produit**
Produit de nécessité	Matelas, médicaments, réservoir d'eau chaude, ampoules électriques, etc.	Vêtements, montres, automobiles, chaussures, etc.	**Faible**
Produit de luxe	Lecteur de DC, couverture électrique, jaccuzi, etc.	Caméra vidéo, vélo de montagne, skis, raquettes de tennis, etc.	**Forte**
	Faible	**Forte**	

Influence sur le choix de marque

Pour les responsables du marketing, les implications de la notion de groupe de référence sont claires. Il est important de savoir dans quelle mesure l'achat des produits que l'entreprise commercialise est influencé par les groupes de référence et de connaître les groupes les plus influents. Ces informations peuvent permettre d'augmenter l'efficacité de la communication publicitaire en montrant, par exemple, que le produit rencontre l'approbation du groupe ou encore en l'associant directement à une personne qui en est représentative. La connaissance des personnes influentes peut aussi aider l'entreprise à mieux diriger son action promotionnelle. Certains concessionnaires d'automobiles cèdent leurs nouveaux modèles à de bons prix aux leaders d'opinion de la ville, en espérant que ceux-ci influenceront éventuellement les consommateurs qui les utilisent comme points de référence.

Retenons que : Le style de vie des gens et leurs comportements de consommation sont influencés par les groupes de référence. Cette influence peut prendre trois formes : informationnelle, normative ou comparative. Pour gérer plus efficacement le marketing de l'entreprise, il faut déterminer l'impact des groupes de référence sur le processus d'achat et connaître les groupes influents. Ces informations permettent de montrer aux consommateurs que leurs groupes de référence achètent les produits de l'entreprise.

La famille. Tournons maintenant notre attention vers un groupe de référence d'une importance particulière pour le consommateur : la famille. Nous avons vu auparavant que la famille est un agent de socialisation de premier plan. Elle transmet à l'individu les valeurs, les normes, les comportements et les attitudes qui le rendent unique au sein de sa culture. Plus tard, lorsque l'individu forme sa propre famille, ses comportements se définissent en fonction de cette nouvelle réalité.

En marketing, l'étude du comportement du consommateur en famille est importante pour deux raisons. D'abord, il faut reconnaître qu'une proportion importante des biens de consommation qui sont achetés servent à satisfaire les besoins collectifs de la famille et non pas seulement les besoins individuels. Ensuite, pour des raisons d'efficacité et d'organisation, les membres d'une famille se divisent généralement les tâches. Dans certains cas, ils assument ces tâches collectivement. Pour le responsable du marketing, il est important de savoir comment se répartissent les tâches reliées à la consommation. Qui achète ? Qui décide de la marque ? Qui a le plus d'influence dans le processus d'achat ?

Commençons par examiner les besoins générés par la cellule familiale. Jusqu'à maintenant, notre discussion du comportement d'achat a été plutôt simpliste : un consommateur a des besoins qu'il cherche à satisfaire par l'acquisition de biens et services. Quand on considère le comportement d'achat en famille, les choses se compliquent, car ni les besoins, ni l'utilisation des produits ne sont nécessairement individuels. La Figure 2.10 présente une classification utile des produits consommés par la famille, selon le type d'utilisation et la nature des besoins. Comme on peut le constater, lorsqu'on parle de consommation familiale, la notion de satisfaction des besoins via l'achat et l'utilisation de biens et services est passablement modifiée.

figure 2.10 **Une classification des produits consommés par la famille**

	Utilisation individuelle	**Utilisation commune**
Besoins individuels	• serviettes sanitaires • cosmétiques • rasoir • vêtements	• pâte à dents • savon • logement • ordinateur
Besoins communs	• appareils ménagers • tondeuse • pelle • souffleur à neige	• aspirateur • cafetière • réfrigérateur
Besoins individuels et/ou communs	• automobile • machine à coudre	• automobile • radio • téléviseur

La situation se complique davantage si on tient compte des phases de l'évolution de la famille. En effet, les besoins d'un jeune couple sans enfant sont différents de ceux d'une famille avec enfants ou encore de ceux d'une famille où les enfants sont partis. Le cycle de vie de la famille est un concept basé sur cette idée d'évolution de l'organisation familiale.

Cycle de vie de la famille : Description des étapes qui définissent l'évolution d'une famille dans le temps.

Pendant longtemps, la vision populaire des étapes du cycle de vie de la famille était à peu près la suivante : célibataires, jeunes mariés sans enfant, famille avec jeunes enfants, famille avec enfants plus âgés, famille avec enfants qui ont quitté, famille de retraités et veuvage. Cette vision traditionnelle colle difficilement à la réalité d'aujourd'hui. Il y a quatre phénomènes contemporains qui ont changé nos conceptions de la famille. D'abord, de plus en plus de couples mariés décident de ne pas avoir d'enfants. Ce phénomène a fait en sorte que le nombre moyen d'enfants par famille a diminué de façon significative. Ensuite, un plus grand nombre de personnes optent pour la vie commune, sans pour autant se marier (une augmentation de 19,3 % entre 1991 et 1996). Ce phénomène des « conjoints de fait » a des répercussions sur la taille de la famille (en dehors du mariage, plusieurs choisissent de ne pas avoir d'enfants,) et sur la stabilité de la cellule familiale. Troisièmement, le divorce est une pratique courante dans notre société. Cette situation a fait augmenter de façon importante le nombre de familles monoparentales (une augmentation de 28 % entre 1991 et 1996). Enfin, de plus en plus de personnes de même sexe décident de partager leur vie. Le phénomène des couples homosexuels est à ce point significatif qu'on assiste dans plusieurs pays à un débat sur la reconnaissance légale, par les gouvernements, de la conjugalité gaie. Au Québec, la loi 32 accorde maintenant aux couples homosexuels les mêmes droits que ceux des couples hétérosexuels.

La Figure 2.11 présente une version moderne du cycle de vie de la famille. Sans être parfaite, cette version a le mérite de tenir compte du divorce et des couples sans enfants.

figure 2.11 **Les phases de l'évolution de la famille**

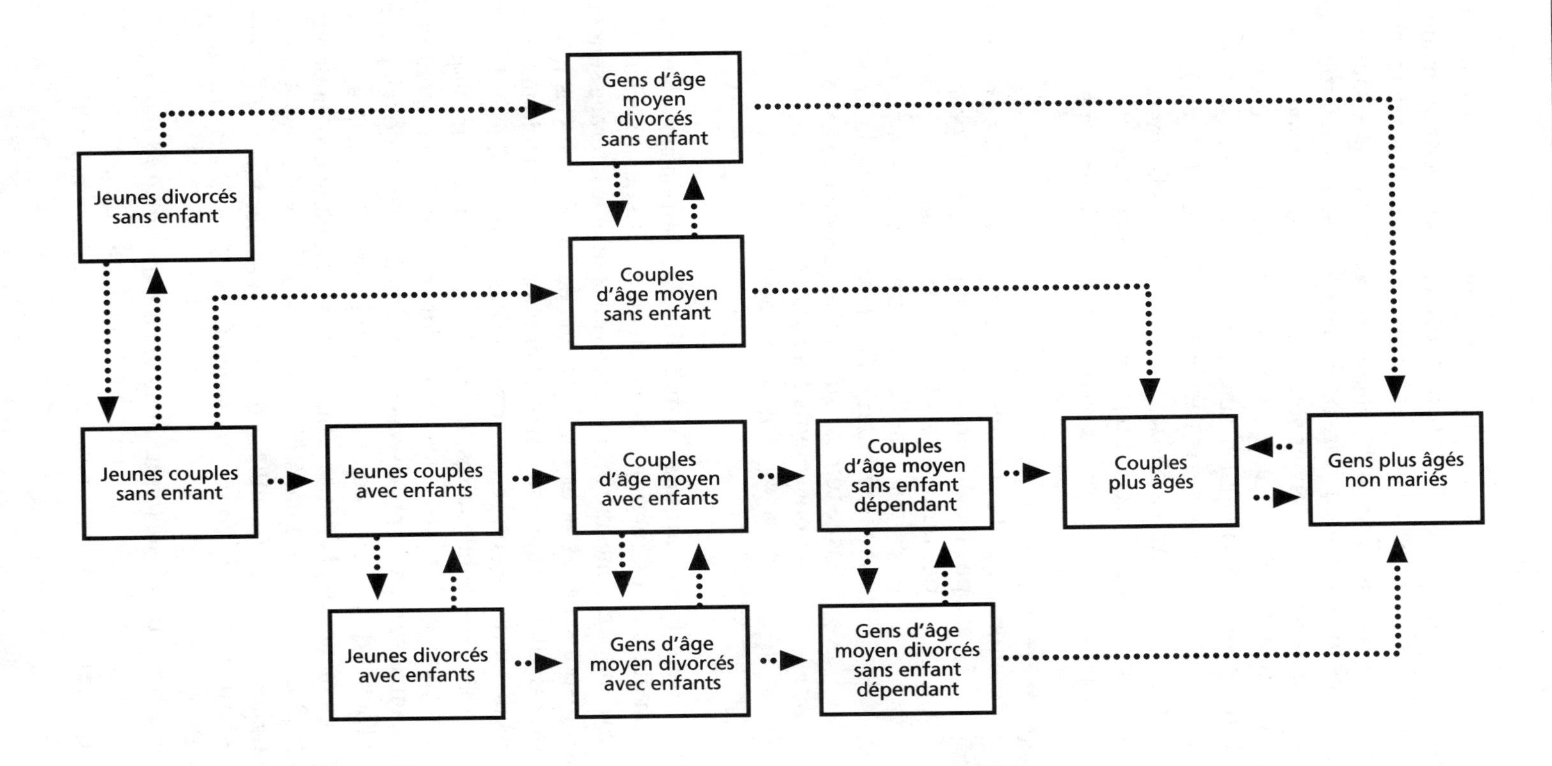

Source : Patrick E. Murphy et William A. Staple « A Modernized Family Life Cycles », *Journal of consumer Research*, 6 juin, 1979, page 6.

Le cycle de vie de la famille est un outil essentiel pour le marketing. Chacune des catégories identifiées représente des besoins de produits spécifiques. Ainsi, des biens tels les machines à laver, les sécheuses, les meubles et les aspirateurs sont plus susceptibles d'être achetés par les jeunes ménages sans enfant. Les assurances, les jouets, la nourriture pour bébés, les pianos, les soins dentaires, les leçons de musique et de chant sont le lot des couples avec jeunes enfants. Lorsque les enfants sont plus âgés ou qu'ils quittent le foyer, il y a souvent des achats de remplacement (meubles, autos, téléviseurs, etc.), des rénovations apportées à la maison, des voyages et l'acquisition de biens de luxe. Enfin, les gens âgés ont besoin, entre autres choses, de soins, de médicaments et de loisirs. Connaissant la taille de la population dans chaque catégorie du cycle de vie de la famille, on peut ainsi prédire la demande pour plusieurs types de produits.

Retenons que : Les besoins de consommation des gens ne sont pas seulement individuels, ce sont en grande partie des besoins reliés au fonctionnement et au mieux-être de la famille. Le cycle de vie de la famille est une représentation de l'évolution de la famille dans le temps, qui permet d'expliquer et de prédire les mouvements agrégés de consommation des biens et services dans notre société.

Les décisions économiques en famille. Les responsables du marketing s'intéressent aussi à la structure interne du comportement d'achat en famille, c'est-à-dire dans quelle mesure les membres de la famille interagissent et se partagent les responsabilités pour les décisions économiques. Ces informations sont utiles, car elles permettent d'identifier les acteurs principaux et d'ajuster les actions de marketing de l'entreprise en conséquence. En matière de développement des axes publicitaires, la qualité des décisions impliquée dans le choix des médias et des messages promotionnels est directement conditionnée par la connaissance du processus d'achat en famille. Par exemple, sachant que pour l'achat de produits comme les vêtements d'enfants, la nourriture et les appareils ménagers, l'épouse a une très grande influence, la publicité (ex. les couches) devra se faire dans des médias s'adressant surtout aux femmes (ex. magazine *Châtelaine*), utiliser des messages pertinents *(« Bébé est au sec »…)* et s'adresser à la bonne personne (… *« Maman est aux anges »*, les couches Pampers).

Mais, qu'entend-on au juste par l'influence d'un membre de la famille ? Le membre influent est-il celui qui achète ou celui qui utilise le produit ? En fait, les rôles que peuvent jouer les membres de la famille sont multiples et varient selon le type de produit et de situation. Parmi les rôles possibles, on trouve celui de l'**initiateur**, c'est-à-dire la personne qui est à l'origine de l'idée d'acheter le produit. Il y a ensuite l'**expert,** c'est-à-dire la personne qui possède ou s'occupe d'obtenir les informations nécessaires pour faire un bon achat. Le rôle du **décideur** peut être assumé par un ou plusieurs membres de la famille. L'**acheteur** a la tâche de payer et de prendre possession du produit. Enfin, le rôle du **consommateur** est assumé par les membres qui ont besoin du produit ou à qui on a donné la responsabilité de l'utiliser.

Un très grand nombre d'études portant sur l'influence relative des membres de la famille, pour des achats de biens et service divers, ont été menées au Canada et aux États-Unis. Ces études ont montré que plusieurs facteurs interviennent dans la façon avec laquelle l'influence est distribuée au sein de la famille. Le facteur le plus important est sans contredit le type de décision d'achat. Par exemple, une étude citée fréquemment et conduite en Belgique a examiné l'influence perçue du mari et de la femme dans 25 décisions économiques[10]. Les biens et services pour lesquels il y avait une influence plus marquée de la femme sont le mobilier léger, les ustensiles de cuisine, le réfrigérateur, l'alimentation, les vêtements d'enfants, les produits d'entretien ménager, les cosmétiques, les jouets, la pharmacie familiale et les sorties. En général, le mari était plus influent au niveau de biens tels la voiture, les alcools, l'assurance-vie, le téléviseur et le matériel de jardinage. Enfin, l'influence de l'un ou l'autre des époux était variable pour les décisions concernant la résidence, le mobilier lourd, les vêtements du mari, les études des enfants et les vacances. La généralisation de ces résultats à la culture nord-américaine semble possible, car d'autres études menées aux États-Unis sont arrivées, à peu de choses près, aux mêmes conclusions[11].

Même si on note que les rôles respectifs des hommes et des femmes dans les décisions économiques sont moins différenciés aujourd'hui qu'ils ne l'étaient il y a trente ans, il reste que certaines tâches semblent demeurer la responsabilité de l'un ou l'autre des époux. Ainsi, une étude récente réalisée dans la région d'Ottawa montre que les stéréotypes d'antan sont toujours apparents. Dans l'organisation des vacances, les femmes ont avoué qu'elles participaient beaucoup moins que leur mari à l'achat des chèques de voyage, du forfait voyage et des billets, ainsi qu'aux arrangements financiers et aux réservations d'hôtel. Par contre, sur le lieux des vacances, elles s'occupent davantage du magasinage et du choix des sites à visiter. Quant à la préparation des bagages, les femmes en sont majoritairement responsables[12].

Plusieurs études ont aussi montré que les enfants ont souvent une influence non négligeable dans les décisions économiques de la famille. Les jeunes enfants ont des préférences pour les produits dont ils sont les premiers utilisateurs, comme les céréales ou les jus de fruits, et ils communiquent ces préférences à leurs parents. Un stéréotype courant est celui de l'enfant qui « harcèle » ses parents jusqu'à ce qu'ils cèdent. Bien que la recherche ait surtout porté sur des produits que consomment les enfants, l'influence des enfants se fait aussi sentir au niveau des produits destinés à l'utilisation de toute la famille : les vacances, l'ordinateur et la voiture. Dans une publicité imprimée de la compagnie *Renault*, on voit en gros plan les pieds d'un jeune enfant dans une pose qui suggère l'inquiétude (un pied par-dessus l'autre) et le titre est révélateur : « *Je ne veux pas aller à l'école dans une voiture moche.* » De nos jours, les enfants sont bien informés sur les produits de consommation, souvent mieux que les parents, et ils exercent une influence importante au sein de la famille. Les responsables du marketing doivent tenir compte des enfants dans la planification de leurs actions (conception des produits, choix du nom du produit, axes publicitaires, etc.)

Retenons que : Comprendre la distribution des rôles et de l'influence des membres de la famille dans les décisions économiques est important pour améliorer les actions de marketing, particulièrement en ce qui concerne les stratégies de communication avec les consommateurs. Les études montrent que ces rôles et cette influence varient selon les produits et la situation.

L'INFLUENCE DE LA SITUATION

Scénario n° 1 : 17 heures. Marcel sort du bureau. Enfin. Quelle journée ! Sur le chemin du retour, un court arrêt à la *Société des alcools* pour acheter quelques « coolers » bien frais à déguster au bord de la piscine. Ah ! la vraie vie…

Scénario n° 2 : 17 heures. Marcel sort du bureau. Enfin. Quelle journée ! Sur le chemin du retour, un court arrêt à la *Société des alcools* pour acheter une bonne bouteille de Bordeaux pour remercier Marie de son invitation. Ah ! Marie…

Deux scénarios, deux achats différents. Difficile d'invoquer la culture, la classe sociale, les groupes de référence ou encore la famille pour expliquer les préférences de Marcel. Ce sont tout simplement deux situations qui conduisent à des choix de consommation différents, indépendamment des facteurs culturels ou sociaux qui sont en présence.

Cet exemple fictif vise à mettre en évidence l'influence des variables situationnelles sur le comportement des consommateurs.

Facteurs situationnels : Conditions particulières à un endroit et à un temps donnés, qui ne sont ni des caractéristiques du consommateur, ni des caractéristiques du produit, et qui on un effet significatif sur le comportement d'achat.

À première vue, on pourrait croire que « la situation » englobe un grand nombre de facteurs. Toutefois, la définition que nous avons présentée précise que les facteurs situationnels doivent avoir un impact sur le comportement d'achat. Cette condition restreint considérablement les possibilités.

On peut diviser les facteurs situationnels en deux grandes catégories : ceux qui ont une influence globale (ou macro) sur les consommateurs en général, comme la situation économique ou politique, et ceux qui ont une influence spécifique (ou micro) sur un ou des consommateurs donnés, comme les situations imprévues ou encore le contexte d'utilisation du produit. Dans les deux cas, les facteurs situationnels affectent généralement le comportement des consommateurs en modifiant la nature et l'envergure de leurs besoins (voir la Figure 2.6).

La **situation économique** d'un pays est un facteur de grande importance pour comprendre le comportement d'achat des consommateurs. En période d'expansion économique, par exemple, les consommateurs épargnent moins et sont plus enclins à investir dans l'achat de biens durables (meubles, automobiles, résidences, etc.) représentant des déboursés notables. En période de récession, par contre, les dépenses pour des biens durables subissent une baisse significative, car le pouvoir d'achat des consommateurs est réduit. Ces fluctuations économiques récurrentes amènent des ajustements des stratégies de marketing des entreprises. Lorsque la demande des biens et services diminue, les prix baissent et on voit apparaître des produits substituts moins coûteux. Par exemple, la récession économique de la fin des années 70 provoquée en partie par l'augmentation du prix du pétrole, a forcé les entreprises à innover au niveau de la construction de logements mieux isolés, de la production de systèmes de chauffage plus efficaces et moins dépendants du pétrole, et de la fabrication d'automobiles performantes en matière de consommation d'essence. La récession économique des années 90 a incité les entreprises à offrir aux consommateurs des conditions de paiement attrayantes afin de les inciter à acheter (ou à louer) des biens durables. Au lieu de vendre leurs automobiles à un prix donné, les concessionnaires se sont mis à offrir toutes sortes d'options permettant à l'éventuel acheteur de répartir son investissement dans le temps (location à long terme, achat à crédit, etc.).

Parmi les facteurs situationnels de type micro, le **contexte d'utilisation** joue un rôle important dans la décision d'achat. À titre d'illustration, pensons au choix d'un restaurant qui offre la possibilité de prendre un repas rapide à l'heure du lunch par opposition à un restaurant où l'on veut emmener son patron pour l'impressionner; ou au choix d'un vêtement à porter tous les jours *versus* un vêtement pour une occasion spéciale.

La notion de contexte d'utilisation est fondamentale en marketing, car elle sert à définir la concurrence. La concurrence peut changer selon l'utilisation qu'un consommateur entend faire d'un produit, ou encore selon la situation de consommation. Ainsi, lorsqu'un consommateur se rend à l'épicerie pour acheter du yogourt, il a le choix entre différentes marques *(Delisle, Yoplait, Béatrice,...)* qui sont, dans ce contexte précis, en concurrence. Mais lorsqu'il prend sa pause-café dans l'après-midi et qu'il examine les options que lui offrent les distributrices automatiques, le yogourt est alors en concurrence avec toutes sortes d'aliments comme les barres de chocolat, les fruits, les croustilles, etc. Comment *Yoplait* définit-elle donc ses concurrents ? S'agit-il des autres marques de yogourt ou plutôt des snacks qu'on grignote entre les repas ? Ces questions sont importantes, car les décisions de marketing de la firme relatives au prix de vente, au mode de distribution et à la publicité doivent être prises en fonction de la concurrence. Dans le cas de *Yoplait*, et de bien d'autres marques et de produits, la concurrence se définit selon la situation de consommation. Pour améliorer ses décisions de marketing, l'entreprise doit identifier les situations de consommation pertinentes pour ses produits, ainsi que leur importance relative.

Retenons que : En plus des facteurs culturels et sociaux, on doit tenir compte des facteurs situationnels pour comprendre le comportement d'achat. La situation économique est une variable situationnelle déterminante de type macro qui affecte les comportements de l'ensemble des consommateurs. Le contexte d'utilisation est une variable situationnelle de type micro qui influence les décisions d'achat en modifiant la structure concurrentielle des produits de consommation. Les responsables du marketing doivent prendre en considération la situation dans la formulation de leurs stratégies.

Récapitulation. Le modèle de la formation des préférences que nous avons présenté débute avec les valeurs des consommateurs. Les valeurs sont des croyances relatives aux buts ultimes de la société (par ex. un monde en harmonie) et aux façons de se comporter (par ex. l'honnêteté). Nous avons vu qu'elles sont façonnées par la **culture** (ou **sous-culture**) et par la **classe sociale** d'un individu. Les valeurs servent à définir le style de vie des consommateurs; leurs activités, leurs intérêts et leurs opinions. Nous avons indiqué que les **groupes de référence** jouent un rôle important car ils influencent la façon dont les consommateurs réalisent et affichent publiquement leur style de vie. Notre modèle propose ensuite que les consommateurs développent des besoins pour des biens et services qui leur permettent d'assumer pleinement leur style de vie. À ce niveau, nous avons discuté de l'importance de deux facteurs. D'abord, la **famille** qui suscite des besoins collectifs, ensuite, la **situation** qui affecte à la fois l'ampleur et la nature des activités de consommation.

LA PSYCHOLOGIE DU CONSOMMATEUR

La culture, la classe sociale, les groupes de référence, la famille et la situation constituent des **influences externes** qui agissent sur le comportement des consommateurs. Il est intéressant de noter que plus on progresse au travers des éléments du modèle de la formation des préférences, plus les facteurs externes ont une influence spécifique sur les individus (Figure 2.6). L'étape suivante de notre cheminement est l'examen des **facteurs internes,** c'est-à-dire ceux qui sont propres à la psychologie de l'individu, et leur influence sur le développement des critères de choix et l'établissement des préférences.

La motivation

Illustration n° 1

En psychologie, des études ont montré que des personnes à qui on avait offert de l'argent pour résoudre des problèmes complexes d'arrangement de blocs (puzzles), étaient moins intéressées à résoudre d'autres problèmes similaires durant leur temps libre que d'autres à qui on n'avait pas offert d'argent. Pourquoi?

Illustration n° 2

En management, plus particulièrement dans le domaine de la gestion des ressources humaines, un phénomène très intéressant est celui des cercles de qualité. Un cercle de qualité est un groupe formé d'employés de l'entreprise qui se réunissent régulièrement afin de résoudre des problèmes reliés au travail. Les membres du groupe ne sont pas rémunérés pour ce travail. Plusieurs expériences ont montré que l'implantation de cercles de qualité dans une entreprise résulte généralement en une augmentation de la productivité et de la satisfaction au travail. Pourquoi les cercles de qualité ont-ils un impact si positif sur la motivation des travailleurs?

Illustration nº 3

Lorsque le compagnie *Coca-Cola* a décidé d'introduire le nouveau *Coke* aux États-Unis, la réaction de plusieurs buveurs de *Coca-Cola* fut très négative. Un individu décida même d'investir ses propres économies dans la mise sur pied d'un groupe anti-*Coke* et pro-*Coca-Cola* ayant pour mission de forcer la compagnie à revenir à l'ancienne formule. Selon le fondateur du groupe, le nouveau *Coke* était plus sucré, près du goût de *Pepsi*, et n'avait rien à voir avec le « vrai » goût du *Coca-Cola*. Une équipe de la télévision américaine (CBS – « *60 Minutes* ») imagina un test à l'aveugle entre l'ancien *Coca-Cola*, le nouveau *Coke* et *Pepsi-Cola*. L'idée était la suivante : vérifier si les membres du groupe pouvaient distinguer les trois colas, uniquement sur la base du goût. Les résultats furent catastrophiques (sauf pour une personne), particulièrement pour le membre fondateur du groupe qui échoua lamentablement, bien qu'affichant une certitude inébranlable. Interrogé après coup sur ses projets futurs, l'individu dit qu'il avait toujours l'intention de continuer la bataille pour le retour à l'ancienne formule de *Coca-Cola*. Comment expliquer sa motivation ?

Ces trois illustrations servent à introduire une première influence interne sur le comportement d'achat : la **motivation.** Elles montrent que l'étude de la motivation, c'est l'étude du « pourquoi ». Pourquoi les consommateurs attachent-ils de l'importance aux marques des produits qu'ils achètent ? Pourquoi achètent-ils parfois sous le coup de l'impulsion ? Pourquoi se laissent-ils séduire par telle annonce publicitaire plutôt que telle autre ?

Depuis longtemps, la question du pourquoi est une question fondamentale qui intrigue les chercheurs en marketing. En fait, les premières approches à l'analyse du comportement des consommateurs ont été fortement influencées par l'intérêt à comprendre les motivations des acheteurs. Ainsi, dans les années 1950 aux États-Unis, une perspective majeure pour l'étude du comportement d'achat était la **recherche motivationnelle.** La philosophie de base de la recherche motivationnelle peut se résumer comme suit : les décisions d'achat des consommateurs sont déterminées par des motivations incontrôlables et largement inconscientes[13]. On saisit immédiatement toute la portée d'une telle affirmation. D'une part, elle implique que le comportement d'achat n'est pas réfléchi et que le consommateur est à la merci de ses pulsions inconscientes. D'autre part, elle ouvre la voie à la possibilité que des individus peu scrupuleux tentent de subjuguer l'inconscient des consommateurs, afin de manipuler leurs comportements (voir l'Illustration 2.4).

De nos jours, la recherche motivationnelle n'est plus une approche considérée valable pour comprendre le comportement d'achat, du moins dans sa version originale. Bien que plusieurs chercheurs admettent que des motifs inconscients puissent avoir un impact sur les décisions de consommation, on croit que les motivations d'achat sont généralement conscientes et étroitement liées aux objectifs que les consommateurs cherchent à atteindre. En fait, la caractéristique principale d'un comportement motivé est qu'il est orienté vers l'atteinte d'objectifs.

Illustration 2.4

Dans les profondeurs de l'inconscient des consommateurs

Plusieurs lecteurs se souviendront de la fameuse campagne promotionnelle de la compagnie *Esso* dans les années 1960, dont le slogan était « *Mettez-y du tigre !* ». Ce que peu de gens savent cependant, c'est que le thème de cette campagne fut choisi à partir des recommandations d'un expert de l'analyse des motivations inconscientes, le docteur Ernest Dichter (voir aussi l'Illustration 2.1) qui avait découvert au moyen de techniques qualitatives diverses (voir le chapitre 1) que les consommateurs associent à la voiture la puissance et que le tigre en est un symbole approprié. Les exemples des interventions de Dichter et d'autres spécialistes des profondeurs sont nombreux (voir la note 13) et alertèrent à l'époque le journaliste américain Vance Packard. Dans son best-seller intitulé *La persuasion clandestine* (1958, Paris : Calmann-Lévy), Packard attaque avec virulence ceux qu'il appelle les chercheurs de fonds, les persuadeurs, les analystes des mobiles et les manipulateurs de symboles. Bien que le livre ait eu un grand succès littéraire, il semble qu'il n'ait pas réussi à convaincre le public ni les gouvernements. Ce qu'il a réussi à faire cependant, c'est d'augmenter considérablement l'intérêt des entreprises pour la recherche motivationnelle. Dans une entrevue, Ernest Dichter avouait qu'après la sortie du livre de Packard, les appels téléphoniques qu'il a reçus de clients intéressés, affluaient de partout !

Examinons, par exemple, la motivation d'un consommateur qui se rend dans un retaurant *St-Hubert* pour le lunch. Son **objectif** est de manger. Cet objectif n'est pas fixé arbitrairement, il est le résultat d'un **besoin** physiologique ressenti. Pourquoi choisir *St-Hubert* plutôt qu'une autre option ? Les spécialistes de la motivation croient qu'un individu qui cherche à atteindre un objectif essaie habituellement d'imaginer les différents moyens de l'atteindre. Ensuite, pour chaque possibilité, l'individu tente de prédire les conséquences associées et les répercussions liées à l'atteinte de l'objectif. L'option choisie est celle qui permet de rencontrer l'objectif de la façon la plus satisfaisante. Dans notre exemple, le consommateur a sans doute pensé à la façon dont *St-Hubert*, et peut-être d'autres établissements de restauration, peuvent lui permettre d'assouvir sa faim. Le consommateur est **motivé** à aller chez *St-Hubert* parce que les **conséquences anticipées** sont les plus favorables.

Le processus est illustré à la Figure 2.12. Deux éléments y apparaissent aussi. D'abord, l'**expérience** du consommateur a un impact direct sur la fixation d'objectifs et les conséquences anticipées. Par exemple, c'est par expérience que le consommateur sait qu'il faut manger quand on a faim et que chez *St-Hubert* c'est bon. Ensuite, l'**environnement** joue aussi un rôle déterminant dans le processus de motivation. Il active des besoins (une odeur de poulet rôti), permet d'orienter les objectifs (l'heure du lunch), suggère des options (une annonce de *St-Hubert*) et influence les conséquences anticipées.

figure 2.12 **Le processus de motivation**

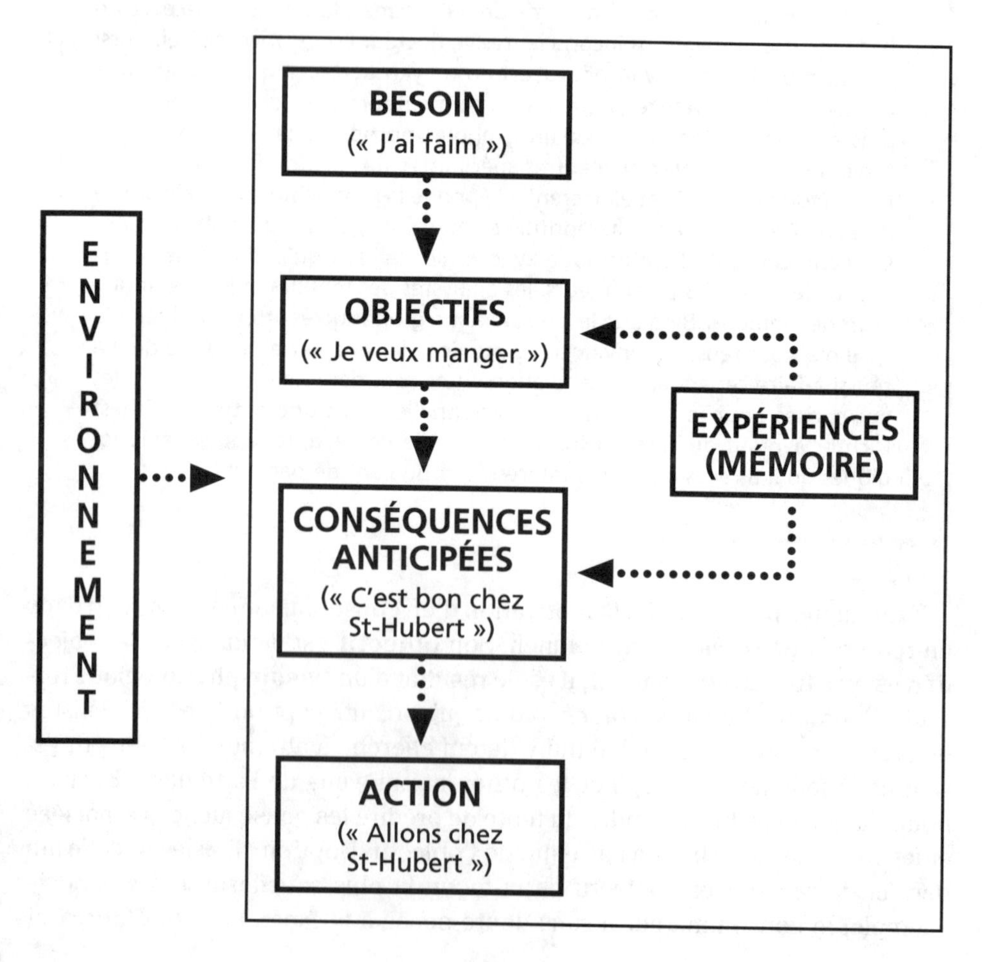

Le processus de motivation présenté à la Figure 2.12 a des implications pour le marketing. D'abord, il est primordial de faire en sorte que les consommateurs associent aux produits et aux services de l'entreprise des expériences satisfaisantes, afin que les conséquences anticipées soient toujours positives. Les entreprises qui ont compris cela ont mis en place des procédures d'évaluation de leurs produits et de mesure de la satisfaction des clients[14]. Ensuite, le processus de motivation affirme l'importance de créer des environnements qui peuvent orienter les objectifs des consommateurs et suggérer des conséquences anticipées positives. La publicité est un moyen efficace d'y arriver, mais il existe d'autres moyens, comme l'utilisation de vendeurs bien entraînés ou encore l'emploi de tactiques variées de promotion (coupons rabais, échantillons, prix spéciaux).

Notre discussion de la motivation a mis l'accent sur des motifs d'achat de nature utilitaire ou fonctionnelle, c'est-à-dire ayant trait surtout à l'utilisation des biens et services. Ceci peut laisser penser que ce sont les seuls motifs qui guident les acheteurs. Ce serait une erreur de le croire. Les motivations qui sous-tendent le comportement d'achat sont variées et ne se limitent pas uniquement aux aspects utilitaires associés à la consommation. Par exemple, l'achat et le magasinage représentent aussi des moyens de se divertir, de se gâter, d'avoir du plaisir et d'établir des relations avec les autres. Ces motivations hédonistes sont présentes dans beaucoup de situations de consommation.

Retenons que : Une caractéristique fondamentale du comportement d'achat est qu'il est motivé, c'est-à-dire qu'il est orienté vers l'atteinte d'objectifs qui sont engendrés par des besoins de toutes sortes. Les consommateurs sont motivés à acheter les biens et services auxquels ils associent des conséquences futures positives. Les responsables du marketing peuvent affecter les motivations individuelles en activant des besoins et en s'assurant que les produits et services qu'ils offrent sont satisfaisants et permettent aux consommateurs d'atteindre leurs objectifs.

La personnalité

La personnalité est un sujet d'étude qui a fasciné les psychologues depuis que la psychologie existe. Les ouvrages et les articles qui traitent de la personnalité sont innombrables et, aujourd'hui encore, les chercheurs s'y intéressent. Mais qu'est-ce que la personnalité et quel intérêt cet aspect de la personne représente-t-il pour le marketing ? Avant de répondre à ces questions, il nous faut d'abord considérer brièvement le contexte historique. Nous avons dit que dans les années 1950, plusieurs chercheurs en marketing croyaient que les motivations des acheteurs étaient en partie inconscientes. Ernest Dichter, le père de la recherche motivationnelle, soutenait que les produits de consommation sont des moyens d'expression de l'individualité :

« La chemise que l'on porte, la voiture que l'on conduit, l'alcool que l'on boit sont des éléments importants de la personnalité : ils situent d'emblée celui qui en fait usage. L'achat constitue une sorte d'appariement entre le consommateur et le produit. [...] si les gens préfèrent une marque à telle autre, c'est qu'elle leur convient et qu'elle rejoint leur personnalité[15]. »

Selon Dichter, à différentes personnalités correspondent différents choix de consommation. Pour les chercheurs en marketing de l'époque, cela voulait dire qu'on devait absolument étudier la relation entre la personnalité et le comportement d'achat. Et des études, il y en a eues ! Des centaines. Malheureusement, les résultats obtenus ont été généralement décevants[16]. Certes, on a observé que des consommateurs qui achètent certains types de produits ont une personnalité différente de celle des consommateurs qui n'en achètent pas, mais la plupart du temps, ces différences sont insignifiantes et sans grande utilité pour le marketing.

Pourquoi la personnalité ne permet-elle pas de prédire les préférences des consommateurs ? Pour répondre à cette question, il nous faut définir ce qu'est la personnalité.

Personnalité : Ensemble intégré des caractéristiques psychologiques relativement stables et permanentes qui conduisent l'individu à un comportement cohérent.

La personnalité se définit à partir de **traits.** On dira d'une personne qu'elle est agressive, indépendante, altruiste, ou encore bornée. Ces traits sont généraux. Par exemple, on peut dire de quelqu'un qu'il est agressif à un moment donné, sans pour autant faire de son agressivité temporaire un trait caractéristique de sa personnalité. Une personnalité comprend donc plusieurs traits qui sont organisés logiquement, formant une configuration stable qui contribue à assurer une continuité dans les comportements et les réactions d'une personne.

Une première explication au manque de relation entre la personnalité et le comportement d'achat est qu'on ne sait pas pourquoi une telle relation devrait exister. Pourquoi un individu avec une personnalité autoritaire devrait-il acheter une marque de pois en conserve différente de celle d'un individu avec une personnalité renfermée ? Bien sûr, il s'agit d'une caricature, mais la question demeure. Les tenants de la recherche motivationnelle ne disent pas vraiment pourquoi la personnalité devrait influencer le comportement des consommateurs, sinon que ça semble aller de soi.

Une deuxième explication est que bien d'autres facteurs que la personnalité influencent le comportement d'achat. Ainsi, même si deux personnes avaient strictement la même personnalité, il est peu probable qu'elles auraient des comportements d'achat identiques à cause de leurs différences d'âge, de sexe, de classe sociale ou de revenus. De même, il est tout à fait plausible que deux personnalités opposées aient les mêmes préférences, parce qu'elles ont en commun des caractéristiques qui sont véritablement déterminantes pour l'achat. À titre d'exemple, on peut penser à l'achat de céréales pour enfants où le choix du consommateur est dicté par les préférences de la famille.

Il y a aussi le problème de savoir si c'est la personnalité qui devrait influencer le comportement d'achat ou si c'est plutôt l'idée qu'un consommateur se fait de sa propre personne, ou de ce qu'il voudrait être. On mesure la personnalité des gens par des tests psychologiques. Il n'est pas sûr que ces mesures correspondent à ce qu'un consommateur pense de lui-même, c'est-à-dire ce qu'on appelle le **concept de soi.** Il semblerait plus logique de croire qu'une personne choisira des produits dont les caractéristiques semblent compatibles avec son concept de soi. Plusieurs études réalisées dans ce domaine montrent que les consommateurs sont plus enclins à préférer, acheter et utiliser des produits qu'ils perçoivent comme congruents avec leur concept de soi, réel ou idéal. Par exemple, un consommateur qui se perçoit comme dynamique aurait tendance à penser que sa voiture aussi est dynamique. Mais, attention !, dans ces études, il se peut que les consommateurs attribuent aux produits de consommation qu'ils préfèrent des caractéristiques congruentes avec leur concept de soi, simplement pour justifier leurs préférences. N'oublions pas qu'il s'agit de perceptions : de soi-même et des produits. Il est facile et logique de faire correspondre ces perceptions.

Finalement, peut-être ne faut-il pas s'étonner que les études de marketing portant sur la relation entre la personnalité et le comportement d'achat aient donné des résultats mitigés. Comme nous l'avons dit, la personnalité implique une cohérence et une continuité dans les comportements d'une individu. Pour saisir son véritable impact sur la consommation, il faudrait considérer non pas un seul acte d'achat, mais une suite de comportements dans le temps. On pourrait ainsi mieux comprendre son influence sur les décisions de consommation.

De nos jours, les chercheurs en marketing ne s'intéressent pas tant à la personnalité des consommateurs qu'à la personnalité des marques. Des études montrent que les consommateurs attribuent des traits de personnalité aux marques. On croit que les consommateurs voient les marques un peu comme des célébrités, des figures historiques importantes (par ex. *Levi's*). Cela est sans doute expliqué par les stratégies de promotion des marques qui utilisent souvent la personnification (le *Grand géant vert*, *Monsieur Net*, le bonhomme *Pillsbury*, etc.). Dans une étude américaine récente, on a identifié cinq dimensions générales de la personnalité des marques : la sincérité, l'enthousiasme, la compétence, la sophistication et la rudesse[17]. Il semblerait qu'on puisse positionner la plupart des marques sur ces dimensions fondamentales.

La perception

Beaucoup d'activités du marketing sont reliées à la communication d'informations aux consommateurs. La **publicité** vise à informer les consommateurs et à les convaincre d'acheter les produits de l'entreprise. Les **vendeurs** servent d'intermédiaires entre la firme et les clients et ont la responsabilité de transmettre des informations sur les produits et les services. Les produits eux-mêmes sont distribués dans des **emballages** qui contiennent des renseignements de toutes sortes. Toutes ces informations sont acheminées vers les consommateurs qui doivent les trier, les organiser et les interpréter. Ces fonctions mentales sont de grand intérêt pour le marketing, car elles déterminent ce que les consommateurs comprendront et retiendront des informations qu'on leur présente. Et puisque ces informations visent souvent à les persuader d'acheter les biens et services qu'on leur offre, ce que les consommateurs comprennent et retiennent influence directement leurs décisions d'achat.

Perception : Processus par lequel les consommateurs sélectionnent, organisent et interprètent les informations qui parviennent à leurs sens.

Notre définition fait ressortir trois mécanismes perceptuels importants dont nous allons discuter à tour de rôle. En premier lieu, la **perception sélective.** Les consommateurs sont confrontés à un nombre incalculable d'éléments d'information et la simple logique nous amène à conclure que, pour fonctionner adéquatement dans leur environnement, ils doivent être sélectifs dans l'acquisition des informations. En général, il n'y a qu'une partie des messages extérieurs qui sont utilisés pour organiser la perception. Comment cette sélection se fait-elle ? Reconnaissons d'abord qu'il y a un problème de capacité : même si on voulait tout percevoir, cela serait impossible. Mais la perception sélective représente autre chose qu'un simple mécanisme permettant de réduire les données externes à une quantité raisonnable. Par perception sélective, on entend que les informations les plus prépondérantes dans l'organisation perceptuelle sont celles qui servent les objectifs immédiats de l'individu. En d'autres termes, les consommateurs sélectionnent les informations de l'environnement qui leur sont utiles ou qui rejoignent les activités qu'ils accomplissent. Cette sélection peut être volontaire, comme par exemple lorsqu'un consommateur est attentif à une publicité télévisée sur un produit qu'il convoite. Mais elle peut aussi être involontaire. Peut-être avez-vous remarqué que lorsqu'on vient d'acheter une voiture neuve, on tend à reconnaître plus facilement les voitures de la même marque. Ou encore, peut-être avez-vous vécu l'expérience d'être dans une réunion sociale où on s'entend à peine parler et percevoir que quelqu'un a prononcé votre nom.

Le deuxième aspect de notre définition est l'**organisation perceptuelle.** À l'état brut, les informations qui parviennent à nos sens sont désordonnées et chaotiques. Il nous faut les organiser. Par exemple, considérons le livre que vous êtes en train de lire. Les caractères imprimés qui apparaissent sur les pages constituent, à la base, des lettres qui se suivent et qui forment des groupes distincts. Bien sûr, ce que vous percevez ce sont des mots, des phrases, des idées et non pas seulement des lettres. C'est par l'organisation perceptuelle que ces symboles typographiques, a priori incohérents, se transforment en un texte structuré.

Une fonction essentielle de l'organisation perceptuelle est la **catégorisation.** Les consommateurs ne perçoivent pas chaque élément de leur environnement comme unique. Si c'était le cas, ils seraient vite dépassés par la diversité des informations extérieures. Ainsi, si chaque objet qui existe avait un nom distinct, notre langage serait d'une incroyable complexité et toute communication serait virtuellement impossible. Heureusement, nous regroupons de façon naturelle les choses (personnes, marques, événements, etc.) qui se ressemblent. Ces catégories mentales nous permettent d'être plus efficaces en nous aidant à mettre ensemble des objets semblables (processus d'**assimilation**) et à distinguer les objets différents (processus de **contraste**).

Pour organiser leur environnement commercial, des études montrent que les consommateurs procèdent naturellement à la catégorisation des différentes marques de produits sur le marché. On appelle **ensemble évoqué** *la catégorie perceptuelle des marques qu'un consommateur juge acceptables pour un achat éventuel. Il semble que la taille de l'ensemble évoqué varie selon le type de produit, mais qu'elle soit généralement petite (de 3 à 5 marques, dans le cas des produits de consommation courante). En limitant ainsi le nombre de marques à considérer lors d'un achat, les consommateurs facilitent grandement leur tâche de décider quelle option choisir.*

Les responsables du marketing sont très conscients du besoin que ressentent les consommateurs de pouvoir distinguer les produits et marques disponibles sur le marché, afin de simplifier leurs décisions d'achat. La publicité a souvent comme objectif d'accentuer ou même de créer des différences entre les marques, particulièrement dans le cas de catégories de produits homogènes. Le simple nom de marque sert parfois de caractéristique suffisante pour contraster les options (voir l'Illustration 2.5).

Le troisième mécanisme perceptuel d'importance est l'**interprétation.** Il ne suffit pas de sélectionner et d'organiser les informations qui sont disponibles dans l'environnement, il faut aussi les interpréter, c'est-à-dire déterminer leur signification. Un exemple peut nous aider à comprendre comment l'interprétation des informations n'est pas déterminée d'avance et dépend à la fois de facteurs externes et internes au consommateur. Imaginons que vous ayez acheté un billet pour aller voir une pièce de théâtre au coût de 10 $ et, qu'une fois sur place, vous vous apercevez que vous avez perdu le billet. Seriez-vous prêt alors à débourser un autre 10 $ pour assister à la représentation ? Changeons cette histoire un peu et imaginons que vous ayez décidé d'aller voir la pièce de théâtre et d'acheter le billet au guichet et, qu'une fois sur place, vous vous apercevez que vous avez perdu 10 $. Seriez-vous prêt alors à débourser 10 $ pour assister à la représentation ? Deux scénarios dont la conséquence ultime (la perte de 10 $) est la même, mais qui donnent lieu à des interprétations différentes, donc possiblement à des décisions différentes. Dans une étude conduite aux États-Unis, on a raconté la première histoire à un groupe de gens et la majorité ont dit qu'ils ne rachèteraient pas un autre billet. Par contre, la majorité des personnes d'un autre groupe, à qui on a raconté la deuxième histoire, ont dit qu'ils achèteraient néanmoins un billet pour assister à la pièce de théâtre. Pourquoi cette différence ? Dans le contexte de la première histoire, la perte du billet est perçue négativement car les gens n'aiment pas payer un produit au double du prix[18].

Nous avons dit que l'interprétation des événements dépend à la fois des facteurs externes et internes. Par facteurs externes, on entend surtout le **contexte** dans lequel l'information est présentée. Par exemple, payer 20 $ pour un câble d'imprimante dans le contexte de l'achat d'un micro-ordinateur d'une valeur de 1 000 $ n'a pas la même signification que si l'ordinateur en question vaut 3 000 $. Dans le premier cas, le câble semble coûter plus cher. En général, le contexte a une influence déterminante sur l'interprétation.

Illustration 2.5
Non, ils n'étaient pas ivres !

Dans les années 1960, une étude classique en marketing fut conduite par deux chercheurs américains[19]. Ces derniers demandèrent à des buveurs de bière de participer à un test de préférence où trois marques de bière seraient comparées quant à des caractéristiques spécifiques comme l'arôme, le pétillement, etc. et au niveau de la qualité en général. La dégustation, étalée sur deux semaines, fut organisée de façon à ce que pour tous les participants, l'une des marques soit systématiquement la bière habituellement préférée. Dans un premier temps, les étiquettes de bière comparées furent cachées. Les résultats montrèrent que les consommateurs étaient alors incapables de distinguer leur marque préférée des autres marques. Ensuite, lorsque les étiquettes furent identifiées, les évaluations des participants furent directement influencées par leurs préférences initiales. Les auteurs conclurent que « ... *les différences, dans l'esprit des participants, étaient plus le résultat de leur réceptivité aux efforts de marketing des firmes que des perceptions sensorielles de différences entre les produits* ».

Que pensez-vous de ces résultats ? À votre avis, sont-ils généralisables à d'autres types de produits ? Lesquels ? Quelles sont les implications pour le marketing ?

Les facteurs internes, quant à eux, se réfèrent aux **connaissances** que le consommateur a emmagasinées en mémoire et qui lui permettent de donner un sens au monde extérieur. Au Québec, par exemple, lorsque la publicité de *McDonald* présente le slogan *J'M*, les consommateurs ne voient pas simplement deux lettres rattachées par une apostrophe, mais plutôt un ensemble d'images, d'impressions et de sensations qui sont associées aux restaurants *McDonald* et qui ont été acquises par expérience ou via les activités promotionnelles de la firme. Ce sont ces connaissances qui déterminent la perception. Quelle interprétation un étranger qui visite le Québec pour la première fois, ferait-il du slogan de *McDonald* ?

Retenons que : Les consommateurs sont confrontés à une quantité énorme d'informations que leur transmettent les entreprises qui commercialisent des biens et services. Pour être efficaces, ils sélectionnent, organisent et interprètent ces informations pour en dégager des perceptions. La compréhension de ces trois mécanismes perceptuels est importante pour le marketing, car les décisions d'achat des consommateurs en dépendent directement.

Les cartes perceptuelles et le positionnement. Les préférences des consommateurs sont affectées par leurs perceptions des produits. Ces perceptions touchent à plusieurs aspects comme le prix, le mode de distribution, la qualité, l'image véhiculée par la publicité, le look ou encore les bénéfices qui découlent de la consommation. Ensemble, elles définissent la **position** d'un produit ou d'une marque sur un marché, c'est-à-dire la perception que les consommateurs ont de la place que le produit occupe par rapport aux autres. Pour l'entreprise, il est primordial non seulement de connaître la position de ses produits et celles de ses concurrents, mais aussi d'établir des stratégies de positionnement qui correspondent à ses objectifs commerciaux.

Positionnement : Mise en œuvre de stratégies de marketing visant à établir dans l'esprit des consommateurs une représentation perceptuelle de la place que le produit occupe sur le marché.

La **cartographie perceptuelle** est une technique de recherche en marketing très importante pour le positionnement des produits. Elle vise à construire une carte des perceptions que les consommateurs ont des différents produits qui sont en compétition sur un marché donné. La Figure 2.13 présente une carte perceptuelle du marché de l'automobile établie à partir des résultats d'une recherche en marketing menée aux États-Unis par *Chrysler Corporation* au début des années 1980[20]. Comme on peut le constater, la carte montre que les marques *Dodge* et *Plymouth* sont perçues comme des voitures pratiques et économiques, mais un peu vieillottes. Sur la base de cette analyse, les dirigeants de *Chrysler Corporation* décidèrent qu'il fallait donner à *Dodge* et *Plymouth* une image plus jeune et faire en sorte qu'elles soient aussi perçues comme plus luxueuses.

figure 2.13 **Une carte perceptuelle de marques d'automobiles**

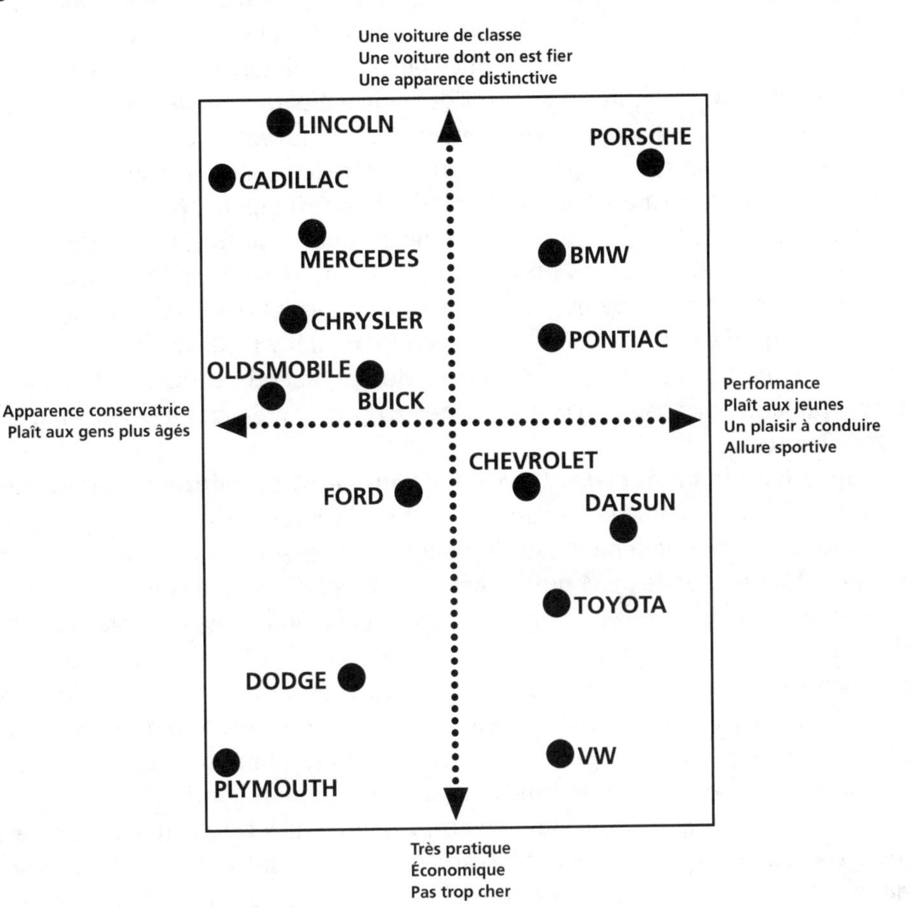

Les cartes perceptuelles sont des outils très utiles pour les responsables du marketing. Elles permettent de visualiser la position des produits sur un marché, de savoir qui sont les principaux compétiteurs, de connaître les dimensions que les consommateurs utilisent pour se représenter les produits, d'identifier des occasions commerciales, c'est-à-dire des places encore inoccupées sur la carte, et enfin de vérifier si les stratégies de positionnement s'avèrent efficaces.

L'apprentissage

Le dernier processus psychologique que nous allons examiner dans ce chapitre concerne la façon dont les consommateurs acquièrent les connaissances dont ils se servent dans leur vie de tous les jours. C'est ce qu'on appelle l'**apprentissage.**

C'est un sujet d'étude d'une très grande importance en marketing, car les connaissances que nous possédons ont une influence sur notre comportement. Par rapport au modèle de la formation des préférences présenté à la Figure 2.6, les connaissances auxquelles nous faisons référence plus particulièrement sont celles qui ont trait à la définition des critères de choix des consommateurs et de leur importance, ainsi que la position des options en concurrence relativement à ces critères.

Il existe deux grandes approches pour décrire le processus d'apprentissage. L'une, qu'on appelle **behavioriste,** est fondée principalement sur le rôle de l'expérience dans l'acquisition des connaissances. L'autre, qu'on appelle **cognitive,** est centrée sur les processus par lesquels les individus perçoivent, transforment, mémorisent et se rappellent les informations présentes dans l'environnement. Il est important de comprendre qu'il n'y a pas une approche préférable ; elles représentent toutes deux des perspectives différentes sur un même phénomène et sont, d'une certaine façon, complémentaires l'une par rapport à l'autre.

L'approche béhavioriste. Le **conditionnement classique** est la première théorie béhavioriste que nous allons discuter. C'est une théorie d'apprentissage qui est basée essentiellement sur deux notions : l'association contiguë et la répétition. En bref, l'idée du conditionnement classique est que l'individu apprend surtout en faisant des associations de façon mécanique. Le processus est illustré à la Figure 2.14, en prenant pour exemple le cas de *Pluss*, une boutique connue de vêtements pour les jeunes *(« Mieux vaut Pluss »).* Dans ce marché très compétitif, attirer les jeunes consommateurs est une question de survie. Pour *Pluss*, comme pour d'autres boutiques semblables, il importe que le nom de la boutique projette une image jeune et dynamique. Une façon de s'en assurer est de créer à l'intérieur du magasin une atmosphère qui reflète le dynamisme et la jeunesse. La musique rock et l'utilisation de jeunes vendeurs et vendeuses sont deux moyens qui permettent de produire l'effet souhaité. Les jeunes consommateurs qui fréquentent la boutique associent le nom *Pluss* avec cette ambiance et, à la suite de visites répétées, le nom *Pluss* seul entraînera éventuellement une impression de jeunesse et de dynamisme.

Dans cet exemple, la musique rock et les jeunes vendeurs sont des **stimuli,** c'est-à-dire des éléments extérieurs à l'individu, susceptibles d'affecter son comportement. Ces stimuli sont non conditionnés, c'est-à-dire qu'on ne cherche pas à les associer à d'autres stimuli ; ils entraînent automatiquement des **réponses** chez l'individu, dans ce cas une impression de jeunesse et de dynamisme. Par contre, le nom de la boutique *Pluss* est un stimulus conditionné, car on cherche à faire en sorte qu'il puisse, par sa simple évocation, entraîner les mêmes réponses que les stimuli non conditionnés. La répétition et l'association contiguë entre les stimuli non conditionnés et les stimuli conditionnés, sont les deux processus qui sont à la base de cette forme d'apprentissage.

figure 2.14 **Illustration du conditionnement classique**

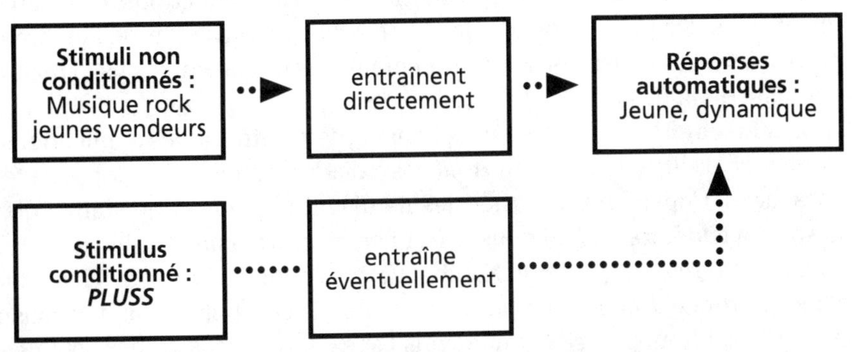

La théorie du conditionnement classique s'applique en publicité. En effet, c'est une pratique publicitaire courante que d'associer le produit annoncé à un stimulus qui entraîne des réactions positives. On espère ainsi qu'à force de répétition, c'est le produit lui-même qui amènera les réponses positives. Par exemple, on a vu des annonces imprimées de cigarettes avec un décor de plein air qui évoque la santé et la joie de vivre. De même, il est fréquent d'employer, dans les publicités, des figurants et des figurantes de belle apparence physique.

Le conditionnement classique présente toutefois une vision passive de l'apprentissage ; le consommateur y est représenté comme une machine à faire des associations. Or, une bonne partie de l'acquisition des connaissances consiste à poser des gestes, observer les résultats et en tirer des conclusions, un peu par essais et erreurs. Le **conditionnement instrumental** est une autre théorie béhavioriste qui adopte justement une perspective dynamique de l'apprentissage. Fondamentalement, la théorie du conditionnement instrumental propose que l'individu apprend à s'engager dans des actions qui ont des conséquences positives et à éviter celles qui ont des conséquences négatives. Ici, la notion de base est le **renforcement.** Si les conséquences qui découlent d'un comportement sont positives, on dit que le comportement est renforcé positivement. Autrement dit, la probabilité que l'individu s'engage à nouveau dans ce comportement augmente. Si c'est le contraire, il y a alors renforcement négatif et cette probabilité diminue. À titre d'illustration, considérons le cas d'un consommateur qui aime aller manger au restaurant et essayer de nouveaux plats. Si les mets qu'il commande lui donnent satisfaction, il y a de bonnes chances pour qu'il en mange à nouveau plus tard ou qu'il les conseille à ses amis. Au contraire, s'il ne les aime pas, il essaiera probablement autre chose la fois suivante. Dans les deux cas, le consommateur aura acquis des connaissances utiles quant à son alimentation.

Le conditionnement instrumental a des implications pratiques pour le marketing. Ainsi, en vendant des produits de qualité et en offrant un bon service après-vente, l'entreprise facilite le renforcement positif des décisions d'achat de sa clientèle. Aussi, les activités de promotion telles les réductions, les coupons, les échantillons, les points-bonis et les bons échangeables pour de la marchandise constituent des éléments de renforcement très importants dans la politique commerciale de la firme.

L'approche cognitive. Les théories béhavioristes offrent des explications intéressantes et utiles sur la façon dont les consommateurs développent leurs connaissances. Cependant, ces théories ne disent pas tout. Une simple observation suffit à le démontrer. Si vous avez lu ce chapitre d'un trait jusqu'ici, vous avez sans doute retenu que la recherche motivationnelle était, dans les années 1950, une approche dominante pour comprendre le comportement des consommateurs (Illustration 2.4). Notez que vous l'avez appris sans qu'il ait été nécessaire de répéter l'information plusieurs fois ni d'y adjoindre un quelconque renforcement positif. Cette connaissance réside dans votre mémoire et vous pouvez l'activer lorsque vous en avez besoin (par ex. lors d'un examen !) ou simplement par intérêt. Comment expliquer ce type d'apprentissage à l'aide des théories béhavioristes ? Difficile, à moins d'avoir recours à des artifices théoriques plus ou moins convaincants. Pour comprendre comment l'individu retient en mémoire des informations que lui transmet son environnement, il faut une théorie **cognitive,** c'est-à-dire une théorie qui puisse expliquer le fonctionnement des processus mentaux d'acquisition des connaissances. Une telle théorie est présentée à la Figure 2.15.

figure 2.15 **Le traitement mental des informations**

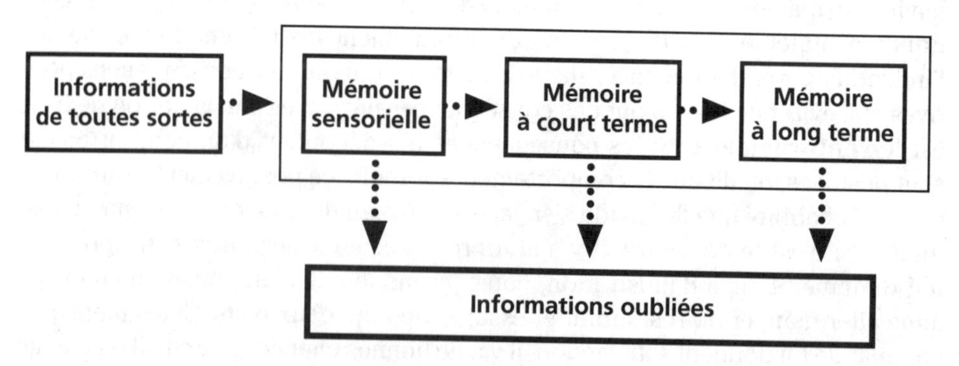

Cette théorie fait une distinction entre les processus internes au consommateur et les informations externes. Ces dernières sont captées d'abord par la **mémoire sensorielle.** Il s'agit d'une mémoire qui peut contenir beaucoup d'informations, mais pour une période très courte. Par exemple, dans le cas de la vision, la mémoire sensorielle emmagasine un grand nombre d'informations ; on voit généralement beaucoup de choses. Mais à moins d'être traitées continuellement, ces informations ne sont retenues qu'une fraction de seconde. On n'a qu'à fermer les yeux pour s'en convaincre. Une partie des informations de la mémoire sensorielle est donc rapidement oubliée alors qu'une autre est transférée dans la **mémoire à court terme.**

La mémoire à court terme possède des caractéristiques particulières. D'abord, elle a une capacité limitée ; on ne peut y entreposer que quelques items d'information. Ensuite, à moins que l'individu ne se répète intérieurement les informations (un peu comme lorsqu'on tente de retenir un numéro de téléphone, avant de le composer), elles seront oubliées dans un délai d'une quinzaine de secondes. Donc, une partie seulement des informations que contient la mémoire à court terme est transférée dans la **mémoire à long terme.**

La mémoire à long terme est un entrepôt d'informations à capacité quasi-illimitée. Elle constitue en fait le lieu de résidence permanente des connaissances. Comme le montre la Figure 2.15, les informations passent de la mémoire à court terme à la mémoire à long terme et vice versa. Notons qu'il est possible que des informations entreposées en mémoire à long terme soient un jour oubliées ou encore difficiles d'accès (vous rappelez-vous le nom de votre première institutrice ?).

Notre discussion de l'approche cognitive a été très brève[21]. Il faut espérer qu'elle aura suffi à montrer les différences majeures entre les approches cognitive et béhavioriste. La perspective cognitive a aussi des implications pour le marketing. Par exemple, le problème de la capacité limitée de la mémoire à court terme implique que la publicité télévisée ne doit pas essayer de transmettre trop d'informations à la fois. Peut-être avez-vous déjà remarqué les messages écrits qui apparaissent au bas de l'image de certaines publicités télévisées (ex : les automobiles) et qui donnent des informations complémentaires à l'annonce (conditions de garantie, de paiement). Si oui, vous avez sans doute noté aussi qu'il est très difficile de lire ces informations, d'abord parce qu'elles sont écrites en petits caractères, ensuite parce que le temps d'exposition est habituellement trop court, enfin parce que la présentation simultanée d'images et de son rend toute lecture pratiquement impossible. De toute évidence, ceux qui conçoivent ces annonces ignorent ou ne tiennent pas compte de la capacité limitée de la mémoire à court terme des téléspectateurs.

Une autre implication de l'approche cognitive relative à la publicité concerne la nécessité de répéter un message pour qu'il soit appris par les consommateurs. Nous avons vu que les informations qui parviennent à la mémoire à long terme sont d'abord traitées dans la mémoire à court terme. Puisque les consommateurs qui regardent la publicité ne sont généralement pas très motivés à retenir les informations qui sont présentées, l'accession de ces informations à la mémoire à long terme est compromise. La répétition publicitaire vise à faciliter le transfert du message à la mémoire à long terme.

Retenons que : Il y a deux grandes approches à l'étude de l'acquisition des connaissances par les consommateurs. L'une d'elles, l'approche béhavioriste, met l'emphase sur l'apprentissage par le biais des associations que l'on fait et des expériences que l'on vit. L'autre, l'approche cognitive, est centrée sur les processus mentaux de traitement des informations. Toutes les deux ont des implications pour le marketing, particulièrement dans le domaine de la communication publicitaire.

CONCLUSION

Pour le responsable du marketing, comprendre le comportement des consommateurs est essentiel. Sans cette compréhension, les actions commerciales de l'entreprise risquent d'être inefficaces. C'est sous la forme de *check-list* que l'Outil 2.2 résume les dimensions du comportement des consommateurs auxquelles il faut nous arrêter.

Dans ce chapitre, nous avons vu que de nombreux facteurs interviennent dans la formation des préférences des consommateurs. Les chercheurs en marketing ont déployé beaucoup d'efforts pour identifier ces facteurs et mesurer leur impact. Ces études ont contribué à augmenter nos connaissances des phénomènes propres à la consommation et nous ont renseigné sur les pratiques en marketing. Il appartient aux responsables du marketing de tirer profit de ces connaissances, afin d'améliorer la performance commerciale de leur entreprise.

Outil 2.2
Que faut-il savoir à propos des consommateurs ?

Le marketing affirme la prééminence des consommateurs. L'entreprise qui ne connaît pas bien ses consommateurs (qui sont-ils ? que veulent-ils ?), est vouée à l'échec. Cet outil présente les informations essentielles à la connaissance des consommateurs. La liste fournie peut servir de point de départ à une analyse du marché et à une réflexion stratégique.

Qui sont-ils ?

Les responsables du marketing doivent être capables de décrire les consommateurs. C'est la première étape. Dans certains cas, il peut s'avérer important de distinguer les acheteurs des utilisateurs (ex., bien industriel). Les principales variables employées pour cette description sont les suivantes :

1. *Les variables démographiques.* Les plus courantes sont :
- l'âge;
- le sexe;
- la famille (nombre d'enfants et âge des enfants).

Ces informations sont relativement faciles à obtenir, mais elles ne sont pas toujours les plus utiles. À l'exception des situations les plus évidentes (les vêtements), les comportements d'achat et de consommation ne varient pas beaucoup en fonction de ces variables.

2. *Les variables socioéconomiques.* Elles comprennent :
- les revenus;
- l'éducation;
- l'occupation;
- la classe sociale.

Ces variables sont généralement en étroite corrélation. Leur pouvoir explicatif n'est pas très élevé non plus.

3. *La personnalité.* De nombreuses études en marketing ont montré que les traits de personnalité, par exemple les personnes ayant un caractère :
- indépendant;
- autoritaire;
- innovateur.

ont un pouvoir explicatif très limité lorsqu'il s'agit de prédire les comportements de consommation spécifiques (choix de marque, quantités achetées, etc.).

4. *Les valeurs et les styles de vie.* Les consommateurs expriment leurs valeurs personnelles à travers les produits qu'ils achètent. Ces valeurs définissent leurs styles de vie, c'est-à-dire :
- leurs activités;
- leurs intérêts;
- leurs opinions.

Les valeurs et les styles de vie servent de façon courante à décrire les consommateurs et ceci peut s'avérer très utile, notamment lorsqu'il s'agit d'élaborer une stratégie de communication.

Qu'achètent-ils ? Dans quelles situations d'achat ?

Il est important de connaître les produits et les marques choisis par les consommateurs, ainsi que les quantités achetées. Parmi les variables de segmentation courantes en marketing retenons :
- la fréquence d'achat;
- la quantité achetée;
- la quantité consommée;
- les différentes marques achetées.

Par ailleurs, il faut savoir que le contexte d'utilisation joue un rôle important dans les décisions d'achat. Des produits qui ne sont pas en concurrence dans un contexte donné peuvent le devenir dans un autre. Par exemple, les *Ruffles* sont en concurrence avec les autres marques de croustilles en épicerie, mais dans le contexte d'une pause-café, elles sont en concurrence avec le yogourt. Il est donc important de connaître les différentes situations de consommation ainsi que leur importance dans le cadre général de la consommation d'une catégorie de produit.

Où et quand achètent-ils ?

Le lieu d'achat est une information importante. Du point de vue de la distribution et de la communication, il est utile de savoir où les consommateurs se procurent les produits et les services qu'ils achètent, et ce qu'ils pensent de ces lieux. Des études ont montré que les perceptions des marques sont influencées par l'image du magasin dans lequel ces marques sont offertes. Il faut savoir que les lieux choisis pour acheter un produit ou un service peuvent changer selon l'expérience du consommateur avec la catégorie de produit.

Les achats des consommateurs sont susceptibles de varier selon la saison, selon les jours de la semaine et, parfois même, selon les moments d'une journée. Comprendre les consommateurs, cela signifie aussi qu'il faut connaître les moments d'achat qui sont privilégiés.

Comment achètent-ils ?

Cette question renvoie au processus de décision des consommateurs. À chaque étape de ce processus, il y a des informations utiles à connaître.

1. *La recherche des informations.* Les questions suivantes sont pertinentes :
- Quelles sources d'informations les consommateurs consultent-ils ?
- Quelles informations recherchent-ils ?
- Quelle importance accordent-ils à la recherche d'informations ?
- Qui s'occupe de la recherche des informations dans la famille ?

2. *L'évaluation des options et le choix.*
- Quels critères les consommateurs utilisent-ils pour choisir une marque ?
- Quelle est leur importance relative ?
- Quelles règles de décision emploient-ils pour faire leurs choix ?
- Jusqu'à quel point la décision d'achat est-elle planifiée ?
- Quelles sont les différentes options (marques) considérées dans la prise de décision ?
- Qui prend la décision (famille) ?

3. *La consommation et l'utilisation.*
- Comment le produit est-il consommé ?
- Comment en dispose-t-on ?
- Qui sont les utilisateurs (famille) ?

4. *L'évaluation après l'achat.*
- Le produit ou le service rencontre-t-il les attentes des consommateurs ?
- Les consommateurs sont-ils satisfaits ?
- Éprouvent-ils des regrets après l'achat ?
- Achèteront-ils de nouveau ?
- Comment le produit ou le service est-il perçu par rapport aux concurrents ?

EXERCICES ET SUJETS DE RÉFLEXION

1. « *Le style de vie des consommateurs engendre des besoins.* » Commentez.

2. McClelland[22] réduit les besoins humains à trois besoins fondamentaux :
   - pouvoir (besoin d'avoir de l'influence sur les autres)
   - affiliation (besoin de se faire des amis)
   - réalisation (besoin de bien faire les choses)

   Comparez cette typologie à celle de Maslow. Quels sont les recoupements et les différences entre les deux classifications ?

3. Trouvez et commentez trois publicités présentant des produits en réponse aux besoins suivants : sécurité, dominance, affiliation.

4. À votre avis, de nos jours, les enfants apprennent-ils plus rapidement à assumer leur rôle de consommateurs ? Quels sont les facteurs économiques, technologiques et sociaux qui ont une influence à cet égard ? Comment les responsables du marketing peuvent-ils en tenir compte dans l'élaboration de leurs stratégies ?

5. La note encadrée de la page 87 identifie quatre stratégies destinées à influencer les préférences des consommateurs. Trouvez quatre publicités illustrant chacune de ces stratégies.

6. Pensez à votre vedette ou sportif professionnel favori. Pourrait-on l'utiliser dans un spot publicitaire à la télévision ? Quelle forme d'influence aurait-il ou aurait-elle et sur quel type de public ? Quelle catégorie de produit ou de service pourrait-il ou elle promouvoir efficacement ?

7. Philippe est un acheteur consciencieux. Il a entrepris récemment d'évaluer quatre voitures afin d'en sélectionner une. Pouvez-vous prédire sa préférence à l'aide des informations contenues dans le tableau suivant ?

	Score d'importance	Saturn	Acura 1.6 el	Honda Accord	Volkswagen Jetta
Prix	5	4	2	2	3
Garantie	4	4	3	3	2
Tenue de route	3	4	4	4	3
Économie	2	3	2	3	4
Confort	1	3	3	4	2

Note : Pour les scores de performance : 1 = mauvais, 5 = excellent.
Pour les scores d'importance : 1 = moins important, 5 = plus important.

8. La Figure 2.13 montre une carte perceptuelle du marché de l'automobile dans les années 1980. Comment pourrait-on représenter ce marché au début des années 2000 ? Comment vous y prendriez-vous pour établir une telle carte perceptuelle ?

9. Considérez les produits et services suivants :

- disque compact ;
- échangeur d'air ;
- lunettes de soleil ;
- banque ;
- restaurant ;
- équipement de camping.

En utilisant la classification présentée à la Figure 2.9, pouvez-vous prédire l'influence des groupes de référence quant au choix de la marque et l'achat du produit ?

10. À votre avis, quels motifs poussent un consommateur à acheter une montre *ROLEX* contrefaite dans une rue de Hong Kong ?

11. En 1999, le gouvernement canadien a décidé de contraindre les fabricants de cigarettes à afficher des photos de poumons noircis par la fumée du tabac et de gorges atteintes de cancer etc., sur les paquets de cigarettes. À votre avis, cette stratégie sera-t-elle efficace ? Comment vous y prendriez-vous pour convaincre les fumeurs de cesser de fumer ?

NOTES

1. Zins, Beauchesne et associés, *Les sociostyles québécois*, Montréal, août 1999.
2. Solomon, M.R., Zaichkowsky, J.L. et Polegato, R. *Consumer Behavior: Buying, Having and Being.*, Prentice-Hall Canada, Scarborough, Ontario, 1999.
3. Abraham H. Maslow, *Motivation and Personality*, New York, Harper Brothers, 1954.
4. Edward B. Tylor, *Primitive Culture*, London, John Murray Ltd., 1891, page 1.
5. Voir l'article suivant par John W. Schouten et James H. McAlexander, « Subcultures of Consumption : An Ethnography of the New Bikers », *Journal of Consumer Research*, 22, juin 1995, pp. 43-61.
6. Sharon E. Beatty, Lynn R. Kahle, Pamela Homer et Shekhar Misra, *Alternative Measurement Approaches to Consumer Values: The List of Values and the Rokeach Value Survey*, Psychology & Marketing 2, 3, 1985, page 285.
7. L'adaptation de l'indice de Hollingshead est empruntée à Christian Dussart, *Comportement du consommateur et stratégie de marketing*, Montréal, édit. McGraw-Hill, 1983. La correspondance avec les classes sociales définies à la Figure 2.8 sert uniquement d'illustration.

8. Ces distinctions ont été proposées pas Herbert C. Kelman dans *Compliance, Identification and Internalization : Three Processes of Attitude Change*, Journal of Conflict Resolution, 2, 1958, pp. 51-60.

9. Adapté de William O. Bearden et Michaël J. Etzel, « Reference Group Influence on Product and Brand Purchase Decisions », *Journal of Consumer Research*, septembre 1982, page 185.

10. Harry L. Davis et Benny P. Rigaux, « Perception of Marital Roles in Decision Processes », *Journal of Consumer Research*, 1, juin 1974, pp. 51-62.

11. E.H. Bonfield « Perception of Marital Roles in Decision Processes : Replication and Extension » in Advances in *Consumer Research*, Vol. 5, édit. H. Keith Hunt, Ann Arbor, MI : Association for Consumer Research, 1978, pp. 300-307. Voir aussi S.A. Putnam et W.R. Davidson, *Family Purchasing Behavior*, Management Horizons, Dublin, Ohio, 1987.

12. Pratte, A. « Vacances : les hommes paient et les femmes font les bagages », *La Presse*, 6 avril 1999, page A5.

13. Cette philosophie est présentée de façon très détaillée par Ernest Dichter dans *La stratégie du désir*, Paris, Fayard, 1961. Voir aussi Louis Cheskin, *Marketing : Le système de Cheskin*, Paris, Chotard et Associés éditeurs, 1971.

14. L'article suivant offre une discussion intéressante sur la mesure de la satisfaction des clients : R. Désormeaux et J. Labrecque, *La mesure de la satisfaction de la clientèle* (MSC), Gestion, 24, 2, 1999, pp. 74-81.

15. Ernest Dichter, op. cité, page 228.

16. Voir l'article de Harold H. Kassarjian et Mary Jane Sheffet « Personality and Consumer Behavior : An Update in Perspectives » in *Consumer Behavior*, 4e édition, H. H. Kassarjian et T. S. Robertson édit., Englewood Cliffs, NJ : Prentice-Hall, 1991, pp. 281-303.

17. Voir l'article suivant : Jennifer Aaker, « Dimensions of Brand Personality », *Journal of Marketing Research*, 34, août 1997, pp. 347-356. Une adaptation française est présentée dans l'article suivant : Jean-Marc Ferrandi, Sandrine Fine Falcy, Dominique Kreziak et Pierre Valette-Florence, « Aaker's Brand Personality Scale : A Replication and a Double Methodological Validation in a French Setting », in Proceedings of the *Third International Research Seminar on Marketing Communications and Consumer Behavior*, Y. Evrard, W. D. Hoyer et A. Strazzieri (édit.), IAE d'Aix-en-Provence, 1999, pp. 240-259.

18. Amos Tversky et Daniel Kahneman *The Framing of Decisions and the Psychology of Choice*, Science, 1981, pp. 453-458.

19. Ralph I. Allison et Kenneth P. Uhl, « Brand Identification and Perception », *Journal of Marketing Research*, 1, août 1964, pp.80-85.

20. John Coten, « Car Makers Use "Image" Map as Tool to Position Products », *The Wall Street Journal*, 22 mars 1984, page 33.

21. Les ouvrages scientifiques qui portent sur la mémoire sont légion. Pour le lecteur intéressé, l'article suivant offre une discussion courte et simple : Isabelle Burgun, « Dans le dédale de la mémoire », *La Presse*, 25 janvier 1998, pp. C1-C2.

22. David C. McClelland, *The Two Faces of Power*, in Human Motivation, édit. David C. McClelland et R. Steel, General Learning Press, 1973.

Chapitre 3

Le processus de décision du consommateur

Dans le deuxième chapitre, nous avons introduit ce domaine d'étude fascinant qu'est le comportement d'achat. Nous avons vu que les préférences des consommateurs sont influencées par de multiples facteurs : les uns externes, c'est-à-dire ayant trait à l'environnement du consommateur, les autres internes, c'est-à-dire inhérents au consommateur lui-même. Le modèle de la formation des préférences qui a été présenté au chapitre 2 indique à quels niveaux ces influences sont localisées. Continuons maintenant notre étude du comportement des consommateurs en adoptant cette fois-ci une perspective décisionnelle. La question de base que nous allons étudier dans les pages qui suivent est celle-ci : comment les consommateurs prennent-ils leurs décisions de consommation? Cette question est fondamentale en marketing, car les décisions des consommateurs, choix d'une marque ou d'un magasin, quantité achetée, montant d'argent investi, façon d'acheter, période d'achat, affectent directement l'entreprise. Mieux comprendre le processus de décision des consommateurs est une des clefs du succès en marketing.

L'APPROCHE RATIONNELLE

Dans leurs tentatives de trouver une réponse à la question *« Comment les consommateurs prennent-ils leurs décisions de consommation? »*, les chercheurs en marketing, sans trop s'en rendre compte, ont parfois transformé cette question en *« Comment les consommateurs devraient-ils prendre leurs décisions de consommation ?* ». Pourquoi ? Tout simplement parce que cette dernière question est plus facile. Pour y répondre, il suffit de s'inspirer des modèles de raisonnement logique qui ont été proposés par les philosophes et les scientifiques. Bien sûr, expliquer ce que les consommateurs devraient faire logiquement ne correspond pas à expliquer ce qu'ils font en réalité. Cependant, une approche rationnelle offre des avantages ; elle permet d'identifier les composantes importantes du processus décisionnel. Mais surtout, elle permet de voir si les actions des consommateurs s'insèrent dans une démarche systématique et raisonnée.

La Figure 3.1 présente un modèle du processus de décision d'achat qui identifie les différentes étapes que les consommateurs sont censés franchir lors d'une expérience d'achat. Ce modèle s'inscrit, répétons-le, dans une optique rationnelle du comportement des consommateurs, c'est-à-dire qu'il cherche à décrire le processus de décision d'achat en prenant pour acquis que lorsqu'ils effectuent leurs achats, les consommateurs adoptent en général une approche méthodique et réfléchie. Ce chapitre traite des décisions de consommation en utilisant ce modèle comme cadre de référence. Cette analyse nous conduira à la fois à tirer des conclusions utiles pour la pratique du marketing, mais aussi à remettre en question cette vision très systématique du processus de décision d'achat.

figure 3.1 **Le processus de décision d'achat**

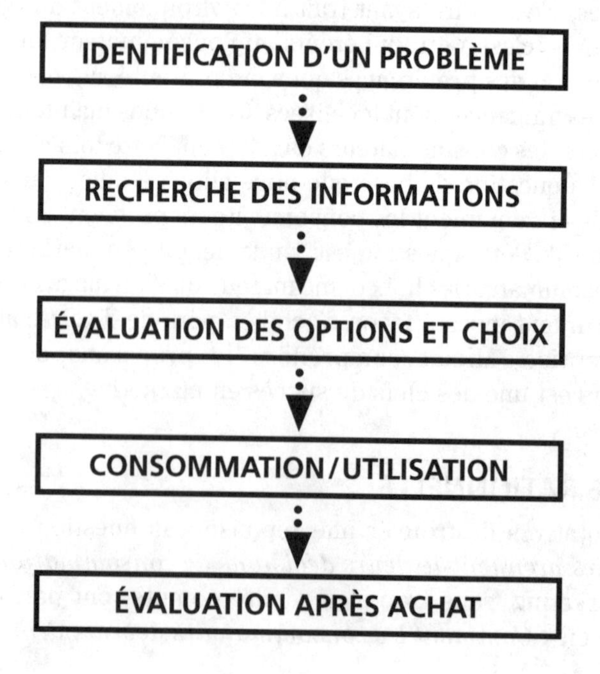

L'étincelle : le problème

Le processus de décision d'achat s'enclenche lorsque le consommateur a identifié un problème. Par exemple, vous vous levez un matin du bon pied et, après avoir pris le petit déjeuner, vous montez dans la voiture pour vous rendre à votre travail. La voiture refuse de démarrer : vous avez un problème à résoudre. Des problèmes comme celui-là, les consommateurs en ont à revendre, heureusement d'ailleurs pour les responsables du marketing qui ont pour tâche d'offrir aux consommateurs des solutions à leurs problèmes. Mais qu'est-ce qu'un problème ? Nous allons tenter de répondre à cette question importante à l'aide de cinq observations.

1. Les problèmes des consommateurs sont des perceptions

Une règle d'or : **En marketing, la perception importe plus que la réalité.** Cette règle fait ressortir le caractère individuel et très personnel d'un problème. Certes, l'exemple de la voiture qui ne démarre pas est perçu par tous comme un problème évident, mais il n'en est pas de même pour tous les problèmes. Le consommateur qui se rend au magasin pour acheter un compacteur à déchets a-t-il un problème ? Celui-ci perçoit sans aucun doute qu'il en a un, mais d'autres personnes dans la même situation ne le percevraient pas nécessairement. Cette observation implique aussi qu'un problème n'est véritablement un problème que lorsqu'il est identifié. Il peut être latent pendant longtemps et puis, un jour, se manifester dans l'esprit du consommateur. Qui eût dit par exemple, il y a vingt ans à peine, que les micro-ordinateurs seraient à ce point essentiel dans le fonctionnement des entreprises ? Demandez à un enfant d'imaginer la vie sans la télévision (pourtant nos arrière-grands-parents n'en faisaient pas un problème).

2. Les problèmes des consommateurs résultent de facteurs individuels et situationnels

En général, un consommateur identifie un problème quand il perçoit une différence significative entre l'état actuel des choses (une auto qui ne démarre pas) et l'état désiré (une auto qui démarre). L'écart entre les deux situations est souvent occasionné par des **facteurs circonstanciels.** Le bris ou l'usure des produits créent des problèmes de remplacement ou de réparation. L'épuisement des stocks (par ex. nourriture, papier, essence) engendre des problèmes de renouvellement. La mode (les vêtements, l'ameublement, etc.) incite les consommateurs à s'adapter continuellement. Les produits qu'on achète (maison) entraînent souvent d'autres problèmes (gazon à tondre, jardin à entretenir, système d'alarme à installer). Enfin, les changements dans le cycle de vie de la famille provoquent des problèmes de consommation évidents.

Les problèmes des consommateurs découlent aussi de **facteurs psychologiques.** Le désir de variété en est un ; pour certain individus, le renouvellement des biens de consommation vise principalement à satisfaire un besoin de changement. La sensibilité à l'influence sociale est un autre facteur psychologique important. Par exemple, un ami qui exhibe fièrement son dernier achat, en y allant généreusement de justifications logiques qui le rassurent tout autant qu'elles démontrent aux autres que l'achat est non seulement sensé, mais nécessaire, a de bonnes chances d'éveiller chez celui qui l'écoute, un problème jusque là insoupçonné.

3. Les problèmes des consommateurs n'ont pas tous la même complexité

Les problèmes dont on entrevoit aisément la solution sont habituellement simples à résoudre. On a mal à la tête ? On n'a qu'à se rendre chez le pharmacien pour acheter un analgésique. D'autres problèmes sont cependant plus compliqués. Par exemple, imaginez que vous deviez déménager dans une autre ville pour occuper un nouvel emploi et qu'il vous faille trouver un logement. Pour bien des gens, ce problème n'est pas simple.

Quatre éléments déterminent la complexité d'un problème. En premier lieu, le **nombre d'aspects à considérer** dans la recherche d'une solution. Plus les considérations associées au problème sont nombreuses, plus les efforts nécessaires à l'identification d'une solution satisfaisante par le consommateur devront être importants. Deuxièmement, le **temps disponible** pour résoudre le problème. Se reloger en deux jours n'est pas aussi facile que si on dispose d'un mois pour le faire. Troisièmement, l'**expérience** du consommateur. Par exemple, l'achat d'une première maison constitue un problème complexe, car le consommateur doit apprendre un grand nombre de choses au fil des étapes du processus de décision. La complexité du problème est considérablement réduite après une ou deux expériences d'achat de maison. Finalement, la **gravité des conséquences** associées à la décision finale a un impact sur la complexité perçue d'un problème. Revenons au problème du mal de tête. Simple avons-nous dit ? Il ne l'était certainement pas pour les consommateurs fidèles à la marque *Tylenol* qui, en 1982, apprirent qu'on avait enregistré plusieurs cas d'empoisonnement causés par ingestion de cyanure introduit par des criminels dans des capsules de *Tylenol.*

4. Les problèmes des consommateurs n'ont pas tous le même niveau d'urgence

Un problème qui requiert une solution immédiate est différent d'un problème qui peut attendre. Quand il y a urgence, les consommateurs cherchent habituellement une solution rapide et le manque de temps les force parfois à faire des compromis. Les problèmes urgents entraînent une accélération du processus de décision d'achat et souvent même, certaines étapes (par ex. la recherche d'informations, l'évaluation des options) sont carrément ignorées.

5. Les problèmes des consommateurs provoquent des niveaux d'implication personnelle différents

Certains problèmes reliés à la consommation sont intenses et suscitent chez des consommateurs beaucoup d'excitation, de réflexion et de plaisir, alors que ces mêmes problèmes en laissent d'autres indifférents. Par exemple, il y a des consommateurs qui sont très impliqués personnellement dans le processus d'achat de leurs vêtements, au point d'être complètement obsédés. D'autres, au contraire, se sentent beaucoup moins impliqués et considèrent qu'il s'agit d'achats comme les autres. Le degré d'implication personnelle d'un consommateur dans l'identification et la résolution d'un problème dépend de plusieurs facteurs. Le **contexte** dans lequel le problème survient peut conduire à une plus grande implication. Par exemple, être à court de beurre quand on reçoit son patron à dîner correspond à une situation plus stressante que si le problème survient quand on est seul. L'**intérêt** que le consommateur porte au problème et à sa solution est un autre élément qui affecte le niveau d'implication personnelle. Un marathonien qui doit renouveler régulièrement ses espadrilles est probablement préoccupé par ce problème, car ses chaussures de course font partie intégrante de ce qui l'intéresse. Finalement, la **personnalité** du consommateur est un élément à considérer. Certains consommateurs sont de façon générale plus anxieux, plus énergiques ou plus motivés à réussir dans leurs relations avec leur environnement. Ils sont prêts à se donner à fond dans la solution des problèmes qu'ils rencontrent, y compris ceux reliés à la consommation.

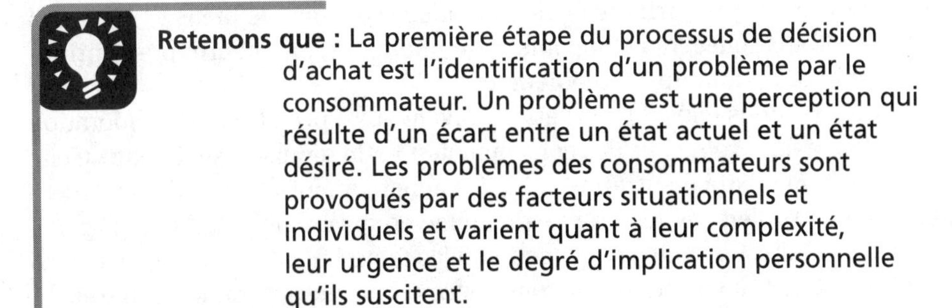

Retenons que : La première étape du processus de décision d'achat est l'identification d'un problème par le consommateur. Un problème est une perception qui résulte d'un écart entre un état actuel et un état désiré. Les problèmes des consommateurs sont provoqués par des facteurs situationnels et individuels et varient quant à leur complexité, leur urgence et le degré d'implication personnelle qu'ils suscitent.

Notre discussion de la phase d'identification d'un problème appelle quatre remarques. Premièrement, la croissance et la survie d'une entreprise dépendent en grande partie de sa capacité à innover en matière de nouveaux produits qui permettent de résoudre les problèmes des consommateurs. L'identification de ces problèmes est une responsabilité du marketing. Comment peut-on cerner les problèmes auxquels font face les consommateurs et imaginer ainsi des occasions d'affaires ? Les entreprises investissent dans la recherche en marketing. Ainsi, des études sont conduites où des consommateurs sont interrogés sur leurs problèmes de tous les jours et ceux associés à l'utilisation de produits existants. Ces études permettent de produire des idées nouvelles, qui pourront éventuellement déboucher sur des réalisations commerciales. Souvent, la détermination des problèmes est plus intuitive et trouve son origine dans la simple observation, par une personne, d'un problème à corriger. Par exemple, la compagnie *Gerber* (http://www.gerber.com/home1.html) qui se spécialise dans la production de nourriture pour bébés fut fondée en 1927 par Dan Gerber, propriétaire d'une petite entreprise de mise en conserves. Un jour, ce dernier arriva en retard à une soirée parce que sa femme était occupée à mettre en purée de la nourriture pour leur bébé. Cet incident le fit réfléchir et il conclut que les consommateurs seraient probablement prêts à payer pour éliminer ce problème.

Deuxièmement, nous avons dit que les problèmes proviennent de perceptions. Par conséquent, ils sont souvent latents pour beaucoup de consommateurs. Les responsables du marketing ont non seulement comme tâche d'identifier les problèmes des consommateurs, ils doivent aussi leur faire comprendre qu'ils existent. C'est surtout par l'action promotionnelle que les problèmes des consommateurs sont activés : publicité, échantillons, essais gratuits, primes, démonstrations en magasin et vente personnelle.

Troisièmement, le caractère urgent de beaucoup de problèmes des consommateurs suscite des occasions de marketing. Les gens sont souvent prêts à payer le prix pour obtenir une solution rapide à leurs tracas. Le dépannage et la rapidité sont devenus des attributs distinctifs pour beaucoup de biens et services : guichets automatiques, développement de photos en une heure, poste prioritaire, restauration minute, télécopieur, etc.

Enfin, les responsables du marketing doivent aussi prendre en considération la complexité des problèmes des consommateurs. En réduisant du mieux qu'elle peut cette complexité, l'entreprise aide les acheteurs à franchir l'étape d'identification du problème et les oriente du même coup vers une solution qui privilégie ses produits. C'est ce qu'ont accompli les fabricants de magnétoscopes en intégrant à leurs appareils un système permettant de programmer automatiquement les émissions à enregistrer à l'aide de codes pré-définis (VCR+). Des études ont en effet montré que plusieurs utilisateurs de magnétoscopes conventionnels avaient de la difficulté à maitriser la procédure de programmation d'enregistrement.

Retenons que : L'efficacité de l'action commerciale de l'entreprise dépend en partie des efforts déployés pour découvrir et activer les problèmes latents des consommateurs, et trouver des solutions appropriées qui tiennent compte de leur urgence et de leur complexité.

La recherche des informations

La plupart des gens n'aiment pas l'incertitude. Avoir à prendre une décision sans savoir si on va faire le bon choix représente une situation inconfortable, car les conséquences de l'action posée sont incertaines. L'information réduit l'incertitude. Elle permet de prendre, ou du moins d'avoir le sentiment de prendre, une décision éclairée. L'information est nécessaire dans le mesure où il est difficile d'envisager la possibilité de prendre une décision si on ne connaît pas les options qui existent. Logiquement, la recherche des informations est donc une étape importante dans le processus d'achat.

Comment les consommateurs trouvent-ils les informations dont ils ont besoin pour prendre des décisions éclairées ? La Figure 3.2 donne un réponse partielle à cette question. Lorsque qu'il est à la recherche d'informations pour résoudre un problème, le consommateur utilisera d'abord les informations pertinentes emmagasinées dans sa mémoire, s'il y en a. C'est ce qu'on appelle la **recherche interne** d'informations. Pour bien des problèmes ordinaires de consommation, la recherche interne suffit. Par exemple, on n'a pas besoin d'entreprendre une recherche d'informations très poussée pour acheter du café ou de la pâte dentifrice ; on a généralement en tête un magasin et des marques préférées dont on se rappelle automatiquement.

figure 3.2 **La recherche des informations**

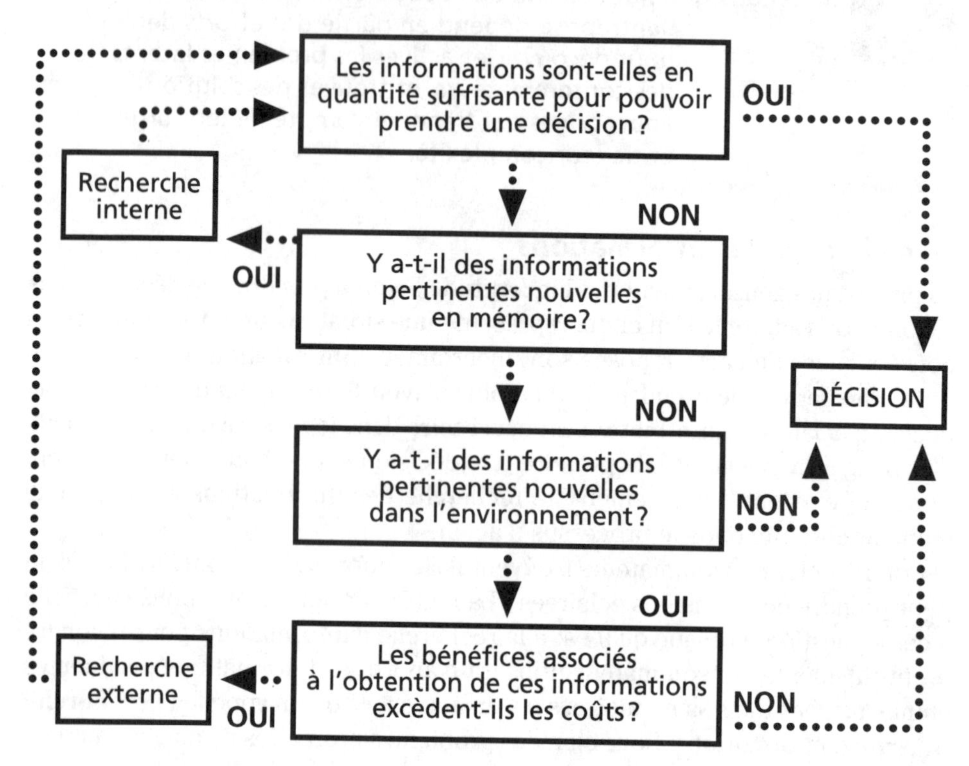

Lorsque les information internes ne suffisent pas, le consommateur peut alors procéder à une **recherche externe,** c'est-à-dire consulter différentes sources d'informations pertinentes comme les amis, les vendeurs, les brochures commerciales, les associations de consommateurs, les annonces publicitaires, les organismes gouvernementaux, etc. Les sources d'informations externes sont nombreuses, mais ne sont pas aussi accessibles que la mémoire d'un individu. Elles entraînent différents types de coûts pour les consommateurs : transport, stationnement, temps perdu, fatigue et frustration. Comme l'indique la Figure 3.2, le consommateur ne s'engagera véritablement dans une recherche externe d'informations que si les bénéfices anticipés (meilleur prix, meilleure qualité, plus grande satisfaction…) sont supérieurs au coûts engendrés.

L'analyse coûts/bénéfices que font les consommateurs explique pourquoi ils ne s'engagent que rarement dans une recherche externe poussée. Des études menées aux États-Unis et au Canada montrent que la recherche externe intensive n'est pas caractéristique de la grande majorité des achats des consommateurs, même pour les biens durables qui représentent pourtant des dépenses non négligeables. On estime qu'environ 50 % des achats ne sont précédés d'aucune recherche externe, environ le tiers sont associés à une recherche limitée et seulement 12 % donnent lieu à une recherche extensive[1]. Il faut noter cependant que pour des achats de produits qui ont une charge symbolique élevée, tels les vêtements, les consommateurs ont souvent tendance à consulter les amis et les membres de la famille.

Retenons que : Pour réduire l'incertitude inhérente à leurs décisions d'achat, les consommateurs procèdent à une recherche d'informations. La recherche interne correspond à un examen des informations en mémoire. Si la recherche interne s'avère insuffisante et si les consommateurs croient que l'effort en vaut la peine, ils s'engagent dans une recherche externe d'informations, c'est-à-dire un examen des sources d'informations personnelles, commerciales ou gouvernementales.

Notre discussion de l'analyse coûts-bénéfices suggère que si les coûts associés à la recherche externe d'informations étaient moindres, les consommateurs seraient mieux disposés à obtenir ces informations. Logiquement, une plus grande quantité d'informations ne devrait-elle pas aussi conduire à de meilleures décisions d'achat ? Cela n'est pas évident. D'une part, avoir trop d'informations peut augmenter l'incertitude, car les consommateurs ont une capacité de traitement de l'information limitée. Par ailleurs, pour que les consommateurs puissent vraiment améliorer leurs décisions, il faut non seulement que les informations soient disponibles, il faut en plus qu'ils soient capables de les traiter correctement. L'illustration 3.1 montre qu'il ne suffit pas de donner gratuitement des informations aux consommateurs pour que des décisions optimales s'ensuivent.

Internet a modifié radicalement le comportement de recherche d'informations des consommateurs. Des entreprises ont construit des sites sur lesquels les consommateurs peuvent obtenir en quelques « clics » des informations très complètes sur toutes sortes de produits. Un bon exemple est le site Web Comparenet (http://www.comparenet.com) qui met à la disposition des internautes un grand nombre d'informations (marques, spécifications, analyses comparatives, groupes de discussion, etc.) sur des produits dans des catégories diverses : électronique, automobile, informatique, appareils ménagers, travail de bureau, sports et divertissement. Il est possible, par exemple, d'obtenir les spécifications de toutes les marques et modèles d'un produit et la recherche peut se faire selon différents formats (par marque, par attribut).

Illustration 3.1

Des informations à la carte… qui brouillent les cartes

Il y a des décisions de consommation qui sont difficiles à optimiser parce que les informations nécessaires pour bien choisir ne sont pas facilement accessibles. Le choix d'une carte de crédit d'une institution bancaire est un exemple. Rares sont les consommateurs qui peuvent affirmer que la carte de crédit qu'ils possèdent a été choisie sur la base d'une analyse comparative des informations relatives aux cartes disponibles sur le marché. Pourtant, les cartes de crédit bancaires sont différentes sur bien des aspects : frais annuels, taux d'intérêt, période de grâce pour acquitter le solde et moment à partir duquel l'intérêt est calculé (date d'achat versus date du relevé).

Les études montrent qu'il y a en gros deux types d'utilisateurs de cartes de crédit : ceux qui s'en servent comme mode de paiement et ceux qui s'en servent comme mode de financement. Ces derniers ont tendance à ne pas acquitter leur solde mensuel au complet sur réception de leur relevé. Selon le type d'utilisateur, la carte de crédit la plus appropriée diffère. Ainsi, la carte optimale pour les consommateurs de type paiement ne doit comporter aucun frais, mis à part les intérêts, en plus d'offrir une période de grâce assez longue pour bénéficier du crédit. Quant aux utilisateurs de type financement, la meilleure carte est celle qui offre le taux d'intérêt le plus bas avec des intérêts calculés à partir de la date du relevé.

En 1988, *Consommation et Corporations Canada* (maintenant *Industrie Canada*), un ministère du gouvernement fédéral dont une partie du mandat est de veiller à ce que les droits des consommateurs (en particulier ici, le droit à l'information) soient respectés, a entrepris un programme d'information pour mieux renseigner les consommateurs canadiens sur les cartes de crédit. Le ministère publie régulièrement un tableau qui compare les cartes de crédit par rapport à des caractéristiques importantes (voir page suivante).

Dans un communiqué, le ministre de l'époque, Harvie André, affirmait que : « *Les consommateurs peuvent épargner s'ils disposent des informations les plus récentes sur les frais associés aux cartes de crédit et s'ils comprennent comment choisir la carte la plus avantageuse. Comme les modalités de ces cartes diffèrent, les consommateurs devraient opter pour la carte qui correspond le mieux à leurs habitudes de dépenses* ».

Afin de pouvoir faire le bon choix, les consommateurs doivent être conscients de leurs habitudes d'utilisation de la carte de crédit, savoir quels aspects sont importants pour eux et pouvoir assimiler les informations contenues dans le tableau comparatif. Une étude réalisée au Québec a donné des résultats mettant en doute l'efficacité de la campagne d'information du ministère. Le tableau d'informations a été présenté à 68 utilisateurs de cartes de crédit bancaires, se répartissant à peu près également entre les deux types d'utilisateurs définis auparavant. On leur a demandé de prendre connaissance des informations apparaissant au tableau et de choisir la carte qui semblait leur convenir le mieux. Résultats ? Seulement 26 personnes (38 %) ont choisi une carte adaptée à leurs besoins. Cela correspond à peu de choses près aux résultats qu'on aurait obtenus, si on avait demandé aux participants de tirer une carte au hasard !

	Frais en $ (annuels)	% des taux d'intérêts (annuels)	Période de grâce (jours)	Intérêt calculés	
				à compter de la date de l'achat	à compter de la date du relevé
Mastercard					
Banque de Montréal	—	18,9	21,	X	
Canada Trust	12	16,5	15		X
Canada Trust (S-charge)	—	13,5	0		X
Coopérative de crédit du service social	—	18,9	21	X	
Banque Nationale	—	18,9	21	X	
Trust National	—	18,9	21	X	
Visa					
Banque de N.-Écosse	12	16,5	21	X	
CIBC	6	16,5	21	X	
Trust Central	—	18,9	21	X	
Centre Desjardins	12	16,5	21	X	
Guaranty Trust	—	18,9	21	X	
Banque Laurentienne	9	15,9	21	X	
Banque Royale	12	16,5	21	X	
Banque Toronto Dominion	6	16,5	21		X
Vancouver City Savings	6	16,5	21	X	

Les résultats de cette étude montrent que la disponibilité des informations n'assure pas l'optimisation des décisions[2]. Il faut en plus que les consommateurs puissent traiter les informations de façon appropriée. Les responsables du programme d'information semblent avoir compris ceci puisque les consommateurs peuvent maintenant utiliser sur la page Web suivante un outil d'aide à la décision : http://www.strategis.ic.gc.ca/SSGF/ca00569f.html

Source : Tiré d'une étude non publiée conduite par Diane Miquelon et Alain d'Astous en septembre 1988. Voir aussi la note 2.

La prise de décision

Imaginons la situation suivante. Charles vient de décrocher son premier emploi comme représentant des ventes à la fin de ses études. Le salaire de départ n'est pas mirobolant, mais il lui permet d'envisager l'acquisition de produits de consommation dont il a besoin depuis un certain temps. Amateur de télévision, il songe à acheter un magnétoscope pour pouvoir louer et visionner des films et enregistrer des émissions. Il se met donc à la recherche d'informations (Charles est un de ces extrémistes faisant partie du 12 % qui font une recherche extensive d'informations) et tombe par chance sur un article de la revue *Protégez-vous* où plusieurs marques de magnétoscopes sont comparées selon cinq critères (voir la Figure 3.3).

figure 3.3 **Un tableau comparatif (fictif) de marques de magnétoscopes**

	Prix	Nombre d'émissions	Programmation automatique	Nombre de canaux	Nombre de têtes de lecture
Sony	429 $	8	non	108	4
Fisher	319 $	4	non	80	2
Sanyo	379 $	4	oui	108	4
GE	349 $	4	oui	150	2
Toshiba	399 $	8	non	150	2
RCA	449 $	4	oui	120	4

Quelle marque choisir? Il faut noter que la tâche de Charles est facilitée par le fait qu'il a trouvé l'article de *Protégez-vous*. Le tableau d'informations qu'il a tiré de cet article définit les critères de décision et positionne les options d'achat par rapport à ces critères. Avant même de penser à prendre une décision, Charles aurait dû normalement obtenir ces informations, ce qui aurait représenté une somme d'efforts considérable. Tout ce qui lui reste à faire maintenant, en supposant que ces critères de décision lui conviennent et que les marques comparées correspondent aux options qui l'intéressent, c'est de trouver une façon de combiner ces informations pour arriver à un choix satisfaisant. Ce dont Charles a besoin, c'est d'une **règle de décision.**

Les chercheurs en marketing se sont beaucoup intéressés aux règles de décision que les consommateurs utilisent pour effectuer leurs achats. Examinons cinq des règles les plus connues, en illustrant leur utilisation à l'aide du problème auquel notre ami Charles est confronté.

La **règle conjonctive** nécessite qu'on établisse d'abord *un seuil* pour chaque critère de décision. Une marque est jugée acceptable si et seulement si elle rencontre ce seuil par rapport à *tous* les critères de décision. Par exemple, supposons que Charles ait fixé les seuils suivants :

- Prix : pas plus de 400 $
- Nombre d'émissions : au moins 4
- Programmation automatique : oui, nécessaire
- Nombre de canaux : au moins 100
- Nombre de têtes de lecture : au moins 2

Quelles sont les marques acceptables selon la règle conjonctive ? Si vous examinez attentivement le tableau d'informations, deux marques rencontrent les seuils fixés par Charles : *GE* et *Sanyo*. Toutes les autres sont inacceptables, parce qu'elles ne rencontrent pas au moins un des seuils d'acceptation. Comme on le voit ici, la règle conjonctive ne permet pas toujours de définir le choix final. Il faudrait que Charles définisse une deuxième règle de décision pour faire un choix entre *GE* et *SANYO*. Notons aussi que les résultats de l'application de la règle conjonctive dépendent directement des seuils d'acceptation fixés au départ. Si ces derniers changent, les résultats peuvent changer aussi.

La **règle disjonctive** requiert, elle aussi, que des seuils d'acceptation soient établis pour tous les critères de décision. Cependant, à la différence de la règle conjonctive, une marque sera jugée acceptable si elle rencontre *au moins un seuil* fixé par le consommateur. Cette règle est donc moins exigeante que la première. En effet, une marque peut être médiocre sur la majorité des critères de décision et être considérée néanmoins acceptable si elle rencontre un seul niveau d'acceptation. Pour s'en convaincre, en utilisant les seuils définis par Charles précédemment, la règle disjonctive nous amène à juger toutes les marques de magnétoscopes acceptables.

L'emploi de la **règle d'élimination par critères** suppose que le consommateur ordonne les critères de décision du plus important au moins important et établit un seuil d'acceptation pour chaque critère. Il commence avec le critère le plus important et élimine les marques qui ne rencontrent pas le seuil fixé. Le consommateur continue la procédure en utilisant les critères de décision par ordre d'importance, jusqu'à ce qu'il n'y ait qu'une seule marque qui reste. Supposons que Charles ait fixé l'ordre d'importance et les seuils d'acceptation suivants :

- Prix : plus important, pas plus de 400 $
- Nombre d'émissions : 2e en importance, au moins 4
- Programmation automatique : 3 e en importance, oui, nécessaire
- Nombre de canaux : 4 e en importance, au moins 100
- Nombre de têtes de lecture : 5 e en importance, 4 au minimum

En procédant par ordre, le critère du prix conduit à l'élimination des marques *Sony* et *RCA*. Aucune marque n'est éliminée par rapport au critère du nombre d'émissions. En continuant avec le critère de programmation automatique, les marques *Fisher* et *Toshiba* sont éliminées. Restent les marques *Sanyo* et *GE* qui rencontrent toutes les deux le seuil du nombre de canaux. Finalement, la marque *GE* est éliminée lorsque le dernier critère, le nombre de têtes de lecture, est appliqué. La règle d'élimination par critères conduit donc ici au choix de la marque *Sanyo.* Encore une fois, il faut noter que le résultat final dépend de l'ordre d'importance et des seuils fixés au départ. De plus, il n'est pas exclu qu'il reste en bout de ligne plus d'une marque, ce qui obligera le consommateur à utiliser une autre règle de décision pour arriver au choix final.

La **règle lexicographique** nécessite elle aussi qu'on ordonne les critères de décision du plus important au moins important. Le consommateur sélectionne alors la marque qui est la mieux positionnée sur le critère le plus important. S'il y a des *ex aequo*, la procédure recommence en passant au deuxième critère le plus important, et ainsi de suite jusqu'à ce qu'il n'y ait qu'une seule marque en liste. Dans notre exemple, supposons l'ordre d'importance suivant : programmation automatique, nombre de têtes de lecture, nombre d'émissions, nombre de canaux et prix. Quelle marque Charles choisira-t-il ? Sur le critère le plus important, la programmation automatique, les marques *Sanyo*, *GE* et *RCA* sont *ex aequo*. Les autres sont éliminées. Sur le critère des têtes de lecture, *Sanyo* et *RCA* sont encore *ex aequo* et *GE* est éliminée. Le critère du nombre d'émissions ne permet pas non plus de trancher entre *Sanyo* et *RCA*. Finalement, la marque *RCA* est choisie, car c'est celle qui est la mieux positionnée sur le critère du nombre de canaux. Notons ici que l'ordre d'importance des critères de décision est déterminant quant aux résultats obtenus à l'aide de la règle lexicographique.

La dernière règle de décision que nous allons examiner est la **règle linéaire compensatoire.** Cette règle s'apparente au modèle d'analyse des préférences que nous avons présenté au chapitre 1 (voir la section intitulée « L'analyse des préférences des consommateurs »). Rappelons qu'on peut obtenir un score d'évaluation d'une option en faisant la somme des scores de performance de cette option sur les critères de décision, pondérée par l'importance perçue de ces critères. La règle linéaire compensatoire consiste à calculer cette évaluation pour *toutes les marques* et choisir celle dont l'évaluation est la plus élevée. Pour l'illustrer, la Figure 3.4 reprend les informations précédentes en attribuant des scores de performance aux marques qui sont comparées. Supposons que l'ordre d'importance des critères de décision soit, du plus important au moins important, le prix (score = 5), le nombre d'émissions (score = 4), la programmation automatique (score = 3), le nombre de canaux (score = 2) et le nombre de têtes de lecture (score = 1). Quelle marque obtient alors le score total le plus élevé ? En appliquant la procédure définie auparavant, c'est la marque *GE* qui sort gagnante avec un score total de 54, soit (4(5) + 2(4) + 5(3) + 5(2) + 1(1)). On vérifie facilement les scores d'évaluation des autres marques : *Sony* (39), *Fisher* (41), *Sanyo* (49), *Toshiba* (44) et *RCA* (41).

figure 3.4 **Tableau comparatif des scores de performance de marques de magnétoscopes**

	Prix	Nombre d'émissions	Programmation automatique	Nombre de canaux	Nombre de têtes de lecture
Sony	1	5	1	3	5
Fisher	5	2	1	2	1
Sanyo	3	2	5	3	5
GE	4	2	5	5	1
Toshiba	2	5	1	5	1
RCA	1	2	5	4	5

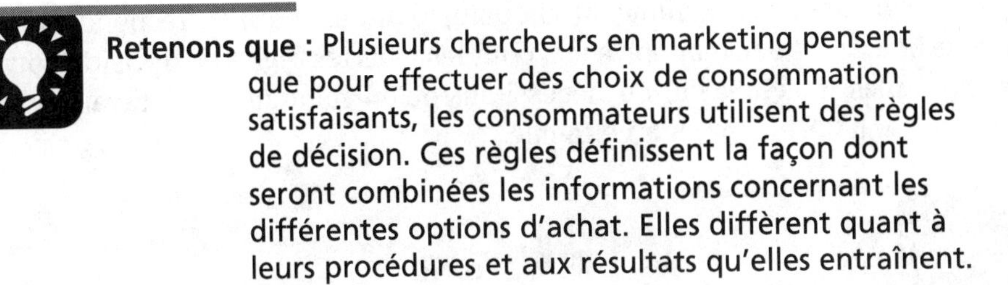

Retenons que : Plusieurs chercheurs en marketing pensent que pour effectuer des choix de consommation satisfaisants, les consommateurs utilisent des règles de décision. Ces règles définissent la façon dont seront combinées les informations concernant les différentes options d'achat. Elles diffèrent quant à leurs procédures et aux résultats qu'elles entraînent.

Les règles de décision que nous avons présentées apparaissent comme des outils raisonnables que les consommateurs peuvent employer pour prendre leurs décisions. Est-ce à dire que ces règles sont utilisées telles quelles ? Pas forcément. L'utilisation de ces règles de décision nécessite d'autres éléments qui ne sont malheureusement pas toujours présents lorsqu'une décision d'achat doit être prise. Par exemple, dans la majorité des décisions de consommation, les informations sont incomplètes, parfois inaccessibles. De même, les consommateurs ne disposent pas toujours du temps nécessaire pour appliquer ces règles. Aussi, certaines règles de décision requièrent un travail mental important, auquel les consommateurs peuvent refuser de se soumettre (fixation des seuils, détermination de l'importance des critères, scores de performance, calculs, etc.).

Cependant, cela ne veut pas dire que les règles de décision ne constituent pas de bonnes approximations de la façon dont les consommateurs procèdent lorsqu'ils doivent faire un choix de marque. Nous avons l'habitude de fixer des niveaux d'acceptation sur des critères de décision *(« Ma voiture doit avoir une transmission automatique », « Je suis prêt à débourser un maximum de 400 $ pour l'achat d'une tondeuse »)*. Il n'est pas non plus inhabituel de considérer l'importance relative des critères de décision *(« Pour les placements que je compte faire, c'est le taux d'intérêt qui compte avant tout » « Dans la recherche de notre future maison, le voisinage est l'élément le plus important ».)* Même la règle compensatoire, qui se présente comme un outil analytique nécessitant un travail mental non négligeable (multiplication, sommation), représente une approximation valable de la façon dont nous prenons parfois nos décisions *(« Bien sûr, la garantie offerte par cette marque n'est pas aussi bonne, mais le prix est bon et c'est ce qui compte pour moi ».)* Bref, il faut voir ces règles non pas comme des procédures rigides que les consommateurs auraient apprises et utiliseraient méthodiquement, mais plutôt comme des descriptions imparfaites des processus complexes qui caractérisent la prise de décision des consommateurs.

Plusieurs spécialistes en marketing croient cependant que même si leur seule prétention est de constituer des approximations, les règles de décision que nous avons présentées ne sont pas représentatives des processus de décision des consommateurs, pour la grande majorité de leurs achats. En effet, les produits que nous achetons couramment (lait, pain, journaux, etc.) correspondent à des achats banals, de peu d'importance, pour lesquels les règles de décision doivent être simples, machinales, ne nécessitant qu'un minimum de travail mental. L'Illustration 3.2 élabore sur ce thème.

Illustration 3.2

Entre le linge sale et le mal de tête : les décisions répétitives

Les modèles traditionnels de prise de décision par les consommateurs assument généralement l'utilisation de règles de décision analytiques qui prennent en compte un ensemble complet d'informations sur les critères de décision et la position des marques sur ces critères. Or, la plupart des décisions d'achat sont répétitives et peu importantes et il semble douteux que pour de telles décisions les consommateurs s'engagent à chaque fois dans une démarche décisonnelle très élaborée. Une étude menée en 1984 aux États-Unis a montré que les décisions d'achat répétitives sont caractérisées par un minimum d'implication personnelle des consommateurs et l'emploi de **tactiques de choix** très simples. Dans cette étude, un total de 120 consommateurs ont été observés en épicerie pendant qu'ils choisissaient une marque de détersif pour le linge et ont été questionnés par la suite. Les résultats ont montré que la majorité des consommateurs observés (plus de 70 %) n'ont pas examiné plus d'un emballage de détersif et n'ont fait aucune comparaison entre les marques ou entre les différents formats d'emballage. Le temps moyen entre le moment où les consommateurs entraient dans l'allée et celui où une marque était choisie fut environ de 13 secondes. Interrogés après coup sur les raisons de leur choix, 91 % des consommateurs n'en ont donné qu'une seule qui avait trait soit au prix « *C'est la marque la moins chère* », à la performance « *C'est la meilleure* », à l'appréciation « *J'aime cette marque* » ou encore à l'influence des autres « *Ma femme m'a dit de l'acheter* ».

Pour fins de comparaison, cette étude fut reconduite en 1987 au Québec auprès de 98 consommateurs avec un produit plus important et dont la fréquence d'achat est moins élevée : les analgésiques. L'étude s'est déroulée dans une pharmacie. Le tableau suivant montre les résultats comparatifs :

	Étude Américaine (détersif)	Étude Québécoise (analgésiques)
Nombre moyen d'emballages pris en main	1,23	1,51
Nombre moyen de comparaisons entre marques	0,45	0,29
Nombre moyen de comparaisons entre formats	0,07	0,21
Durée moyenne de l'épisode d'achat (secondes)	13,16	47,20
Pourcentage de justifications par le « Prix »	22,50	6,12
Pourcentage de justifications par la « Performance »	28,33	35,71
Pourcentage de justifications par l'« Appréciation »	20,00	28,57
Pourcentage de justifications par l'« Influence des autres »	10,83	14,29

Comme on le constate, le processus de décision d'achat d'analgésiques semble plus complexe que celui d'un détersif. En effet, les données de la phase d'observation des consommateurs (comparaisons intermarques, durée de l'achat, etc) indiquent dans presque tous les cas une activité de délibération plus importante lors de l'achat d'analgésiques. De plus, les tactiques de choix invoquées par les consommateurs sont différentes. Dans le cas des analgésiques, les tactiques de prix sont moins fréquentes. Par contre, les mentions de tactiques de performance sont plus nombreuses.

Les chercheurs Québécois commentent leur étude en disant que l'importance et la fréquence d'achat d'un produit à caractère répétitif semblent avoir un impact significatif sur le processus de décision des consommateurs. Ils notent cependant que même pour un produit comme les analgésiques, le degré de complexité du processus de décision est peu élevé puisque dans leur étude, près de 70 % des consommateurs n'ont examiné qu'un emballage et environ 80 % n'ont fait aucune comparaison entre les marques ou entre les formats.

Outre l'importance et la fréquence d'achat du produit, y a-t-il d'autres variables qui peuvent expliquer les différences entre ces deux études ? (voir la note 3 pour des suggestions... mais seulement après y avoir réfléchi vous-même !).

Source : Alain d'Astous, Idriss Bensouda et Jean Guindon « A Re-Examination of Consumer Decision Making for a Repeat Purchase Product : Variations in Product, Importance and Purchase Frequency », in *Advances in Consumer Research,* Vol. 16, ed. Thomas K. Srull, Provo, Association for Consumer Research. 1989. pp. 433-438.

Après l'achat

On pourrait penser qu'une fois que le consommateur a fait son choix et qu'il a acheté le produit, tout a été dit sur le processus de décision. Bien au contraire. Les événements qui se produisent par la suite sont tout aussi importants. En effet, l'utilisation du produit acheté entraîne des processus psychologiques intéressants. D'abord, le consommateur va naturellement procéder à une évaluation de sa décision. En général, cela implique de comparer la performance du produit avec les attentes qu'il avait. Si la performance du produit rencontre ou excède ces attentes, le consommateur sera satisfait. Si, par contre, la performance du produit n'est pas à la hauteur, le consommateur sera insatisfait.

En réalité, les choses ne sont pas toujours aussi simples. Ainsi, un consommateur novice aura sans doute de la difficulté à formuler des attentes précises. Dans ce cas, l'évaluation de son choix sera vraisemblablement plus difficile ou du moins plus incertaine. Peut-on alors parler de satisfaction ou d'insatisfaction ? Il faut aussi considérer le cas où l'évaluation de la performance du produit ou du service est elle-même peu évidente. Comment évalue-t-on la performance des œuvres d'art, des vitamines, des cours par correspondance ou d'un gilet de sauvetage ?

Malgré ces quelques ambiguïtés, le concept de satisfaction du consommateur est d'une très grande importance pour le marketing. D'abord, parce qu'un client insatisfait est un client perdu. L'entreprise ne doit pas se contenter d'attirer les clients, elle doit aussi les conserver. La fidélité des clients dépend elle-même de la qualité des produits et des services offerts par la firme. Le concept est important aussi parce qu'un consommateur insatisfait est un client mécontent, qui ne se cache pas pour le dire. Par exemple, dans une étude souvent citée, on a estimé qu'en moyenne chaque acheteur d'automobile insatisfait fait part de ses frustrations à 16 personnes différentes [4]. Aucune entreprise ne souhaite une telle publicité de bouche-à-oreille.

Les leçons à en tirer pour le marketing sont évidentes. D'abord, s'assurer que les produits et les services offerts rencontrent et surpassent même les attentes des consommateurs. Ensuite, faire en sorte que les consommateurs comprennent que, pour la firme, leur satisfaction est une priorité. Ceci peut se faire de différentes façons : publicité, lettres personnalisées, contacts téléphoniques après l'achat ou mise en place d'un service à la clientèle efficace. Enfin, vérifier régulièrement le niveau de satisfaction des clients par des enquêtes et faire les correctifs appropriés lorsque cela s'avère nécessaire. Une remarque importante : l'objectif de l'entreprise n'est pas de maximiser la satisfaction des consommateurs. En effet, l'entreprise a des objectifs de rentabilité qui peuvent être incompatibles avec l'idée de satisfaire à tout prix les clients. L'objectif est plutôt d'optimiser la satisfaction des consommateurs.

L'évaluation après achat entraîne aussi d'autres conséquences psychologiques pour le consommateur. Considérons l'histoire fictive suivante. Depuis plus de deux mois, Estelle, étudiante en administration, amasse des informations en vue de s'acheter un micro-ordinateur portatif. Après maintes visites dans des boutiques spécialisées et plusieurs discussions avec des représentants, son choix s'arrête sur un micro-ordinateur de marque *Compaq*. Deux jours après son achat, elle rencontre un ami qui lui dit qu'au même prix, elle aurait pu obtenir un portable de marque *Toshiba* beaucoup plus léger et plus performant. Quelle sera la réaction probable d'Estelle ?

Quiconque a déjà vécu pareille situation se rappellera sans doute s'être senti inconfortable. Les chercheurs en marketing appellent **dissonance cognitive** l'état psychologique d'un consommateur qui doute de la pertinence de la décision d'achat qu'il a prise. La dissonance cognitive étant présumément inconfortable, le consommateur cherchera à la réduire. Comment ? Plusieurs stratégies sont possibles. Dans notre exemple, Estelle peut essayer de se convaincre qu'elle a fait le meilleur choix en cherchant des informations qui confirment le bien-fondé de sa décision. Ou encore, elle peut tenter de diminuer l'atttrait pour l'ordinateur *Toshiba* en lui trouvant une ou des caractéristiques négatives. Enfin, elle peut réduire l'importance qu'elle accorde au poids et à la performance du micro-ordinateur afin d'éviter d'avoir des regrets.

Les responsables du marketing peuvent aider les consommateurs à réduire leur dissonance cognitive. Avec les instructions qui accompagnent le produit, ils peuvent inclure des félicitations au nouvel acheteur pour la justesse de sa décision, en lui rappelant les caractéristiques du produit qui en font le meilleur choix. La publicité peut aussi être utilisée pour rappeler au consommateur qu'il a pris la bonne décision. Ces actions ont pour objectif de rassurer les consommateurs et faire en sorte qu'ils soient satisfaits de leurs achats.

Retenons que : Deux processus psychologiques d'intérêt se produisent après l'achat. En premier lieu, les consommateurs évaluent la performance du produit ou du service par rapport à leurs attentes. Ce processus de comparaison définit leur degré de satisfaction ou d'insatisfaction. Aussi, dans certains cas, les consommateurs remettent en question leur décision d'achat et sont en état de dissonance cognitive. Les responsables du marketing doivent employer les stratégies appropriées pour à la fois augmenter la satisfaction de leurs clients et les rassurer quant à la justesse de leurs décisions d'achat.

CONCLUSIONS SUR LE PROCESSUS DE DÉCISION

Nous voilà rendus à la fin de notre périple au travers les étapes du processus de décision d'achat. Si vous ne l'avez déjà fait, il est important à ce stade-ci d'examiner de façon critique le modèle de la Figure 3.1. Correspond-il à la manière dont vous faites vos choix de consommation? Pour répondre à cette question, il est utile de se remémorer plusieurs expériences d'achat et de comparer vos souvenirs avec les explications fournies par le modèle. Si vous faites l'exercice sérieusement, vous aboutirez peut-être aux quelques objections suivantes, que nous allons discuter brièvement.

Objection nº 1 : *« C'est bien beau ça, mais j'ai l'impression que je passe rarement par toutes les étapes du processus de décision. Tiens, l'autre jour chez Provigo, l'envie m'a pris tout à coup d'acheter le magazine Coup de pouce. Je ne fais jamais ça, mais il était là, au comptoir près de la caisse, j'attendais et je l'ai pris sans trop réfléchir. »*

Voilà une objection fréquente à l'approche décisionnelle. Dans bien des situations, les décisions d'achat sont prises rapidement et l'idée d'un processus décisionnel semble incompatible avec ces décisions non réfléchies. L'exemple de l'achat du magazine *Coup de pouce* est pertinent. Il s'agit d'un achat impulsif, c'est-à-dire qui n'avait pas été planifié. Pour cet achat, y avait-il un problème au départ? Y a-t-il eu recherche d'informations? Le consommateur a-t-il comparé les options? A-t-il employé une règle de décision?

On pourrait répondre non à toutes ces questions et rejeter carrément le modèle de la Figure 3.1, sous prétexte qu'il n'est pas représentatif de beaucoup de situations d'achat. Mais on peut dire aussi que le modèle est toujours valable, car il peut arriver que le consommateur passe au travers les étapes décisionnelles très rapidement. Ainsi, dans l'exemple de l'achat impulsif de *Coup de pouce*, peut-on affirmer que le consommateur n'avait pas un problème à l'origine? Peut-être était-ce un problème latent et il n'est pas exclu que l'environnement ait contribué à l'éveiller. Certes, le consommateur n'a pas procédé à une collecte systématique d'informations de sources externes. C'eût été trop long. Mais n'a-t-il pas fait une recherche interne? Pourquoi avoir choisi *Coup de pouce* plutôt qu'un autre magazine? Ceci nous porte à penser qu'une décision a été prise, même si elle était fondée sur un minimum d'informations et même si elle a été prise en quelques secondes.

Il est important de comprendre que l'approche décisionnelle offre une perspective générale sur le processus de décision d'achat. Trois facteurs ont une influence importante sur la façon dont se déroule le processus : les connaissances du consommateur, l'environnement et la situation. Examinons ces facteurs à tour de rôle.

Les connaissances. John Howard, un professeur de marketing américain, considéré comme un des pionniers de la recherche sur le comportement des consommateurs, a élaboré une classification des décisions d'achat qui tient compte de l'expérience que les consommateurs ont acquise avec l'achat des produits[5].

Les achats complexes. Il s'agit de situations d'achat où les consommateurs n'ont pas d'expérience. Non seulement ils ne connaissent pas les différentes marques sur le marché mais, en plus, ils ne savent que peu de choses sur la catégorie de produit. Ce type de décision nécessite beaucoup d'efforts, car les consommateurs doivent apprendre à développer leurs critères de décision, distinguer les marques et construire des règles de décision appropriées.

Les achats de difficulté modérée. Avec le temps, les consommateurs apprennent à connaître la catégorie de produit et commencent à distinguer les options sur le marché. Les efforts qui sont déployés dans ce type de décision d'achat visent surtout à permettre de faire un choix satisfaisant.

Les achats routiniers. L'expérience aidant, les consommateurs exécutent leurs décisions d'achat de façon routinière. Ils connaissent bien la catégorie de produit, savent quelles sont les options de marques acceptables (ensemble évoqué) et décident de façon quasi automatique.

La classification de Howard est intéressante, car elle met en évidence le fait que les consommateurs accumulent leurs expériences passées en vue de simplifier leurs décisions d'achat futures.

L'environnement. Ici, l'environnement est pris dans son sens large, pour signifier différentes manifestations extérieures à l'individu. L'environnement social, par exemple, influence significativement les étapes du processus de décision. Les problèmes des consommateurs, les sources d'informations consultées, les options envisagées, ainsi que les processus psychologiques après achat sont influencés par les autres. L'environnement commercial a aussi un impact important sur le processus de décision d'achat. La publicité nous rappelle constamment tous les problèmes que nous avons à résoudre et nous oriente vers des solutions privilégiées. L'assortiment des produits dans les magasins éveille des désirs et facilite le processus de comparaison. Pourquoi, selon vous, place-t-on *Coup de pouce*, et autres magazines du genre, bien en vue près des caisses ?

La situation. Les facteurs situationnels qui affectent les étapes du processus de décision sont nombreux. En voici quelques-uns :

- le temps dont dispose le consommateur pour effectuer ses achats
- le risque (psychologique, financier ou autre) associé à l'achat
- la conjoncture économique
- la disponibilité des informations
- la situation financière du consommateur
- la disponibilité des produits

Pouvez-vous montrer comment ces différents facteurs influent sur le processus de décision d'achat des consommateurs ? Quelles leçons en tirer pour le marketing ?

Objection nº 2 : *« Il me semble que le processus de décision me dit surtout ce que je devrais faire plutôt que ce que je fais, lorsque j'effectue un achat. Est-ce que vraiment les étapes se suivent dans cet ordre ? »*

Voilà une critique valable du processus de décision. Nous l'avons dit, l'approche décisionnelle tend à refléter la façon dont les choses devraient se faire pour un achat réfléchi. En réalité, les événements peuvent être bien différents. Ainsi, il serait naïf de croire qu'un consommateur franchit une à une les étapes du processus en prenant soin de compléter chacune d'entre elles avant de passer à la suivante. Parfois, les différentes activités qui composent le processus de décision peuvent se produire au même moment. Par exemple, la recherche d'informations et l'évaluation des options sont souvent simultanées. Ou encore, le consommateur peut réaliser qu'il a un problème pendant qu'il est exposé à des informations sur une catégorie de produit. Le modèle de la Figure 3.1 est sans aucun doute simplifié. Les décisions d'achat que nous prenons quotidiennement ne résultent pas toujours de cet enchaînement. La simplification permet cependant d'identifier les processus essentiels qui caractérisent les décisions d'achat.

Ce modèle véhicule une conception séquentielle de la décision d'achat qui, selon plusieurs, n'est pas prouvée. Il s'agit de la séquence réflexion —› évaluation —› action. En effet, le modèle nous dit qu'avant l'achat (action), le consommateur analyse d'abord les informations disponibles (réflexion) et puis évalue chaque option pour faire son choix (évaluation). Cette observation paraît logique. Pourtant, les chercheurs en marketing croient qu'il en va parfois autrement. Parmi eux, Herbert Krugman qui maintient que pour des produits où l'implication personnelle du consommateur est faible, la séquence serait plutôt réflexion —› action —› évaluation[6]. L'explication de Krugman est la suivante. Quand le consommateur ne se sent pas concerné personnellement par un produit ou un service quelconque, il ne s'y intéresse pas. Mais des informations sur ce produit parviennent régulièrement à ses sens, notamment par la publicité télévisée. La faible implication du consommateur fait en sorte qu'il apprend des choses sur le produit (réflexion), un peu machinalement, sans jamais véritablement procéder à une évaluation. Krugman prétend que le consommateur achètera éventuellement le produit parce qu'il le connaît et qu'il veut l'essayer (action) et que ce n'est qu'après coup qu'il formera une préférence. Pouvez-vous penser à une autre séquence des événements que celle proposée par le modèle de la Figure 3.1 et différente de celle de Krugman ? Qu'est-ce qui expliquerait cette séquence ?

Objection n° 3 : *« Même en admettant que le processus de décision soit idéalisé, il me semble incomplet. Je pense à l'achat récent de ma voiture. Je ne peux pas croire que ma décision a été, en tous points, logique. J'ai choisi cette voiture simplement parce que je l'aimais ! »*

Cette dernière objection est peut-être la plus importante. On peut effectivement reprocher au modèle du processus de décision d'achat d'être trop logique. Les décisions que prennent les consommateurs ne sont pas toujours le résultat d'un cheminement raisonné et méthodique. Les consommateurs sont des êtres humains affectés par leur environnement, qui agissent parfois sous le coup des émotions qu'ils ressentent. Comment ce modèle interprète-t-il l'impact de l'amabilité d'un vendeur sur le choix final ? Que dit-il des joies, de l'excitation et des frustrations liées au processus d'achat ? Ou encore des pulsions momentanées qui sont difficiles à contrôler ? Pas grand chose. C'est une perspective relativement froide du processus d'achat. Il ne faut jamais oublier que la consommation est une expérience humaine pleine d'émotions, d'irrationalité et de sensations de toutes sortes[7]. C'est d'ailleurs un des grands plaisirs de l'existence (mais est-ce bien toujours le cas ? — voir à ce sujet l'Illustration 3.3).

Illustration 3.3
Les plaisirs du magasinage

Le magasinage est une activité courante des consommateurs. Des études ont montré que les consommateurs ne magasinent pas uniquement afin de se procurer des biens de consommation, ils le font aussi pour combler des besoins personnels (par ex. avoir du plaisir) et sociaux (par ex. rencontrer des gens). Dans ces temps de dure concurrence, les détaillants savent qu'il est important de rendre l'expérience du magasinage la plus plaisante possible et ils mettent en œuvre des stratégies à cet effet : atmosphère agréable dans le magasin, qualité du service, environnement physique invitant, etc.

Mais que pensent les consommateurs du magasinage ? Quels sont les aspects de cette activité, a priori si plaisante, qui les irritent ? Curieusement, ces questions n'ont pas préoccupé beaucoup les chercheurs en marketing. Une étude réalisée au Québec a tenté d'en savoir plus sur les facteurs qui irritent les consommateurs lorsqu'ils magasinent. Dans un premier temps, on a demandé à une vingtaine de consommateurs, interrogés individuellement, d'énumérer les irritations habituelles qu'ils vivaient en magasinant ainsi que les conséquences de ces irritations sur leur comportement. Surprise ! près d'une quarantaine d'irritants différents furent identifiés. Les chercheurs les ont classés en cinq types : irritants associés au contact au point de vente (par ex. vente à pression, indifférence des vendeurs, sentiment d'être surveillé par les vendeurs), à l'assortiment des produits (spéciaux annoncés non disponibles, tailles des vêtements limitées, etc), à l'organisation du magasin (marchandise pêle-mêle, prix non indiqués, pas de miroir dans la salle d'essayage), à l'environnement physique (musique trop forte, mauvaises odeurs, malpropreté) et à différents facteurs situationnels (files d'attente, gens qui se déplacent lentement, enfants qui chahutent).

Les consommateurs interrogés avouèrent que ces irritants provoquaient plusieurs conséquences comportementales (quitter le magasin, se plaindre, se dépêcher, etc.) et émotionnelles (frustration, colère, stress, etc.).

Dans un deuxième temps, les chercheurs réalisèrent une enquête auprès d'un échantillon de 281 consommateurs. On demanda aux gens : le degré perçu d'irritation des facteurs (ça m'irrite énormément, beaucoup, moyennement, etc.) ainsi que leur perception de la fréquence à laquelle les irritations étaient vécues (ça m'est arrivé très souvent, assez souvent, etc.). Les résultats (partiels) de cette enquête apparaissent dans la figure suivante.

	Moins fréquent	Plus fréquent
Plus irritant	Contact	Assortiment
Moins irritant	Environnement	Situation

Comme on le voit dans cette figure, les irritations les plus fréquentes sont celles associées à la situation et à l'assortiment des produits. Les facteurs situationnels sont cependant perçus comme étant moins irritants. Les irritations causées par l'organisation du magasin et l'environnement physique sont à la fois moins fréquentes et moins irritantes. L'irritation la plus grande est associée au contact au point de vente.

Quelles leçons les propriétaires de commerces de détail devraient-ils tirer de ces résultats ?

Source : Alain d'Astous, Nathalie Roy et Hélène Simard, « A Study of Consumer Irritations During Shopping », in European Advances in Consumer Research, Vol. 2, Ann Arbor, MI : Association for Consumer Research, 1995, pp. 381-387.

CONCLUSION

Chaque jour, les consommateurs doivent prendre une multitude de décisions. Plusieurs d'entre elles sont des décisions d'achat. Les chercheurs en marketing pensent que les consommateurs ont développé des méthodes simples et logiques qui leur permettent d'arriver le plus efficacement possible à des décisions satisfaisantes. Le processus de décision décrit dans ce chapitre constitue une représentation simplifiée de la façon dont les consommateurs prennent leurs décisions de consommation. Certes, ce processus de décision doit être adapté aux différentes situations d'achat que rencontrent les consommateurs, mais il apparaît suffisamment général pour guider l'action marketing.

EXERCICES ET SUJETS DE RÉFLEXION

1. Après avoir pris connaissance du contenu de l'illustration 3.1, que suggérez-vous aux experts de *Consommation et Corporation Canada* ? Quels sont les aspects relatifs au choix d'une carte de crédit dont le programme d'informations du ministère n'a pas tenu compte ?

2. Revenons au problème du choix d'un magnétoscope pour notre ami Charles. Pouvez-vous modifier l'ordre d'importance de ses critères de décision de façon à ce que chacune des six marques puisse être sélectionnée en utilisant la règle lexicographique ?

3. Guy est un consommateur réfléchi. Il doit s'acheter une nouvelle voiture et il a bien l'intention de faire le meilleur choix. Après avoir consulté plusieurs sources d'informations (revues, dépliants, vendeurs), il a opté pour la *Volvo*, en étant certain que cette voiture offre le meilleur rapport qualité-prix. Il s'en va donc chez le concessionnaire *Volvo* pour concrétiser son achat et rencontre son ami François qui lui, apprenant ses intentions, lui dit : « *Mon pauvre ami, tu n'es pas sérieux ! Mon cousin John s'est acheté une* Volvo *l'an passé et il a eu tous les ennuis du monde. Un vrai citron !* » Du coup, Guy remet en question son choix et décide d'y réfléchir encore un peu. Commentez cette histoire en vous référant au processus de décision et au rôle de la recherche des informations.

4. Le processus de décision présenté dans ce chapitre est individuel. Comment pourrait-on l'adapter à une décision collective d'achat (ex. en famille, de couple) ?

5. Considérez l'affirmation suivante : « *Les études montrent que la très grande majorité des consommateurs ne lisent pas* *les informations contenues sur les emballages de produits alimentaires lorsqu'ils font leurs achats. De toute évidence ces informations sont inutiles et il ne sert à rien d'obliger les entreprises à les fournir.* » Commentez.

6. Le téléachat est une forme relativement récente de magasinage. Typiquement, on présente sur une chaîne de télévision des produits de toutes sortes avec les prix correspondants. On peut obtenir ces produits en téléphonant sans frais à l'intérieur d'une période de temps limite. Le paiement s'effectue en général à l'aide d'une carte de crédit. Quels sont les aspects de ce type de décision d'achat qui sont incompatibles avec le processus de prise de décision présenté à la Figure 3.1 ?

7. Récemment, le gouvernement canadien a mis sur pied un programme d'informations visant à inciter les consommateurs à acheter des produits qui ne sont pas nuisibles à l'environnement. De tels produits sont identifiés « produits écologiques » clairement sur l'emballage. Croyez-vous que cette initiative influencera le processus de décision d'achat des consommateurs canadiens ? Quels sont les facteurs dont on doit tenir compte dans l'évaluation de l'efficacité de ce programme ?

CAS-DISCUSION

Eurom

La société *Eurom* manufacture et met en marché une gamme étendue de micro-ordinateurs portatifs. Elle œuvre dans les marchés industriel et de grande consommation depuis plusieurs années et jouit d'une très bonne réputation auprès de ses clients.

Les gestionnaires de la compagnie s'inquiètent cependant de ce que l'un de leurs produits connait une baisse au niveau du marché : le micro-ordinateur portatif *Eurom 3000*. Ce produit cible surtout le marché des étudiants de niveau universitaire. Il est distribué dans la plupart des grands magasins (Future Shop, Bureau en gros, etc.) et a toujours été pour la compagnie une bonne source de revenus.

Les gens du département de marketing d'*Eurom* croient que la diminution de la part de marché est due principalement à l'entrée récente sur le marché d'un concurrent très agressif : *Sony*. Selon eux, le produit offert par *Sony* est supérieur sur bien des aspects à l'*Eurom 3000*. Ils soulignent entre autres choses sa plus grande capacité de mémoire qui lui confère un avantage certain.

Eurom a donc engagé une firme conseil pour effectuer une étude des perceptions des consommateurs. L'étude avait pour objectifs d'identifier les critères déterminants dans le choix d'un micro-ordinateur portatif, de déterminer l'importance relative de ces critères, de positionner *Eurom* et ses principaux concurrents sur ces critères et de déterminer les seuils acceptables des consommateurs par rapport aux critères.

La directrice de la firme conseil et responsable de l'étude, Anna-Lise Beaubien, se rend donc chez *Eurom* pour présenter les résultats de l'étude. Son exposé s'appuie en majeure partie sur les informations qu'on retrouve aux annexes 1 à 4. Elle brosse un tableau assez sombre de la situation. Selon elle, le micro-ordinateur de *Sony* est très bien perçu par les consommateurs alors que celui d'*Eurom* l'est moins bien. Elle s'exprime en ces termes :

« Mesdames et Messieurs, considérons simplement l'information à l'annexe 3. Comme vous êtes à même de le constater, la position de Sony *est meilleure que celle d'*Eurom*. Par exemple, si on fait l'addition des scores d'évaluation des critères, on remarque que* Sony *obtient 20 points alors qu'*Eurom *n'en obtient que 15. Vous noterez de plus que seul l'ordinateur de marque* Toshiba *obtient un score total inférieur à 15. Si on pense que les consommateurs utilisent ce genre de règle additive pour évaluer les marques et faire un choix, il est bien évident qu'*Eurom *est en mauvaise posture sur ce marché. »*

Anna-Lise Beaubien communique donc aux gens d'*Eurom* les recommandations qui ont été élaborées à partir de ces résultats. Selon elle, *Eurom* doit changer son positionnement par rapport aux critères déterminants aux yeux des consommateurs. Ceci implique que le produit devra être modifié afin de rencontrer les exigences des consommateurs. Elle mentionne entre autres le poids de la machine, la garantie et la capacité.

« Je sais que ces modifications au produit entraîneront des coûts importants. Toutefois, dans une perspective à long terme, il est impératif que la société EUROM prenne les actions nécessaires pour être concurrentielle sur ce marché. »

À la suite de cette remarque, Marc Etting, jeune diplômé engagé récemment au département de marketing d'*Eurom*, regarde Anna-Lise Beaubien d'un air interrogateur et dit :

*« Ces recommandations m'apparaissent un peu draconiennes. Premièrement, elles sont basées sur le postulat non vérifié de l'utilisation d'une règle additive sans poids pour choisir une marque. Aurions-nous des résultats différents si on supposait une pondération implicite selon l'importance relative des critères ? Deuxièmement, et c'est là ma remarque principale, au lieu de modifier le produit, pourquoi ne pas tenter plutôt d'influencer la façon dont les consommateurs choisissent une marque ? Autrement dit, il existe peut-être une règle de décision qui fait en sorte que l'*Eurom 3000 *devienne la meilleure option. Si nous pouvions orienter notre communication publicitaire en fonction d'un objectif d'implantation de cette règle de décision chez*

les consommateurs, peut-être pourrions-nous éviter, du moins à court terme, les coûts élevés qu'impliquent des modifications à notre produit. »

Et Anna-Lise Beaubien de répondre dubitativement :

« Facile à dire, encore faut-il trouver une telle règle. N'oubliez pas qu'elle doit être assez logique pour être crédible auprès du marché cible. »

Regardant avec un sourire au coin des lèvres son bloc-notes rempli de gribouillages, Marc Etting répond :

« J'ai peut-être une idée... »

QUESTIONS

(pour orienter l'analyse du cas)

1. À quelle règle de décision Marc Etting fait-il allusion ? Pour cette question, veuillez vous limiter aux cinq règles discutées dans le chapitre, les présenter et montrer les résultats pour chacune.
2. Quelle allure cette communication publicitaire pourrait-elle prendre ? Donnez l'exemple d'un scénario d'une publicité télévisée : 30 secondes, vidéo et audio.

Annexe 1

Résultats des entrevues de groupe concernant l'identification des critères déterminants (50 participants)

Les critères déterminants dans le choix d'un micro-ordinateur portatif sont le prix, le poids, la performance, la garantie et la capacité.

Annexe 2

Résultats de l'enquête visant à estimer l'importance relative des critères déterminants (767 participants)

L'ordre d'importance (du plus important au moins important) est la performance, le prix, la capacité, la garantie et le poids.

Annexe 3

Positionnement des marques sur les critères (score modal : 1 = mauvais, 5 = excellent, 767 participants)

Marques	Prix	Poids	Performance	Garantie	Capacité
COMPAQ	2	3	4	3	4
SONY	3	5	5	2	5
TOSHIBA	3	1	3	3	2
FUJITSU	4	2	3	4	3
EUROM	3	1	5	3	3

Annexe 4

Exigences des consommateurs par rapport aux critères (score modal : 767 participants).

Les minimums acceptables pour chaque attribut sont :

- Prix : 3
- Garantie : 3
- Poids : 2
- Performance : 4
- Capacité : 3

NOTES

1. Voir Del I. Hawkins, Roger J. Best et Kenneth A. Coney, *Consumer Behavior, Building Marketing Strategy*, 7e édition, Boston, MA : McGraw-Hill, 1998.
2. Pour plus d'informations concernant cette étude, voir Alain d'Astous et Diane Miquelon « Helping Consumers Choose a Credit Card », *Journal of Consumer Affairs*, 25, (2), 1991, pp. 278-294.
3. Il n'est jamais simple de comparer les résultats d'études conduites en des temps et des lieux différents. Ainsi, l'étude québécoise a été menée dans une pharmacie et non dans une épicerie comme ce fut le cas pour l'autre étude. Généralement, le trafic est plus intense dans une épicerie et la pression pour accélérer le processus de choix est plus grande. Ceci peut expliquer en partie pourquoi les consommateurs québécois ont pris en moyenne plus de temps pour acheter les analgésiques. De même, il n'y a pas que l'importance et la fréquence d'achat qui distinguent les analgésiques du détersif. Les analgésiques sont des produits pour la santé et il semble probable que les consommateurs hésiteraient à avouer qu'ils ont utilisé une tactique de prix pour faire leur choix de marque.
4. Voir « Detroit's Tonic for Lemon Buyers », *Business Week*, avril 1983, pp. 54-55.
5. Voir John A. Howard et Jagdish N. Sheth, *The Theory of Buyer Behavior*, New York, John Wiley & Sons, 1969.
6. Voir Herbert Krugman « The Impact of Television Advertising: Learning Without Involvement », *Public Opinion Quaterly*, 29, 1965, pp. 349-356.
7. Pour une discussion intéressante de ce qu'on appelle la « consommation expérientielle », voir l'article de Richard Vézina « Pour comprendre et analyser l'expérience du consommateur », *Gestion*, 24, 2, 1999, pp. 59-65.

Partie II

Y a-t-il un marché ?

Chapitre 4

La demande et les marchés

Ah, inventer un produit génial, le vendre à des millions de consommateurs et devenir riche ! Le rêve… On a tous, un jour ou l'autre, entendu l'histoire fantastique de cet individu qui, dans son sous-sol, s'amusait à « patenter » des machines ou des objets destinés à révolutionner la façon dont on fait les choses et qui est devenu millionnaire en fabriquant un produit dont tout le monde voulait. Plusieurs de ces histoires sont vraies et, encore aujourd'hui, il est possible de faire fortune avec une bonne idée.

Cependant, on entend peu parler de toutes les soi-disant bonnes idées qui se sont soldées par des échecs commerciaux et qui ont conduit leurs concepteurs à la ruine. Dans la plupart des cas, les consommateurs ne voulaient pas du nouveau produit, ce que les concepteurs n'avaient hélas pas prévu.

De nos jours, une firme ne peut se permettre de lancer un nouveau produit sans savoir si la **demande** pour ce produit existe et sans connaître le **marché** auquel il s'adresse. Dans ce chapitre, nous allons examiner ces deux aspects importants du marketing, sur lesquels s'appuie la stratégie commerciale de l'entreprise.

L'ANALYSE DE LA DEMANDE

La théorie économique classique offre un bon point de départ pour introduire le concept de la demande des biens et services. Dans sa forme la plus simple, l'approche économique examine la relation entre la quantité demandée d'un bien et le prix unitaire de ce bien.

La Figure 4.1 présente une **courbe de demande** type. Comme on peut le voir sur cette figure, la relation entre le prix et la quantité demandée est négative :

plus le prix du bien par unité augmente, moins la demande est grande. Ainsi, lorsque le prix unitaire augmente de p_1 à p_2, la quantité demandée diminue de q_1 à q_2. Cette relation négative semble raisonnable pour un grand nombre de produits de consommation. Bien que les homards vivants soient maintenant disponibles en toutes saisons dans les poissonneries, la demande est plus forte en juin-juillet, quand les prix sont bas, plutôt qu'en janvier-février quand les prix sont à leur plus haut.

figure 4.1 **Une courbe de demande type**

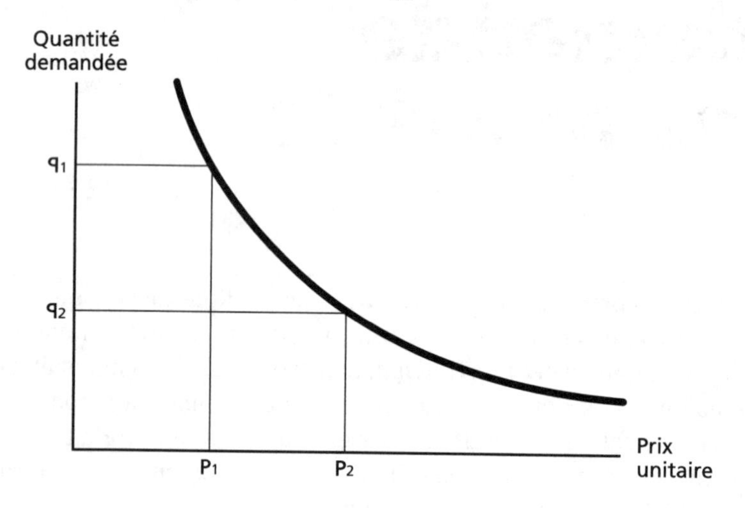

La relation négative entre la demande et le prix est tellement plausible que les économistes en ont fait un principe bien établi qu'on appelle la loi de la demande.

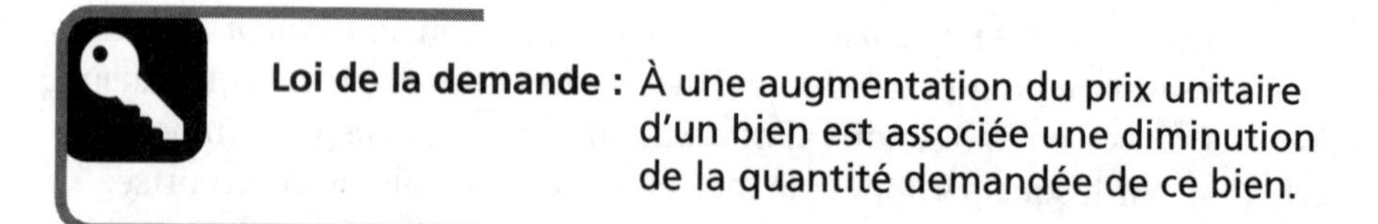

Loi de la demande : À une augmentation du prix unitaire d'un bien est associée une diminution de la quantité demandée de ce bien.

Comme la plupart des lois, celle-ci connaît des exceptions. Certains produits ne s'y conforment pas tout à fait. Les biens de luxe ou de prestige comme les bijoux et les parfums se vendent souvent mieux à des prix plus élevés. Toutefois, ces exceptions reconnues et expliquées par les économistes n'affectent que très peu la généralité de la loi de la demande.

L'intérêt de la perspective économique est qu'elle reconnaît explicitement que la demande est fonction du prix. En principe, puisque le prix est fixé par l'entreprise, et que celle-ci tient compte des contraintes habituelles de coûts de production et de mise en marché, il s'ensuit que l'entreprise contrôle dans une certaine mesure la quantité demandée du produit. Nous verrons plus loin dans ce chapitre, qu'il est important pour la firme de connaître les variables qui affectent la demande. Le prix en est une, mais il y en a d'autres.

Comment peut-on mesurer l'impact du prix sur la quantité demandée? Les économistes utilisent un indice quantitatif qu'on appelle l'**élasticité.** Pour bien saisir cette notion, examinons la Figure 4.2 qui montre deux courbes de demande différentes. La pente de la courbe (a) est plus abrupte que celle de la courbe inférieure (b). On constate qu'une variation de prix de p_1 à p_2 a un impact beaucoup plus important sur la quantité demandée au niveau de la courbe (a) qu'au niveau de la courbe (b). On dit que la courbe de demande (a) est plus élastique que l'autre.

figure 4.2 **La notion d'élasticité de la demande**

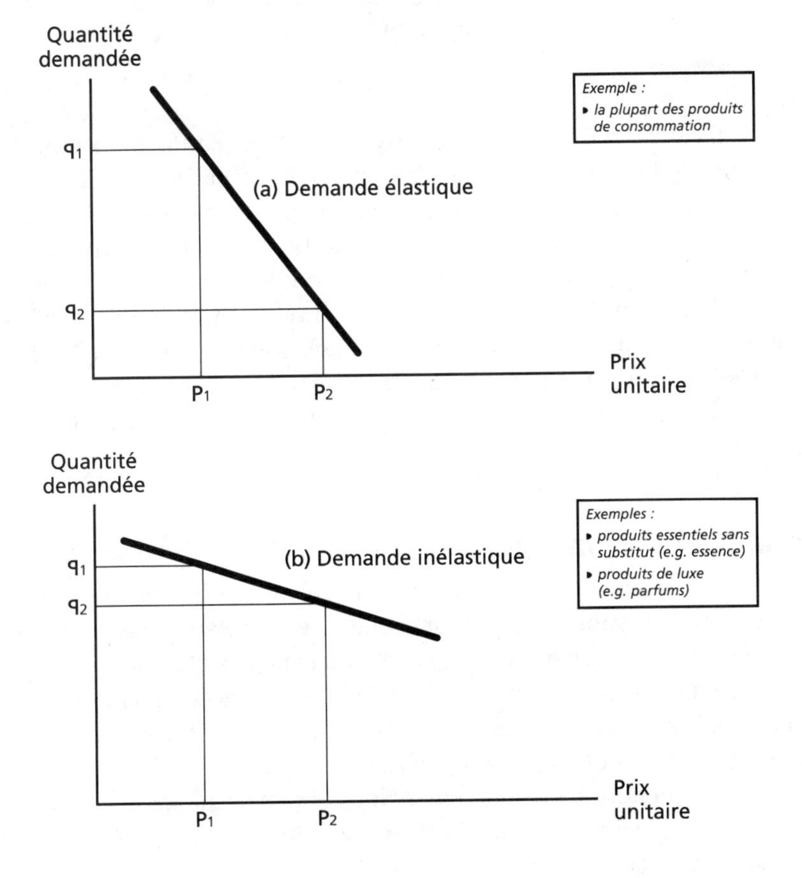

Pour pouvoir établir des comparaisons sensées, on considère habituellement la variation relative de la quantité demandée par rapport à la variation relative correspondante du prix. Par exemple, si une augmentation de 2 % du prix d'un produit entraîne une diminution de 4 % de la quantité demandée, on a :

$$\text{Élasticité-prix} = \frac{-4\ \%}{+2\ \%} = -2$$

Si la quantité demandée diminue plutôt de 3 %, on a alors :

$$\text{Élasticité-prix} = \frac{-3\ \%}{+2\ \%} = -1{,}5$$

Élasticité-prix : Pourcentage de changement de la quantité demandée divisé par le pourcentage de changement de prix.

En pratique, il est difficile d'établir l'élasticité de la demande par rapport au prix pour les produits. Cela nécessite d'avoir des informations sur la courbe de demande. Or, il est rare qu'on connaisse la demande des produits pour différents niveaux de prix. Et même quand cela est possible, la quantité demandée est potentiellement influencée par d'autres variables, de sorte qu'il n'est pas aisé d'isoler l'effet unique du prix. Cependant, si on peut résoudre, ne fut-ce que partiellement, les problèmes d'estimation, l'élasticité s'avère un outil pratique pour prédire l'impact probable des variations de prix sur la quantité demandée. Au chapitre 6, nous reviendrons sur cette notion importante qu'est l'élasticité.

Les quatre Q de la demande

Selon la perspective économique classique, l'analyse de la demande est attrayante, mais pour le responsable du marketing, elle est insatisfaisante sur deux points. Premièrement, elle se limite à l'examen du seul prix comme variable explicative de la demande. Cet aspect fera l'objet d'une discussion un peu plus loin dans ce chapitre. Deuxièmement, elle ne dit pas grand chose sur le concept central qui est étudié, soit la demande elle-même.

Qu'entend-on par la notion de demande ? Nous allons proposer une définition générale de la demande qui tient compte de quatre dimensions de base que nous appelons « *les quatre Q de la demande* » :

- Q pour *quantité* ?
- Q pour *quoi* ?
- Q pour *qui* ?
- Q pour *quand* ?

Quantité ? Selon l'approche économique, la demande pour un bien s'évalue en nombre d'unités. À un prix unitaire *p*, la quantité demandée est de *q* et le revenu total de la firme s'établit en multipliant le nombre d'unités demandées par le prix de chaque unité, soit *p* x *q*.

Si la firme ne produit qu'un bien, la quantification de la demande en nombre d'unités ne pose pas de problème. Cependant, la plupart des firmes vendent plusieurs produits. *Procter & Gamble* (http://www.pg.com/) met en marché une gamme de détergents pour la lessive : *Ivory*, *Tide*, *Cheer*, *Oxydol* et *Bold*. De plus, chacune de ces marques de détergent est offerte dans une variété de formats et parfois de styles (par ex. *Tide* original, *Tide* ultra, *Tide* liquide, *Tide* avec javellisant). Si *Procter & Gamble* veut quantifier la demande de détergents pour la lessive, en employant comme mesure le nombre d'unités, elle devra le faire pour chaque marque, chaque format et chaque style. La tâche n'est pas impossible, mais il est sans doute plus facile de quantifier la demande en volume monétaire de ventes. Par ailleurs, la demande étant reliée directement aux objectifs et résultats financiers de la firme, des mesures monétaires sont souvent plus appropriées.

En définitive, la façon de quantifier la demande des biens et des services dépend des objectifs poursuivis. S'il s'agit d'une estimation pour planifier les cédules de production de la firme, une mesure en nombre d'unités est préférable. Si l'objectif est plutôt de prévoir les entrées de fonds engendrées par la vente d'un produit ou d'une gamme de produits, une mesure de la demande en dollars est plus intéressante.

Quoi ? La deuxième dimension du concept de demande concerne le produit dont on cherche à quantifier le volume qui serait acheté. Pour établir la demande d'un produit, il faut spécifier clairement le niveau d'agrégation utilisé. S'agit-il de la demande d'une catégorie de produit (par ex. les désodorisants), d'une sous-catégorie (par ex. les désodorisants en aérosol) ou d'une marque (par ex. le désodorisant en aérosol de marque *Wizard*) ? La question est importante, car dans chacun des cas, l'analyse de la demande poursuit des objectifs différents et se fait aussi de façon différente.

Ainsi, dans le cas de la demande pour une catégorie de produit, l'analyse vise principalement à fournir des informations sur les occasions d'investissement pour la firme. Elle cherche à déterminer si le volume de l'industrie est important et s'il est en croissance. L'analyse de la demande d'une sous-catégorie poursuit des objectifs semblables, mais pour un secteur précis de l'industrie. Enfin, l'analyse de la demande d'une marque vise à évaluer l'impact des dépenses de marketing de la firme pour la marque et à prévoir les ventes futures. Les trois niveaux d'agrégation, catégorie, sous-catégorie et marque, représentent donc trois façons différentes d'appréhender le concept de la demande pour des produits. La Figure 4.3 applique cette **approche hiérarchique** de la définition de la demande à la classe des véhicules de transport et à celle des appareils ménagers.

figure 4.3 **Deux exemples de définition hiérarchique d'un produit : (a) appareils ménagers et (b) véhicules de transport**

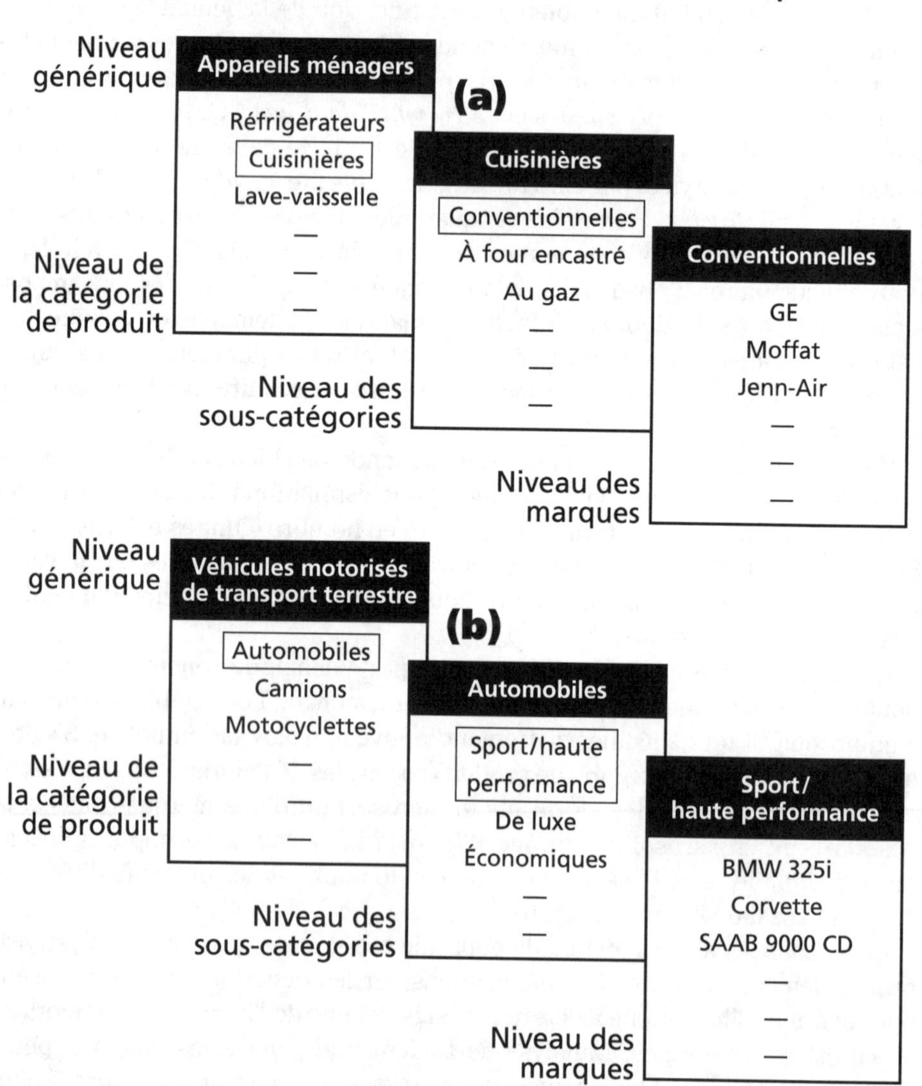

Qui ? La troisième dimension du concept de la demande a trait au **marché.** Généralement, le terme marché implique un groupe d'acheteurs potentiels ou actuels d'un produit. On peut définir un marché de différentes façons : géographiquement (le marché mexicain), culturellement (le marché islamique), démographiquement (le marché des 16-18 ans), technologiquement (le marché de l'aérospatial), et ainsi de suite. La notion de **groupe d'acheteurs** est cependant centrale à toute définition d'un marché.

Il est important de réaliser que la demande fait toujours référence à un marché donné, mais les définitions suivantes[1], à retenir, introduisent des distinctions utiles :

Marché potentiel maximum (M*) :
Ensemble des consommateurs susceptibles d'utiliser le produit ou le service.

Marché potentiel réaliste (M_r) :
Fraction du marché potentiel maximum constituée des consommateurs intéressés au produit ou au service.

Marché actuel de l'industrie (M_i) :
Fraction du marché potentiel réaliste constituée des consommateurs qui achètent le produit ou le service.

Marché actuel de la marque (M_m) :
Fraction du marché actuel de l'industrie constituée des consommateurs qui achètent la marque de la firme.

En guise d'illustration, considérons les données fictives suivantes. Dans une ville du Québec, on s'intéresse au marché de l'arrosage et du traitement des pelouses par des spécialistes. Les informations recueillies à l'hôtel de ville indiquent qu'il y a approximativement 10 000 résidences et immeubles avec une pelouse. Le marché potentiel maximum (M*) est donc de 10 000. Une enquête a montré que 72 % des propriétaires de résidences et d'immeubles de la ville pensent qu'il est important de traiter régulièrement le gazon. On estime donc le marché potentiel réaliste (M_r) à 7 200. La même enquête a montré que parmi ceux qui croient à l'importance de l'arrosage, une personne sur deux paie un service d'experts pour le faire. Dans cette ville, le marché actuel de l'industrie (M_i) est donc de 3 600. Enfin, le directeur du marketing chez *Weed Man*, une firme qui effectue l'arrosage des pelouses, indique que le nombre de ses clients est de 792. Ce chiffre représente le marché actuel de la marque (M_m) *Weed Man*. La Figure 4.4 résume cet exemple sous forme schématique.

figure 4.4 **Le marché de l'arrosage des pelouses (données fictives)**

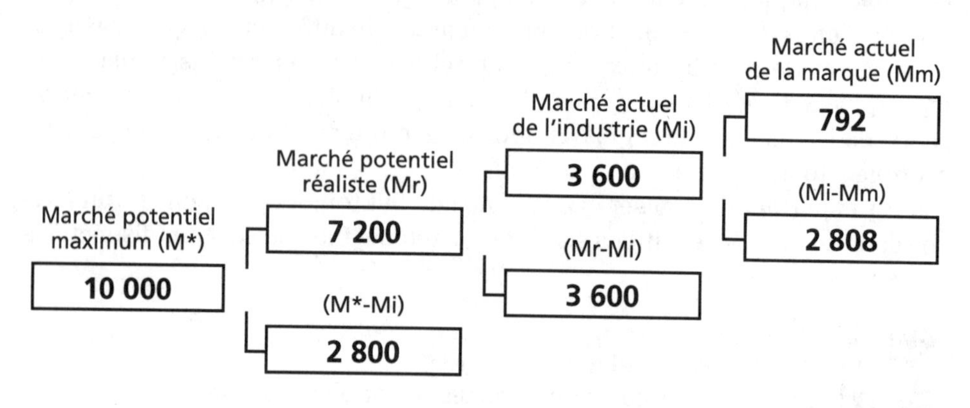

Les estimés produits par les responsables du marketing pour les différents niveaux de marché permettent des analyses intéressantes. Ainsi, si on fait le rapport du marché potentiel réaliste au marché potentiel maximum, c'est-à-dire M_r/M^*, on obtient ce qu'on appelle le **taux de développement** du produit. Dans l'exemple de l'arrosage des pelouses, ce taux est égal à 0,72, ce qui est passablement élevé. Le taux de développement d'un produit ou d'un service indique la proportion de gens qui pourraient être convaincus d'acheter le produit.

Un autre indice d'intérêt est le **taux de diffusion.** Il s'obtient en faisant le rapport du marché actuel de l'industrie au marché potentiel réaliste, c'est-à-dire M_i/M_r. Dans notre exemple, ce taux s'établit à 0,50. Le taux de diffusion mesure la capacité d'une industrie à pénétrer un marché, c'est-à-dire à transformer les acheteurs éventuels en acheteurs actuels. Lorsque le taux de diffusion est égal à un, l'industrie est parfaitement efficiente. Cependant, l'indice est généralement inférieur à un et cela s'explique par trois facteurs principaux :

- *La carence technologique* : cela correspond à une situation où les besoins pour le produit sont là, mais où le marché perçoit que la technologie actuelle n'est pas suffisamment développée (par ex. la voiture électrique).
- *Le coût économique* : dans ce cas, la technologie est acceptable mais le marché n'est pas prêt à acheter le produit, son prix étant trop élevé pour la majorité des gens (par ex. l'ordinateur de poche).
- *Les efforts de marketing* : ils peuvent être insuffisants : distribution inadéquate, mauvaise communication, ignorance des besoins réels des consommateurs, etc.

Dans les premiers temps où le produit est introduit sur le marché, le taux de diffusion est très faible. Avec le temps, les consommateurs apprécient le produit et se mettent à penser qu'il pourrait leur être utile. La Figure 4.5 montre une courbe de diffusion type pour un produit. Comme on le voit, le rythme de progression du taux de diffusion dans le temps passe par trois phases. D'abord, la progression est lente, car l'acceptation par le marché est difficile. Puis le taux de diffusion augmente rapidement à cause du phénomène d'imitation. Finalement, le rythme de progression diminue à nouveau, car le nombre d'individus à convaincre est beaucoup moindre.

figure 4.5 **Une courbe de diffusion d'un nouveau produit**

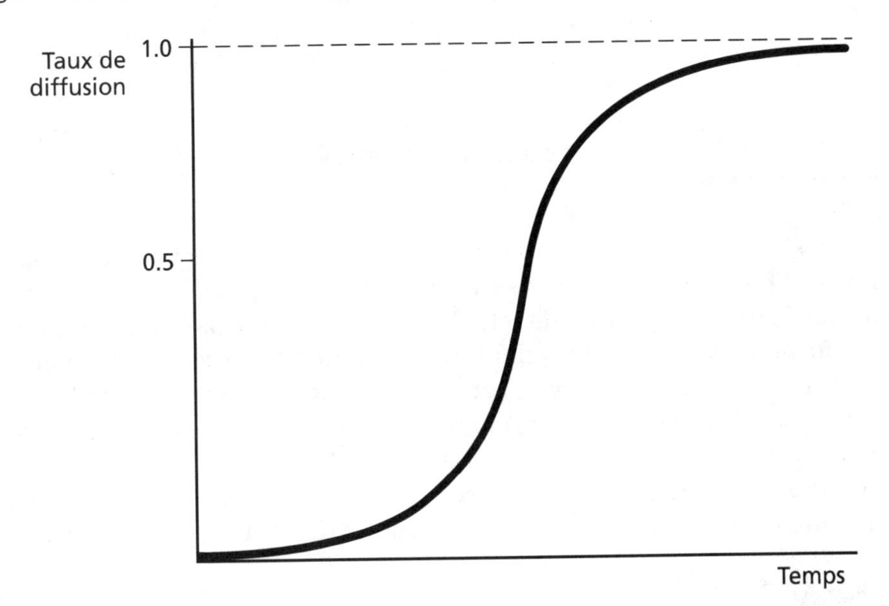

Un troisième indice est le **taux de pénétration.** On l'obtient en faisant le rapport du marché actuel de la marque au marché actuel de l'industrie, c'est-à-dire M_m/M_i. Cet indice s'appelle aussi la **part de marché.** Il correspond à la proportion des acheteurs actuels qui achètent la marque du produit. Dans l'exemple de l'arrosage des pelouses, la part de marché de *Weed Man* est égale à 0,22. De façon générale, la part de marché d'une firme pour un produit donné dépend des efforts de marketing qu'elle consentira par rapport à ses concurrents. Si les dépenses de marketing de la firme augmentent de manière plus importante que celles de ses concurrents, cela devrait en principe se refléter directement sur sa part de marché.

D'autres variables affectent cependant la part de marché. Ainsi, dans un marché où les clients sont fidèles à une marque, les firmes devront investir davantage en marketing pour s'accaparer d'une plus grande part du marché. D'autre part, l'ordre d'entrée de la firme sur le marché a un impact sur la part de marché qu'elle peut espérer obtenir : dans un marché où les marques sont relativement homogènes, les premiers arrivés s'emparent du marché et défendent ensuite vigoureusement leur part de marché. Plus loin dans cet ouvrage, nous reviendrons sur ce concept fondamental du marketing qu'est la part de marché.

Retenons que : Le taux de développement correspond à la proportion de consommateurs du marché potentiel maximum qui s'intéressent au produit. Le taux de diffusion est la proportion de consommateurs intéressés par le produit et qui l'ont acheté. Enfin, la part de marché (ou taux de pénétration) d'une marque est la proportion des acheteurs du produit qui ont choisi cette marque.

Quand ? La quatrième et dernière dimension du concept de la demande concerne l'**horizon temporel.** Cette dimension est cruciale, car le volume de la demande dépend de façon directe de la période de temps considérée. Traditionnellement, on fait la distinction entre le court terme (de un à six mois), le moyen terme (six à dix-huit mois) et le long terme (dix-huit mois et plus). Les durées assignées au court terme, moyen terme et long terme sont toutefois arbitraires et varient d'une industrie à l'autre.

Nous pouvons maintenant donner une définition de la demande qui tient compte des quatre dimensions que nous avons discutées (les quatre Q de la demande) :

Demande : Volume possible d'unités ou de ventes en dollars d'un produit, d'une catégorie de produit ou d'une marque, dans un marché donné, durant une période de temps déterminée.

À titre d'illustration, on peut parler de :

- la demande possible de stylos à billes dans la ville de Québec pour l'année 2010;
- la demande de tracteurs à chenilles de marque *John Deere* par le ministère des Travaux publics dans les cinq prochaines années;
- la demande en dollars de frites congelées de coupe régulière dans les magasins *Provigo* pour l'année courante;
- la demande de nouvelles cartes de crédit *American Express* auprès des individus mariés au Canada dans les prochains six mois.

La quantification de la demande

Concluons cette discussion de l'analyse de la demande en traitant brièvement du problème que suscite la quantification de la demande. Les décisions que prennent les responsables du marketing quant à la pénétration et au développement des marchés doivent s'appuyer sur une connaissance quantitative de la demande des biens et des services. Sans cette connaissance, les risques associés à l'action marketing sont difficiles à évaluer et les décisions sont entachées d'incertitude. Considérons le cas du « *homard* » présenté au chapitre 1 de cet ouvrage. Si on vous demandait d'investir dans la commercialisation de ce produit, le feriez-vous ? Peut-être bien, si on vous démontrait que le marché potentiel est suffisamment intéressant.

Comment peut-on estimer le potentiel de marché pour un nouveau produit ou service ?

Une approche utile pour estimer un marché potentiel consiste à décomposer le problème de la façon générale décrite à la Figure 4.6.

On arrive à une approximation du marché potentiel en estimant successivement le taux de pénétration et le taux de rachat.

figure 4.6 **L'estimation d'un marché potentiel**

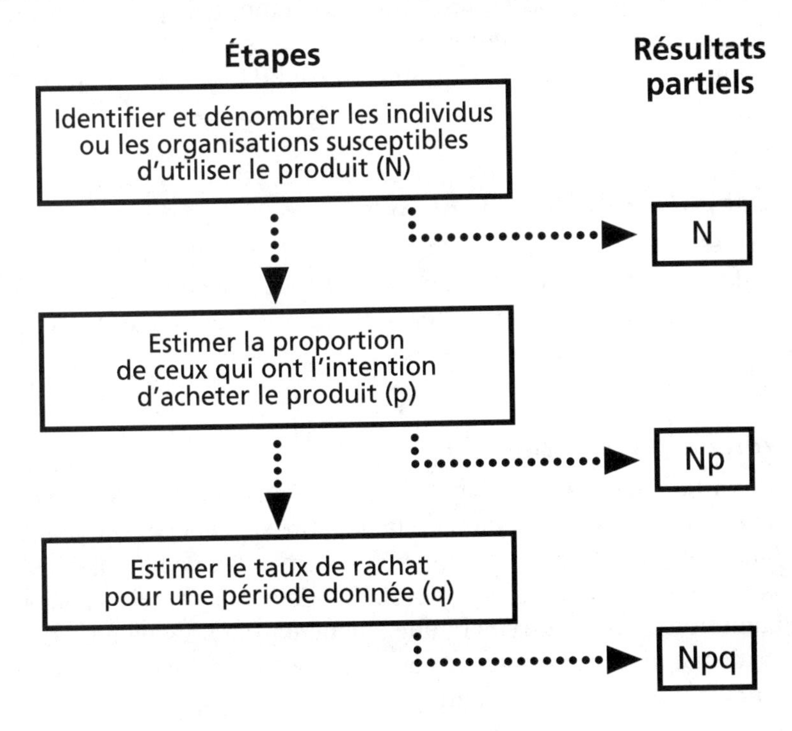

Par exemple, dans le cas du « *homard* », on pourrait estimer le marché potentiel ainsi :

nombre de ménages dans le marché visé

x

nombre moyen d'automobiles par ménage

x

proportion d'automobiles qui peuvent être équipées d'un « *homard* »

x

proportion qui ont l'intention d'acheter un « *homard* ».

L'exactitude de l'estimation obtenue repose sur la qualité des informations qui servent à produire cette estimation. Dans l'exemple du « *homard* », on pourrait évaluer le nombre de ménages, le nombre moyen d'automobiles par ménage et la proportion d'automobiles pouvant être équipées d'un « *homard* » en consultant diverses sources statistiques (par ex. Statistique Canada : http://www.statcan.ca/). Les autres informations sont plus difficiles à obtenir et il faudrait sans doute envisager une enquête auprès d'un échantillon de ménages.

Cette méthode de quantification de la demande s'avère très utile pour établir le potentiel de marché d'un produit ou d'un service. Elle est applicable à la fois au marché de grande consommation et au marché industriel. Il est rare, cependant, que ce soit l'unique méthode employée par une firme pour estimer les potentiels. Des méthodes différentes, souvent complémentaires, existent pour raffiner l'analyse. Certaines seront décrites au chapitre 9 de ce livre.

LA SEGMENTATION DES MARCHÉS

Parmi tous les concepts de marketing, la segmentation des marchés est un des plus importants. Si important en fait qu'il est difficile de concevoir l'action marketing de la firme sans y faire référence. Pour introduire le concept, nous allons de nouveau faire appel à la théorie économique classique.

La discrimination des prix

Nous avons vu au début de ce chapitre qu'à une augmentation de prix correspond généralement une diminution de la quantité demandée. L'importance de l'effet d'une variation de prix sur la quantité demandée dépend de l'élasticité-prix de la courbe de demande. Si la courbe de demande est très élastique, une faible diminution du prix entraînera une augmentation relativement grande de la quantité demandée. Si au contraire elle est inélastique, une diminution du prix ne modifiera que très peu la demande.

Quelle est l'utilité de ceci pour le gestionnaire ? Supposons que le responsable du marketing connaît la courbe de demande du produit qu'il vend. Il lui est donc possible de calculer le revenu total espéré pour différents niveaux de prix. D'autre part, connaissant aussi les coûts de production et de marketing des unités vendues, il peut calculer le profit total espéré associé à différents prix unitaires. Avec ces informations, il ne lui reste qu'à fixer le prix de vente du produit à un niveau qui assure la maximisation du profit total. Au chapitre 6, nous verrons que dans la pratique, la fixation du prix n'est pas aussi simple. Néanmoins, le principe d'un prix déterminé en fonction d'un objectif de maximisation du profit reste très général.

Compliquons un peu les choses. Supposons que la firme veuille commercialiser le produit sur deux marchés séparés ayant des élasticité-prix différentes, en d'autres termes, sur deux marchés où les consommateurs réagissent différemment à des variations de prix. Si, pour chaque marché, le responsable du marketing procède à l'analyse de maximisation du profit telle que décrite ci-dessus, il aboutira vraisemblablement à un prix de vente optimal unique pour chaque marché. Par exemple, un profit maximum à un prix de 28 $ l'unité dans le premier marché et un profit maximum à un prix de 32 $ l'unité dans le deuxième marché. Quelle politique la firme doit-elle alors appliquer ? Doit-elle fixer un prix moyen de 30 $ l'unité sur les deux marchés ? Ou pratiquer plutôt une politique de **discrimination des prix**, c'est-à-dire vendre le produit à des prix différents afin de maximiser le profit dans chaque marché ?

Si on ne s'en tient qu'à des considérations économiques, et si on suppose que les consommateurs d'un marché ne peuvent pas acheter le produit sur l'autre marché, alors on peut montrer que la politique de discrimination des prix est la plus avantageuse pour la firme[2].

De la discrimination des prix à la segmentation des marchés

Ce résultat de la théorie économique classique est intéressant, car il met en évidence les composantes fondamentales du concept de segmentation des marchés. D'abord, il y a la possibilité pour la firme d'entrevoir non pas un, mais plusieurs marchés possibles. On dit alors que le marché peut être segmenté, c'est-à-dire divisé en plusieurs **segments de marché,** chaque segment de marché correspondant à une **fonction de réponse** particulière par rapport à plusieurs actions de marketing que l'entreprise pourrait entreprendre.

Dans la perspective économique, l'élasticité-prix permet de mesurer les différences de réponse entre les segments de marché à des variations de prix, mais la généralisation à toute action de marketing, qu'il s'agisse notamment de la publicité ou de la promotion, se fait aisément. Dans la perspective économique, la firme doit ajuster son prix à chaque segment de marché. Encore là, on peut penser à une adaptation de n'importe quel aspect du programme de marketing de l'entreprise.

Ces considérations nous amènent à la définition suivante :

Segmentation d'un marché : Division d'un marché global en sous-marchés appelés segments. Chaque segment est composé d'acheteurs qui réagissent de façon semblable à des actions de marketing de la firme et de façon différente des membres d'autres segments.

Différents types de marketing

L'idée fondamentale de la segmentation des marchés est donc que les consommateurs qui constituent un marché sont différents. À la limite, une firme peut considérer chaque consommateur comme un marché spécifique et concevoir un programme de marketing individuel pour chacun. Il s'agit là d'un cas extrême de segmentation qui donne lieu à ce qu'on appelle le **marketing personnalisé** (voir les Illustrations 4.1 et 4.2). Par exemple, il existe des firmes qui se spécialisent dans la fabrication de parfums spécialisés. Un consommateur qui désire un parfum unique se rend à la manufacture où on lui présente un grand nombre de fragrances. Avec l'aide des conseils des experts, il compose lui-même son parfum personnel. Le marketing personnalisé se rencontre fréquemment en marketing industriel, où les acheteurs sont des organisations plutôt que des individus. Par exemple, une entreprise de fabrication de chenilles en caoutchouc peut personnaliser ses produits et ses stratégies de marketing en fonction d'un client important comme *Bombardier* (http://www.bombardier.com/).

Le **marketing agrégé** se situe à l'opposé du marketing personnalisé. Cette fois, la firme considère que tous les consommateurs sont semblables et qu'il n'y a pas lieu d'adapter son programme de marketing à des segments particuliers. Les exemples de marketing entièrement agrégé sont rares. On peut citer le cas des produits alimentaires essentiels comme les pommes de terre, les œufs, le lait, quoiqu'on retrouve souvent dans le marketing de ces produits le souci de prendre en compte les besoins différents des consommateurs.

Illustration 4.1
Quel type de golf vous intéresse ?

La revue américaine *Golf Magazine* veut plaire au plus grand nombre de lecteurs possible. Pour ce faire, elle pratique une stratégie de personnalisation. Cela signifie que le contenu de la revue n'est pas nécessairement le même si vous êtes un lecteur résidant à Miami que si vous êtes un résident de New York. Pour un même numéro de *Golf Magazine*, il peut y avoir jusqu'à 3 000 versions différentes en circulation ! La personnalisation de la revue s'accomplit à partir des informations sur les abonnés *(data base management)*, entre autres, le prénom de la personne, son lieu de résidence et son code postal. Le prénom permet de connaître le sexe de la personne (dans la plupart des cas) et d'orienter le contenu des articles en conséquence. Par exemple, la version destinée aux femmes peut contenir des articles sur le circuit professionnel féminin, contrairement à celle destinée aux hommes. Le lieu de résidence permet, par exemple, de transmettre aux lecteurs des informations plus pertinentes sur les tournois et les événements locaux. Le code postal quant à lui donne des renseignements utiles sur le niveau de vie des gens qui vivent à cet endroit. Par exemple, 33109 est un code postal de gens très à l'aise puisqu'il correspond à la ville de Miami, où on trouve un des revenus *per capita* les plus élevés aux États-Unis. Les annonceurs profitent de la personnalisation de *Golf Magazine* en ciblant des segments de consommateurs précis. Ainsi, une publicité pour une cuisinière *Kitchen Aid* sera insérée uniquement dans la version destinée aux femmes. Parfois, les annonceurs combinent leur propre base de données avec celle de *Golf Magazine* pour obtenir des résultats très intéressants. Par exemple, une compagnie de boissons alcoolisées peut utiliser les informations qu'elle possède sur les préférences de ses clients et insérer dans une version de la revue des publicités sur le gin ou une publicité sur le vermouth dans une autre revue, etc.

L'objectif de *Golf Magazine* est d'offrir éventuellement à ses lecteurs une revue construite uniquement pour eux.

Pour les internautes : http://www.golfonline.com

Source : George Peper « Not -so- Carbon Copies », Golf Magazine, août 1998, 16, 19.

Illustration 4.2
On ajoute ou on retranche ?

Le marketing personnalisé est une réalité du marketing moderne. Plutôt que de fabriquer un même produit pour tous les consommateurs, de plus en plus d'entreprises pratiquent la personnalisation de masse : les consommateurs choisissent eux-mêmes les différentes options qui vont composer le produit ou le service désiré.

Supposons que vous soyez en charge de la commercialisation de voitures personnalisées chez un fabricant d'automobiles. Vous avez le choix entre deux façons de laisser vos clients personnaliser leur voiture : (1) vous leur demandez d'ajouter des options à un modèle de base ou (2) vous leur demandez de retrancher des options à un modèle tout équipé. À votre avis, quelle est l'option la plus avantageuse pour votre entreprise ? [Pensez-y un peu avant de lire la suite.]

Dans une étude récente conduite aux États-Unis, on a demandé à des étudiants de procéder par l'une ou l'autre des deux stratégies présentées ci-dessus pour composer leur automobile. Les résultats ont montré que les participants qui retranchaient des options d'un modèle tout équipé sélectionnaient davantage d'options que les autres. Ils avaient aussi l'impression d'en avoir plus pour leur argent. Enfin, ils ont trouvé l'exercice plus difficile. Pourquoi selon vous ?

Selon les auteurs de l'étude, c'est parce que les consommateurs à qui on présente un modèle tout équipé s'attachent aux options offertes et ont de la difficulté à les éliminer une fois qu'ils savent qu'ils peuvent en bénéficier. De plus, quand on leur donne le prix du modèle tout équipé, tout changement à la baisse est perçu comme une bonne affaire. Dans le cas de ceux qui ajoutent des options, le prix augmente à chaque fois et la perception de valeur s'en trouve affectée.

Source : Andrews, K.Z., « How Consumers Choose Product Options », *Marketing Insights from MSI*, 1-2, Hiver 1999/2000.

Entre ces deux extrêmes, se situe le **marketing différencié.** Cette forme de marketing repose sur la reconnaissance par la firme que le marché est constitué de segments relativement homogènes, pour lesquels on doit élaborer des programmes de marketing spécifiques. La publicité de *McDonald* au Canada et aux États-Unis offre un exemple intéressant d'adaptation de la stratégie communicationnelle à des segments de marché précis. Certaines annonces publicitaires télévisées de *McDonald* s'adressent clairement au segment des adultes. On y voit, par exemple, des travailleurs entrer dans un restaurant *McDonald* très tôt le matin pour y prendre le petit déjeuner. D'autres visent le segment des enfants. Dans ces publicités, on voit le clown Ronald McDonald qui fait des pitreries. D'autres enfin ont pour cible le segment des jeunes. Ces annonces montrent des groupes de jeunes qui mangent ensemble ou encore des amourettes qui ont pour cadre les produits et les restaurants de la firme.

Le marketing-mix

L'exemple de *McDonald* correspond à un type de marketing différencié particulier, soit l'adaptation de la communication marketing à des segments de marché bien identifiés. Cependant, *McDonald* excelle aussi dans la différenciation d'autres aspects de son marketing. Ainsi, au niveau de la distribution de ses produits, la firme offre la possibilité aux clients de manger sur place ou d'utiliser le service de commandes à l'auto. Les clients qui optent pour l'un ou l'autre de ces modes de distribution forment des segments de marché distincts. Aussi, certains produits disponibles chez *McDonald* visent des segments précis : les salades pour les consommateurs soucieux de leur alimentation ou les boîtes-cadeau pour les enfants.

Comme on le voit dans cet exemple, il y a plusieurs façons d'envisager la différenciation en marketing. L'entreprise peut adapter ses produits, ses stratégies de distribution et de communication et même ses prix. Pour un segment de marché donné, la firme qui pratique un marketing différencié doit décider d'une combinaison optimale de ces quatre aspects du marketing qu'on appelle le **marketing-mix.**

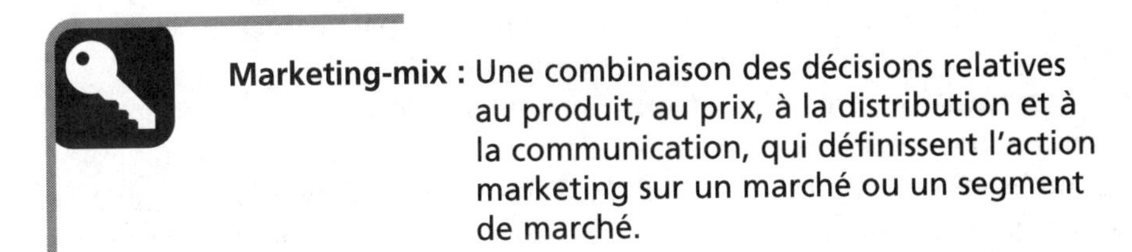

Marketing-mix : Une combinaison des décisions relatives au produit, au prix, à la distribution et à la communication, qui définissent l'action marketing sur un marché ou un segment de marché.

La Figure 4.7 offre une présentation plus détaillée du marketing-mix où sont identifiées les décisions habituelles que les responsables du marketing doivent prendre relativement à leur marché. Examinez cette figure attentivement, car elle indique les domaines de décision majeurs du marketing. En l'étudiant, gardez à l'esprit que chacun des éléments du mix est susceptible d'influencer significativement la demande d'un marché. De plus, un changement dans un de ces éléments a de bonnes chances d'entraîner des changements au niveau des autres éléments. Par exemple, une amélioration des caractéristiques du produit aura sans doute un impact sur le prix et sur la publicité de celui-ci. Un changement du mode de distribution entraînera des modifications dans les stratégies de vente. Comparativement à l'approche économique où on considère l'effet unique du prix sur la quantité demandée, le problème de déterminer le meilleur marketing-mix est, vous en conviendrez, beaucoup plus complexe!

figure 4.7 **Les décisions relatives au marketing-mix**

	COMPOSANTES DU MARKETING-MIX			
	Produit	**Prix**	**Distribution**	**Communication**
DÉCISIONS	• caractéristiques • emballage • nom de marque • instructions • qualité/sécurité • garantie/service	• niveau • évolution • escomptes • conditions de paiement	• stockage • transport • grossistes • détaillants • marchandisage	• publicité (budget, thèmes, médias, etc.) • vente personnelle • promotion des ventes • commandite • relations publiques

La définition des segments de marché

Comment la segmentation des marchés se fait-elle en pratique ? C'est une chose de dire qu'on divise un marché en segments qui réagissent différemment au marketing-mix de l'entreprise, et c'en est une autre de dire comment on procède pour y arriver. En simplifiant, on peut dire qu'il existe deux approches principales pour segmenter un marché[3] : la segmentation par déduction et la segmentation par induction. Examinons-les à tour de rôle.

La segmentation par déduction. Cette méthode consiste à grouper les consommateurs directement sur la base de variables de segmentation diverses. Par exemple, les compagnies de téléphone divisent habituellement leur marché en deux segments principaux : les clients corporatifs (ou affaires) et les clients résidentiels. Cette segmentation s'effectue *a priori* en considérant les caractéristiques particulières qui définissent ces deux groupes (par ex. opération d'un commerce, besoins d'équipements spéciaux).

L'avantage principal de la segmentation par déduction est que les responsables du marketing peuvent procéder directement à la division d'un marché en segments, s'ils connaissent les variables de segmentation appropriées. Il existe plusieurs **bases de segmentation :**

1. **La segmentation géographique :** la base choisie dans ce cas, pour diviser le marché, est la localisation géographique. Par exemple, une firme canadienne pourrait segmenter son marché de la façon suivante : les Maritimes, les provinces de l'Ouest, l'Ontario et le Québec.

2. **La segmentation à l'aide des variables sociodémographiques :** dans ce cas, on se sert des descripteurs sociodémographiques habituels (âge, sexe, classe sociale, état civil, occupation, éducation, religion, revenus, ethnie, nationalité) pour diviser le marché. Au Canada par exemple, une firme pourrait considérer deux segments : les Canadiens français et les Canadiens anglais.
3. **La segmentation à l'aide des variables sociopsychologiques :** les variables utilisées dans ce cas pour segmenter le marché sont les variables de personnalité (par ex. le caractère autoritaire, l'indépendance, l'innovation) et de style de vie (par ex. les écologistes, les leaders d'opinion, les dynamiques). Pour un exemple, revoir l'illustration 2.2.
4. **La segmentation à l'aide des variables comportementales :** les variables dont il s'agit ici sont celles qui définissent des comportements d'intérêt pour le marketing. On considère, par exemple, la fidélité à la marque, le taux d'utilisation du produit, la régularité des achats ou le type d'utilisation. Ainsi, la firme canadienne *Church & Dwight Ltée*, qui commercialise le bicarbonate de soude de marque *Cow Brand*, pourrait segmenter son marché selon le type d'utilisation : cuisine, odeurs, nettoyage ou adoucisseur pour le bain.

Les bases de segmentation ci-dessus peuvent être combinées, si les responsables du marketing le jugent à propos. La Figure 4.8 montre comment on pourrait, par exemple, diviser un marché en combinant trois types de variables de segmentation.

figure 4.8 **Segmentation hypothétique du marché canadien selon le taux d'utilisation, la classe sociale et la localisation géographique**

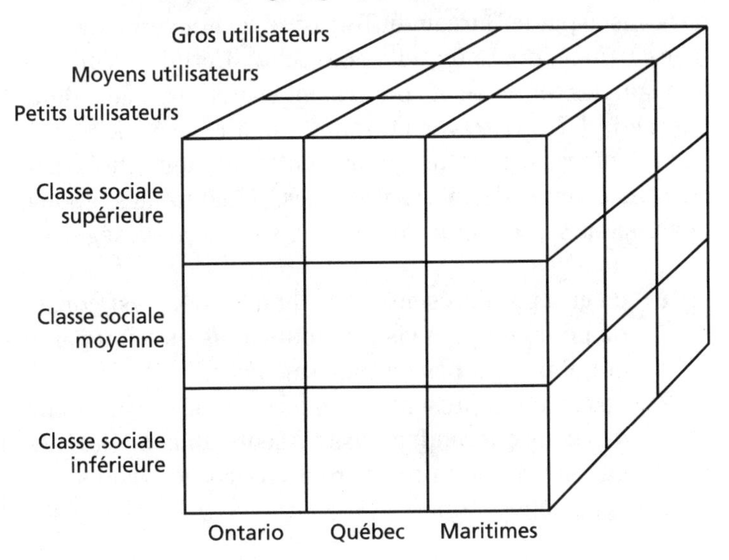

Un problème important de la segmentation par déduction réside dans le choix d'une base de segmentation pertinente. En effet, il faut comprendre que la segmentation n'est pas un exercice banal de groupement de consommateurs selon un critère quelconque. Si c'était le cas, on serait justifié d'utiliser n'importe quelle base de segmentation imaginable (par ex. le segment des filles aux yeux bleus, âgées entre 14 et 18 ans).

Comment juger de la valeur d'une base de segmentation ? Rappelons-nous qu'une caractéristique importante d'un segment de marché est que les consommateurs qui le composent réagissent de façon semblable aux efforts de marketing de la firme. Deux segments de marché n'ont pas les mêmes réactions face au marketing-mix de la firme. Donc, si la base de segmentation choisie ne permet pas de diviser le marché en segments qui sont différents par rapport à la façon dont ils répondent à l'action marketing, cette base de segmentation n'est pas appropriée.

Par ailleurs, en supposant que la segmentation rencontre cette condition, cela n'assure pas nécessairement qu'elle soit intéressante pour la firme. Pour que la segmentation en vaille la peine, il faut que le **potentiel de marché** représenté par le ou les segments de marché que la firme entend desservir soit suffisamment importants. D'autre part, la segmentation d'un marché est un exercice futile si la firme n'est pas capable de **rejoindre efficacement** les segments à fort potentiel.

La segmentation par induction. À l'aide de techniques variées, cette méthode de segmentation consiste à grouper les consommateurs qui ont des réactions semblables au marketing-mix de la firme. Par la suite, on tente de décrire le mieux possible les groupes ainsi formés, pour pouvoir mieux les atteindre.

Une étude réalisée par le Bureau du Tourisme du gouvernement canadien durant les années 1970 a adopté un telle approche[4]. L'étude visait à segmenter le marché américain des touristes qui pourraient visiter le Canada durant leurs vacances. Un total de 1 750 entrevues furent conduites avec des touristes américains, afin de découvrir les motifs qui avaient guidé leur choix d'un emplacement à visiter lors de leurs dernières vacances. L'analyse des réponses fournies par les consommateurs interrogés a révélé l'existence de six segments distincts :

Segment n° 1 : ce groupe représente 29 % du marché et est constitué de personnes qui visitent leurs amis ou leurs parents et qui ne font pas de tourisme actif.

Segment n° 2 : ce groupe représente 12 % du marché et comprend des gens qui rendent visite à leurs amis ou parents et qui en profitent pour faire du tourisme (visites, spectacles, etc.).

Segment nº 3 : ce groupe représente 6 % du marché et se compose de gens qui cherchent un endroit pour faire plaisir aux enfants.

Segment nº 4 : ils représentent 19 % du marché et recherchent le grand air, la tranquillité et les paysages. La plupart sont des campeurs.

Segment nº 5 : ce groupe représente 19 % du marché et est constitué de gens qui s'intéressent aux sports aquatiques et pour qui la belle température est un critère important.

Segment nº 6 : ce sont des visiteurs de pays étrangers. Ils représentent 26 % du marché et désirent, avant toute chose, visiter des lieux qu'ils n'ont jamais vus.

Contrairement à la segmentation par déduction, l'approche par induction ne définit pas *a priori* une base de segmentation comme la classe sociale ou la personnalité. Elle cherche plutôt à identifier, à l'intérieur du marché total, des groupes distincts de consommateurs qui partagent les mêmes besoins et préférences et qui semblent se comporter de façon semblable par rapport aux actions marketing de la firme. Une fois ces groupes identifiés et leur taille respective connue, le responsable du marketing doit recueillir des informations complémentaires pour pouvoir orienter l'action commerciale de la firme.

Un type très répandu de segmentation par induction est la **segmentation par bénéfices recherchés**[5]. Son application requiert l'accomplissement d'un certain nombre d'étapes. En premier lieu, une étude est conduite afin d'établir la liste complète des bénéfices recherchés par les consommateurs lorsqu'ils achètent et utilisent le produit. Ensuite, une vaste enquête est réalisée auprès d'un échantillon représentatif du marché total, afin de déterminer l'importance que les consommateurs accordent à chacun des bénéfices identifiés. Finalement, on groupe en segments distincts les consommateurs qui semblent rechercher les mêmes bénéfices. Une étude récente réalisée au Québec montre une application intéressante de cette approche[6]. Dans cette étude, on a examiné l'ensemble des activités pratiquées par les consommateurs dans les centres commerciaux. L'analyse a permis de définir trois segments de clients : les hédonistes (ils cherchent avant tout le divertissement), les actifs (ils cherchent des informations pour faire un ou des achats précis) et les utilitaristes (ils se rendent au centre commercial par obligation). Les auteurs de l'étude ont montré que ces trois segments ont des profils de consommation et de fréquentation de magasins différents.

La segmentation par bénéfices recherchés conduit à la formation de segments qui sont caractérisés par des fonctions de réponse différentes. En ce sens, c'est une forme de segmentation qui, dans son application, est cohérente avec notre définition de la segmentation des marchés. L'étude auprès des touristes américains est un exemple de segmentation par bénéfices recherchés. Voyons un peu comment ces résultats pourraient être utilisés par les responsables du marketing.

Supposons que le *Bureau du Tourisme canadien* décide de concentrer ses efforts sur les segments n° 5 et n° 6, qui représentent 45 % du marché total. Pour attirer au Canada les consommateurs qui forment ces deux segments, il faudrait concevoir une publicité adaptée à chacun. Par exemple, la publicité destinée au segment n° 5 pourrait faire valoir la beauté de certains sites de villégiature canadiens et mettre l'accent sur les sports aquatiques. La publicité dirigée vers le segment n° 6 pourrait insister sur les sites touristiques moins connus et présenter le Canada comme un pays à découvrir.

Cette différenciation publicitaire est fondée sur l'idée d'une fonction de réponse propre à chaque segment. Cependant, afin de mettre en œuvre cette stratégie, le *Bureau du Tourisme* a besoin d'informations additionnelles. Pour être efficace, la publicité doit s'adresser au segment visé et cela nécessite qu'on connaisse les habitudes de lecture et d'écoute des consommateurs qui composent chacun des segments. Si les informations ne permettent pas d'établir que certains canaux de transmission des messages publicitaires sont préférables pour atteindre les segments visés, alors la stratégie publicitaire risque d'être inefficace. Dans l'exemple du tourisme au Canada, ce n'est peut-être pas trop important, car on peut présumer que le marché du tourisme aux États-Unis est très large et que la communication de masse (par ex. un spot publicitaire de 30 secondes durant le « *CBS Evening News* ») est encore la meilleure solution. Cependant, pour des marchés plus restreints, il est essentiel de pouvoir aller au-delà de la simple identification des segments et de recueillir d'autres informations qui permettront de bien cibler les segments.

Retenons que : Il existe deux approches principales à la segmentation d'un marché. L'approche par déduction procède au regroupement des consommateurs à l'aide de bases de segmentation définies *a priori.* L'approche par induction identifie, à l'intérieur du marché total, des groupes distincts de consommateurs qui partagent les mêmes besoins et préférences et qui ont des réactions semblables face au marketing-mix de la firme. Quelle que soit l'approche employée, il est important que les segments que la firme veut exploiter aient un potentiel intéressant et qu'ils puissent être rejoints de manière efficace.

LA SÉLECTION DES MARCHÉS-CIBLES

La segmentation d'un marché est une étape importante de l'action commerciale de la firme. Lorsqu'elle est effectuée avec soin, elle conduit à une meilleure compréhension de la structure et de la dynamique d'un marché. Cela ne s'arrête pas là cependant, car les responsables du marketing doivent ensuite décider des stratégies à mettre en œuvre pour pénétrer le marché. La Figure 4.9 illustre trois options possibles qui s'offrent à la firme.

figure 4.9 **Trois stratégies de marketing possibles**

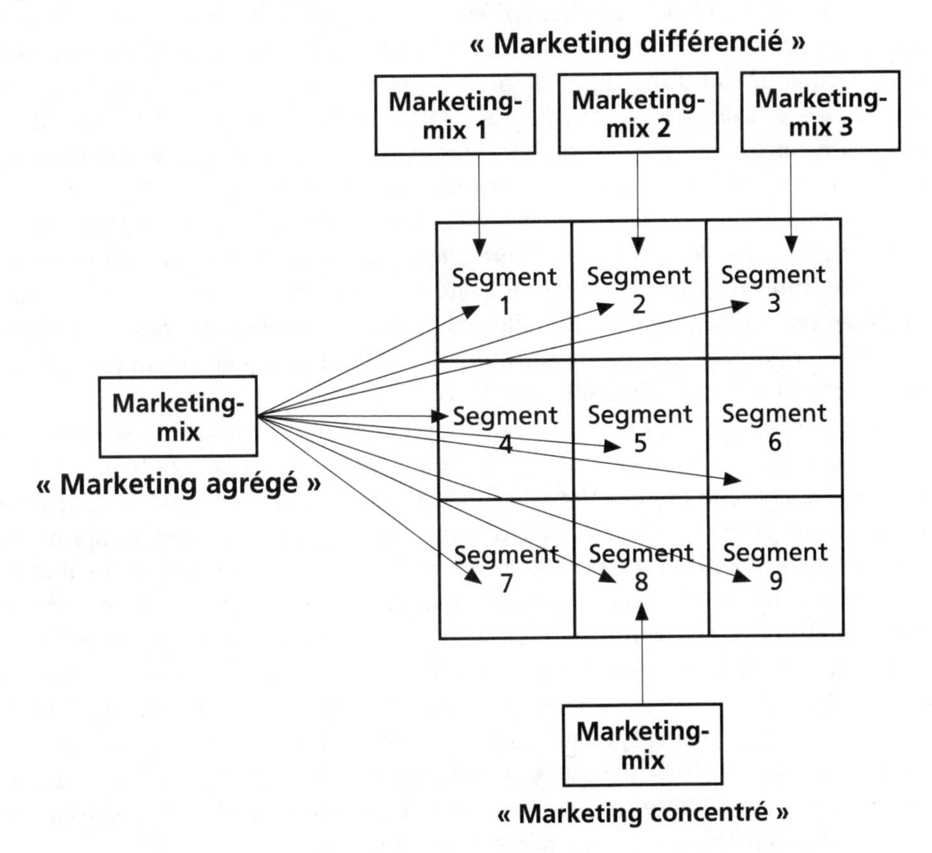

Une stratégie de **marketing agrégé** correspond à une situation où la firme entend satisfaire tous les segments de marché avec un marketing-mix unique. Cela peut être une stratégie valable si les fonctions de réponse des segments qui composent le marché ne sont pas suffisamment distinctes pour justifier une adaptation du mix. Par exemple, le marketing de l'électricité est de type agrégé, car les besoins satisfaits par ce produit sont universels.

Une stratégie de **marketing différencié** est, comme nous l'avons vu, fondée sur la volonté de la firme d'adapter son marketing-mix à différents segments de marché qu'elle a identifiés et qu'elle veut desservir. Les segments sélectionnés sont appelés **marchés-cibles.** Les exemples d'application du marketing différencié abondent. On en trouve dans le domaine de l'alimentation (café instantané, moulu ou en grains), de l'hygiène (dentifrice anticarie, antitartre, anti-mauvaise haleine), du transport (voiture compacte, berline ou camionnette), de la micro-informatique (micro-ordinateurs personnels, de bureau ou portables) et dans bien d'autres secteurs de la consommation.

Une stratégie de **marketing concentré** correspond à une situation où la firme décide de diriger ses efforts de marketing vers un seul segment. Le marketing-mix est alors adapté précisément pour rejoindre la cible choisie. C'est une stratégie fréquemment utilisée par de petites entreprises qui ne tiennent pas à affronter les grosses compagnies qui se partagent un marché. Elles s'orientent donc vers les segments qui sont délaissés, parce que trop spécialisés et trop petits. Ces segments sont appelés **niches de marché,** parce qu'ils offrent une certaine (et relative) sécurité aux firmes qui les occupent (par ex. automobiles : *Ferrari*; montres *Rolex*; stylos *Mont Blanc*). La firme québécoise *Sim Audio* est un exemple d'entreprise qui a choisi de se concentrer sur un segment de marché bien précis, celui des audiophiles. Elle met en marché une gamme d'appareils très sophistiqués (préamplificateurs, amplificateurs) et de conception innovatrice (http://www.simaudio.com).

La sélection des marchés-cibles est une décision de marketing stratégique. Elle implique l'examen de plusieurs facteurs. Nous avons déjà noté que le **potentiel de marché** et la **croissance prévisible** sont deux critères importants pour évaluer l'attrait d'un segment. En plus, l'opportunité de sélectionner un ou des marchés-cibles doit tenir compte de la **concurrence existante et probable** à laquelle la firme aura à faire face. Par ailleurs, l'analyse doit aussi prendre en considération les **ressources de la firme** (compétences, situation financière, réputation, systèmes de distribution, etc.) et la cohérence d'une éventuelle pénétration d'un segment de marché avec les **objectifs à long terme** de l'entreprise. Finalement, les responsables du marketing doivent procéder à une évaluation minutieuse des **forces environnementales** sur le marché (clients, fournisseurs, contraintes légales, etc.), afin de s'assurer qu'elles ne poseront pas de menaces importantes, si la cible est sélectionnée.

LE POSITIONNEMENT

Quel que soit le type de marketing que la firme entend mettre en œuvre, agrégé, différencié ou concentré, il est important de faire en sorte que le produit soit identifié aux segments de marché qui ont été choisis. Un produit est plus qu'une collection de caractéristiques objectives, c'est aussi une image, une représentation mentale que les consommateurs développent à partir des informations qui leur sont transmises par le marketing.

Prenez quelques instants pour penser à la voiture *Golf* de *Volkswagen.* Quelles sont les impressions qui vous passent par la tête ? Maintenant, au tour de la *Honda Accord.* Plutôt différent, non ? Il est probable que les pensées évoquées par ces deux marques soient influencées par la publicité. Peut-être même qu'un slogan *« Êtes-vous fait pour Volkswagen ? »*, des images (les trois hommes en noir) ou même des sons trottent dans votre tête. Dans votre esprit, ces deux marques de voiture n'occupent pas la même **position.** C'est normal, car elles visent des segments de marché différents. Il est très important que les responsables du marketing positionnent les produits et les marques qu'ils vendent en fonction des marchés-cibles auxquels ils s'adressent. Le marketing-mix d'un produit doit être conçu en vue d'un positionnement précis, pour une cible précise.

Au chapitre 2, nous avons vu que la cartographie perceptuelle permet de visualiser la position des marques en concurrence sur un marché. Cette technique de recherche en marketing est utile pour comprendre comment les consommateurs perçoivent les marques, les unes par rapport aux autres.

La Figure 4.10 présente une carte perceptuelle issue d'une étude réalisée dans la région d'Ottawa-Hull, auprès de jeunes consommateurs anglophones[7]. Dans cette étude, on s'intéressait aux perceptions qu'ont les jeunes consommateurs de quatre marques de jeans très connues, soit *Calvin Klein*, *GWG*, *Levi's* et *Roberto.* Comme on le voit sur la carte perceptuelle, la marque *Levi's* est perçue de façon très positive par les consommateurs interrogés. L'image de cette marque est celle d'un jeans de qualité, confortable, un jeans qu'on peut porter tous les jours. *GWG* est aussi perçue comme une marque de jeans de tous les jours, mais jugée comme étant de moins bonne qualité. Les marques *Calvin Klein* et *Roberto* se situent à l'opposé de la marque *Levi's*, *Calvin Klein* est perçue comme un jeans mode, plus sexy que les autres marques et plus dispendieux aussi, alors que le jeans *Roberto* n'a pas une image d'un jeans pratique et confortable. Les positions occupées par les marques *Levi's* et *Calvin Klein* sont bien différenciées, chaque marque occupant une position avantageuse sur une des deux dimensions de la carte perceptuelle, *jeans de tous les jours*, à l'horizontale versus *jeans mode*, à la verticale. Quant aux marques *GWG* et *Roberto*, elles ne semblent pas bien positionnées, ni sur une dimension ni sur l'autre.

figure 4.10 **Une carte perceptuelle de marques de jeans**

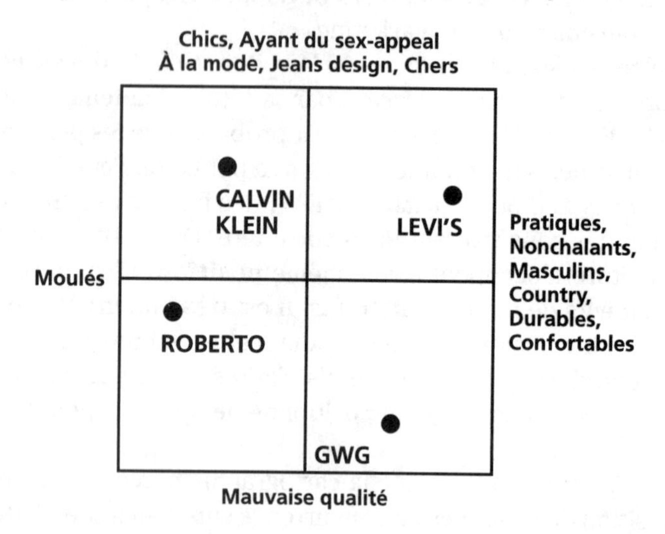

De telles analyses sont intéressantes pour le marketing. Elles permettent de voir les forces et les faiblesses des marques en concurrence sur un marché donné. Ainsi, la carte perceptuelle des marques de jeans présentée à la Figure 4.10 suggère des implications pratiques pour les responsables du marketing des marques de jeans.

Il semble évident que si la marque *GWG* décide de capitaliser sur son image de jeans de tous les jours, pratique et confortable, elle devra avant tout modifier la perception de mauvaise qualité qui lui est associée. Elle peut tenter de changer cette perception négative à l'aide de la publicité. Cependant, l'impact de la publicité sera de créer des attentes plus élevées et il faudra faire en sorte que le produit ne déçoive pas le consommateur. Il faudrait aussi déterminer si l'image de mauvaise qualité de la marque n'est pas causée en partie par la perception qu'elle est moins dispendieuse.

Selon la carte perceptuelle, la position de la marque *Roberto* sur le marché des jeans n'est pas avantageuse. Les responsables du marketing de cette marque devraient sans doute revoir leurs objectifs de positionnement. Vaut-il mieux tenter d'attirer les jeunes consommateurs qui recherchent un jeans mode ou ceux qui veulent un jeans à porter tous les jours ? Ou encore les deux types ? La carte n'offre pas de réponses à ces questions. Il faudrait conduire des études additionnelles afin de connaître ce que les jeunes consommateurs pensent de la marque et l'image qu'ils aimeraient qu'elle ait. Par ailleurs, les responsables du marketing de la marque *Roberto* devraient examiner les tendances du marché avant d'opter pour une quelconque stratégie de repositionnement.

Illustration 4.3
Les dangers de l'excellence

Selon A. Ries et J. Trout[8], le positionnement est la clef du marketing. Il s'agit de conjuguer la segmentation du marché et la différenciation du produit pour « livrer au client objectif le produit adéquat en temps opportun », sur le chemin de l'excellence. Le seul problème est que l'excellence est un mythe, ainsi que le démontre l'exemple suivant emprunté à R. d'Aveni[9]. Supposons qu'une étude perceptuelle de positionnement montre que *McDonald's, Burger King* et *Wendy's* occupent les positions *M, B, W* sur la droite d'isovaleur *V* (figure ci-dessous) :

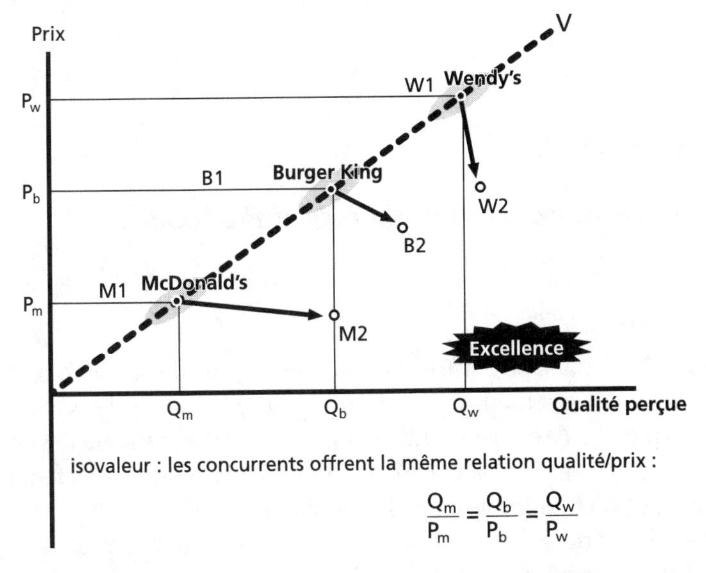

$$\frac{Q_m}{P_m} = \frac{Q_b}{P_b} = \frac{Q_w}{P_w}$$

Les trois concurrents en lice sont clairement positionnés et font des offres différenciées (M = hamburger courant; B = moyen; W = haut de gamme*) qui s'adressent à des segments distincts de clientèle. Mais que se passerait-il si les trois se mettaient en quête d'excellence, en supposant que l'excellence en la matière soit un hamburger exquis à bas prix. La figure 1 montre qu'au fur et à mesure que les trois concurrents s'approchent de l'excellence ($M_1 \longrightarrow M_2$; $B_1 \longrightarrow B_2$; $W_1 \longrightarrow W_2$ la distance qui les sépare, c'est-à-dire la différenciation de leurs offres diminue. Ils perdent peu à peu leur positionnement. Il leur faut réinventer l'excellence.

* Résultats fictifs qui ne représentent pas forcément l'opinion des auteurs quant aux produits des trois firmes.

CONCLUSION

Dans ce chapitre, nous avons vu que la firme ne peut envisager le lancement d'un nouveau produit sans connaître le ou les marchés qu'elle désire pénétrer et sans évaluer la demande possible pour ce produit sur le ou les marchés visés. Poser la question « *Y a-t-il un marché ?* » consiste en fait à s'interroger sur la capacité que possède un nouveau produit ou service à satisfaire des besoins réels des consommateurs, à préciser de quels consommateurs il s'agit et à prévoir le mieux possible les ventes en unités ou en dollars qui peuvent être réalisées par l'entreprise, si le produit est lancé. Sans cette analyse, les chances d'aboutir au succès commercial sont grandement limitées.

Annexe I

Un aperçu des marchés canadien et québécois

La population

La population du Canada se chiffre actuellement à plus de 30 millions d'habitants. C'est un marché relativement petit, si on le compare à ses deux voisins et partenaires de l'*ALENA* (Accord de libre échange nord américain) dont les populations ont été estimées en 1996 à 265,8 millions d'habitants, en ce qui concerne les Etats-unis, et 95,5 millions pour le Mexique. D'ici l'an 2016, on prévoit une augmentation lente de la population canadienne, soit un peu plus de 1 pour cent par année. Elle pourrait atteindre 35 millions d'habitants, en l'an 2016.

Comme le montre la Figure 4.11, la proportion de Québécois au sein de la communauté canadienne s'établit à environ 24 %. En 1951, 30 % des canadiens étaient Québécois. Cette proportion a diminué de près de 5 % depuis ; elle était de 25,2 % en 1991. Les démographes ne prévoient pas un revirement majeur de cette tendance.

Le Canada possède peu de grands centres urbains. Seules les villes de Montréal, Toronto et Vancouver ont une population de résidents supérieure à un million. Le taux d'urbanisation a augmenté légèrement au pays durant la dernière décennie. En 1986, 76,4 % de la population du pays vivait dans les villes, comparativement à 77,9 % en 1996. Au Québec, le taux d'urbanisation est un peu plus élevé. Il a été estimé à 78,4 % en 1996, un taux supérieur à celui estimé en 1986 (77,9 %).

figure 4.11 **Évolution de la population du Canada et du Québec (milliers)**

	1971	1981	1991	1998	2006	2016
Canada	21 962,1	24 820,4	28 030,9	30 300,4	32 506,7	34 237,6
Québec	6 137,4	6 547,7	7 064,7	7 333,3	7 757,0	7 891,5
(en %)	27,9	26,4	25,2	24,2	23,9	23,0

Source : Statistique Canada, *Statistiques démographiques annuelles*, cat. 91-213

Les sociétés canadienne et québécoise sont caractérisées par un vieillissement général de leur population. Comme l'indique la Figure 4.12, on prévoit qu'il y aura, entre 1996 et 2016, une baisse de près de 9 % du nombre de canadiens âgés de moins de 34 ans. Si la tendance actuelle se maintient, l'âge médian de la population canadienne pourrait atteindre 41 ans vers 2011 et 45 ans en 2036. La proportion de personnes âgées de plus 65 ans était égale à 12,4% en 1999. Elle passera à 16,5 % en 2016 et à 23 % en 2041, soit presque le quart de la population du pays. Les jeunes ne représenteront alors que 18 % de la population canadienne. Le faible taux de natalité est la principale cause du vieillissement de la population au Canada et au Québec. La Figure 4.13 montre que ce taux a décliné considérablement depuis 1961.

figure 4.12 **Population du Canada (en pourcentage) par groupe d'âge**

	1996	2006	2016
Moins de 20 ans	26,8 %	23,8 %	20,8 %
20-34 ans	22,9	20,4	20,1
35-49 ans	24,0	24,0	20,6
50-64 ans	14,1	18,6	22,0
65 ans et plus	12,1	13,2	16,5

Source : Statistique Canada, *Recueil statistique des études de marché,* 1998.

Pendant des décennies, le Québec a joué un rôle de chef de file en ce qui a trait au taux de natalité au Canada. Les valeurs religieuses partagées par la majorité des Québécois favorisaient la famille nombreuse. Avec la révolution tranquille et l'avènement des moyens de contraception, la position du Québec a changé de façon remarquable. Jusqu'en 1988, le Québec possédait le plus faible taux de natalité des provinces canadiennes, ce qui a eu pour conséquence de diminuer son poids démographique. De 25,5 % qu'il était en 1989, il passera à 23,0 % en 2016. Au Québec, l'indice de fécondité, c'est-à-dire le nombre moyen d'enfants par femme, était de 1,48 en 1998, soit en-deça de l'indice requis pour le renouvellement des générations (2,1).

figure 4.13 **Taux de natalité au Canada et au Québec (par 1 000 habitants)**

	1961	1971	1984	1989	1991	1996
Canada	26,1	16,1	15,0	14,4	14,3	12,2
Québec	26,1	14,8	13,4	13,0	13,7	11,6

Source : Statistique Canada cat. 63-224, cat. 91-002, cat. 91-209.

Par ailleurs, la population ethnique canadienne est en forte croissance. Entre 1991 et 1996, la population immigrante du Canada a augmenté de 14,5 %, ce qui représente une croissance trois fois plus grande que celle de la population d'origine canadienne. Avant 1991, les immigrants venaient principalement d'Europe. Maintenant, les immigrants en provenance d'Asie (Chine, Inde, Philippines) dépassent en nombre ceux qui arrivent d'Europe. Les immigrants latino-américains sont de plus en plus nombreux. En 1996, le Canada a accueilli 225 266 immigrants, une augmentation de 6,8 % par rapport à l'année précédente. Les immigrants sont principalement asiatiques, européens et latino-américains. En 1996, 53,3 % d'entre eux s'établissaient en Ontario contre 12,1 % seulement au Québec, et 23,2 % en Colombie-Britanique.

Pendant les années 90, la population canadienne a connu une croissance annuelle de 1 % grâce à l'immigration et au nombre élevé de couples en âge d'avoir des enfants. Que réserve l'avenir ? La population sera-t-elle décroissante (1.5 enfant par femme), stationnaire (2 enfants par femme), à croissance modérée (2.5 enfants par femme) ou à croissance cyclique ? Si la population croît au rythme actuel, le Canada comptera plus de 40 millions d'habitants en 2050.

Les consommateurs

L'arrivée à l'âge adulte des enfants du « baby boom » a eu un impact notable sur la structure des ménages. Leur mode de vie particulier et leurs valeurs font qu'ils ont moins tendance à se marier que la génération les ayant précédés. Ceux qui se marient le font à un âge plus tardif et les divorces sont plus fréquents. On assiste donc à une fragmentation des familles qui sont de plus en plus nombreuses, petites et monoparentales. En 1961, la taille moyenne des ménages canadiens était de 4 personnes. Statistique Canada a établi cette moyenne à 3 en 1996. La présence d'un grand nombre de célibataires d'âge adulte (42,6 % de canadiens en 1991) a eu des effets favorables sur la vente des biens durables (meubles, automobiles, etc.) et semi-durables (électro-ménagers). Mais avec le vieillissement de la population, on peut prévoir que la demande pour ces produits va baisser.

En 1996, les revenus annuels disponibles des canadiens s'établissaient à 17 131 $ (15 773 $ au Québec). Comme le montre la Figure 4.14, l'utilisation que font les canadiens de leurs revenus personnels s'est modifiée depuis 1975. L'impôt direct a augmenté pour atteindre 23 % du revenu personnel en 1991, ce qui a entraîné une diminution de 2,9 % des dépenses de consommation, tandis que l'épargne diminuait de 2,3 %.

figure 4.14 **Utilisation du revenu personnel des canadiens**

	1975	1985	1989	1991
Revenus personnels	138 578	401 983	549 191	607 354
Impôts directs (%)	18,2	19,5	21,4	23,8
Épargne (%)	10,2	10,9	8,3	7,9
Dépenses de consommation (%)	70,4	68,3	68,8	67,5

Source : Statistiques Canada, catalogue 63-224.

figure 4.15 **Répartition des dépenses de consommation des canadiens (en %)**

Poste de dépenses	1969	1978	1982	1986	1992	1996
Alimentation	18,9	17,0	15,3	14,3	12,6	12,2
Logement	15,8	16,5	17,5	16,1	17,9	17,3
Entretien ménager, ameublement	7,9	8,3	7,9	7,9	7,4	7,2
Habillement	8,8	7,2	6,1	6,3	4,9	4,3
Transport	12,5	13,0	12,1	13,2	12,5	12,3
Soins personnels et de santé	5,5	3,7	3,7	3,7	3,8	3,8
Loisirs, lecture	4,7	5,7	5,3	5,6	5,6	5,9
Éducation	0,9	0,6	0,7	0,8	1,0	1,1
Tabac et alcool	3,8	3,3	3,3	3,2	3,2	2,3
Divers	1,6	2,5	2,9	2,6	2,9	2,9
Total des dépenses	80,4	77,7	74,8	73,9	71,7	69,4
Impôts personnels	12,6	15,5	17,9	18,5	20,1	21,8
Sécurité, assurances	4,4	4,2	4,3	4,5	5,1	5,3
Dons et contributions	2,7	2,5	3,0	3,2	3,2	3,5

Source : Statistique Canada, catalogue 62-555, page 23.

La Figure 4.15 présente l'évolution de la structure des dépenses de consommation des canadiens entre 1969 et 1996. On constate que la part affectée à l'alimentation a diminué et que celle associée au logement est demeurée à peu près constante. La portion des dépenses affectée à l'éducation a augmenté de façon notable. Celle affectée à l'habillement et aux articles et accessoires d'ameublement a par contre diminué significativement.

Le mode de vie des Canadiens et des Québécois est axé en grande partie sur la consommation. La Figure 4.16 présente le taux de pénétration de certains produits de consommation au Canada et au Québec. On prévoit que les produits de divertissement à la maison (lecteurs de disques au laser, téléviseurs stéréo, magnétoscopes, jeux vidéo, etc.) et les articles ménagers (fours à micro-ondes, lave-vaisselle automatiques) augmenteront leur présence significativement d'ici l'an 2010. Il en sera de même pour les produits de type équipement de bureau : les télécopieurs, les téléphones cellulaires et les ordinateurs se retrouveront de plus en plus dans les foyers canadiens.

figure 4.16 **Taux de pénétration (en %) de certains produits de consommation**

	Canada			Québec		
	1987	**1992**	**1997**	**1987**	**1992**	**1997**
Lave-vaisselle automatique	39,1	43,7	48,5	41,9	46,5	48,5
Machine à laver électrique	75,6	77,7	79,7	83,4	84,4	85,8
Sécheuse	68,6	73,2	76,7	75,7	77,8	81,8
Téléphone cellulaire	—	—	18,6	—	—	9,8
Télé couleur	94,3	97,4	98,7	94,5	97,9	99,3
Magnétoscope	45,4	73,6	84,7	43,6	69,1	80,4
Caméscope	—	10,1	17,7	—	8,6	13,8
Lecteur de disque compact	—	27,1	58,1	—	23,5	54,5
Ordinateur personnel	—	20,0	36,0	—	15,4	27,7

Source : Statistique Canada, catalogue 64-202 (1987, 1992, 1997).

EXERCICES ET SUJETS DE RÉFLEXION

1. « *La segmentation de marché mène à la prolifération des produits et des marques qui remplissent essentiellement les mêmes fonctions et, par conséquent, au gaspillage des ressources.* » Commentez.

2. La firme *Vidéo et débats inc.* songe à de nouvelles formes de distribution des vidéocassettes de films qu'on peut louer. Elle a d'abord effectué des études qui ont montré que certains consommateurs aimeraient louer des cassettes « pour adultes seulement », mais qu'ils n'osent pas se rendre dans un club vidéo ou chez un dépanneur, de peur d'être remarqués. D'autres consommateurs ont mentionné qu'ils seraient prêts à payer plus cher pour pouvoir visionner des films plus récents. Quelles sont, à votre avis, les occasions de segmentation de marché pour cette firme ? Comment peut-elle mettre à profit ces occasions ?

3. Qu'est-ce qui fait que la demande d'un produit est élastique ou inélastique ? Donnez des exemples.

4. Au chapitre 2, nous avons discuté de l'impact des facteurs situationnels sur le comportement d'achat. Quelles leçons utiles pour la segmentation de marché peut-on tirer de cette discussion ?

5. On vous a demandé de conduire une étude de segmentation de marché pour la firme qui commercialise le *« homard »*. Des deux approches discutées dans ce chapitre, pour segmenter un marché (induction versus déduction), laquelle vous semble préférable pour votre étude et pourquoi ? Expliquez clairement comment vous allez procéder.

6. L'annexe de ce chapitre présente diverses informations statistiques sur les marché canadien et québécois. À votre avis, quelles sont les informations les plus importantes pour les responsables du marketing ? Quelles occasions de marketing ces informations suggèrent-elles ?

CAS-DISCUSSION

Vacances au soleil*

Le 10 septembre 1993, Christian Rojas, président de *Les voyages Rojas inc.*, une importante agence de voyages à Ottawa, examine les résultats d'une enquête effectuée pour le compte de son entreprise par une firme torontoise de conseil en marketing. Cette étude avait pour objectif de décrire et, si possible, de segmenter le marché des consommateurs de destinations soleil de la région d'Ottawa.

* Bien que ce cas soit fictif, l'étude présentée est réelle et les résultats sont décrits dans l'article suivant : Sadrudin A. Ahmed, Alain d'Astous et Étienne Bastin, « Canadian Winter Vacationers to Sun Destinations : Who Are They ? », *Congrès annuel de l'Association des sciences administratives du Canada*, Lac Louise, Alberta, 1993.

Pourquoi cette étude? Rojas sait bien que les voyages domestiques et internationaux représentent une des industries les plus importantes au monde. Avec le vieillissement de la population, de plus en plus de canadiens voudront prendre des vacances au soleil durant l'hiver. Il est donc primordial de connaître et de comprendre le marché des vacanciers du soleil. L'entreprise *Les voyages Rojas inc.* entend bien s'accaparer une part importante de ce marché.

L'étude fut conduite auprès de 922 consommateurs. Seuls les individus ayant déjà effectué un court voyage dans le sud durant l'hiver ou ayant l'intention d'en faire un éventuellement furent interrogés. Afin de segmenter le marché, on a décidé d'utiliser l'approche de segmentation par bénéfices recherchés. L'annexe présente la liste des aspects touristiques considérés par les chercheurs. Les consommateurs devaient indiquer l'importance qu'ils accordaient à chacun.

En examinant les réponses des participants à l'enquête, les chercheurs ont identifié les quatre segments suivants :

Segment nº 1 : « *Les types Club Med* »
Ce segment représente 16 % du marché. Il est constitué d'individus très scolarisés et bilingues, en majorité des jeunes hommes sans enfant. Ils recherchent l'aventure bien organisée et sont influencés surtout par les dépliants publicitaires, les parents et les amis. Ils aiment varier leurs destinations (Mexique, Colombie) mais préfèrent visiter des pays prospères (par ex. Hawaii).

Segment nº 2 : « *Les friands d'expériences variées* »
Ce segment représente 38 % du marché. Il est composé en majorité de jeunes femmes, mariées ou non et sans enfant. Les membres de ce segment recherchent la variété (divertissements, cuisine exotique, festivals, etc.). Bien qu'ils utilisent plusieurs sources d'informations pour faire le choix d'une destination, clubs, amis et parents, magazines et articles de journaux, programmes de radio, bureaux de tourisme, agences de voyages et guides touristiques, ils sont particulièrement intéressés par les brochures et les publicités.

Segment n° 3 : *« Les voyageurs sédentaires »*
Ce segment représente 37 % du marché. Ce sont en majorité des gens mariés, hommes et femmes de tous les âges. Ils recherchent la tranquillité et le confort, et préfèrent les endroits qui leur sont familiers. Ils sont surtout influencés par les brochures et n'aiment pas les destinations comme Cuba, Haïti, la Colombie, le Venezuela et la République Dominicaine à cause du climat politique et de la pauvreté.

Segment n° 4 : *« Les aventuriers de la culture »*
Ce segment représente 9 % du marché. Il est composé en majorité d'hommes et de femmes célibataires hautement scolarisés. Ces consommateurs sont pour la plupart bilingues et plusieurs d'entre eux parlent des langues étrangères. Ils recherchent principalement les attractions culturelles (paysages, gens, exotisme) et ont tendance à ne pas utiliser des sources externes d'informations, sauf peut-être les articles de revues et de journaux. Ils sont prêts à visiter les endroits les plus exotiques et sont beaucoup moins enclins à aller en Floride.

« *Que dois-je faire maintenant* ?, songe Christian Rojas. *Cette étude m'a coûté cher et je tiens à faire fructifier mon investissement. Est-ce que je dois me concentrer sur un ou quelques segments particuliers et oublier les autres ? Dois-je plutôt viser tous les segments ? Où est mon livre de marketing* ? ».

QUESTIONS

1. Quelles implications ces résultats ont-ils pour *Les voyages Rojas inc.* ?
2. De quelles informations additionnelles Christian Rojas aurait-il besoin pour élaborer son action marketing dans ce marché ?
3. La liste des bénéfices recherchés établie par les chercheurs vous semble-t-elle complète ? Dans la pratique, comment établit-on une telle liste ?

4. Y a-t-il d'autres méthodes pour segmenter le marché des consommateurs de destinations soleil ? Lesquelles ? Vous semblent-elles préférables à l'approche adoptée par les chercheurs engagés par Rojas ? Pourquoi ?

Annexe II

Liste des bénéfices recherchés pris en compte dans l'étude.

1. Les sports aquatiques, incluant la pêche.
2. La beauté du paysage.
3. Le risque politique ou social.
4. L'attitude des gens du pays envers les touristes.
5. La propreté.
6. La possibilité de faire l'achat d'un forfait peu dispendieux.
7. Visiter les lieux.
8. Les casinos.
9. Le danger des maladies.
10. Les attractions culturelles.
11. La chance de se reposer et de relaxer.
12. La plage.
13. Le climat.
14. Les types de restaurants disponibles.
15. Le « night life ».
16. Connaître de nouvelles personnes et leurs coutumes.
17. La cuisine locale.
18. Les types d'hôtels.
19. L'environnement exotique.
20. Le coût du voyage.
21. Atteindre la destination avec facilité.
22. Connaître le pays visité.
23. Le coût du voyage.
24. La langue parlée par les gens du pays visité.
25. Le magasinage.
26. Bénéficier d'une protection contre les pauvres et les mendiants.
27. Les festivals locaux.
28. Les parcs d'amusement.
29. La criminalité et le vol.
30. En avoir pour son argent.

NOTES

1. Cette section s'inspire en partie de Jean-Jacques Lambin et Robert Peeters *La gestion marketing des entreprises*, Paris, Presses Universitaires de France, 1977, chapitre 4.
2. Pour une démonstration de ceci (qui requiert cependant quelques notions de mathématiques), voir J.M. Henderson et R.E. Quandt, *Microeconomic Theory, A Mathematical Approach*, 3e édition, New York, Mc Graw-Hill, 1980, pp. 181-185.
3. Voir aussi Yoram Wind, « Issues and Advances in Segmentation Research », *Journal of Marketing Research*, vol. 15, août 1978, pp. 317-337.
4. Cette étude est décrite en détail dans Shirley Young, Leland Ott et Barbara Feigin, « Some Practical Considerations in Market Segmentation », *Journal of Marketing Research*, vol. 15, août 1978, pp. 405-412.
5. Cette méthode de segmentation est présentée dans Russel I. Haley, « Benefit Segmentation : A Decision-Oriented Approach », *Journal of Marketing*, 32, juillet 1968, pp.30-35. Pour une description d'une méthode différente de segmentation par induction, voir Alain d'Astous et Benny Rigaux-Bricmont, « Functional/Structural Market Segmentation Using Conjoint Analysis » *Business Journal*, 4, automne 1987, pp. 28-33.
6. Voir Yany Grégoire et Jacques Nantel, « Une segmentation de la clientèle des centres commerciaux », *Gestion*, 23, été 1998, pp. 45-54. Cet article donne plusieurs détails méthodologiques utiles pour quiconque veut en connaître davantage sur les méthodes de segmentation par induction.
7. Voir Alain d'Astous, *Introduction à l'analyse des données issues d'une enquête*, Montréal, Guérin éditeur, 1993, pp 170-174.
8. Ries A. et Trout J., *Positionning: the battle for your mind*, Warner Books, 1993.
9. D'Aveni R., *Hypercompetition*, Free Press, 1994.

NOTES

Chapitre 5

Les produits et la concurrence

Imaginons que le marketing soit un film. Nous en avons déjà introduit l'acteur principal : le **consommateur**, mais comme il s'agit d'un film à grand déploiement, il y a un grand nombre de consommateurs, chacun avec son propre style, ses désirs, ses préférences. Ils forment des **marchés** qui créent une **demande**.

Il nous manque encore deux ingrédients essentiels pour faire un bon film du marketing : des **produits**, objets de la demande et des désirs des consommateurs, et des **concurrents** pour donner au tout un élément dramatique, car dans le film du marketing, il y aura des gagnants et des perdants. Toutes les entreprises concurrentes n'auront pas la faveur du public, même si chacune essaie de commercialiser le meilleur produit possible étant donné sa perception du marché.

Dans le processus de développement commercial de l'entreprise, le produit constitue l'étape intermédiaire inévitable entre l'idée et l'action. Il est la concrétisation d'une idée ainsi qu'on l'a vu au premier chapitre de ce livre; il est aussi le fer de lance de l'action de marketing. Les entreprises se font concurrence en offrant sur le marché plusieurs produits entre lesquels le consommateur doit choisir. C'est ce choix qui déterminera l'issue du film. Qui seront les gagnants? Qui seront les perdants? Quoi qu'il en soit, la concurrence sera vive.

Le concept de produit

Au sens strict, un produit est un bien tangible, par opposition à des offres intangibles que sont les services ou les technologies.

Au sens large, un produit est ce qu'une entreprise met en marché. Rappelons la définition donnée au premier chapitre :

Produit : Promesse de satisfaction d'un besoin ou d'un désir d'un client, susceptible d'être vendue ou de servir de base à un échange.

La définition ci-dessus englobe tous les types d'offres qu'une entreprise est susceptible de faire. Ainsi, au sens élargi du marketing, le service offert par une carte de crédit, un repas de restaurant et une plateforme électorale sont des produits au même titre qu'une automobile, un marteau ou un téléviseur. Par extension, on en vient à considérer que des lieux (boutiques, magasins, destinations de vacances), des personnes (vedettes, politiciens), des organisations (clubs, associations) et des idées (libre-échange, Droits de l'Homme, écologie) puissent devenir des produits dans la mesure où ils correspondent à la définition ci-dessus : ils constituent des promesses de satisfaction susceptibles d'être vendues ou de servir de base à un échange. On conçoit alors que la satisfaction d'un besoin va au-delà de l'acte de consommation ou d'utilisation de produit. Dans une conception élargie du marketing, la satisfaction est le fruit d'une réponse satisfaisante à des besoins qui ne sont pas toujours exprimés. Par exemple, un consommateur peut être amené à magasiner chez *Costco* plutôt que chez *Wal-Mart*, ou inversement, parce qu'il y préfère l'ambiance, la localisation ou l'attention des employés. Le magasin plus que la marchandise offerte devient alors un « produit ». De la même façon, on est souvent amené à acheter un bien ou un service à cause de sa marque ou des associations d'idées qu'il nous suggère. Le produit *Chanel n° 5* est bien plus que quelques onces d'alcool parfumé : c'est une projection de moments satisfaisants, une évocation d'un mode de vie et une image de Catherine Deneuve dans un *spot* publicitaire. Du point de vue du marketing, il est intéressant de distinguer le **produit tangible** de ses **attributs intangibles**.

Les quelques onces d'alcool parfumé dans le flacon constituent le produit tangible *Chanel n° 5*, mais ce sont en fait les attributs intangibles du produit, c'est-à-dire les évocations qu'il suscite, les associations d'idées, les sentiments et les croyances attachées à l'achat, l'offre ou la consommation du produit qui lui donnent toute sa valeur aux yeux des acheteurs.

Tous les attributs du produit, tangibles ou intangibles, sont importants du point de vue du marketing, c'est pourquoi les manufacturiers et les vendeurs cherchent à mettre en valeur toutes les composantes stratégiques du produit.

Les composantes stratégiques du produit

Les composantes stratégiques du produit sont les attributs du produit qui lui confèrent de la valeur aux yeux des acheteurs et font qu'en définitive il se vende.

Ce sont :

- **le design**
- **la qualité**
- **le conditionnement**
- **la marque**
- **la garantie**
- **le service**

Ces attributs seront évalués par le client de deux manières : 1/ de façon absolue, c'est-à-dire qu'il jugera si chaque attribut lui plaît ou non, et 2/ de façon relative, c'est-à-dire par comparaison avec d'autres produits afin d'en arriver à une préférence.

Le design

Qui d'entre nous n'a acheté un produit plutôt qu'un autre parce que sa forme, ses couleurs, ses attributs esthétiques nous plaisaient davantage ? Dans notre société de consommation caractérisée par la multiplicité des biens, le **design** a pour objet de créer une préférence chez le consommateur en faisant appel à son sens esthétique. Cependant, le design n'est pas confiné au domaine des biens de consommation. Le *designer industriel* a non seulement pour tâche de concevoir un produit aux formes agréables mais encore un produit durable, fiable, et facile à fabriquer à un coût acceptable. C'est au stade du design que sont prises la majorité des décisions affectant le coût de production : choix des matériaux, forme, résistance, etc.

Le design assisté par ordinateur ou C.A.D. *(computer aided design)*, permet au **designer** de modifier instantanément un prototype et d'analyser l'impact des modifications sur toutes les variables de production.

Une erreur de design peut être fatale du point de vue du marketing : en 1989, un fabricant de lits pour enfants, lits surélevés avec barreaux en bois, eût la malencontreuse idée de placer un motif décoratif au sommet des quatre piliers du lit. Après qu'un enfant se fut accroché par ses vêtements à un motif et soit mort étouffé en essayant de se libérer, la compagnie fut mise en demeure de retirer tous ses lits du marché et fit promptement faillite.

Du point de vue du design, le produit idéal est à la fois **fonctionnel** et **esthétique**. Malheureusement, le designer sacrifie parfois le fonctionnel à l'esthétique ou *vice-versa* : les grosses automobiles des années '50 avec des ailes protubérantes étaient très esthétiques, d'après le goût de l'époque, mais elles étaient peu fonctionnelles (lourdes). Inversement, vous connaissez sans doute des automobiles qui ont beaucoup de qualités mécaniques mais dont le design est peu attrayant.

Longtemps confiné au domaine des biens de consommation, le design revêt aujourd'hui une importance considérable dans le domaine industriel, d'abord pour des raisons d'ergonomie*, mais aussi en raison de l'avantage concurrentiel que procure un design esthétique dans le domaine de l'équipement industriel. Il n'en demeure pas moins vrai que les designers les plus célèbres œuvrent dans le domaine du prêt-à-porter, de la bijouterie, des automobiles, de la décoration, bref, de façon générale, dans les domaines des produits qui sont censés refléter la personnalité ou le goût de celui qui les montre. Quels sont les noms qui vous viennent à l'esprit ?

Le design se préoccupe de la couleur et du style, de la forme, de la taille du produit ainsi que de la technologie et des matériaux de production. Voici quelques exemples, à vous d'en trouver d'autres :

style et forme : chaque marque de parfums a un style distinctif de flacon; d'aucuns optent pour des flacons angulaires, d'autres pour des flacons ovales, cylindriques, etc.

couleur : les couleurs unies de *Benneton*, le rouge et le vert de *Gucci*, etc.

taille : la firme *Sun-Maid* a multiplié ses ventes par 20 en introduisant sur le marché des petits paquets de 2 onces (14,1 g) de raisins secs de Californie. Cette taille rend le produit attrayant pour un *snack* ou comme collation dans la boîte à lunch des écoliers.

technologie & matériaux : selon que vous achetiez une raquette de tennis en aluminium, en fibre de carbone ou en matériaux composites, on vous offrira toute une gamme de formes, de tailles, de couleurs… et de promesses de performances du fond du court, au service ou à la volée. Peut-être devriez-vous envisager d'acheter plusieurs raquettes…

* Ergonomie : adaptation du design des machines de façon à en faciliter l'usage par les opérateurs. L'ergonomie se réfère plus généralement à l'adaptation de la machine à l'homme.

La qualité

De tous les attributs qui déterminent la valeur perçue d'un produit, la qualité est sans doute le plus difficile à cerner. Qu'est-ce qu'un produit de qualité? Bien sûr, c'est un produit qui répond adéquatement à l'usage auquel il est destiné. Mais doit-il aller au-delà? Considérez l'exemple suivant : vous voulez acquérir un bloc-notes pour y écrire vos listes de magasinage ou pour prendre des notes de cours; vous avez le choix entre un bloc de papier à lettres ou de papier brouillon. Quel est le produit de meilleure qualité? Intrinsèquement, le papier à lettres est de qualité supérieure, mais pour l'usage que vous allez en faire, le papier brouillon est de qualité suffisante. Du point de vue du marketing, la qualité doit donc être perçue en termes relatifs à l'usage qui est fait du produit. En ce sens, il n'y a pas de bonne et de mauvaise qualité, mais seulement des qualités inférieures, suffisantes ou supérieures, étant donné l'usage qu'il sera fait du produit. Dans le service, la **satisfaction** du client implique la qualité du service, ainsi à l'*Assurance vie Desjardins-Laurentienne*, on mesure régulièrement les écarts perçus par les clients entre service attendu et service reçu. Un écart nul signifie que le client est satisfait de la qualité du service. Cette conception de la qualité diffère de celle qui est couramment admise en production où la qualité est évaluée en termes absolus (« zéro-défaut ») ou d'après des critères physiques (poids, résistance, fiabilité, etc.).

Il existe deux notions de qualité : la **conformité** et la **supériorité**, toutes deux susceptibles de fournir à l'entreprise un avantage concurrentiel[1] :

- la première consiste à offrir des produits qui satisfont mieux ou à moindre coût les **spécifications** exigées par les clients;
- la deuxième consiste à offrir des spécifications et des normes de services qui satisfont les **besoins** des clients mieux que celles des concurrents.

Dans les deux cas, la qualité réside dans la **différenciation** :

différenciation par le coût ←————→ conformité
différenciation par la qualité perçue ←————→ supériorité

La qualité détermine la valeur perçue et finalement la compétitivité de l'entreprise. Nous reviendrons sur ce point au chapitre 7.

L'**analyse de la valeur** fait converger les deux conceptions de la qualité. Il s'agit d'une technique d'analyse critique des ingrédients et composants d'un produit visant à produire un article ayant juste la qualité suffisante (au sens du marketing) pour l'usage auquel il est destiné. Par l'analyse de la valeur, on essaie de fabriquer un produit commercialement adéquat, au moindre coût de production.

La qualité est donc à la fois une question de production et de marketing. Dans cette dernière perspective, elle est essentiellement relative à l'usage qu'il est fait du produit et aux goûts et aux convictions de l'utilisateur. Pensez aux détergents : la qualité se mesure-t-elle à l'efficacité du lavage ou au contenu bio-détersif, c'est-à-dire à l'effet du produit sur l'environnement ? L'idéal serait évidemment un produit qui lave bien sans endommager l'environnement… mais s'il fallait choisir entre ces deux qualités, laquelle choisiriez-vous ?

Le conditionnement

Par conditionnement, on entend l'emballage et les conditions de manipulation du produit depuis le lieu de production jusqu'aux points de vente. Ainsi, le conditionnement d'un produit peut passer par plusieurs étapes selon le fractionnement qu'il subit entre l'usine de production (expédition en vrac, en conteneurs) et le magasin de vente au détail (emballage individuel). Pour certains produits périssables, le conditionnement peut requérir l'entreposage dans des endroits réfrigérés (ex. : jus de fruit) ou à l'abri de la chaleur ou de la lumière (ex. : matériel de développement photographique). L'emballage fait partie du produit. Il influe sur la perception de l'acheteur au même titre que le design, la marque et les autres composantes stratégiques du produit. On a vu qu'un bon design est à la fois esthétique et fonctionnel, un bon emballage lui est à la fois **vendeur** et **commode** : 1/ **vendeur**, du point de vue du détaillant, qui s'attend à ce que l'emballage « vende » le produit en attirant l'attention sur lui, en mettant la marque en valeur, en créant une impression favorable, et en donnant au client l'information qu'il recherche sur le produit*, par exemple, la liste des ingrédients, le mode d'emploi, les contre-indications (dans le cas des médicaments). Parfois l'innovation du produit porte sur l'emballage qui devient un argument de vente majeur ; pensez par exemple au vinier, ce contenant de 4 litres de vin, muni d'un robinet ; 2/ **commode**, à la fois du point de vue du détaillant et de l'acheteur. Le détaillant doit souvent stocker le produit, il veut donc des emballages résistants et des formats faciles à empiler (des boîtes cubiques sont plus faciles à stocker que des formes cylindriques, coniques ou sphériques). L'acheteur recherche non seulement un emballage résistant, mais encore la facilité de transport, d'usage et de conservation.

L'apparence et la qualité de l'emballage doivent refléter et renforcer l'image du produit. Cela peut conduire à certains excès et l'on trouve sur le marché des produits sur-emballés, c'est-à-dire dont le coût total est excessif en raison de

---

* Au Québec, la Loi 101 exige que cette information apparaisse en français et qu'aucune autre langue n'occupe plus d'espace que le français sur l'emballage.

l'emballage. En moyenne, dans l'industrie alimentaire, les coûts d'emballage s'élèvent à 22 % des revenus de vente. Toutefois, l'emballage ne représente pas que des coûts, il permet de faire des économies au niveau du produit en évitant sa détérioration, au niveau du stockage et au niveau de la manipulation.

L'**étiquette** est une partie importante de l'emballage qui facilite le repérage du produit (prix, poids, date d'expiration, etc.) et la transaction, en particulier lorsqu'on utilise un **code universel** (code d'identification formé de chiffres et de lignes noires et blanches, déchiffrables par un lecteur optique relié à une caisse enregistreuse).

L'emballage pose un problème au niveau de la société. Cartons, bouteilles, films de polyuréthane et de papier d'aluminium encombrent notre paysage quotidien et représentent près de 1 % des déchets solides accumulés au Canada. Certains sont ni recyclables ni bio-dégradables. Les Canadiens jettent 55 millions de sacs en plastique par semaine. L'emballage pose un problème écologique.

La marque

La marque d'un produit permet de l'identifier, de le distinguer de ses concurrents et, pour le fabricant, de créer une image de qualité à la fois du produit et de la compagnie qui le met en marché.

Marque : Nom, terme, symbole, dessin ou combinaison de ces éléments servant à identifier les produits ou les services d'une entreprise ou d'un groupe de vendeurs afin de les différencier des produits concurrents.

La marque englobe à la fois le **nom commercial** et l'**emblème commercial**. Il convient de se familiariser avec ces termes : le **nom commercial** ou **marque de commerce** se veut la partie de la marque désignée oralement. Il peut s'agir d'un mot, d'une lettre ou d'un groupe de mots ou de lettres : *Yoplait*, *La belle fermière*, *Magasin « M » et Chanel n° 5* en sont tous des exemples. L'**emblème commercial** est la partie de la marque qui ne peut être prononcée (dessin, symbole, logotype, couleur, lettrage) mais qui sert toutefois à identifier la marque. En effet, qui ne reconnaît le graphisme de *Coca-Cola*, le bonhomme *Michelin*, le crocodile des chemises *Lacoste* ou l'écusson du club des *Canadiens de Montréal*.

Ajoutons à ce vocabulaire le terme de **marque déposée**. La **marque déposée** (que l'on identifie par les sigles M.D., T.M., R, M.C.*) est la marque ou une partie de celle-ci qui est protégée par la loi et qui confère un droit d'exclusivité à l'entreprise qui la commercialise. La marque déposée est enregistrée au bureau fédéral des marques et brevets et est effective pour une période de 15 ans, renouvelable.

La plupart des produits industriels et pratiquement tous les produits de consommation portent une marque, même la volaille (ex. : *O'Grain*, *Flamingo*) et les fruits (ex. : *Sunkist*, *Chiquita*, *Turbana*). Cependant, une marque coûte cher à faire connaître et à entretenir dans l'esprit du public au moyen de la publicité, et c'est le consommateur qui en fin de compte paye les coûts relatifs à la gestion de la marque. De cette constatation naquit l'idée des **produits sans marque** lancés à la fin des années '70 par deux chaînes de supermarchés, l'une en France *(Carrefour)*, l'autre aux États-Unis *(Jewel Food Store)*, bientôt imitées au Canada par *Dominion* et *Loblaws*. Connus sous les noms de « **produits libres** », « **sans nom** » ou « **génériques** » les produits sans marque attirent une clientèle désireuse d'acquérir des articles de qualité sans payer pour la marque. Le paradoxe cependant est qu'il faut faire connaître ces produits par la publicité ; finalement, la firme *Loblaws* qui offre plus de 500 produits sans nom a déposé les marques *sans nom* et *no name*, les convertissant ainsi en de véritables noms commerciaux.

Un autre paradoxe guette les marques à succès. Leur réussite peut les convertir en nom générique. Ainsi, bien des gens utilisent les noms « Frigidaire », « Kleenex » ou « Tampax » comme des mots génériques, alors qu'il s'agit de marques de fabrique.

Il faut aussi distinguer entre deux grands types de marques : les **marques de fabrique** (ou « **marques nationales** ») et les **marques privées**. Un fabricant peut en effet choisir de commercialiser ses produits sous son nom (nom de fabrique) ou de le vendre à un distributeur qui y apposera sa propre marque (marque privée).

Exemples de marques de fabrique :	*IBM, Kodak, Heinz.*
Exemples de marques privées :	*Beaumont (La Baie), Kenmore (Sears), Zel (Provigo).*

Enfin, un fabricant peut utiliser son propre nom sur tous ses produits (ex. : *Sony*, *Philips*), créer des marques différentes pour chaque ligne de produits (la

* MD = marque déposée, angl. : TM = trade *mark* ou R = *registrer trade mark*, MC = marque commerciale.

même entreprise *Greb* vend des chaussures de travail sous la marque *Kodiak*, des chaussures de sport sous le nom de *Hush Puppies* et les patins de hockey *Bauer*), ou associer son nom corporatif à plusieurs noms de produits ou de gammes : ainsi les véhicules *Camaro* sont fabriqués par la division *Chevrolet* de *General Motors*, et *Quaker Oats* prend soin de rassurer les consommateurs de *Life* ou *Cap'n Crunch* en leur rappelant sur l'emballage qu'il s'agit de produits de *Quaker Oats* garantis par la figure bienveillante du quaker sous son chapeau traditionnel.

Outil 5.1

À vos marques !

Le choix d'un bon nom de marque est une étape importante de la commercialisation d'un produit. Aussi faut-il aborder cette étape avec le plus grand soin. Voici trois règles simples qui permettent de choisir un nom de marque approprié.

Règle 1 : de préférence, le nom choisi doit communiquer le ou les bénéfices clés du produit ou du service. Par exemple, *Ultra-Brite, Monsieur Net, Audi Quattro, Head & Shoulders, Easy-Off.*

Règle 2 : le nom doit être différent de celui des concurrents, à moins qu'il s'agisse d'un produit d'imitation (ex. *Zel Up*). Savez-vous différencier facilement les enseignes *Réno-Dépôt* et *Rona L'entrepôt* ?

Règle 3 : le nom doit être facile à prononcer et à retenir. Pas plus de 2 à 3 syllabes : *Compaq, Sony, Lexus,* etc. Les noms de compagnie sont souvent complexes ; dans ce cas, utilisez plutôt un acronyme : *KLM* (Köninklijke Luchtwaart Maatschappij N.V.), *Quantas* (Queensland and Northern Territories Airline System).

Dans le doute, choisissez un nom qui ne veuille rien dire, mais qui sonne bien… dans toutes les langues. Ex : *Bic* (dérivé du nom du fondateur Marcel Bich)

La garantie

La loi considère que tout produit mis en marché est *implicitement* garanti par le manufacturier. Cependant, la garantie implicite est mal définie quant à son étendue et à sa durée. Il est donc préférable, autant pour le fabricant que pour le consommateur, de formuler *explicitement*, par écrit, la garantie du produit.

La garantie est une composante stratégique du produit lorsque ce dernier a un prix élevé, fait l'objet d'achats peu fréquents, est difficile à juger objectivement (produits complexes), est acheté sans être vu (ex. : achat par correspondance) ou encore provient d'un manufacturier peu connu. Dans tous ces cas, l'acheteur est mis en confiance par une garantie explicite et facile à comprendre.

Au cours de la dernière décennie, la garantie est devenue un argument de vente majeur de certains produits — pensez aux pneus et aux automobiles — et une bonne opportunité de profits supplémentaires par la vente de **plans de garantie additionnelle**, c'est-à-dire de contrats de garantie vendus en plus du produit lui-même. Le consommateur est invité à lire attentivement la plupart de ces plans de garantie avant de signer : que couvre exactement la garantie ? quelle est la probabilité et la fréquence prévisible des pannes ? quel serait le coût normal de réparation hors garantie ?

Le service

En marketing, il convient de faire la distinction entre le service et les services. On appelle services, au pluriel, les biens intangibles pouvant faire l'objet de commercialisation : assurances, consultation, services funéraires, bancaires, etc. Le service, au singulier, se réfère au **service au consommateur**, c'est-à-dire à l'attention que prête le vendeur ou le détaillant à l'acheteur avant, pendant et après l'achat.

Exemples :

avant l'achat : l'agent d'*Assurance vie Desjardins-Laurentienne* établit avec ses clients potentiels un état de leur situation financière et des besoins financiers de leurs personnes à charge, en cas de décès. Un programme informatique permet de poser les bonnes questions au client et de dessiner avec lui un plan d'assurance vie sur mesure, correspondant à ses besoins.

pendant l'achat : la tendance du commerce de détail vers les grandes surfaces de vente, les supermarchés (plus de 400 m^2 de surface de vente) et les hypermarchés (plus de 2 500 m^2) alliée à l'essor du libre-service, tend à déshumaniser l'acte d'achat. Nombre de consommateurs recherchent un contact humain avec le personnel de vente, que ce soit en quête d'un conseil de bricolage chez *Réno Dépôt* ou d'un mot de sympathie pour un malade qui espère « trouver de tout chez *Jean Coutu*, même un ami », comme le fait remarquer la publicité.

Le service personnalisé, le contact humain, le sourire et l'entregent du personnel de vente sont des atouts concurrentiels qui font la différence dans un monde compétitif où les produits et les prix sont souvent similaires. Le personnel de vente est là pour nous rappeler que le marketing est une activité humaine au **service** de la collectivité.

après l'achat : vous venez d'acheter une automobile neuve *Chrysler Intrepid* et êtes en pleine dissonance cognitive (voir chapitre 3). Vous vous demandez si vous avez bien fait. N'auriez-vous pas mieux fait d'acheter une *Ford Taurus*, ou un modèle turbo ? Le modèle à deux portes vous aurait peut-être suffi ?... Bref vous doutez de votre choix. *Chrysler*, comme d'ailleurs toutes les firmes automobiles, connaît bien ce phénomène typique de dissonance cognitive et va tout faire pour vous prodiguer un service après achat qui vous convaincra de faire appel à son service après vente (inspection, réparations, entretien) : quelques jours après l'achat de votre *Intrepid*, vous recevez une lettre du bureau des relations avec la clientèle de *Chrysler* vous félicitant d'avoir fait le bon choix. D'un seul coup, vous voilà rassuré...

Retenons que : Le design, la qualité, le conditionnement, la marque, la garantie et le service sont les composantes stratégiques d'un produit, c'est-à-dire les attributs qui lui confèrent de la valeur aux yeux du consommateur. Ces composantes influencent la perception du produit par le consommateur et, en définitive, sa préférence.

Lignes et gammes de produits

Il est rare qu'une entreprise n'offre qu'un seul produit sur le marché. En effet, d'une part ses clients la poussent à introduire des modifications au produit original et à commercialiser ainsi plusieurs modèles ou versions du produit original. D'autre part, l'entreprise elle-même cherche à développer ses activités et à augmenter ses ventes par la mise en marché de nouveaux produits.

Dans une industrie intensive en capital, c'est-à-dire requérant des investissements élevés pour pouvoir opérer, la diversification des produits est souvent une nécessité pour pouvoir répartir les coûts sur un plus grand nombre de produits vendus. Une usine d'embouteillage de boissons gazeuses pourrait n'embouteiller qu'un seul produit, disons *Coca-Cola*, mais il est souvent plus rentable d'utiliser la même usine pour produire plusieurs sortes de boissons gazeuses, ajoutons par exemple *Fanta* et *Minute Maid*. L'adjonction de *Minute Maid* à la **ligne** existante ne requiert pas d'investissement majeur et permet d'investir un segment de clientèle nouveau.

Ligne de produits : ensemble de produits similaires commercialisés par une entreprise.

Exemple : *Les Aliments Delisle* vendent une ligne de yogourts incluant les yogourts fermes et brassés *Delisle,* et les yogourts diététiques *Silhouette.*

La similitude des produits d'une même ligne peut tenir à plusieurs facteurs possibles :

- les produits remplissent la même fonction (ex. : boissons gazeuses);
- les produits sont vendus aux mêmes clients (ex. : cosmétiques);
- les produits utilisent les mêmes canaux de distribution (ex. : briquets et rasoirs jetables).

Une ligne de produits se caractérise par son **étendue**, à savoir le nombre de modèles différents contenus dans la ligne.

Outre le désir d'utiliser pleinement la capacité de production, plusieurs autres facteurs poussent l'entreprise à étendre sa ligne de produits.

- les consommateurs demandent une variété et un choix;
- les détaillants demandent aussi un assortiment de produits de la part de leurs fournisseurs;
- davantage de produits permettent davantage de ventes et de profits;
- en offrant un assortiment complet, on évite que le consommateur cherche des produits concurrents.

En étendant sa ligne de produits, l'entreprise recherche une **synergie de marketing**, c'est-à-dire des effets combinatoires bénéfiques entre les ventes de chaque produit de la ligne. La **synergie** se définit par une équation surprenante : 2 + 2 = 5, c'est-à-dire que « le tout est plus que la somme des parties ». Appliquée au marketing, cette définition implique que les ventes et bénéfices dérivés de l'ajout d'un produit à la ligne sont plus élevés que l'effort de marketing requis pour l'ajouter. Il y a synergie de marketing chaque fois qu'une entreprise introduit un nouveau produit sans changer de système de marketing (mêmes vendeurs, mêmes circuits de distribution).

La diversification amène l'entreprise à sortir d'une même ligne de produits pour mettre en marché des produits d'un type différent. On dit alors que l'entreprise introduit une nouvelle **gamme** de produit.

Gamme de produits : ensemble des lignes ou de produits non-similaires commercialisés par une entreprise.

Exemple : Les *Aliments Delisle* commercialisent plusieurs gammes de produits alimentaires : le lait, les yogourts, les fromages et les plats cuisinés.

Une gamme de produits se caractérise par sa **largeur**, sa **profondeur** et son **homogénéité**. La largeur se réfère au nombre de lignes de produits non-similaires qui constituent la gamme. *Procter & Gamble* œuvre dans une large gamme de produits : détergents, dentifrices, savons, déodorants, couches pour bébés, shampoings…

La profondeur de la gamme désigne l'étendue moyenne des lignes de produits qui la composent. *Procter & Gamble* offre une gamme profonde de savons et de détergents (plus de 10 marques par ligne de produits; pensez aux savons *Ivory, Camay, Safeguard, Zest,* etc. tous fabriqués par *P & G*).

Enfin, l'homogénéité de la gamme se réfère à la **synergie technologique** existant entre les diverses lignes. Il y a davantage de synergie technologique entre la production de savons, de détergents et de shampoings, qu'entre celle de dentifrices et de couches pour bébés. La synergie technologique peut exister au niveau :

- de la Recherche & Développement (R & D);
- des procédés de fabrication;
- de l'utilisation de matières premières;
- de l'utilisation des équipements.

Retenons que : À strictement parler, on dit qu'il y a développement de produit lorsqu'une entreprise étend une ligne, et qu'il s'agit de diversification quand elle élargit sa gamme. Développement et diversification sont deux stratégies de marketing fondées sur la recherche de synergie commerciale et technologique.

Classifications des produits

Afin de mettre de l'ordre dans les idées et de s'y retrouver dans les millions de produits et services qui nous entourent, les chercheurs et les praticiens du marketing ont imaginé plusieurs méthodes de classification des produits fondées soit sur les caractéristiques des produits eux-mêmes, soit sur celles des acheteurs.

La première grande classification se fonde sur la distinction entre les types d'utilisateurs ou de marchés auxquels sont destinés les produits. C'est ainsi qu'on distingue les **produits industriels** et les **produits de consommation**.

Les **produits industriels** (tels outillage, matières premières, équipements de production, fournitures, etc.) sont destinés aux entreprises qui les utilisent dans le cours normal de leurs activités. Habituellement, la classification des biens industriels se fait en fonction de la manière dont les produits sont intégrés dans le processus de production et de l'importance de leur coût. Ainsi, on retrouve :

1. les **matières premières** qui sont pour la plupart des produits naturels tels le bois, les minerais, les céréales, les animaux et autres produits agricoles ;

2. les **produits semi-finis** sont ceux qui ont déjà subi des transformations, mais qui seront à nouveau transformés (acier, verre, etc.) ;

3. les **produits finis** ont acquis leur forme finale d'utilisation. Pensons par exemple aux machines-outils, aux biens d'équipement ou aux pièces détachées (prêtes à l'assemblage) telles les pneus, boulons ou autres.

Les **produits de consommation** sont, quant à eux, dirigés vers le marché des consommateurs finals. Ce sont donc des produits finis acquis par le consommateur pour sa propre utilisation ou celle de ses proches. La majorité des produits qui nous entourent se trouvent dans cette catégorie.

figure 5.1 **Classifications courantes des produits de consommation**

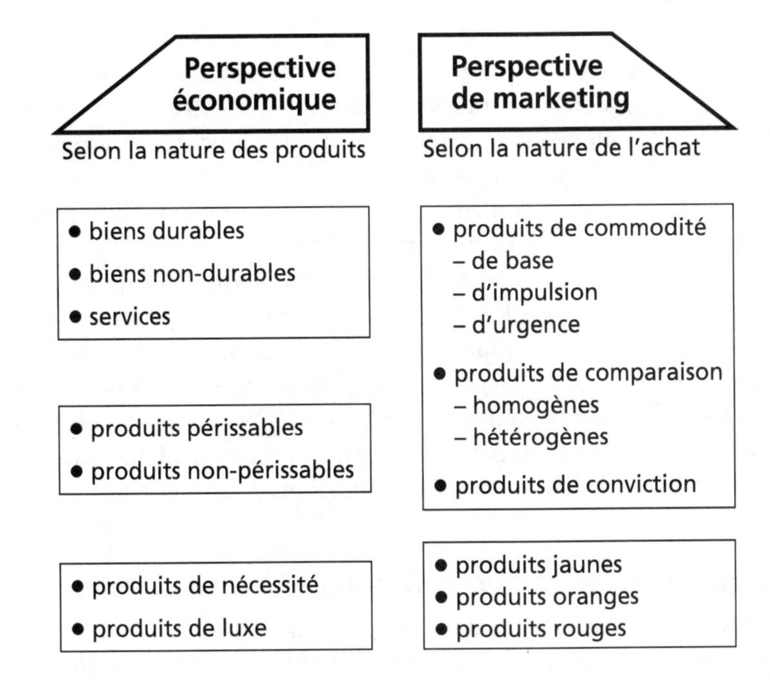

Notons en passant que le même produit peut être à la fois commercialisé comme bien industriel et comme produit de consommation. Ainsi, un marteau vendu à une usine est un produit industriel; le même marteau vendu au public est un produit de consommation.

Les **services** peuvent aussi être classés entre **services institutionnels** ou services aux entreprises et **services individuels**. Ainsi, une compagnie d'assurance peut vendre à ses clients institutionnels des régimes d'assurance collective et à ses clients privés des contrats d'assurance. Cependant, la grande majorité des services s'adresse aussi bien aux entreprises qu'aux individus (ex. : services bancaires, location d'automobiles, etc.)

Les produits destinés à la consommation ont fait l'objet de nombreuses méthodes de classification. Cinq de ces méthodes sont illustrées à la Figure 5.1. Deux grandes perspectives en ressortent. La première, dite **perspective économique**, utilise des critères économiques pour classer les produits; trois classifications s'inscrivent dans cette perspective :

Biens durables, non durables et services

La distinction selon les critères de durabilité et de tangibilité d'un produit est importante au point de vue économique. Les **biens durables** sont des biens tangibles qui sont généralement utilisés pendant une longue période. Une maison, une automobile, des meubles, une télévision, une chaîne stéréophonique ou des vêtements sont de bons exemples de produits inclus dans cette catégorie. Ce sont souvent des produits qui nécessitent un déboursement d'argent important et pour lesquels le processus décisionnel de l'acheteur est longuement réfléchi.

Les **biens non durables** sont aussi des produits tangibles qui sont consommés en une ou quelques fois. La fréquence d'achat de ces produits est relativement élevée et la dépense requise pour en faire l'acquisition est moins importante. Cette catégorie inclut les produits alimentaires, d'entretien ou d'hygiène.

Les **services** sont des produits intangibles. C'est la catégorie qui a connu la plus forte croissance dans les pays développés. Pensez seulement aux services d'eau, d'électricité, de téléphone, de restauration, de santé, etc.

Produits périssables et non périssables

Les **produits périssables** sont des produits qui, utilisés ou non, deviennent à un moment ou l'autre, désuets ou périmés (vêtements, vidéocassettes, objets de mode) ou impropres à la consommation (produits laitiers, pain, etc.). À l'opposé, les **produits non périssables** sont ceux qui peuvent perdurer (meubles, objets d'art, bijoux).

Produits de nécessité et produits de luxe

D'un point de vue économique, on peut aussi distinguer les produits qu'il nous faut obligatoirement posséder de ceux qui sont un luxe. Les **produits de nécessité** sont des produits dont on ne peut se passer; ils sont essentiels au respect d'un niveau de vie décent, minimal (ex. : logement, vêtements, produits alimentaires).

Par ailleurs, **les produits de luxe** sont des biens superflus qui agrémentent notre bien-être (ex. : bateau de plaisance, parfums). On peut noter que certains produits qualifiés de luxueux il y a quelques années, sont pratiquement devenus indispensables dans la vie d'aujourd'hui. Pouvez-vous en nommer deux ou trois?

*

La seconde perspective servant à classer les produits ne distingue plus entre la nature des produits mais plutôt entre les situations d'achat. Nous analyserons deux classifications dans cette **perspective de marketing**.

Les produits de commodité, de comparaison et de conviction

Développée en 1924 par le professeur Melvin T. Copeland[2], cette classification des produits de consommation est encore la plus utilisée de nos jours. Elle repose essentiellement sur la prise en considération de variables importantes du comportement d'achat du consommateur. La façon dont les gens achètent les produits, les efforts et le temps qu'ils y accordent, de même que leur sensibilité au prix et à la qualité des produits sont autant de facteurs qui permettent une classification particulièrement utile du point de vue du marketing.

Les **produits de commodité** ou d'achat courant sont ceux que le consommateur achète fréquemment, rapidement, et dont la possession immédiate est importante pour celui-ci. Dans la plupart des cas, il s'agit d'un achat habituel et routinier d'un produit ou d'une marque connus, qui ne demande donc pas une grande recherche d'informations. Souvent, le consommateur considère que les efforts nécessaires pour changer de marque n'en valent pas la peine. Il dérogera à ses habitudes seulement dans les situations où la satisfaction supplémentaire obtenue par une marque ou un point de vente concurrents est supérieure au coût requis pour provoquer le changement.

La fidélité à la marque est donc assez forte pour de tels produits mais ne demeure effective que si le produit est toujours disponible en temps voulu et dans le lieu d'achat habituel. Parmi les produits de commodité, on trouve, par exemple, le lait, le pain, les œufs, les fruits et légumes, les confiseries, les boissons gazeuses, l'essence, le dentifrice, les journaux et revues, les services de guichet automatique. Le prix de ces produits est en général relativement peu élevé en raison de leur grande diffusion. D'ailleurs, il importe au directeur du marketing de s'assurer d'une large distribution et d'offrir des produits ayant des caractéristiques comparables à celles des produits concurrents disponibles aux mêmes points de vente.

On peut subdiviser les produits de commodité en **produits de base**, **produits d'impulsion et produits d'urgence**. Les **produits de base** sont achetés régulièrement et de façon planifiée. Ils jouissent d'une grande fidélité à la marque (ex. : boissons gazeuses, dentifrice). Les **produits d'impulsion** sont achetés sans planification et sans intention préalable d'achat. Le consommateur se les procure sur un coup de tête parce qu'ils sont placés de façon à attirer son attention et à l'inciter à les acheter. C'est pour cela que les magazines, les gommes à mâcher ou les lames de rasoir sont disposés près des caisses enregistreuses dans les supermarchés. Les **produits d'urgence** sont achetés lorsqu'une situation particulière le requiert ou qu'une pression de temps l'impose : un ventilateur en période de chaleur, une bouteille de vin suite à une invitation inattendue, une crème solaire à la plage, etc. Il importe de s'assurer que ces produits soient disponibles dans plusieurs points de vente afin de répondre à l'urgence du besoin.

Les **produits de comparaison** sont ceux pour lesquels le consommateur est habituellement prêt à faire un plus grand effort de recherche d'informations. Le processus de sélection consiste à comparer les produits et marques selon certains critères tels que la capacité à satisfaire le besoin, la qualité, le prix et le style du produit. La décision d'achat est ainsi plus réfléchie. Diverses sources d'informations sont utilisées pour ce faire : publicité, magazines spécialisés, consultations auprès d'amis et visites chez les détaillants. Les articles de sport, les appareils électroménagers, les automobiles et les meubles figurent parmi les produits de ce groupe.

Il existe deux types de produits de comparaison : les **produits homogènes** et les **produits hétérogènes**. Les **produits homogènes** sont considérés par l'acheteur comme ayant des caractéristiques pratiquement identiques (ex. : détecteurs de fumée, grille-pain, laveuses, sécheuses, etc.). Convaincu de la similarité de qualité de ceux-ci, le consommateur sera surtout sensible au prix. Les **produits hétérogènes** sont ceux que le consommateur perçoit comme ayant des différences importantes au niveau des attributs des diverses marques (ex. : vêtements, meubles, tapis, etc.). La comparaison ne se fait plus uniquement en fonction du prix, mais aussi en fonction de la qualité, du design, de l'apparence ou de tout autre facteur distinctif de chacune des marques. Le goût et l'appréciation personnelle de l'acheteur entrent également en jeu. Le directeur du marketing de produits de ce genre doit donc évidemment miser sur la qualité et l'originalité de ses produits de façon à situer favorablement sa marque sur le marché.

Les **produits de conviction** sont ceux pour lesquels plusieurs consommateurs sont prêts à faire un effort d'achat spécial pour se les procurer. De tels produits de spécialité possèdent des caractéristiques considérées comme supérieures qui justifient une dépense additionnelle de temps et, à l'occasion, d'argent. La satisfaction ou le prestige de posséder le produit sont primordiaux et font en sorte que le prix ne constitue pas un obstacle à l'acquisition. Que ce soit pour des produits coûteux (ex. : voitures de luxe, bijoux, vêtements portant la griffe d'un couturier célèbre, appareils photographiques, etc.) ou plus accessibles monétairement (ex. : sauces, pneus, bières ou tabac importés, etc.), l'acheteur est prêt à se déplacer pour s'en porter acquéreur puisqu'il est convaincu de leur supériorité. En ce sens, il arrive fréquemment que les produits de conviction soient distribués dans un nombre limité de points de vente, contribuant ainsi à préserver l'image d'exclusivité recherchée par le client.

Dans la classification de Copeland, certains produits se déplacent au cours de leur existence. C'est ainsi que malheureusement pour la marque *Frigidaire*, ses produits autrefois produits de conviction, sont devenus peu à peu des produits de comparaison sous la poussée des concurrents.

Les produits jaunes, oranges et rouges

Cette deuxième classification des produits de consommation dans une perspective de marketing est due à Leo Aspinwall[3]. Ce dernier s'attache à cinq critères pour classer les produits :

- la répétition d'achat, qui représente la fréquence moyenne d'achat et de consommation du produit ;
- la marge brute, qui est la différence entre le prix de vente et les coûts directs de production et de commercialisation ;
- le service nécessaire pour adapter le produit aux besoins du client ;
- la durée de vie, c'est-à-dire la période de temps pendant laquelle le produit est utilisé ;
- la période de recherche, c'est-à-dire la période de temps que le consommateur est disposé à investir pour acquérir le produit (Figure 5.2).

figure 5.2 **Classification d'Aspinwall**

Critères d'évaluation

Catégorie de produits	Répétition d'achat	Marge brute	Service nécessaire	Durée de vie	Période de recherche
Jaunes	faible	élevée	élevé	longue	longue
Oranges	moyenne	moyenne	moyen	moyenne	moyenne
Rouges	élevée	faible	faible	courte	courte

- Les **produits jaunes** sont ceux dont la répétition d'achat est faible alors que la marge brute et le service requis sont élevés, et la durée de vie et la période de recherche sont longues. Dans cette catégorie, on retrouve la plupart des biens durables distribués de façon limitée et nécessitant un effort de vente personnelle. *Exemples : appareils ménagers, automobiles.*

- Les **produits oranges** s'identifient par des scores moyens sur l'ensemble des critères. Les outils, petits appareils électriques, vêtements ou jeux se situent dans cette catégorie. La distribution de ces produits est plus large. Plus que de la vente personnelle, ils requièrent un bon service à la clientèle, des modes d'emploi clairs et des garanties.

- Les **produits rouges** font l'objet d'achats répétés et souvent routiniers. Ils se caractérisent par une faible marge brute, un faible niveau de service et une durée de vie limitée. Leur distribution est intensive, on les trouve partout. Ce sont des produits d'achat courant à forte **rotation des stocks**. *Exemples : denrées alimentaires, cigarettes.*

Le désir de classer les produits part d'un bon sentiment : mettre de l'ordre dans les idées et faciliter la communication entre gens de marketing. Cependant, dans la pratique, certains produits échappent à des classifications précises ou peuvent appartenir à plusieurs classes. Tel produit de nécessité pour un riche est un produit de luxe pour un pauvre ! Et la diversité des comportements et des situations d'achat est telle qu'il faudrait introduire plusieurs nuances entre le jaune, l'orange et le rouge, tellement de nuances en fait que la classification qui en résulterait embrouillerait les idées au lieu d'y mettre de l'ordre.

Le cycle de vie du produit

Du point de vue du marketing, les produits naissent, croissent… et meurent. Certains vivent très longtemps : le drap de lit que l'on trouve sur le marché aujourd'hui n'est pas fondamentalement différent de celui qu'inventa Berthe au Grand Pied (!), épouse de Pépin le Bref et mère de Charlemagne, vers l'an 770. D'autres sont éphémères : ex. : le *hula hoop*, le cube magique, et tous les *gadgets* qui disparaissent au bout de quelques semaines de commercialisation.

Qu'adviendra-t-il de l'invention de nos amis Alain et Éva, le « *homard* » ? (voir chapitre 1)

La théorie du cycle de vie du produit décrit la dynamique typique des ventes d'un produit et des profits qu'en retire l'entreprise au cours du temps. Deux idées fondamentales sont à la base de cette théorie classique en marketing :

- un produit est **dynamique**, c'est-à-dire que ses ventes, ses caractéristiques et les perceptions que le consommateur peut en avoir évoluent dans le temps.
- les ventes et les profits d'un produit son assujettis à un **cycle** dont la forme est prévisible (4 phases), même s'il est difficile d'en prédire la durée.

figure 5.3 **Les phases du cycle de vie d'un produit**

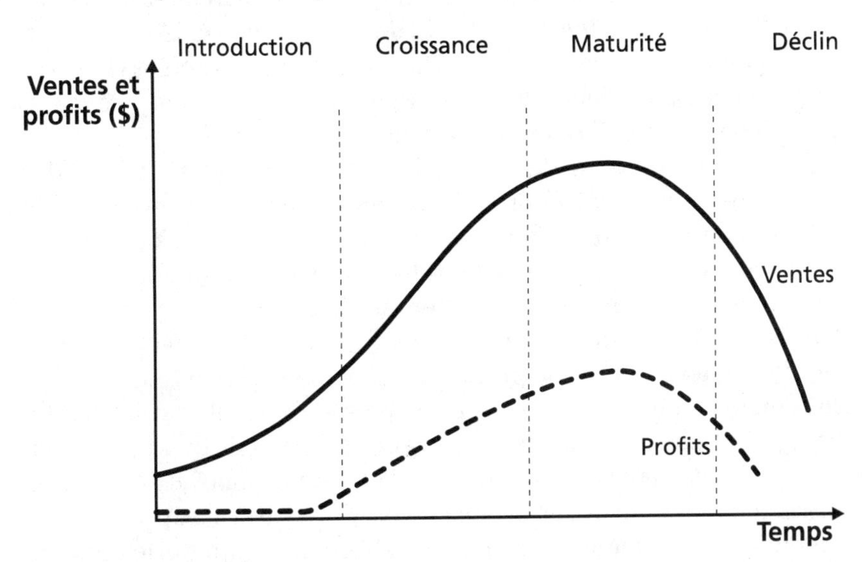

On distingue traditionnellement quatre phases dans le cycle de vie d'un produit (Figure 5.3).

1. Introduction
2. Croissance
3. Maturité
4. Déclin

La description des phases qui suit s'applique à une situation typique. On fera état ensuite des limites d'application pratique de la théorie.

La phase d'introduction

Les ventes augmentent lentement au fur et à mesure que la capacité de production et de commercialisation de l'entreprise croît et que les acheteurs sont de plus en plus nombreux à essayer puis à racheter le produit.

Puisque les ventes sont relativement peu élevées pendant cette période, les profits sont souvent négligeables, il se peut même que l'entreprise fasse des pertes pendant un certain temps. Dans la plupart des cas, les ventes ne suffisent pas à absorber les dépenses importantes encourues pour la recherche, le développement et la mise au point technologique du produit, l'acquisition de l'équipement de production, la distribution et les dépenses promotionnelles et publicitaires.

De façon à développer une demande globale accrue du produit, l'effort promotionnel doit viser l'implantation de celui-ci sur le marché. Pour ce faire, le contenu informationnel doit favoriser la découverte de l'existence du produit et son acceptation, de même qu'inciter les consommateurs potentiels à l'essayer. Il n'est pas nécessaire d'insister outre mesure sur la promotion de la marque, puisqu'en général cette dernière est la seule sur le marché.

D'importants efforts de marketing doivent aussi être alloués à la force de vente dans le but de promouvoir le produit auprès des distributeurs pour qu'ils acceptent d'en faire la distribution. À ce niveau, il est souvent préférable de ne pas brusquer les choses et de s'assurer d'abord d'une distribution restreinte et à petite échelle, plutôt que de rechercher une large distribution qui occasionne des dépenses plus importantes. De cette façon, il sera plus facile de coordonner l'ensemble des activités de promotion et de distribution.

Étant donné que peu ou pas de concurrents sont établis sur le marché, que ce dernier n'est pas encore entièrement prêt à accueillir le produit et que les dépenses de lancement sont importantes, l'entreprise innovatrice peut se limiter à offrir, temporairement, un produit de base unique et à un prix relativement élevé (politique d'**écrémage**). De fait, les efforts de vente s'orientent dans un premier temps surtout vers les gens les plus susceptibles d'acheter, soit les innovateurs et les acheteurs précoces, parce que le concept du produit ne correspond tout simplement pas à un besoin ressenti par la majorité des consommateurs. L'entreprise innovatrice doit avoir les reins solides pour surmonter avec succès cette période de lancement et se préparer à affronter les pressions concurrentielles qui s'ensuivront.

La phase de croissance

Lorsque le produit réussit à passer avec succès le test d'introduction sur le marché, il entre dans la phase de croissance qui se caractérise par une augmentation substantielle des ventes. Le produit gagne progressivement en notoriété auprès d'un grand nombre d'acheteurs influencés par les innovateurs satisfaits. Généralement, un réseau informel de communication de bouche-à-oreille se crée rapidement et favorise la transmission d'informations sur le produit. La demande sans cesse grandissante pour le produit incite également les distributeurs à améliorer sa disponibilité dans les points de vente et contribue à sa diffusion dans le marché.

Parallèlement à la croissance des ventes, l'entreprise réalise des profits de plus en plus intéressants, car les revenus de vente croissent plus vite que les dépenses, et les coûts de production sont répartis sur un plus grand nombre d'unités fabriquées. L'entreprise peut être même tentée de diminuer son prix de vente dans l'espoir d'accélérer la croissance des ventes.

Le succès du produit lancé par la firme innovatrice ne sera pas sans susciter l'intérêt de certains concurrents qui voudront, eux aussi, tirer profit du fait que le marché accueille favorablement le produit.

On peut donc s'attendre à voir la concurrence pénétrer sur le marché avec des produits similaires, lors de la phase de croissance. Les concurrents tenteront d'obtenir la préférence des consommateurs soit par l'introduction d'améliorations au produit, ou encore une réduction du prix de vente, un effort publicitaire ou toute autre stratégie de marketing visant à s'attirer la faveur des consommateurs. Tous luttent pour une plus grande part de marché, et la bataille que se livrent les entreprises a conduit certains auteurs à intercaler une phase supplémentaire entre la croissance et la maturité, dénommée **phase de turbulence** pour traduire précisément l'instabilité des produits, des prix et des stratégies concurrentielles qui règne alors vers la fin de la phase de croissance.

La phase de maturité

Peu à peu, le marché est saturé. Le rythme d'accroissement des ventes baisse. La demande se stabilise. La guerre concurrentielle s'accentue, car le marché n'offre plus assez de potentiel pour permettre à tous les concurrents de survivre. Quelques gros concurrents dominent le marché, les plus faibles disparaissent ou se redéploient vers d'autres produits, d'autres marchés.

À chaque phase du cycle de vie, l'entreprise doit ajuster sa stratégie de marketing. En période de maturité, il convient de contrôler soigneusement les dépenses de marketing, d'orienter la publicité vers la valorisation de la marque et l'obtention d'une plus grande fidélité de la part des consommateurs et des distributeurs. Les produits sur le marché sont souvent similaires et n'évoluent plus. Chaque entreprise cherche à améliorer son image de marque, la qualité du produit et le service.

La phase de déclin

Le produit tombe en désuétude. Ses ventes diminuent progressivement ou, quelquefois, brutalement lorsqu'une innovation technologique tue un produit, comme ce fut le cas des règles à calcul, tuées par la calculatrice électronique. Parfois, ce sont les acheteurs qui se lassent d'un produit et veulent changer de modèle (ex. : automobiles).

En phase de déclin, la concurrence s'exerce surtout sur les prix, puisque toutes les entreprises restantes désirent écouler leur production. Les prix plus bas ont toutefois pour effet de réduire les marges de profit et de désintéresser rapidement plusieurs entreprises du marché. On assiste alors à une réduction du nombre de compagnies concurrentes, plusieurs de ces dernières choisissant d'œuvrer dans d'autres marchés ou de développer d'autres produits.

Par ailleurs, certaines entreprises entrevoyant d'un bon œil le retrait de la concurrence, opteront pour le prolongement de leurs activités. La diminution du nombre de marques sur le marché aura pour effet d'offrir un marché résiduel qui peut s'avérer relativement intéressant pour certaines entreprises désireuses de demeurer actives. Celles-ci, de par la poursuite de leurs activités, augmenteront leur part de marché (... dans un marché demeurant malheureusement en déclin), ce qui peut engendrer de façon temporaire, des profits substantiels pouvant servir à financer le développement interne de nouveaux produits. Cependant, il sera préférable, à ce stade, de réduire le nombre de produits offerts et de maintenir à un seuil minimal les coûts de production et de distribution. La publicité, si on en fait, sera surtout de la publicité de rappel auprès des acheteurs et des distributeurs restants.

Le tableau de la Figure 5.4 résume les caractéristiques propres à chaque phase du cycle de vie du produit.

La théorie du cycle de vie est sans doute l'une des plus connues en marketing. Elle fournit un cadre conceptuel facile à comprendre, mais d'une utilité pratique limitée. En effet, dans toute discussion du cycle de vie d'un produit il faut se rappeler que :

- l'échelle de temps servant à mesurer l'évolution des ventes et des produits diffère d'un produit à l'autre ;
- le cycle de vie est un guide conceptuel, pas un outil de prévision des ventes ou des profits ;
- il n'y a pas de loi qui interdise à un produit d'échapper au cycle, de s'effondrer en pleine croissance suite à un déplacement technologique par exemple, ou de rebondir en phase de déclin (ex. : poêles à bois *Franklin* après la crise du pétrole) ;
- le cycle de vie ne s'applique pas au produit à proprement parler, mais au **couple produit-marché** (notion que l'on approfondira au chapitre 7), c'est-à-dire à l'ensemble formé par un produit vendu sur un marché. Ainsi, un produit peut être en phase de déclin au Canada et, au même moment, en phase de croissance sur certains marchés d'exportation. Chaque fois que l'on modifie de façon substantielle le produit, ou qu'on le dirige vers un autre marché, on devrait théoriquement démarrer un autre cycle. Certains auteurs objectent que les améliorations de produit et la recherche de nouveaux marchés ne sont que des façons de prolonger le cycle de vie du produit et qu'un produit n'a qu'un cycle. Bienvenue aux débats académiques !

figure 5.4 **Les caractéristiques des phases du cycle de vie**

		Introduction ➤	Croissance ➤	Maturité ➤	Déclin
	Objectif de marketing majeur	Développer la demande globale par la prise de conscience de l'existence du produit	Augmenter la pénétration du marché par la création de la demande préférentielle et de la fidélité à la marque	Défendre la part de marché par le maintien de la fidélité à la marque	Entretenir la demande tout en planifiant un retrait (désinvestissement)
CARACTÉRISTIQUES	**Ventes**	faibles	croissance rapide	croissance limitée/stagnation	baisse
	Profits	nuls ou négligeables	en forte croissance	décroissants	faibles ou nuls
	Marché-cible (clientèle)	innovateurs, acheteurs précoces	suiveurs, première majorité	marché de masse	réfractaires, totalité du marché
	Concurrence	peu ou pas	nombre limité de marques	plusieurs marques	nombre limité de marques
	Dépenses de marketing	très fortes par unité	fortes par unité	modérées par unité (décroissance)	faibles par unité
ACTIONS	**Produit**	produit de base, unique	produit amélioré, ligne plus étendue	caractéristiques similaires	similaires, rationalisation de la gamme
	Distribution	exclusive/sélective	sélective/intensive	intensive	sélective
	Communication	informer les consommateurs, convaincre les distributeurs	convaincre les consommateurs, élargir la distribution	différencier la perception des produits, maintenir le niveau de distribution	publicité de rappel minimale
	Prix	élevé (écrémage)	en baisse	bas (concurrentiel)	à la hausse

La concurrence

Nous vivons dans un univers concurrentiel. Cela signifie, en situation d'abondance, que plusieurs vendeurs essaient de s'approprier simultanément les ressources d'un même acheteur et, en situation de pénurie, que plusieurs acheteurs essaient de s'approprier simultanément les produits d'un même vendeur. Contrairement à ce que l'on croit généralement, la concurrence existe dans tous les systèmes économiques, mais elle se manifeste différemment selon qu'il y a abondance ou pénurie. Heureusement, le cas le plus fréquent dans notre contexte nord-américain est celui de la concurrence en situation d'abondance, caractérisée par :

- la variété des produits et services offerts ;
- la rivalité des entreprises de production, de distribution et de services ;
- le libre-choix que peut exercer l'acheteur tant au niveau de la décision d'achat — acheter ou ne pas acheter — qu'au niveau du choix du produit et du vendeur.

Nature de la concurrence

Tel que nous le connaissons, le marketing est indissolublement lié à l'existence d'un état de concurrence. En l'absence de concurrence, il perdrait sa raison d'être et se ramènerait à des décisions gouvernementales d'allocation de biens et services, comme c'est le cas dans les pays communistes orthodoxes. Puisque la concurrence est au cœur même du marketing, poussons plus avant notre exploration de cette notion.

Écartons tout de suite la vue simpliste selon laquelle les firmes concurrentes sont celles qui fabriquent le même produit. T. Levitt[4] qualifie de **myopie de marketing** cette erreur courante qui consiste à ne se préoccuper que de la concurrence évidente, directe, celle des entreprises qui fabriquent la même chose, pour finalement succomber à l'introduction de produits de substitution. De leur côté, la majorité des livres de marketing se contentent de nous suggérer que les entreprises concurrentes sont celles qui satisfont les mêmes besoins du consommateur. Faux ! ou du moins pas toujours vrai parce que, d'une part, les besoins peuvent être définis de façon si large qu'une infinité de produits qui n'ont rien en commun pourraient les satisfaire (imaginez tous les produits et services que requiert votre besoin d'évasion), d'autre part, parce que nos besoins ne se manifestent que lorsque nous sommes conscients et informés de l'existence de produits susceptibles de les satisfaire. Nos ancêtres n'avaient pas besoin de déodorants corporels, car il n'y en avait pas sur le marché. Dans quelques années, peut-être n'aurons-nous plus besoin de téléphones, mais de vidéophones, lorsque ceux-ci seront sur le marché. La notion de concurrence uniquement fondée sur la satisfaction d'un même besoin n'est tout simplement pas complète.

Il faut relier la notion de concurrence à l'acte d'achat et à la conscience d'un choix de la part de l'acheteur. Ainsi, si à un moment donné un libraire et un agent de voyage tentent simultanément de vous convaincre qu'ils peuvent satisfaire votre besoin d'évasion, ils sont, le temps d'un moment, en concurrence.

Il n'y a pas, à proprement parler, que des moments de concurrence entre entreprises ; la concurrence est limitée dans le **temps**. Elle l'est aussi dans l'**espace** des marchés et des produits. Rares sont les entreprises qui s'affrontent sur toute la ligne, c'est-à-dire dans les mêmes marchés avec exactement les mêmes produits. Dans les chapitres suivants, on verra qu'une entreprise cherchera le plus souvent à éviter l'affrontement concurrentiel, en vendant des produits différents sur des segments de marchés différents.

Retenons pour l'instant quelques caractéristiques essentielles de la concurrence :

- *la concurrence est* ***relative***. La PME ne fabriquant qu'une seule gamme de produits considérera telle grande entreprise comme un concurrent important, parce qu'elle offre une gamme similaire à la sienne, mais si la gamme en question ne représente pas 1 % des ventes totales de la grande entreprise, cette dernière n'accordera même pas le titre de concurrent à la PME. La direction de l'entreprise québécoise de platines de haute qualité *Oracle* voit la compagnie japonaise *Sony* comme un dangereux concurrent, mais il n'est pas sûr que *Sony* ait entendu parler *d'Oracle*.
- *la concurrence est* ***multidimensionnelle***. On ne voit souvent que la concurrence sur le marché des consommateurs finals. En réalité, les entreprises sont en concurrence sur le marché de l'emploi, des capitaux, de la technologie, des matières premières, etc. L'entreprise possède une certaine capacité de concurrence sur chacun des marchés ci-dessus que l'on pourrait qualifier de capacité partielle de concurrence. Lorsqu'on évalue la capacité de concurrence globale ou multidimensionnelle de l'entreprise, il faut bien comprendre que la compétitivité globale de l'entreprise n'est pas égale à la somme des capacités partielles de concurrence, mais à la plus petite d'entre elles.

  En effet, les capacités partielles ne se compensent pas. Une firme forte en marketing mais sous-capitalisée a une capacité de concurrence faible. Nombre de PME en témoignent qui ont été évincées du marché ou absorbées par des concurrents dont le génie commercial leur était pourtant inférieur. Sur les marchés d'exportation, avoir le meilleur produit ou la meilleure technologie au meilleur prix ne suffit pas pour remporter un contrat, il faut aussi être compétitif sur les conditions de crédit et de transport et parfois disposer d'influences politiques au moins aussi bonnes que celles des concurrents.

- *la concurrence la plus dangereuse est* ***indirecte***, c'est celle qui découle d'événements qui échappent au contrôle ou à la vision des dirigeants des entreprises. Lorsque deux grandes firmes se livrent une guerre concurrentielle, tous leurs sous-traitants sont touchés sans qu'ils aient leur mot à dire. Si l'une des deux est finalement vaincue, elle risque d'entraîner plusieurs de ses sous-traitants dans sa chute.
- *la concurrence est un* ***facteur d'innovation***. La concurrence lance un défi permanent aux entreprises, elle les force à relever le défi ou à disparaître. On verra au chapitre 7 que pour relever le défi, l'entreprise doit élaborer et mettre en œuvre une stratégie de marketing fondée sur la poursuite d'un **avantage concurrentiel**. Ce dernier proviendra le plus souvent d'une innovation au niveau technologique, au niveau de la conception et du design du produit, ou encore à celui de la mise en marché.

Niveaux de concurrence

La concurrence, on l'a vu, est multidimensionnelle. C'est le consommateur qui met les produits en concurrence, lorsqu'il les considère simultanément comme des alternatives mutuellement exclusives d'achat. Les alternatives de consommation se présentent à quatre niveaux, appelés **niveaux de concurrence** (Figure 5.5).

Au niveau économique, on retrouve la **concurrence générale** qui oppose les besoins des consommateurs entre eux. Un consommateur disposant d'une somme d'argent dépense une bonne partie de celle-ci, et en épargne un certain montant, s'il est en mesure de le faire. Au niveau des dépenses, il doit répondre à des besoins tels que le logement, la nourriture, les vêtements, le transport, les loisirs, etc. En raison de la rareté des ressources monétaires, la plupart des gens sont contraints de choisir entre certaines options et de leur accorder une plus ou moins grande part du budget.

figure 5.5 **Les différents niveaux de concurrence**

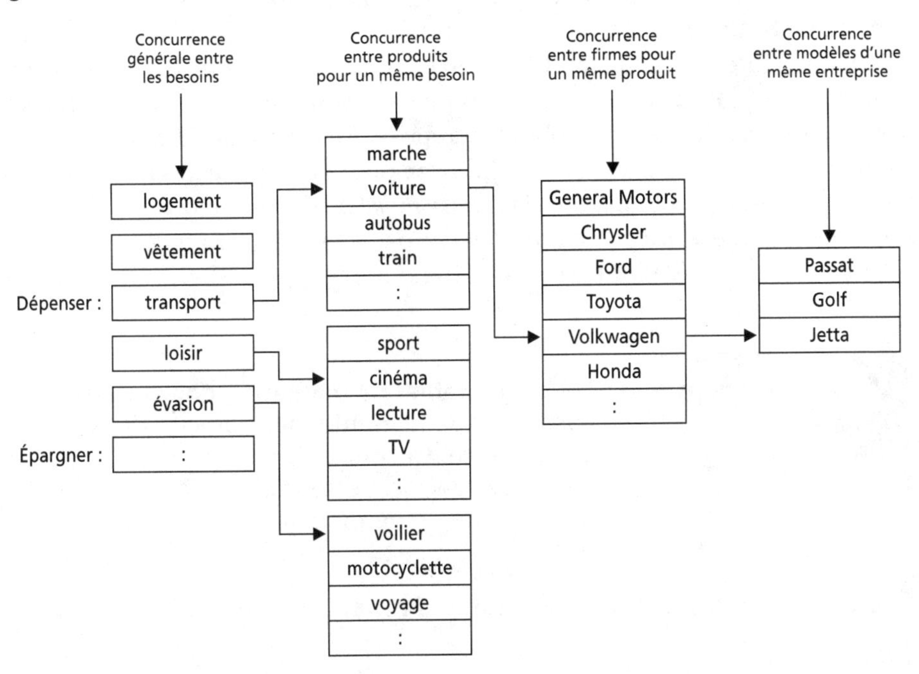

Conscients des ressources limitées des consommateurs, les publicitaires tentent de plus en plus d'influencer l'allocation des ressources disponibles en projetant une image favorable d'un style de vie fondé sur la satisfaction prioritaire de tel ou tel besoin.

Le second niveau concerne la concurrence qui s'exerce entre les produits pour la satisfaction d'un même besoin (ou classe de besoins similaires). Ainsi, le consommateur qui a besoin de se déplacer d'un endroit à l'autre se voit offrir différents moyens de transport qui sont concurrents : marche, voiture, transport en commun, taxi, train, avion, etc. Au chapitre des loisirs, on peut hésiter entre le cinéma, la lecture, la télévision, le sport, le voyage, etc. Dans tous les cas, les spécialistes en marketing se doivent de connaître l'**ensemble évoqué** des moyens auxquels un consommateur pense spontanément pour satisfaire un besoin, car chacun de ces moyens entre en concurrence avec les autres (voir chapitre 2).

Au troisième niveau, il y a concurrence entre les produits offerts par plusieurs firmes. C'est le niveau auquel on fait le plus couramment référence lorsqu'on parle de concurrence. Les firmes d'automobiles se font concurrence par le truchement de modèles suffisamment similaires pour entrer en compétition directe.

Finalement, il peut exister une concurrence entre modèles d'une ligne de produits de la même entreprise. Plus une ligne est étendue, plus ce type de concurrence interne, c'est-à-dire de substitution possible par l'acheteur d'un modèle par un autre est fréquent. On dit qu'il y a **cannibalisme** lorsque les ventes d'un modèle d'une ligne se font au détriment d'un autre modèle. Le cannibalisme n'est pas forcément préjudiciable à l'entreprise. En effet, de la rivalité entre deux modèles peut surgir une demande plus forte pour l'ensemble des deux modèles. C'est ainsi que depuis longtemps la firme *Chrysler* offre des modèles semblables sous des marques différentes; comparez par exemple les modèles *Concorde* (Plymouth), *Intrepid* (Dodge) et *Eagle Vision* (Jeep).

Retenons que : Les responsables de marketing doivent être conscients de la multidimensionalité de la concurrence. La connaissance des niveaux de concurrence est essentielle à l'élaboration d'une stratégie de marketing.

figure 5.6 **Les principales structures de marché**

Type de structure	Nombre de firmes	Nature du produit	Exemples
Concurrence parfaite	plusieurs	toutes les entreprises fabriquent un produit semblable	marché boursier, blé, or, minerais, certains marchés agricoles et secteurs du commerce de détail s'en rapprochent
Concurrence monopolistique	plusieurs	les diverses entreprises fabriquent des produits différenciés	commerces de détail (ordinateurs, meubles, chaussures, etc.) et services (restaurants)
Oligopole	peu	les produits sont relativement semblables ou différenciés	industrie lourde, secteurs intensifs en capital (aumobiles, aéronautique, industrie chimique)
Monopole	une	produit unique	surtout dans les services publics réglementés (Postes Canada, Hydro-Québec), produits brevetés

Structures de marché

Tous les marchés n'ont pas la même intensité de concurrence, cela dépend de leur structure. On distingue quatre structures de marché principales, en fonction du nombre d'entreprises en concurrence, de l'homogénéité des produits offerts et de la facilité d'entrée de nouveaux concurrents sur le marché (voir Figure 5.6) :

- la concurrence parfaite
- la concurrence monopolistique
- l'oligopole
- le monopole

La concurrence pure ou **parfaite** est caractérisée par la présence d'un nombre relativement élevé d'entreprises vendeuses de taille restreinte, face à de nombreux acheteurs. En raison de la multitude d'agents économiques, chaque vendeur et chaque acheteur représente une part si faible du marché que leurs actions isolées n'influent que très peu sur celles des autres entreprises. En d'autres mots, aucun vendeur ni acheteur n'est assez puissant pour agir sur le prix du marché (déterminé par les forces de l'offre et de la demande). Par ailleurs, aucun obstacle n'entrave l'entrée (ou le retrait) d'une entreprise dans un tel marché concurrentiel.

La situation de concurrence parfaite implique également l'homogénéité du produit offert par les entreprises. Les différentes marques concurrentes sont identiques, les consommateurs ne discriminent pas entre les divers fabricants du produit qu'ils achètent. Mieux encore, puisque tous les produits sont similaires aux yeux des consommateurs, aucune entreprise n'a intérêt à promouvoir le sien en particulier, d'autant plus que la structure de marché créée par la concurrence parfaite suppose que toutes les entreprises réussissent à vendre ou à écouler toute leur production selon les conditions fixées par le marché.

Évidemment, les conditions énumérées ci-dessus ne sont que très rarement réunies en pratique. Par conséquent, l'intérêt porté à la concurrence parfaite ne tient pas vraiment à son aspect réaliste, mais davantage à son aspect théorique. Les seuls marchés où l'ensemble des conditions de concurrence parfaite sont plus ou moins respectées sont ceux des céréales (ex. blé), de l'or, des minerais (ex. cuivre) ou des valeurs mobilières (titres en bourse), où un grand nombre de concurrents offrent un produit ou un service semblable sans qu'aucun de ceux-ci ne réussisse à dominer le marché.

La concurrence monopolistique ou **imparfaite** décrit un marché caractérisé par un certain nombre d'entreprises concurrentes fabriquant des produits bien différenciés, mais substituables entre eux.

En modifiant son produit par rapport à ceux des concurrents, l'entreprise cherche à servir un segment de marché sensible à la différenciation introduite dans son produit. Si elle réussit, elle obtiendra une position très forte (« quasi-monopole ») sur un segment restreint (« créneau », « niche »). En lançant le shampoing pour bébés, la firme *Johnson & Johnson* a créé un nouveau segment de marché qu'elle domine largement. Très répandue dans notre économie, la concurrence imparfaite se retrouve principalement dans les biens de consommation (ex. : produits alimentaires, chaussures, meubles, etc.) ou dans plusieurs services (tels les restaurants, les services juridiques, etc.).

Remarquons que cette structure de marché ne se distingue de la concurrence parfaite que par une seule caractéristique. Alors que tous les produits sont homogènes en situation de concurrence parfaite, ils sont, en situation de concurrence monopolistique, différents d'une entreprise à l'autre (que ce soit par la qualité, l'emballage, le service après vente, la durée de la garantie, la qualité du service, etc.). Les éléments permettant de distinguer les produits ne sont pas nécessairement réels mais doivent absolument être **perçus** par les acheteurs et les consommateurs. C'est ainsi qu'un emballage différent ou un service après vente plus attirant permettent de différencier des produits qui, autrement, seraient pratiquement identiques. Enfin, comme les produits concurrents ne sont pas des substituts parfaits (notamment au niveau de la qualité ou de l'image de marque projetée), leur prix peut varier et s'avérer lui aussi un moyen de différenciation.

L'**oligopole** se caractérise par la présence d'un petit nombre d'entreprises suffisamment importantes pour exercer un contrôle sur une partie importante du marché. Chaque entreprise est directement affectée par les actions des autres entreprises de l'industrie. C'est en situation d'oligopole que l'interdépendance entre firmes est la plus forte et que la rivalité revêt sa forme la plus vive et la plus féroce. Toute décision importante, notamment au niveau des prix, suscite une réponse rapide et immédiate des concurrents préoccupés par le maintien de leur position sur le marché. Ainsi, *Federal Express* réagit immédiatement à un nouveau tarif de *DHL* ou inversement, tandis que *Provigo* et *Métro* essaient tous deux de convaincre les consommateurs qu'ils ont les meilleurs prix.

Une industrie intensive en capital, c'est-à-dire requérant des investissements de départ et d'opération importants, tend normalement vers une structure oligopolistique, car au fil du temps, les concurrents les moins solides sont peu à peu évincés.

En situation de **monopole**, les acheteurs n'ont pas le choix : une seule entreprise fournit le bien ou le service désiré. Ex. : *Hydro Québec, Société des alcools du Québec.*

Le monopole est le plus souvent le résultat d'une situation légale particulière : une loi confère un monopole à *La Société Canadienne des Postes*; la *Régie du*

Stade Olympique de Montréal octroie des concessions à des restaurateurs les assurant d'un monopole dans l'enceinte du stade. Enfin, un **brevet d'invention** accorde à son détenteur un monopole d'exploitation de son invention pour une durée limitée (en général 17 ans).

Retenons que : Les structures de marché évoluent dans le temps. La concurrence monopolistique dans les secteurs intensifs en capital tend vers l'oligopole, tandis que la tendance politique à la privatisation et à la déréglementation élimine peu à peu certains monopoles traditionnels. *Exemple : téléphonie cellulaire.*

CONCLUSION

Demande, marchés, produits et concurrence sont quatre notions essentielles de marketing, sujettes à bien des définitions ou approches possibles. « Y a-t-il un marché ? » nous demandions-nous en titre de cette seconde partie du livre. C'est la question que se pose tout entrepreneur désireux de convertir une idée en succès commercial. L'existence d'un marché est une condition nécessaire mais non suffisante pour qu'il y ait une demande pour un produit. La demande doit être suscitée ; une préférence doit être créée pour un produit, c'est là le rôle de la stratégie de marketing. Enfin, il est probable que plusieurs entreprises s'attaquent au même marché, peut-être avec des produits différents. Le consommateur, encore lui, sera l'arbitre final du jeu concurrentiel auquel se livreront les entreprises. Toutefois, avant d'entrer en lice et dans le but de jouer une partie gagnante, le responsable du marketing doit réfléchir sur les buts qui guideront son action commerciale et la stratégie dans laquelle elle s'inscrit. Nous vous invitons à cette réflexion dans la Partie III du livre.

EXERCICES ET SUJETS DE RÉFLEXION

1. Dans l'industrie pharmaceutique, des médicaments portant des marques connues, par exemple *Valium*, *Motrin*, coûtent parfois de deux à trois fois plus cher que le produit générique équivalent, c'est-à-dire le même médicament vendu sans marque.

   Les médecins devraient-ils prescrire une marque particulière ou seulement un produit générique ?

Les pharmaciens devraient-ils pouvoir changer une ordonnance médicale de façon à faire bénéficier le patient du produit au coût le plus avantageux (ainsi que la loi le permet au Québec et en Ontario) ? Est-ce dans leur intérêt ?

2. Identifiez trois produits de consommation qui doivent leur réussite commerciale à une innovation au niveau de l'emballage.

3. Quelles sont les raisons qui, d'après vous, ont amené les brasseries à offrir la bière par paquet de 6 bouteilles « *six packs* » ? Où se trouve l'anse du paquet ? Pourquoi ?

4. D'après vous, la notion de garantie devrait-elle s'appliquer à certains services professionnels comme la chirurgie esthétique, et aux œuvres littéraires et artistiques ?

5. Tout porte à croire que les téléviseurs monochromes (noir et blanc) sont en phase de déclin, pourtant leurs ventes augmentent au niveau mondial. Comment expliquez-vous ce paradoxe ?

6. L'éclairage électrique a fortement déprimé le marché des bougies et chandelles. D'autre part, le marché des cierges est en récession. Cependant, le marché des bougies décoratives est en expansion. Peut-on dire que le marché des bougies, cierges et chandelles se trouve dans une phase particulière du cycle de vie ?

7. Quelle est votre appréciation personnelle des deux points de vue suivants sur la concurrence ?

1. « *La concurrence est le moteur de l'expansion économique, elle témoigne de la vitalité de la libre entreprise et force les firmes à se surpasser pour survivre. Elles n'y arrivent qu'en satisfaisant toujours mieux les besoins des consommateurs. Les consommateurs sortent gagnants de la concurrence.* »

2. « *La concurrence est une source de gaspillage; elle incite les entreprises à allonger indûment leurs lignes de produits en incorporant des différences minimes et parfois factices dans leurs produits. Le consommateur est ainsi poussé à acheter des produits qui vont au-delà du besoin qu'ils sont supposés satisfaire. La concurrence est à la base de la frénésie de consommation que nous connaissons. Les consommateurs, sans parler de l'environnement, sortent perdants de la concurrence.* »

8. *La Société Canadienne des Postes* vous propose des timbres en vrac, des timbres en rouleaux, des planches de timbres, des timbres autocollants, des timbres en carnets de 5, de 10, de 25 et parfois même des timbres dans un petit livre explicatif de leur motif (par ex. livret sur l'histoire de la coupe Stanley accompagnant une série de timbres sur les hauts faits de cette compétition). S'agit-il d'un « bon marketing » ou de gaspillage de la part d'un monopole d'état ?

9. Si vous êtes familier avec les logiciels de courriel (*Microsoft Outlook*, *Eudora*, etc.) ou d'accès à Internet (*Microsoft Explorer*, *Netscape*, etc.), que pensez-vous de l'accusation d'entrave à la concurrence portée par le Département de la Justice des États-Unis à l'endroit de *Microsoft* ?

CAS-DISCUSSION

Le homard

Vous n'avez pas oublié nos amis Éva et Alain du chapitre 1, les inventeurs d'un appareil révolutionnaire pour régler l'ouverture du coffre de l'auto. Nous les avons quittés alors que leur invention en était encore au stade du concept. Mais l'idée est tenace. Ils en parlent encore ce matin. Écoutons-les…

ÉVA : *Tu sais. Si c'était si facile, il y a bien longtemps que le « homard » existerait. On ne t'aurait pas attendu pour l'inventer. As-tu pensé au marché ?*

ALAIN : *Le marché ? C'est évident : n'importe quel propriétaire d'auto a besoin d'un « homard », et il n'y a aucun système actuellement…*

ÉVA : *En es-tu sûr ?*

ALAIN : *En tous cas, je n'en ai pas vu chez Canadian Tire.*

ÉVA : *Ce serait plus facile de le vendre directement aux fabricants d'autos. Ils l'offriraient comme équipement original, ou en option. Et as-tu pensé au nom ? Les francophones vont en pincer pour le « homard », mais les anglophones ne pourront pas le prononcer (faisant une moue comique) : O'mârde !!*

ALAIN : *Sois polie, j'ai des ancêtres irlandais ! Et, qu'importe s'ils le prononcent mal pourvu qu'ils l'achètent.*

ÉVA : *Pourquoi ne pas l'appeller le Lobster ? Il y aurait un plus grand marché.*

ALAIN : *Arrête de te préoccuper du nom, moi ce qui m'inquiète, c'est le serrage. Les pinces risquent d'endommager la peinture et même de laisser des marques dans le métal. Quant à la poignée de serrage, je n'ai pas encore trouvé le truc pour qu'elle serre efficacement sans être dure à tourner.*

ÉVA : *Tu penses toujours aux aspects techniques, mais il faudrait aussi le faire connaître ton « homard », et en sous-traiter la fabrication, car j'espère que tu ne vas pas les faire au sous-sol, c'est déjá assez encombré. Et le stockage ? Et la livraison ? Et à quel prix crois-tu que les gens...*

ALAIN : *Tu as le don d'étouffer mon génie d'entrepreneur. Je vais aller voir Monsieur Crevisse chez Zellers (cf. cas-discussion à la fin du chapitre 11). Tu vas voir, il va m'en acheter des « homards ». Nous serons riches et je t'en offrirai tous les jours.*

ÉVA : *Quoi ?*

ALAIN : *Du homard !*

QUESTIONS

1. Que pensez-vous du produit d'Alain et Éva ? Est-il au point ? Sinon, comment l'amélioreriez-vous ?
2. Que pensez-vous des noms proposés par Alain et Éva ?
3. Par où devraient-ils commencer ?

NOTES

1. Jean-Paul Sallenave, *La Gerencia Integral*, Bogota, Editorial Norma, 1994.
2. Melvin T. Copeland, *Principles of Merchandising*, New York, McGraw Hill Book Company, 1926.
3. Leo V. Aspinwall, « The characteristics of goods theory » in *Managerial Marketing*, édité par Lazer W. et Kelly E. Homewood, vol. III, 1962.
4. Theodore Levitt, *Innovation & marketing*, Paris, Les Éditions d'Organisation, 1976.

Partie III

Que veut l'entreprise ?

Chapitre 6

Survie, croissance, profit

La prééminence du consommateur constitue le fondement philosophique du marketing. C'est le consommateur qui, directement ou indirectement, suggère à l'entreprise l'idée qui se métamorphosera en concept de produit, puis en produit et en une opération commerciale viable. Tout commence avec le consommateur, ses besoins, ses désirs. Tout finit avec lui : est-il satisfait ou non des produits et services qui lui sont offerts ? De sa satisfaction dépend le succès de l'entreprise. Il était donc normal d'étudier d'abord, dans la première partie de cet ouvrage, ce décideur privilégié : le consommateur, sans lequel l'entreprise n'aurait aucune raison d'être. Dans la deuxième partie du livre, nous avons vu que nous n'étions pas les seuls à nous disputer les faveurs du consommateur, celui-ci a généralement le choix d'acheter ou de ne pas acheter, et d'acheter notre produit ou ceux des concurrents.

Supposons qu'une entreprise ait établi que son produit correspond aux besoins et désirs d'un segment de clientèle attrayant. Elle sait donc ce que veut le consommateur, et a déterminé qu'il existe un marché. Avant de se lancer dans l'aventure commerciale, et afin de décider comment le faire, il lui faut maintenant réfléchir à ses **objectifs commerciaux**, c'est-à-dire expliciter dans quels buts elle engage une action commerciale… Que veut l'entreprise ?

Les objectifs commerciaux

Une règle d'or du marketing stipule de ne pas engager d'action commerciale sans plan et de ne pas élaborer de plan sans avoir bien réfléchi aux objectifs poursuivis :

Pas de marketing sans plan
Pas de plan sans objectifs.

En effet, la satisfaction des besoins et des désirs du consommateur n'est pas un but en soi, c'est plutôt une condition nécessaire du succès de l'entreprise sur son marché. Cependant, avant de se lancer dans l'action et avant de formuler un plan, l'entreprise doit énoncer clairement quels objectifs elle poursuit. Sans objectifs, elle serait soumise aux aléas du marché, du cycle de vie de ses produits, des décisions de la concurrence, etc. Elle serait comme un navire à la dérive ballotté au gré des flots.

Fixer des objectifs commerciaux, c'est mettre le cap afin de connaître la route à suivre, mesurer les écarts éventuels et pouvoir retrouver le bon chemin.

Fixer des objectifs, c'est aussi s'imposer une discipline et imprimer à l'action commerciale une direction. Enfin, les objectifs permettent d'évaluer les **résultats** (par rapport aux objectifs), d'assigner des **responsabilités** et de mettre sur pied des systèmes de **motivation** (par ex. : bonus aux vendeurs quand ils atteignent l'objectif).

L'entreprise bien gérée a un système d'objectifs à plusieurs niveaux :

- des **objectifs généraux** ou « corporatifs » au niveau de la direction générale ;
- des **objectifs fonctionnels** pour chacune de ses fonctions : production, finance, personnel, marketing, etc. ;
- des **objectifs opérationnels**, par exemple en marketing : des objectifs pour chaque produit, dans chaque marché.

Il est essentiel que les trois niveaux soient intégrés et cohérents. Supposons en effet qu'une entreprise ait décidé de devenir le leader sur son marché (objectif général), cela exige par exemple d'augmenter la capacité de vente (objectif fonctionnel de marketing) et d'inciter les vendeurs à trouver de nouveaux clients (objectif opérationnel de marketing). Des objectifs incohérents aboutissent infailliblement à la paralysie de l'entreprise, chaque niveau hiérarchique poursuivant des buts contradictoires.

On constate très souvent que certaines entreprises passent trop de temps à élaborer des plans de marketing et pas assez à approfondir les objectifs à partir desquels ces plans sont élaborés. On prend parfois ses désirs pour des objectifs… « gagner de l'argent », « avoir une bonne part de marché », « améliorer le service à la clientèle » ne sont pas des objectifs, ce sont des désirs. Quelle est la différence? Un désir peut être vague et qualitatif. Un objectif est précis et quantifiable, il a quatre composantes :

1- Attribut
2- Échelle de mesure
3- Cible
4- Horizon

L'**attribut** est la dimension principale de l'objectif. Si l'on parle d'un objectif de ventes, l'attribut est « ventes »; si l'on parlait d'un objectif de part de marché, l'attribut serait « part de marché ». Lorsqu'un homme d'affaires déclare que son objectif est d'augmenter les ventes, il ne fait qu'énoncer l'attribut de son objectif... en fait il formule un vœu pieux. Il faudrait encore qu'il nous dise comment il va mesurer l'augmentation des ventes : en %, en unités ? en $?, en $ après ou avant inflation ? Il définirait ainsi une **échelle de mesure**. C'est la deuxième composante d'un objectif. Quel chiffre de ventes espère-t-il atteindre ? En d'autres termes, quelle est la **cible** visée ? La cible est une composante essentielle de l'objectif, car sans elle, on ne pourra pas savoir si l'objectif a été atteint ou non. Enfin, notre homme d'affaires devrait nous dire dans combien de temps, (**horizon**) il compte atteindre sa cible de ventes.

Maintenant que nous savons distinguer un objectif d'un simple désir, voyons quelles sont les caractéristiques d'un bon objectif commercial :

1. On a déjà dit qu'il doit être **intégré** dans le système d'objectifs de l'entreprise et **cohérent** avec les autres objectifs opérationnels, fonctionnels et généraux.

2. Un bon objectif constitue en outre un **défi réaliste**, c'est-à-dire qu'il ne sera pas impossible à atteindre, mais requerra un effort de la part de ceux qui seront chargés de l'atteindre. Un bon objectif sert d'outil de motivation dans l'entreprise et peut être incorporé dans un système d'incitation du personnel. L'atteinte des objectifs peut être récompensée par des bonis ou un avantage financier aux résultats.

3. Un bon objectif est assorti d'une définition du champ d'**autorité** et de **responsabilité** de tous ceux qui participeront à sa réalisation. L'atteinte d'un objectif est rarement l'œuvre d'une seule personne, mais plutôt celle d'une équipe. En définissant l'autorité et la responsabilité de chacun en vue de l'atteinte de l'objectif, on renforce la cohésion de l'équipe.

4. Un bon objectif commercial **positionne** l'entreprise en **termes absolus** et **relatifs**, c'est-à-dire qu'il définit la cible par rapport à plusieurs points de référence.

Exemple :

Objectif d'augmentation des ventes

Cible en termes absolus :	*réaliser 10 $ millions de $ de ventes cette année avec le produit X.*
Cible en termes relatifs :	
– par rapport à l'entreprise :	*augmenter nos ventes du produit X de 20 % par rapport à l'an dernier;*
– par rapport au marché :	*capter 50 % des nouveaux clients apparaissant sur le marché;*
– par rapport à la concurrence :	*augmenter notre part de marché de 7,5 % à 12 %.*

5. Enfin, un bon objectif exprime un **choix clair**, c'est-à-dire une **hiérarchie** par rapport à d'autres objectifs possibles. Un objectif s'inscrit dans une stratégie et toute stratégie implique des choix. Il serait difficile de prendre une décision de prix, par exemple, sans savoir quel est le but poursuivi : maximiser le profit, gagner de la part de marché, évincer un concurrent, etc. Il va sans dire que le choix de l'objectif commercial doit précéder la décision, et non être fait *a posteriori* pour « justifier » une décision instinctive…

La croissance de l'entreprise

On a vu au chapitre précédent qu'un produit suit un cycle de vie dans un marché. Il en irait de même d'une entreprise qui vendrait un seul produit sur un seul marché : tôt ou tard, elle péricliterait avec son produit. C'est par la diversification de leurs produits et de leurs marchés que les entreprises échappent à la fatalité du cycle de vie en gérant un ensemble, ou **portefeuille**, de produits et de marchés dans des phases distinctes de leur cycle. Le processus générateur de produits et de marchés est essentiel au développement de l'entreprise. Il permet d'assurer sa survie, sa croissance et sa profitabilité, trois objectifs fondamentaux de toute stratégie d'entreprise.

La volonté de survivre existe aussi bien dans le monde des affaires que dans le monde animal. La croissance et la profitabilité peuvent être considérées comme des objectifs intermédiaires de l'entreprise qui cherche à assurer sa survie. Une étude[1] a montré que croissance et profitabilité sont des objectifs interdépendants. Il faut bien entendu réaliser des profits pour financer les investissements requis par la croissance ou pour rembourser les emprunts contractés à cet effet, et l'étude dont il est question a montré, sur un grand échantillon d'entreprises industrielles, qu'il existe une corrélation positive entre la part de marché et la rentabilité : les entreprises qui ont progressé plus vite que leurs concurrents, qui ont donc la plus forte part de marché, affichent un meilleur taux de rentabilité des investissements. La croissance des ventes est d'autant plus nécessaire que l'entreprise opère dans un marché en expansion. En effet, afin de ne pas perdre de terrain par rapport à la concurrence, l'entreprise doit croître au moins au rythme de la demande, et plus vite si elle désire gagner de la part de marché. Une fois de plus, on voit qu'un objectif de croissance doit toujours être formulé en termes absolus (cible) et en termes relatifs (croissance par rapport à la demande et aux principaux concurrents).

La croissance peut prendre trois formes :

- le développement
- l'intégration
- la diversification

Le développement

Considérons la Figure 6.1 (a) imaginée par l'auteur américain Igor Ansoff[2]. Elle montre que l'entreprise a quatre options de développement :

1. La **pénétration du marché actuel** consiste à pousser le produit existant sur le marché existant en augmentant l'effort de marketing. On essaie, par exemple, d'attirer un plus grand nombre de clients, de leur faire acheter davantage et plus souvent.

2. Le **développement de marchés** consiste à trouver des applications ou des segments nouveaux pour le produit existant. Par exemple, ventes à l'exportation.

3. Le **développement de produits** nouveaux pour desservir le marché actuel, constitue une autre voie de développement. Les produits nouveaux sont des versions améliorées du produit de base, ou bien une **ligne** de produits dans laquelle chaque **modèle** a des caractéristiques différentes et vise un **segment** de clientèle distinct. Par ex. : *Colgate* a développé toute une ligne de dentifrices : normal, à la menthe, à la chlorophylle, contre le tartre, la carie, la mauvaise haleine…

4. La **diversification** consiste à lancer de nouveaux produits sur des marchés nouveaux pour l'entreprise. Par ex. : *Bic*, fabricant de stylo-billes, s'est lancé dans la fabrication de rasoirs et de produits récréatifs *(Bic-Dufour)*.

Les entreprises industrielles peuvent se développer selon un axe technologique. La matrice (Figure 6.1 (a) devient alors un cube (Figure 6.1 (b) offrant 8 possibilités de développement. On peut aussi faire une distinction plus fine en introduisant la catégorie « connexe » entre « existant » et « nouveau », c'est-à-dire considérer le cas de produits et de marchés qui ne sont pas tout à fait nouveaux pour l'entreprise, sans pour autant coïncider avec les produits et les marchés existants. En considérant ces trois catégories dans le cube, on obtient 3 X 3 X 3 = 27 options de développement. Cette matrice amplifiée est particulièrement utile pour concevoir le développement d'une entreprise de haute technologie.

figure 6.1 **Matrices de développement**

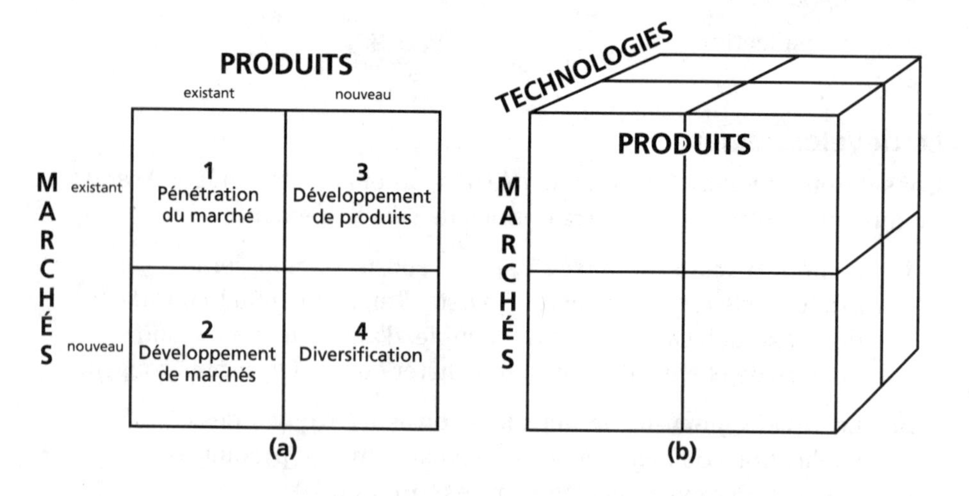

L'intégration

Considérons la Figure 6.2 qui présente l'activité économique comme une chaîne d'opérations allant de la technologie au service après vente. Une **entreprise intégrée** est une entreprise qui opère tous les maillons de la chaîne, c'est-à-dire qui fait tout elle-même depuis la recherche et le développement (R & D) technologiques jusqu'à la distribution et au service après vente.

Exemple : *Bombardier (www.bomdardier.com) est une entreprise intégrée dans la mesure où elle possède ses propres filiales de fabrication de moteurs (Rotax) et de fournitures de motoneiges. À l'inverse, Arctic Cat (www.arctic-cat.com) achète ses moteurs de Suzuki. On dit alors que l'entreprise qui sous-traite a plus de « flexibilité opérationnelle ».*

Rares sont les firmes totalement intégrées. La plupart du temps, une entreprise opère sur quelques maillons seulement de la filière économique. Elle a alors la possibilité de croître par **intégration verticale** ou **horizontale**.

L'intégration verticale peut se faire vers le haut, on parle alors d'**intégration en amont**. Il y a intégration en amont chaque fois qu'une firme entreprend des activités de production.

Exemple : *La firme Kentucky Fried Chicken acquiert des fermes de poulet en Floride.*

Au contraire, l'**intégration en aval** amène un producteur à s'engager dans des activités de commercialisation.

Exemple : *L'entreprise d'exploitation pétrolière Petrocan, par l'acquisition de Petrofina, s'est lancée dans la distribution de produits pétroliers.*

L'intégration horizontale consiste à élargir un maillon de la filière économique, c'est-à-dire à augmenter le contrôle de l'entreprise sur ledit maillon par l'acquisition de concurrents positionnés sur le même maillon.

Exemple : *PWA Corporation poursuivit pendant plusieurs année une politique d'acquisitions successives (Québecair, Nordair, Wardair) afin de renforcer Canadian Airlines International avant d'être elle-même acquise par Air Canada.*

Dans les secteurs de haute technologie, l'intégration peut se faire selon l'axe technologique, c'est-à-dire que l'entreprise détentrice d'un certain savoir-faire technologique s'efforce d'accéder à d'autres technologies qui lui permettront de développer en fin de compte des produits nouveaux. On parle alors de **stratégie de filière** ou de **grappes technologiques**.

figure 6.2 **La filière économique**

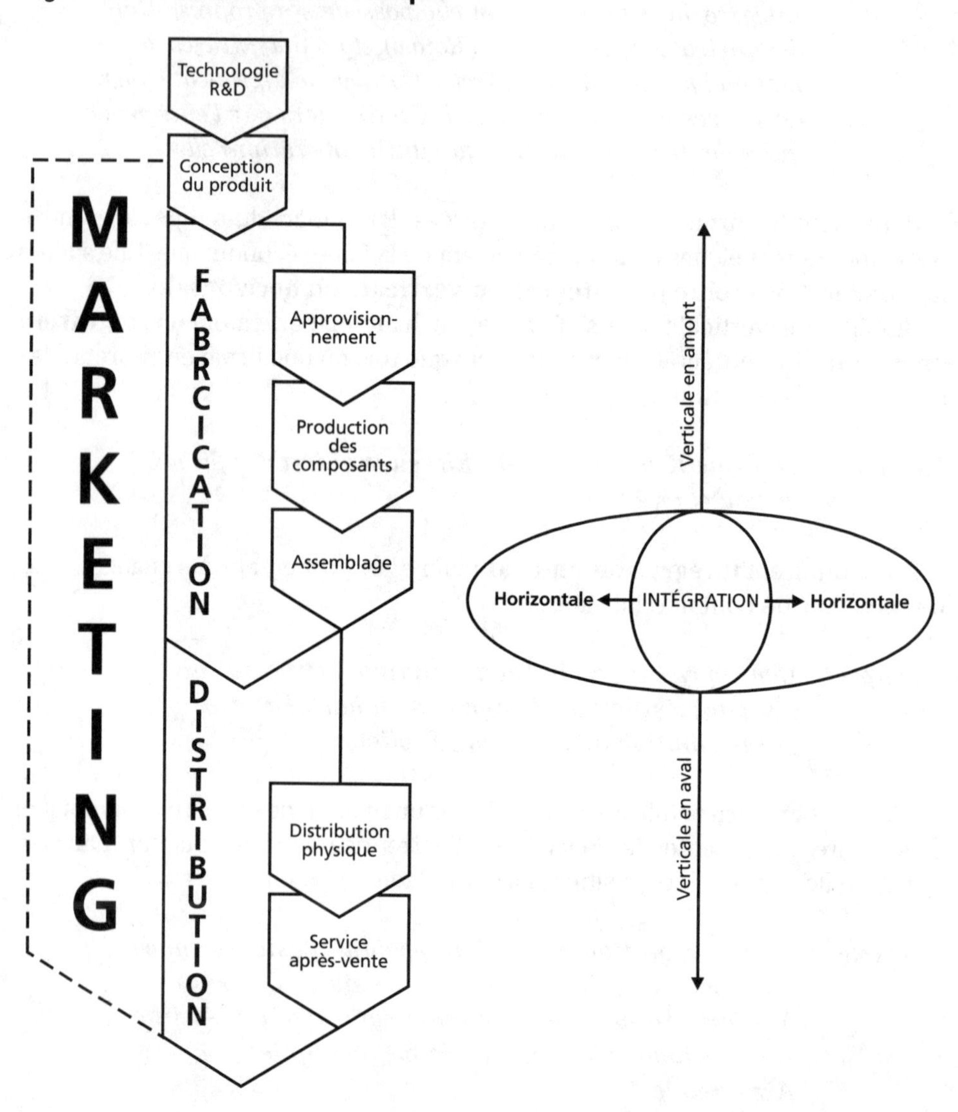

La diversification

Par définition, la diversification amène l'entreprise à introduire de nouveaux produits sur de nouveaux marchés. Cependant, le caractère de « nouveauté » peut être plus ou moins marqué. On parlera de **diversification congénérique** lorsque l'entreprise demeure essentiellement dans le même secteur d'activité.

Exemple : Bombardier s'appuie sur son expérience technique et commerciale du Ski-Doo pour introduire un autre type de véhicule récréatif, le Sea-Doo.

La diversification congénérique est dite **horizontale** lorsque les produits nouvellement introduits sont complémentaires des produits existants.

Exemple : Bombardier commercialise une gamme complète de produits pour les motoneigistes, allant des produits d'entretien à l'habillement.

Enfin, la **diversification conglomérale** consiste à se lancer dans des activités complètement nouvelles. Certaines entreprises, appelées conglomérats, ont des activités dans des secteurs n'ayant rien à voir entre eux.

Exemple : Power Corporation du Canada est une société de portefeuille et de gestion diversifiée oeuvrant, à travers ses filiales, dans des secteurs aussi divers que l'assurance, les communications, les minéraux spécialisés, les services publics, l'énergie et la presse écrite [le journal « La Presse » à Montréal].

La rentabilité de l'entreprise

On entend souvent dire que les entreprises sont à la recherche du profit, les médisants ajoutent même que seul le profit les intéresse. En réalité, ce n'est pas tant le **profit** qui intéresse l'entreprise, c'est plutôt la **rentabilité**.

Les ratios de rentabilité

Le profit se mesure en unités monétaires, disons en dollars. La rentabilité, elle, est un ratio exprimant le profit en pourcentage d'une autre quantité monétaire. Supposons qu'à la fin de l'année, une entreprise dégage un **profit net d'opération** de 10 000 $, c'est-à-dire qu'une fois déduites toutes les dépenses (y compris les impôts) du revenu des ventes il reste 10 000 $. L'entreprise en question montre bien un profit, mais est-elle rentable ? Cela n'est pas sûr ; il faut comparer le profit à l'effort monétaire nécessaire pour obtenir le profit. Cet effort peut se mesurer en termes de ventes, d'actifs, d'investissement ou de capitaux engagés. Selon le cas, on obtiendra un ratio de rentabilité différent (Figure 6.3).

figure 6.3 **Quelques ratios de rentabilité**

$V = V_u Q$

Ratio	Sigle*	Mesure
Rentabilité des ventes	R.O.S. (return on sales)	$\frac{\text{Profit}}{\text{ventes}}$
Rentabilité de l'actif	R.O.A. (return on assets)	$\frac{\text{Profit}}{\text{actif}}$
Rentabilité de l'investissement	R.O.I. (return on investment)	$\frac{\text{Profit}}{\text{investissement nécessaire}}$
Rentabilité du capital	R.O.E. (return on equity)	$\frac{\text{Profit}}{\text{avoir des actionnaires}}$

* **Note** : les sigles anglais sont couramment utilisés dans la langue des affaires.

Le Président de l'entreprise voudra sans doute comparer le profit aux investissements qu'il a fallu faire pour l'obtenir. Supposons qu'il ait fallu engager des actifs de 1 000 000 $ pour réaliser des ventes de 250 000 $ et faire un profit en fin d'année de 50 000 $.

Calculons le R.O.S.,

$$\text{R.O.S.} = \frac{50\,000\ \$}{250\,000\ \$} = 20\ \%$$

et le R.O.A.

$$\text{R.O.A.} = \frac{50\,000\ \$}{1\,000\,000\ \$} = 5\ \%$$

On peut exprimer le ROA en fonction du ROS, en écrivant

$$\text{R.O.A.} = \frac{\text{profit}}{\text{actifs}} = \frac{\text{profit}}{\text{ventes}} \times \frac{\text{ventes}}{\text{actifs}}$$

Le ratio ventes/actifs s'appelle le **taux de rotation de l'actif**.

Ainsi le R.O.A. est égal au produit du R.O.S. par le taux de rotation de l'actif. Dans l'exemple précédent :

R.O.A. = R.O.S. × taux de rotation de l'actif

R.O.A. = 20 % × 25 % = 5 %

Alors que R.O.S. traduit la **rentabilité commerciale** de l'entreprise, le R.O.A. exprime sa **rentabilité économique** et le R.O.E. mesure sa **rentabilité financière**.

Comment augmenter la rentabilité économique de l'entreprise ? La formule ci-dessus nous suggère les mesures à envisager :

- augmenter le R.O.S., c'est-à-dire faire plus de profit par ventes... La formule ne nous dit pas s'il sera plus aisé d'augmenter le prix ou de diminuer le coût de production.
- augmenter le taux de rotation de l'actif, c'est-à-dire vendre davantage sans faire d'investissements supplémentaires, ou bien réduire les investissements... sans affecter les ventes.

Les formules, on le voit, disent bien ce qu'il faut faire, mais elles ne disent jamais s'il est possible de le faire et comment le faire !

L'analyse marginale

On distingue communément deux types de frais dans l'entreprise : les **frais fixes** et les **frais variables**. Les frais fixes sont indépendants du niveau des ventes. Par exemple, le loyer des locaux occupés par l'entreprise représente un montant fixe à payer chaque mois, quelles que soient les ventes du mois. Il en va de même des assurances et des salaires, sauf dans le cas de personnel à la pige ou à la commission.

Les frais fixes incluent donc les frais généraux et ce que l'on appelle parfois les **charges indirectes** ou **charges propres** de l'entreprise, c'est-à-dire les frais dont le montant n'est pas directement fonction du niveau d'activité de la firme.

Les frais variables ou coûts directs, comme leur nom l'indique, varient en fonction des ventes. Ainsi, les coûts des matières premières, d'électricité, d'entretien, etc. augmentent avec le volume de production. On peut les représenter dans la Figure 6.4 par la droite (V) : plus les ventes augmentent, (et on suppose que la production augmente au même rythme), plus les points sur la droite (V) sont élevés. Le montant des coûts directs est égal au produit des frais variables par unité (V_u) par la quantité (Q) d'unités vendues.

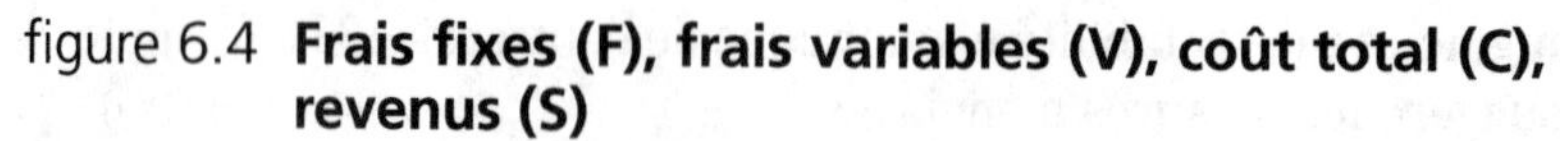
figure 6.4 **Frais fixes (F), frais variables (V), coût total (C), revenus (S)**

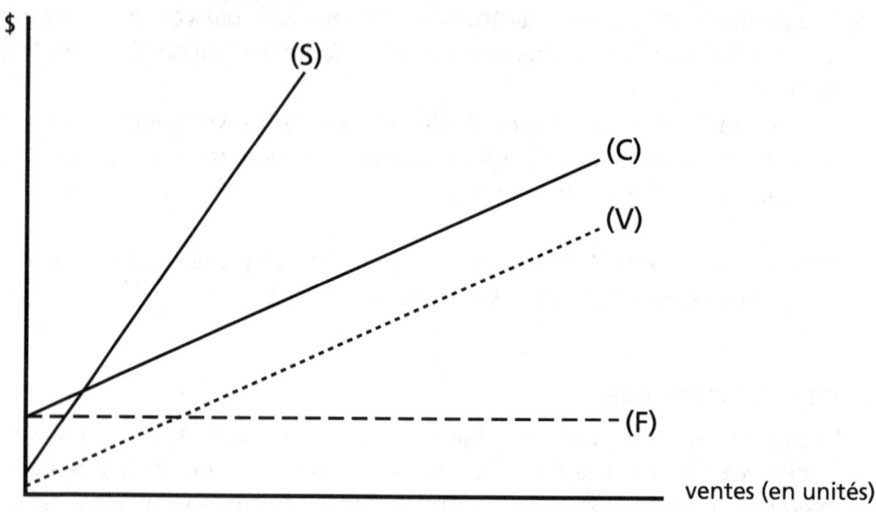

Schématiquement, les frais fixes se représentent par une droite horizontale (F) dans la Figure 6.4. En additionnant les coûts variables aux coûts fixes, on obtient la droite (C) qui représente le **coût total** ou **prix de revient**.

$$\begin{aligned} C &= F + V \\ &= F + V_u Q \end{aligned}$$

Dans la réalité, on obtient rarement une droite parfaite, car les frais ne sont pas absolument fixes ou absolument variables. Il faut considérer les droites de la Figure 6.4 comme des approximations nécessaires en première analyse.

Représentons maintenant les revenus de vente. Ils sont égaux au prix unitaire (P) que multiplie la quantité vendue (Q) :

$$\begin{aligned} S &= \text{revenus de ventes} \\ &= PQ \end{aligned}$$

Le profit π s'obtient par la différence entre les revenus (S) et le coût total (C) :

$$\begin{aligned} \pi &= \text{PROFIT} \\ &= PQ - C \\ &= PQ - [F + V_u Q] \\ &= PQ - F - V_u Q \\ &= Q\,(P - V_u) - F \end{aligned}$$

La différence entre le prix de vente unitaire (P) et les frais variables unitaires (V_u) s'appelle la **contribution unitaire**. La **marge brute** est le produit de la contribution unitaire par la quantité (Q) :

$$\text{Marge brute} = Q\,(P - V_u)$$

figure 6.5 **La structure du prix de vente**

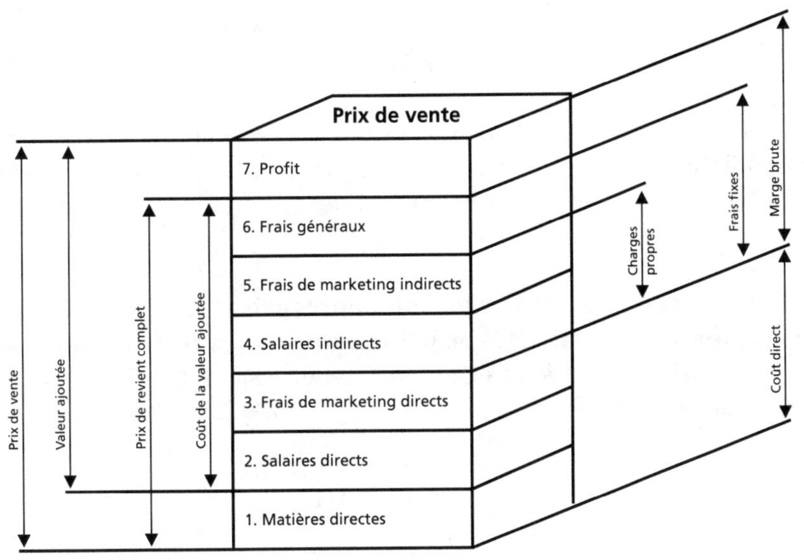

Source : Adapté de J. J. Lambin (1986). Le marketing Stratégigue. McGraw Hill, Paris, p. 269

Le **profit** est égal à la marge brute moins les frais fixes. La **valeur ajoutée** est égale au prix de vente moins le coût des matières premières. La Figure 6.5 présente, de façon sommaire, les divers éléments qui permettent d'arriver au prix de vente final et les différentes appellations qu'on donne à certains blocs d'éléments. Prenez soin de l'examiner et de bien la comprendre avant de continuer votre lecture.

Vite ! Un exemple pour illustrer ces formules qui servent de base à une analyse de rentabilité fort utile, connue sous le nom d'**analyse marginale**.

Exemple : *Alain n'a plus qu'une idée en tête : faire fortune avec le « homard ». Vous vous souvenez, il s'agit du dispositif permettant de maintenir le capot du coffre de l'auto dans la position ouverte désirée. Alain envisage de fabriquer lui-même le tube télescopique mais d'acheter les rotules chez un ferronnier. Il a réuni les données suivantes en vue* *de procéder à une analyse marginale : Frais fixes : 200 000 $. Ce montant comprend la location de locaux, le salaire des ouvriers et l'achat de tours, massicots et autres équipements. Frais variables par unité : 1,50 $. Ce montant comprend les coût d'opération des machines, d'achat de tubes métalliques, d'emballage, étiquetage et transport jusqu'à l'entrepôt du distributeur.*

Alain pense pouvoir vendre le « homard » à un prix unitaire de 4 $ au distributeur.

L'analyse marginale consiste en un ensemble de calculs permettant de mesurer la rentabilité de l'entreprise à différents niveaux de prix, de coûts et de volume. Nous allons l'appliquer à l'exemple ci-dessus, en répondant aux questions suivantes :

1. Quel est le seuil de rentabilité de l'entreprise ?
On appelle **seuil de rentabilité** (ou **point mort**) de l'entreprise le niveau d'opération auquel les revenus sont égaux aux dépenses, c'est-à-dire le point où le profit est nul, soit

$$\begin{aligned} \text{Revenus} &= \text{Dépenses} \\ PQ &= F + V_u Q \\ Q\,(P - V_u) &= F \\ \text{marge brute} &= \text{coûts fixes} \end{aligned}$$

$$\boxed{Q = \frac{F}{P - V_u}} \quad \text{(point mort en unités)}$$

La quantité au point mort est égale au rapport des frais fixes et de la contribution unitaire.

Calculons combien de « *homards* » Alain devrait vendre pour atteindre le seuil de rentabilité.

$$Q = \frac{200\,000}{(4 - 1{,}50)} = 80\,000$$

Si Alain vend moins de 80 000 « *homards* », il fera des pertes. S'il en vend davantage, il réalisera un bénéfice.

figure 6.6 **Le seuil de rentabilité (appliqué au cas du « *homard* »)**

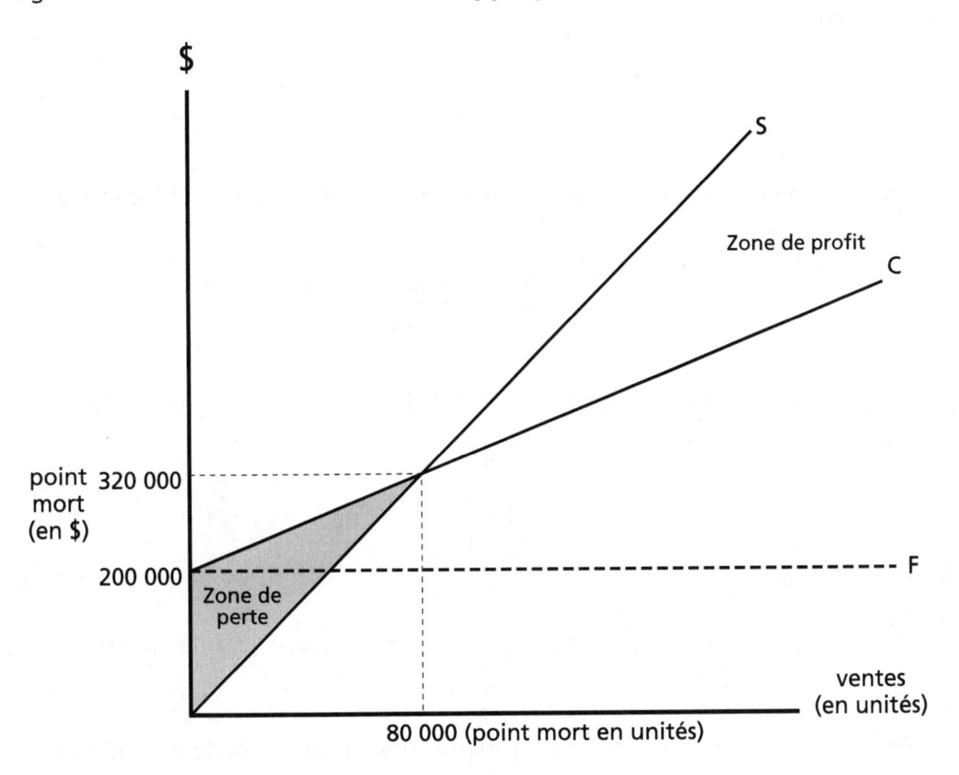

On peut calculer le point mort en dollars, c'est-à-dire le chiffre de ventes auquel on ne fait aucun profit. Pour ce faire, multiplions les deux termes de l'équation du point mort par le prix de vente unitaire P :

$$PQ = \frac{PF}{P - V_u}$$

$$PQ = \frac{PF}{P\left(1 - \frac{V_u}{P}\right)}$$

$$\boxed{PQ = \frac{F}{1 - \frac{V_u}{P}}}$$ (point mort en dollars)

Le rapport des frais variables unitaires au prix unitaire s'appelle le **taux de coût variable**, dont le symbole est v :

$$v = \frac{V_u}{P}$$

Le taux de coût variable exprime la proportion du chiffre d'affaires PQ qui sert à couvrir les frais variables :

$$v = \frac{V_u}{P} = \frac{V_uQ}{PQ} = \frac{\text{frais variables}}{\text{ventes}}$$

Dans notre exemple, le taux de coût variable au point mort est :

$$v = \frac{1,50}{4} = 0,375$$

$$v = 37,5\ \%$$

Pour chaque dollar de revenu, Alain dépense 37,5¢ en frais variables.

On appelle (1 - v) le **taux de contribution marginale**, dont le symbole est c :

$$c = 1 - v = 1 - \frac{V_u}{P}$$

Le taux de contribution marginale représente la proportion de chaque dollar de revenus qui sert à couvrir les frais fixes et contribue au profit.

Si le taux de coût variable au point mort est de 37,5 %, le taux de contribution marginale est :

$$c = 1 - 0,375 = 0,625 = 62,5\ \%$$

Comme au point mort le profit est nul, cela veut dire qu'Alain dépense 62,5¢ de chaque dollar de revenus en frais fixes.

Le point mort exprimé en dollars est égal au rapport des frais fixes et du taux de contribution marginale.

Quel chiffre d'affaires Alain devra-t-il réaliser pour atteindre le point mort ?

$$PQ = \frac{F}{C} = \frac{200\,000}{0{,}625} = 320\,000\ \$ \text{ (voir la figure 6.6)}$$

2. Quel volume faut-il vendre pour atteindre un objectif de profit ?

On sait que le profit π est égal à la différence entre la marge brute et les frais fixes.

$$\pi = Q\,(P - V_u) - F$$

$$Q = \frac{\pi + F}{P - V_u}$$

Ainsi, pour réaliser un profit de 100 000 $, Alain devrait vendre 120 000 « homards »

$$Q = \frac{100\,000 + 200\,000}{4 - 1{,}5} = 120\,000$$

3. Quel volume faut-il vendre pour atteindre un objectif de rentabilité ?

Définissons un objectif de rentabilité (R) par rapport à l'ensemble des frais fixes et des frais variables.

$$R = \frac{\text{profit}}{C} = \frac{\pi}{F + V}$$

On sait que $V = V_u Q$

et que $\pi = Q\,(P - V_u) - F$

d'où $R = \dfrac{Q\,(P - V_u) - F}{F + V_u Q}$

Soit en isolant Q :

$$Q\,(P - V_u) - F = R\,(F + V_u Q)$$

$$Q\,(P - V_u) = F + RF + RV_u Q)$$

$$Q\,[(P - V_u) - RV_u] = F\,(1 + R)$$

$$QP - QV_u - QRV_u = F\,(1 + R)$$

$$Q\,[P - V_u(1 + R)] = F\,(1 + R)$$

$$Q = \frac{F(1 + R)}{P - V_u(1 + R)}$$ (fonction de rentabilité de l'entreprise)

La formule ci-dessus indique la quantité à vendre (Q) pour atteindre un objectif de rentabilité (R).

Si $R = 0$ $\quad Q = \frac{F}{P - V_u}$ (on retrouve la formule du point mort)

Alain est ambitieux, il veut faire un profit égal à la moitié de ses dépenses en frais fixes et variables.

$$R = 0{,}5$$

$$Q = \frac{200\ 000\ (1 + 0{,}5)}{4 - 1{,}5\ (1 + 0{,}5)} = \frac{300\ 000}{1{,}75}$$

$$= 171\ 428 \text{ unités}$$

Il devrait donc vendre 171 428 unités pour un profit de :

$$\pi = r\ (F + V) = 0{,}5\ [200\ 000 + (1{,}5 \times 171\ 428)] = 228\ 571\ \$$$

4. Quel serait l'effet d'un changement de prix ou de coût sur le profit ?
L'analyse marginale est d'une grande utilité pour faire une *analyse de sensibilité* des résultats de l'entreprise, c'est-à-dire pour apprécier dans quelle mesure le profit est sensible à des variations de coût, de volume ou de prix. Un micro-ordinateur permet de faire très facilement ce type d'analyse. Il suffit de recalculer le profit pour des données de coût, de volume et de prix différents.

À titre d'illustration, la table suivante montre quel serait le profit d'Alain, si le prix de vente et les frais variables étaient modifiés de ± 10 % par rapport aux valeurs initiales, le nombre d'unités vendues restant fixe (171 428).

outil 6.1 **L'analyse de sensibilité du profit (exemple)**

Prix de vente envisagés	Coûts variables unitaires possibles				
$	3,60 $	3,80 $	4,00 $	4,20 $	4,40 $
1,35	185 713 $	219 999 $	254 284 $	288 570 $	322 855 $
1,40	177 142 $	211 427 $	245 713 $	279 998 $	314 284 $
1,45	168 570 $	202 856 $	237 141 $	271 427 $	305 713 $
1,50	159 999 $	194 284 $	228 570 $	262 856 $	297 141 $
1,55	151 427 $	185 713 $	219 999 $	254 284 $	288 570 $
1,60	142 856 $	177 142 $	211 427 $	245 713 $	279 998 $
1,65	134 285 $	168 570 $	202 856 $	237 141 $	271 427 $

P R O F I T

L'analyse de sensibilité permet de répondre à la question « que se passerait-il si… ? »

… si les coûts variaient ?
… si les prix changeaient ?
… si le volume de ventes baissait ou augmentait ?

C'est donc par l'analyse de sensibilité que l'on mesure l'effet de plusieurs scénarios économiques possibles sur les résultats de l'entreprise et que l'on apprécie le risque économique que celle-ci encourt, étant donné la probabilité de réalisation de chaque scénario envisagé.

LA FIXATION DU PRIX DE VENTE

En utilisant les formules de l'analyse marginale, nous pouvons fixer un prix de vente P qui satisfasse un objectif de profit ou de rentabilité. Mais n'allons pas commettre le péché capital de marketing qui consiste à prendre une décision importante, comme la fixation du prix de vente, sans nous soucier du consommateur. La détermination du prix de vente ne peut se faire sans analyser l'environnement de l'entreprise, en particulier le **consommateur**, la **concurrence** et le **coût des intermédiaires de distribution**.

La stratégie de prix de l'entreprise résulte donc d'une double analyse (Figure 6.7)

- **analyse externe :** consommateur, concurrence, intermédiaires
- **analyse interne :** objectifs de l'entreprise

figure 6.7 **Les facteurs qui influent sur l'établissement des prix**

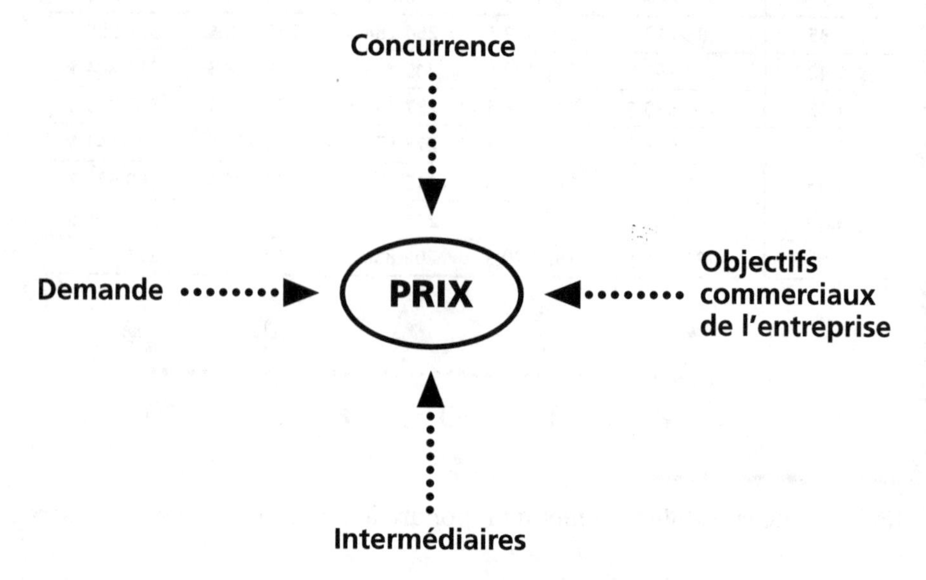

La demande

Y aura-t-il un marché au prix envisagé et de quelle importance sera-t-il ? Voilà bien entendu une des premières questions à se poser à l'heure de fixer le prix de vente. Pour y répondre, il faut, encore et toujours, revenir au consommateur et étudier deux aspects de la demande : l'aspect psychologique et l'aspect économique.

La dimension psychologique du prix

Il y a quelques années, personne n'aurait accepté de dépenser 400 $ pour acheter une raquette de tennis ou une paire de skis. Ce prix se situait au-delà des normes acceptables par le consommateur. C'était un prix choquant, voire indécent. Aujourd'hui, un tel prix ne choque plus personne, surtout lorsque le vendeur démontre, graphique à l'appui, que la construction originale du produit avec fibre de carbone entrelacée permet à l'utilisateur une souplesse dans le mouvement qui fera l'admiration de tous sur les pentes et les courts.

Que s'est-il passé en quelques années ? On a « éduqué » le consommateur de façon à pouvoir augmenter le prix qu'il est psychologiquement prêt à accepter. Cette éducation s'est faite par l'information technique et la publicité, alliées à la technicité croissante des produits offerts.

Les entreprises qui œuvrent dans le secteur des biens de consommation savent bien que les consommateurs, avant d'entrer dans un supermarché, ont des points de référence quant au prix de certains produits. Par contre, ces mêmes consommateurs n'ont aucune idée *a priori* du prix d'autres articles. Il est donc important de fixer un prix psychologiquement acceptable pour les **produits salients**, ceux dont le consommateur connaît à l'avance la zone de prix, tandis que l'on a davantage de latitude pour fixer le prix d'un **produit non-salient**, c'est-à-dire d'un produit dont le consommateur n'a pas idée du prix. Une promotion axée sur les prix aura d'autant plus d'effet qu'elle portera sur des produits salients.

La prochaine fois que vous recevrez une circulaire promotionnelle de votre supermarché avec des coupons-rabais, il y a de grande chance que les rabais portent sur des produits salients (ex. : bacon, sauce tomate) et non sur des produits non-salients (ex. : vinaigre) où ils ne seraient pas remarqués. Notez aussi que la plupart des prix sont **arrondis** : 5,95 $, 9,99 $… l'effet psychologique recherché est que le lecteur fixe son attention sur le premier chiffre… et oublie que 5,95 $ est plus près de 6 $ que de 5 $.

La dimension économique du prix

La science économique et l'expérience des affaires nous enseignent que pour la plupart des produits, la demande est influencée par le prix. L'un des buts des tests de marché, dont on a noté l'importance au chapitre 1, est d'aider les responsables de marketing à évaluer l'influence du prix sur la demande. Ainsi, en faisant des sondages auprès d'un échantillon de consommateurs potentiels, en interrogeant un panel ou en faisant des tests dans plusieurs villes, à des prix différents, on peut estimer l'**équation de la demande**, c'est-à-dire la relation statistique existant entre le prix (P) et le volume (Q) vendu à ce prix. Si l'on connaît aussi l'équation **du coût total**, on peut calculer le **prix de vente unitaire qui maximise le profit**.

Alain a finalement décidé de vendre ses « homards » par caisses de 10 à des magasins d'accessoires pour automobiles. Il a visité un échantillon de magasins et proposé le « homard » à plusieurs prix. Ainsi, il a pu établir qu'il existe une relation statistique entre la quantité de caisses pouvant être vendue (Q) et le prix de vente de chaque caisse (P). D'après son étude, cette relation ou cette équation de la demande est :

$$Q = -\ 8\,000P + 500\,000$$

Il connaît par ailleurs l'équation de son ***coût total*** *:*

$C = F + V_u Q$ ou F est l'ensemble des frais fixes
$\quad = 200\,000 + 15Q$ et V_u le coût direct unitaire.

Le profit est égal à la différence entre les revenus (PQ) et les coûts (C)

$$\pi = PQ - C$$

soit en remplaçant Q et C par leurs équations respectives :

$$= P\,(-8\,000P + 500\,000) - 15\,(-8\,000P + 500\,000) - 200\,000$$
$$= -\ 10\,000P^2 + 620\,000P - 7\,700\,000$$

On constate, dans ce cas, que l'équation du profit π est quadratique (équation du second degré). La Figure 6.8 en donne une représentation graphique. Le calcul et le graphique montrent qu'Alain obtiendrait un profit maximum (4,3125 millions de $!) pour un prix de vente de 38,75 $.

Il ne lui reste plus qu'à vendre 1 900 000 « homards » pour que ses prévisions se réalisent.

figure 6.8 **La fixation du prix qui maximise le profit**

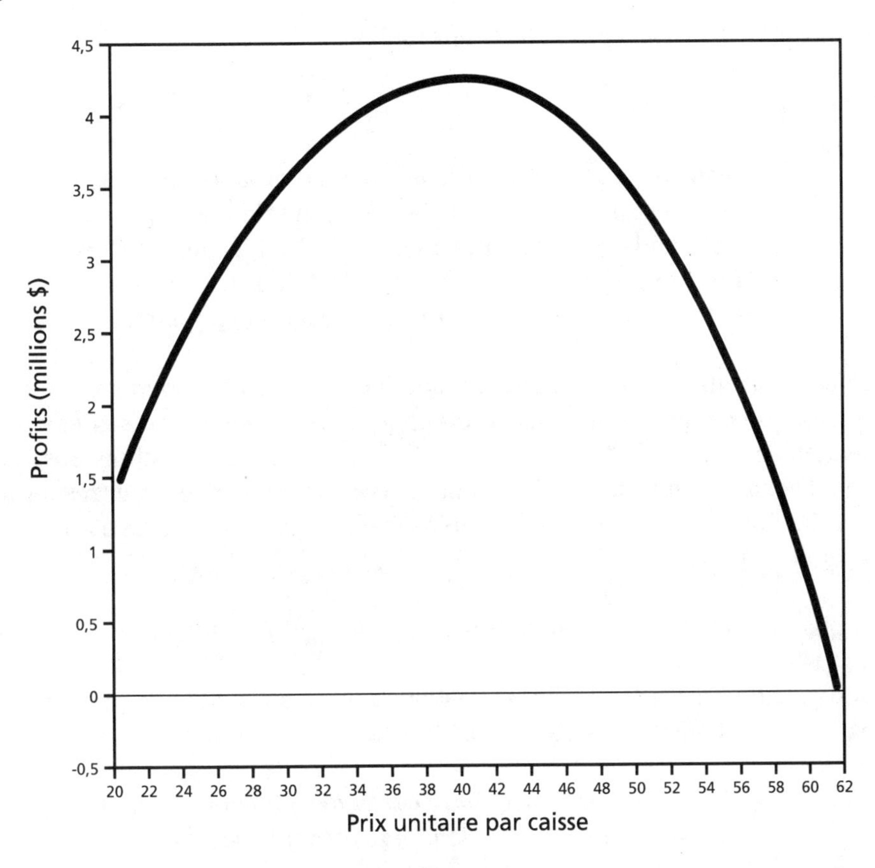

L'élasticité de la demande par rapport au prix

Au chapitre 4, nous avons vu que la demande fluctue généralement par rapport au prix. On appelle **élasticité de la demande par rapport au prix** (ou plus simplement élasticité-prix) la variation relative de la demande induite par une variation relative de prix. En termes symboliques, soit :

$\frac{\Delta P}{P}$ = la variation relative de prix, c'est-à-dire le pourcentage de changement de prix.

$\frac{\Delta Q}{Q}$ = la variation relative de la demande, c'est-à-dire le pourcentage de changement dans la quantité, provoqué par la variation relative du prix.

$$\text{L'élasticité-prix est } E = \frac{\frac{\Delta Q}{Q}}{\frac{\Delta P}{P}}$$

Lorsqu'on a E > 1, c'est-à-dire que la variation relative de la demande est plus grande que la variation relative de prix, on dit que la demande est **élastique** au prix. Si E < 1, la demande est dite **inélastique**. Enfin, lorsque E = 1, l'élasticité est **unitaire** (voir la Figure 4.2 du chapitre 4 pour une illustration graphique).

En situation de demande élastique, une baisse de prix entraînera une forte augmentation de la demande. Les produits dont la demande est élastique sont généralement des produits pour lesquels il existe plusieurs substituts possibles et dont l'achat est mûrement réfléchi par le consommateur (en d'autres termes ce dernier fait une comparaison, au moins mentale, entre plusieurs alternatives d'achat et de prix).

Exemple : *l'achat d'une automobile neuve de modèle courant.*

La demande est généralement inélastique pour les produits de première nécessité, sans substitut possible à court terme.

Exemple : *l'essence – c'est pourquoi le cartel des pays producteurs de pétrole prospère : la demande est relativement insensible aux hausses de prix.*

Elle est aussi inélastique pour les produits de grand luxe, ceux qui soi-disant « n'ont pas de prix ».

Exemple : *œuvres d'art de grand renom.*

Parfois, la demande pour un produit X est influencée par des changements de prix d'un autre produit Y. On dit alors qu'il y a **élasticité croisée**. L'élasticité croisée de la demande du produit X par rapport au prix du produit Y est égale à la variation relative de la demande de X induite par la variation relative du prix de Y.

$$\Theta_{xy} = \frac{\frac{\Delta Q_x}{Q_x}}{\frac{\Delta P_y}{P_y}}$$

L'élasticité croisée est positive lorsque les produits X et Y sont substituables. Dans le cas de produits complémentaires, l'élasticité croisée est négative, et dans celui de produits indépendants, elle est nulle.

Exemple : Un fabricant d'ordinateurs observe qu'une baisse du prix des micro-ordinateurs portatifs (Y) a pour effet de diminuer les ventes de ses micro-ordinateurs non-portatifs (X) – on dit parfois qu'il y a ***cannibalisme*** *de X par Y – et d'augmenter les ventes de cartes modems (produits complémentaires).*

Avant d'effectuer tout changement de prix, le responsable de marketing doit donc essayer d'évaluer non seulement l'élasticité de la demande par rapport au prix du produit considéré, mais encore l'effet d'un changement de prix du produit sur l'ensemble du portefeuille de produits de l'entreprise, en particulier sur :

les **produits complémentaires** : ceux qui s'utilisent ensemble (par ex. : outils [jeu d'outils], vêtements [panoplie]).

les **produits substituts** : ceux que l'on peut utiliser l'un à la place de l'autre (par ex. : électricité, huile de chauffage et gaz).

les **produits conjoints** : ceux qui dérivent de la même source de matière première (par ex. : dérivés du pétrole, matières plastiques).

Le prix n'est pas la seule variable à laquelle la demande peut être sensible. D'autres variables sont susceptibles d'affecter la quantité demandée, par exemple le budget de promotion des ventes, le nombre de représentants, la qualité du produit, etc. Pour toutes ces variables, on peut calculer un coefficient d'élasticité en utilisant, au numérateur, la variation relative de la demande et, au dénominateur, la variation relative de la variable considérée.

Bien que le concept d'élasticité soit élégant et quantifiable, il est en pratique d'une utilité limitée car :

- on le connaît rarement;
- on le découvre trop tard – après avoir modifié les variables de marketing;
- il change dans le temps;
- par définition, il varie d'un segment à l'autre.

Les intermédiaires

L'acheminement des produits depuis le manufacturier jusqu'aux acheteurs se fait par un **canal de distribution**. Un canal de distribution comprend un ou plusieurs **intermédiaires** de distribution – agents, grossistes, détaillants – dont on étudiera le rôle et les fonctions au chapitre 10.

Chaque intermédiaire de distribution rémunère ses services en prélevant une **marge**. Par définition donc :

Marge = Prix de vente de l'intermédiaire – Coût d'achat de l'intermédiaire

soit

$$M = P - C$$

Dans la pratique, on a coutume d'exprimer la marge en proportion du prix de vente, on parle alors de **marge sur prix** *(markup)*

$$\text{marge sur prix} = \frac{\text{Prix de vente} - \text{coût d'achat}}{\text{Prix de vente}}$$

$$m_p = \frac{M}{P}$$

La marge sur prix est la façon la plus courante d'exprimer le pourcentage de rémunération d'un intermédiaire. Quand on parle de « marge » sans spécifier, il s'agit de marge sur prix. Cependant, dans quelques secteurs économiques, on fait aussi référence à la **marge sur coût** *(markdown)*.

$$\text{marge sur coût} = \frac{\text{Prix de vente} - \text{coût d'achat}}{\text{Coût d'achat}}$$

$$m_c = \frac{M}{C}$$

Connaissant la marge sur prix, on peut obtenir la marge sur coût, ou inversement, en utilisant les formules d'équivalence suivantes :

$$m_p = \frac{m_c}{1 + m_c} \qquad m_c = \frac{m_p}{1 + m_p}$$

Connaissant le prix de vente au détail et la marge du détaillant, on peut calculer le coût du détaillant :

$$C = (l - m_p)\, P$$

Supposons maintenant que le canal de distribution ait deux niveaux d'intermédiaires, par exemple, des grossistes et des détaillants. Le manufacturier vend à un grossiste qui prélève une marge m_{p1} et revend à des détaillants qui prennent une marge m_{p2}. Connaissant le prix de vente au détail et la structure des marges des intermédiaires, on peut calculer le **prix de vente usine** ou **prix de vente du manufacturier**. Celui-ci est égal au coût du grossiste :

$$C = (l - m_{p1})\,(l - m_{p2})\, P$$

Par analogie, connaissant le prix-usine on détermine le **prix au consommateur** ou **prix de détail** en tenant compte des marges des intermédiaires successifs (m_{p1}, m_{p2}, m_{p3}, etc.) :

$$P = \frac{C}{(l - m_{p1})\,(l - m_{p2})\,(l - m_{p3})\,\ldots}$$

Les marges des intermédiaires varient beaucoup selon le secteur industriel, le type d'intermédiaire, les tâches qu'ils accomplissent, les us et coutumes du pays considéré. À titre d'exemple, au Canada, pour les biens de consommation courante non périssables, les marges des détaillants sont de l'ordre de 30 à 40 %, tandis que celles des grossistes varient entre 10 et 15 %. Dans ces conditions, on comprend que le coût de manutention et de distribution de certains produits soit bien supérieur au coût de production proprement dit.

Vous êtes-vous déjà demandé combien « coûte » la bouteille d'eau minérale que vous achetez au supermarché ? L'illustration 6.1 vous mettra sur la voie.

Pour d'autres produits tels les boissons alcoolisées et l'essence, les taxes représentent parfois plus de la moitié du prix de vente final au consommateur.

Illustration 6.1
Structure du prix d'une bouteille d'eau

Eau pure ou pur marketing?

Selon une étude de la British Water Companies Association [BWCA] la vente d'eau en bouteille est l'une des plus grandes escroqueries de notre temps. Le litre d'eau que le consommateur britannique paie 1 $ au supermarché coûte environ 700 fois plus que l'eau de la ville et il est prouvé qu'il n'y a pas de différence de qualité entre plusieurs eaux embouteillées et l'eau du robinet.

Pis encore, l'étude montre que la probabilité est 6 fois plus grande de trouver une quantité excessive de bactéries dans une bouteille d'eau que dans l'eau du robinet.

Pour satisfaire la demande d'eau embouteillée, la Grande-Bretagne importe l'eau de pays aussi lointains que le Kenya et l'Inde — pays où la population locale manque d'eau. Une nouvelle marque d'eau apparaît sur le marché tous les 10 jours, et le commerce d'eau déverse annuellement 600,000 tonnes de bouteilles en plastique dans l'environnement.

Si vous consommez en moyenne 2,5 litres d'eau par jour et l'achetez au supermarché, préparez-vous à payer 75 000 $ durant votre vie pour étancher votre soif!

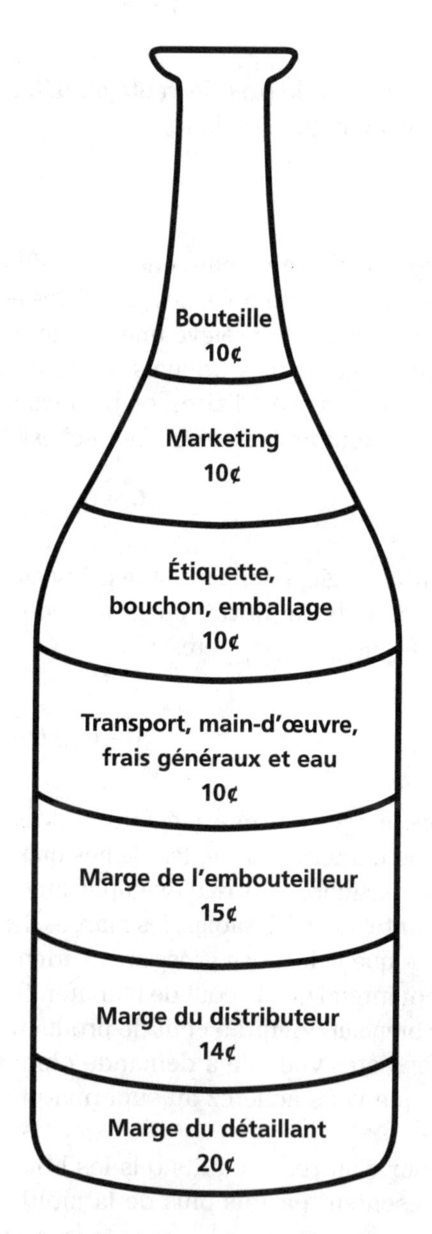

Source : The Guardian Weekly, vol. 157, n° 14, 5 octobre, 1997; Inc., mars 1986.

Les intermédiaires ont une certaine latitude pour fixer le prix final du produit. En effet, la législation canadienne ne permet pas aux manufacturiers d'obliger les intermédiaires à vendre à un prix indiqué. Ils peuvent tout au plus « suggérer » un prix de détail. Mais le détaillant s'écarte souvent du prix suggéré afin de promouvoir le produit ou de réduire ses stocks. Il le fait en accordant un **rabais**.

Rabais : différence entre le prix normal et le prix de promotion d'un produit.

Lorsque le rabais est consenti en retour de quelque service de la part de l'acheteur, on dit qu'il y a **escompte**.

Escompte : rabais sujet à des conditions d'achat ou de paiement.

Les escomptes les plus courants sont :

- l'**escompte de volume :**

  par exemple : « 1 boîte pour 39¢, 3 pour 1 $ ». Les escomptes de volume sont fréquents en marketing des biens industriels, mais aussi dans les services.

- la **prime :**

  par exemple : « treize à la douzaine! ». Les primes sont des escomptes de volumes payables en nature plutôt qu'en espèces.

- l'**escompte pour paiement rapide :**

  par exemple : « payable 2/10, net 30 ». On retrouve ces termes d'escompte sur beaucoup de factures. 2/10, net 30 signifie que le paiement est dû dans les 30 jours mais que l'acheteur peut déduire 2 % de la facture s'il paie dans les 10 jours.

Il est généralement avantageux de profiter des escomptes pour paiement rapide. En effet, le coût du crédit de 20 jours accordé à l'acheteur qui paye à 30 jours au lieu de 10 jours est exorbitant. Calculons-le :

Sur un achat de 100 $, l'acheteur perd l'escompte pour paiement rapide de 2 $. Ainsi, pour emprunter 98 $ pendant 20 jours il paye $\frac{2\ \$}{98\ \$} = 2{,}04\ \%$ soit sur la base d'un intérêt annuel $\frac{2{,}04 \times 365}{20} = 37\ \%$.

Alors que le but avoué de l'escompte pour paiement rapide est d'inciter les acheteurs à payer promptement pour faciliter la trésorerie de l'entreprise, le but caché est souvent d'extorquer un taux usuraire excessif aux acheteurs non avertis. En règle générale, il vaut mieux emprunter de l'argent de la banque que des fournisseurs.

- l'**escompte saisonnier :**

  par exemple : hôtellerie, lignes aériennes. Les escomptes saisonniers ont pour but d'inciter les gens à acheter lors des périodes creuses, ceci dans le but de stabiliser les activités du manufacturier au cours de l'année. C'est ainsi que les lignes aériennes offrent des prix spéciaux en dehors des périodes de pointe.

La concurrence

La fixation du prix de vente doit tenir compte de multiples facteurs. Nous avons examiné les aspects psychologiques et économiques du prix. Il est temps d'analyser maintenant la détermination du prix de vente dans une double perspective stratégique et d'étudier :

1. comment le prix positionne l'entreprise face à la concurrence ;
2. comment le prix répond aux objectifs de l'entreprise.

Commençons par le cas le plus facile, celui où l'entreprise n'a pas de concurrence. Elle met en marché un produit nouveau et original. Deux stratégies de prix s'offrent à elle : le **prix d'écrémage** et le **prix de pénétration**.

Le prix d'écrémage

En fixant le prix à un niveau élevé, l'entreprise écrème le marché, c'est-à-dire qu'elle ne va toucher que quelques segments seulement : les innovateurs et les acheteurs précoces ; ce sont les plus motivés pour acheter ce produit nouveau et les moins sensibles au prix. Peu à peu, l'entreprise baissera le prix au fur et à mesure qu'elle aura la capacité de production et la capacité de commercialisation suffisantes pour atteindre de nouveaux segments de consommateurs.

Une stratégie d'écrémage est recommandée pour les produits nouveaux, lorsque les acheteurs précoces sont suffisamment nombreux pour permettre à l'entreprise d'écouler sa production et lorsque la technologie de production permet d'opérer profitablement à petite échelle. Il faut aussi que le prix élevé contribue à instaurer une image de qualité, et qu'il n'attire pas trop vite d'autres concurrents sur le marché.

Le prix de pénétration

À l'inverse d'un prix d'écrémage, un prix de pénétration est un prix bas, fixé de manière à susciter la demande et à décourager l'entrée de nouveaux concurrents sur le marché.

Une stratégie de prix de pénétration est recommandée lorsque le marché est très sensible au prix et lorsque les économies d'échelle sont importantes, c'est-à-dire qu'en produisant à grande échelle on fera baisser les coûts unitaires, ce qui permettra de soutenir des prix bas.

Le cas le plus fréquent est celui qui consiste à fixer le prix d'un produit qui va rencontrer une concurrence déjà établie sur le marché. Le prix devient alors un élément parmi d'autres (qualité, service, réputation, image, etc.) qui sert à **positionner** l'entreprise face à ses concurrents. Il est possible d'envisager trois stratégies de positionnement quant au prix fixé par rapport à la concurrence : plus élevé, concurrentiel ou plus bas.

Prix plus élevé que la concurrence

L'intention de l'entreprise est de faire ressortir les éléments qui **différencient** son produit par rapport aux produits concurrents. Le prix est un outil de renforcement de la différenciation pour convaincre les consommateurs que le produit est meilleur ou qu'il a des attributs distinctifs. Ces derniers doivent, dans l'esprit des consommateurs, justifier le supplément de prix payé. L'un des attributs peut tout simplement être la marque.

Prix aligné sur la concurrence (prix concurrentiel)

La stratégie d'alignement a pour but de convaincre le consommateur d'acheter un produit qu'il croit meilleur, au même prix que les produits concurrents qu'il croit inférieurs. Dans certains cas, le prix d'alignement s'inscrit dans une **stratégie d'imitation**, c'est-à-dire que l'entreprise met en marché un produit absolument indifférenciable des produits concurrents et vendu au même prix. Statistiquement, un certain nombre de personnes achèteront ce produit, par hasard ou par indifférence. La stratégie d'imitation peut s'avérer rentable sur un marché où il n'y a pas d'effet de marque, dans la mesure où l'entreprise qui la pratique n'investit ni en recherche et développement, ni en publicité ou promotion. Les américains ont baptisé cette approche « *metooism* ».

Prix plus bas que la concurrence

Le message que l'on essaie de faire passer est le suivant : « *obtenez le même produit à meilleur prix* ». Cette stratégie est recommandée lorsqu'il y a une **forte élasticité** de la demande au prix et en situation de croissance de la demande. En effet, l'attaque des concurrents par le prix permet dans ce cas à l'entreprise d'accroître sa part de marché. On suppose, bien entendu, que l'entreprise a une capacité de production suffisante pour répondre à la nouvelle demande engendrée.

Les objectifs commerciaux de l'entreprise

Revenons au point de départ de ce chapitre : les objectifs commerciaux de l'entreprise. En effet, si le prix doit satisfaire le consommateur (aspect psychologique du prix), les conditions de la demande (aspect économique), de la distribution (aspect structural) et de la concurrence (aspect stratégique), il doit aussi servir à atteindre les objectifs de l'entreprise. Examinons quelques objectifs généraux, parmi les plus fréquents, et voyons à quels prix l'entreprise pourra les atteindre.

Gagner de la part de marché

Cet objectif est souvent prédominant en phase d'introduction et de croissance. Il n'est pas certain qu'un prix de pénétration ou un prix bas soit le meilleur moyen de gagner de la part de marché. Il faut d'abord étudier le comportement du consommateur et analyser le marché afin de déterminer laquelle des variables du marketing-mix aura le plus d'effet sur la demande. La firme de pneus *Michelin* a gagné de la part de marché en Amérique du Nord par une politique de prix élevés alliée à un positionnement de haute qualité technique et à la sécurité de son produit.

Maximiser le profit à court terme

L'objectif de rentabilité est primordial pour un produit en phase de déclin, ou bien lorsque l'entreprise désire se retirer graduellement d'un marché. Là encore, ne sautons pas trop vite à la conclusion la plus évidente : prix d'écrémage, prix élevé. La tendance de l'entreprise sera bien entendu d'adopter le prix le plus élevé possible, mais elle devra tenir compte des facteurs économiques de production.

L'équation du profit montre que le prix le plus élevé ne maximise pas toujours le profit (voir la Figure 6.8) étant donnée la structure des coûts de production.

Maximiser les ventes à court terme

Cet objectif diffère du précédent, car on peut vendre beaucoup sans faire beaucoup de profit, ou même en faisant des pertes. Une entreprise ayant des difficultés de trésorerie aura comme objectif de maximiser les ventes afin d'obtenir les liquidités nécessaires à sa survie. Elle devra opter pour une promotion temporaire de ses produits, le plus souvent en consentant une baisse de prix. La baisse de prix peut être réelle ou déguisée ; dans ce dernier cas, le prix affiché ne change pas, mais l'entreprise accorde à ses clients des **ristournes** sous forme de remise d'argent ou de bon d'achat, ou bien elle consent des conditions de paiement plus favorables aux clients.

Attirer la clientèle

Il s'agit ici d'attirer la clientèle, soit dans un magasin en offrant des prix bas sur certains articles seulement, soit de faire essayer un produit nouveau, ou plus machiavéliquement de fixer un prix bas sur un produit de bas de gamme, puis de convaincre le client d'acheter les produits de haut de gamme. Qui d'entre nous n'est entré dans un magasin attiré par un bon prix sur un produit, et ressorti après avoir acheté d'autres produits… au prix fort ! On appelle **produits d'appel** *(loss leaders)* ces produits sur lesquels on fait une promotion de prix dans le but d'attirer la clientèle.

La situation particulière d'une entreprise dicte un ensemble d'objectifs commerciaux qui peuvent différer des cas envisagés ci-dessus. Toutefois, il faut retenir que le prix doit servir un objectif de l'entreprise et que la fixation du prix est un acte stratégique qui demande mûre réflexion et une analyse approfondie des facteurs d'environnement externe et interne de l'entreprise.

CONCLUSION

Trois objectifs fondamentaux sont communs à toutes les entreprises à but lucratif : survie, croissance, profit. C'est sur l'atteinte de ces objectifs que l'on juge la réussite d'une entreprise. La croissance et le profit sont nécessaires à la survie à long terme d'une firme.

L'entreprise peut assurer sa croissance de quatre façons non exclusives : par l'**expansion** de ses activités existantes (pénétration), par le **développement** de produits nouveaux et de marchés nouveaux, par l'**intégration horizontale** ou **verticale**, ou enfin par la **diversification** dans des activités nouvelles.

La croissance requiert des investissements. Ceux-ci devront être financés, du moins en partie, par le profit de l'entreprise. D'autre part, les actionnaires exigent que le profit obtenu satisfasse leurs exigences de rentabilité du capital investi.

La décision de prix revêt une importance toute particulière puisqu'elle affecte directement le profit et donc la rentabilité de l'entreprise. C'est une décision qui requiert une bonne connaissance de l'environnement externe de l'entreprise (marchés, consommateurs, concurrence, canaux de distribution, législation, etc.) mais aussi un approfondissement de ses objectifs. En tout état de cause, le choix d'un prix parmi les alternatives présentées à la Figure 6.10 s'inscrit dans un ensemble de décisions qui constituent des **programmes de marketing**, conçus selon un **plan** qui traduit une **stratégie** de l'entreprise. Ce cadre plus global de décision fait l'objet du chapitre 7.

figure 6.10 **Les alternatives de prix**

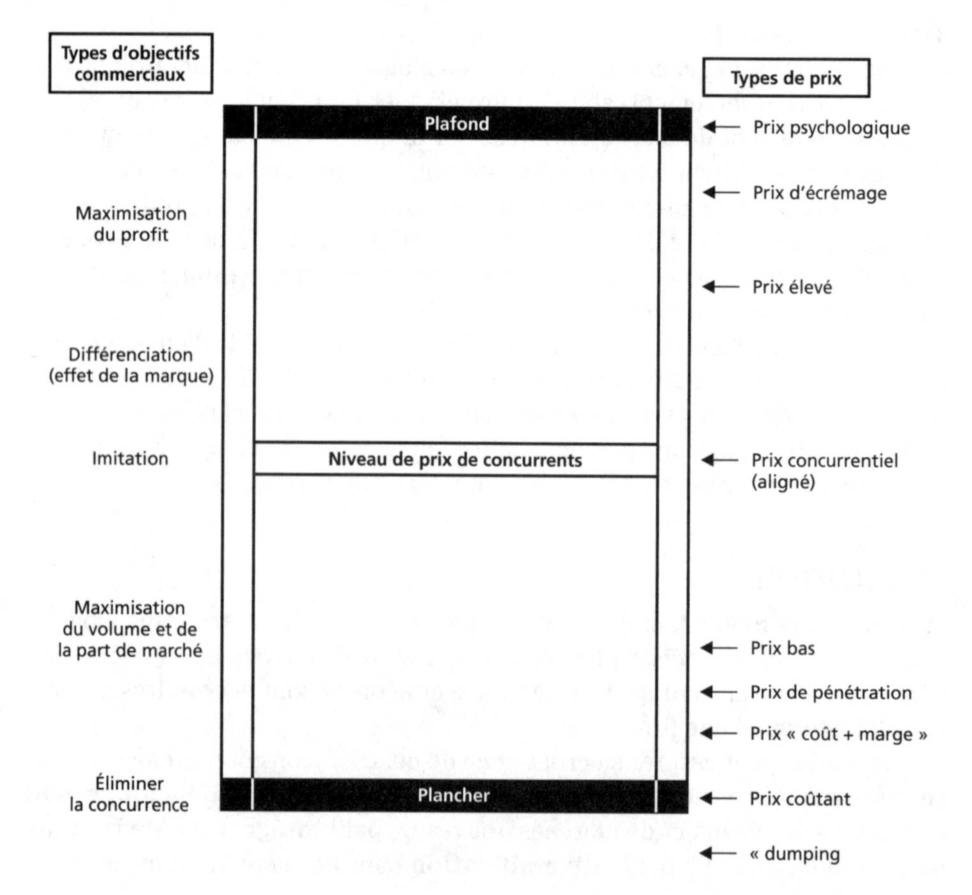

EXERCICES ET SUJETS DE RÉFLEXION

1. Au prix de 38,75 $, Alain pense vendre 190 000 caisses de « *homards* ». Son étude auprès des magasins de fournitures automobiles lui a montré d'autre part que l'équation de la demande est :

$$Q = -8\,000P + 500\,000$$

Calculez l'élasticité de la demande par rapport au prix. Le résultat obtenu vous surprend-il, étant donné le type de produit dont il est question ?

2. Faites la liste des facteurs dont Alain devrait tenir compte dans la fixation du prix (prix du manufacturier) du « *homard* ».

3. On a constaté qu'une firme japonaise de téléviseurs vendait le même appareil de télévision 299 $ au Canada et 500 $ au Japon. Est-ce suffisant pour l'accuser de faire du « dumping » ?

4. Il est courant d'adopter un prix bas pour susciter la demande. Pouvez-vous imaginer une situation dans laquelle une firme adopterait un prix élevé pour attirer une plus forte clientèle ?

5. Quelles sont les raisons qui peuvent pousser un manufacturier à couper les prix ?

6. Un représentant d'une firme de location de matériel de bureau reçoit un appel d'un client potentiel. Ce dernier désire louer un télécopieur (fax) pour un an et déclare recevoir ou envoyer environ 750 fac-similés par mois de deux pages chacun en moyenne.

   Le représentant hésite entre deux machines (A et B) à lui recommander. La machine A se loue pour 1 400 $ par an. Elle utilise des rouleaux de papier ordinaire de 500 pages. Chaque rouleau coûte 5 $.

   La location de la machine B est moins dispendieuse : 850 $ par an. Cependant, cette machine requiert des rouleaux de papier thermique qui contiennent 300 pages et coûtent 12 $.

   Par ailleurs, les deux machines sont identiques – mêmes fonctions, même vitesse de transmission, etc.

   Laquelle des deux machines le représentant devrait-il recommander à son client ?

CAS-DISCUSSION

ABM & BBM

ABM et BBM sont deux producteurs d'ordinateurs. Ils se livrent une concurrence farouche dans la gamme moyenne représentée par les modèles Computex de ABM et Informex de BBM. Ces deux modèles coûtent le même prix (100 u.m.)* et remplissent les mêmes fonctions. Cependant, ABM qui vend 6500 Computex par an a 65 % du marché tandis que BBM ne vend que 3 500 Informex et a 35 % du marché.

M. Maisonneuve, président de ABM, convoque une réunion de la direction car BBM vient d'annoncer une baisse de prix de 20 u.m. sur son modèle Informex. M. Maisonneuve reçoit les conseils de ses fidèles collaborateurs :

M. Publicis : *« Il fallait s'y attendre ! Ils n'arrivent pas à vendre et coupent les prix pour réduire leurs stocks. Ça va très mal chez BBM. Mais ils font une erreur, un ordinateur ne se vend pas comme du dentifrice, la qualité se reconnaît dans le prix ; le fait que nous dominions le marché, que nos appareils soient bons et que nous vendions à un juste prix renforce constamment notre image et la confiance que nous témoignent les clients. Il ne faut pas baisser notre prix ; laissons BBM s'enliser dans sa politique ! ».*

M. Lespion : *« Je tiens de source bien informée que la marge de BBM sur le modèle Informex est à peu près la moitié de la nôtre sur Computex. S'ils baissent leur prix de 20 % ils ne feront aucun profit. Cette action ne peut s'expliquer que par la nécessité d'écouler leur stock. Je suis de l'avis de M. Publicis ».*

M. Marketix : *« Je vois là une chance pour ABM de clouer le bec à BBM une fois pour toutes. Si nous ne suivons pas la baisse de prix et réinvestissons la différence de 20 u.m. entre leur prix et le nôtre dans un effort de vente, ils se retrouveront écrasés par notre réseau de vente et de service et ne pourront pas écouler leur stock, quel que soit leur prix ».*

---

* u.m. = unité monétaire

M. Lachessé : *« Regardons les chiffres : nos revenus actuels sont de : 6500 X 100 u.m. = 650 000. Si nous baissions notre prix à 80 u. m., nous n'aurions plus que 6500 X 80 = 520 000, soit un manque à gagner de 130 000 u. m. Je suggère que nous gardions notre prix à 100 u. m., tant que nos revenus sont supérieurs à 520 000. Ainsi, nous maximisons notre profit et minimisons le risque. Si jamais nos revenus n'atteignent plus que 520 000 u. m., il sera toujours temps de baisser le prix à ce moment. »*

M. de Lessec : *« Je ne vois pas pourquoi nous ne baisserions pas nous aussi notre prix à 80 u. m. Nous pouvons le faire, notre marge est supérieure à celle de BBM. Même si c'est une erreur, BBM en souffrira davantage que nous ».*

M Lachessé : *« Bien au contraire, nous en souffrirons 1,86 fois plus ».*

M. Maisonneuve : *« Je vous remercie, Messieurs, de vos conseils éclairés ».*

QUESTIONS

Commentez les raisonnements des collaborateurs de M. Maisonneuve. Quelle décision prendriez-vous ?

NOTES

1. S. Schoeffler, R.D. Buzzell et D.F. Heany « Impact of strategic planning on profit performance », *Harvard Business Review*, mars 1974.
2. I. Ansoff, « Strategies for diversification », *Harvard Business Review*, octobre 1957.

Chapitre 7

Stratégie, plan et programmes de marketing

Les activités de marketing de l'entreprise se déroulent dans un univers concurrentiel où chacun essaie de trouver sa place au soleil, puis de prendre plus de place et enfin d'assurer sa place. Les entreprises luttent pour obtenir les faveurs des consommateurs. Certaines réussiront, assurant par là même leur survie, leur croissance et leur profit. D'autres disparaîtront. Il n'y a pas de place pour tous dans l'arène concurrentielle. Il faut gagner sa place au moyen d'une **stratégie**.

Stratégie : ensemble des activités que déploie l'entreprise dans son environnement pour augmenter sa marge de manœuvre.

Si l'on compare la lutte entre les concurrents à un jeu, la stratégie c'est la façon de gagner. On peut quelquefois gagner par chance, mais à long terme, la seule façon d'y parvenir est d'élaborer une stratégie supérieure à celles des concurrents.

La base de toute stratégie d'entreprise est l'obtention, puis l'exploitation d'un **avantage concurrentiel**, qui permette à l'entreprise d'augmenter sa pression sur les concurrents et sa marge de manœuvre par rapport à eux. L'avantage concurrentiel peut être de plusieurs sortes, par exemple : une innovation technologique, un meilleur design, des coûts de fabrication plus bas, un système de distribution plus efficace, etc. Quel que soit l'avantage concurrentiel, les responsables de marketing s'attacheront à l'exploiter commercialement, c'est-à-dire à faire en sorte que le consommateur le perçoive et l'apprécie suffisamment pour préférer le produit que lui offre l'entreprise aux produits des concurrents. La stratégie de marketing consiste donc à convertir l'avantage concurrentiel en termes perceptibles par le consommateur, dans le but d'atteindre les objectifs commerciaux de l'entreprise.

L'élaboration d'une stratégie de marketing

Pas une équipe de hockey digne de ce nom, ne pénétrerait sur la patinoire sans un **plan de match**. De la même façon, il n'est pas question d'entrer dans l'arène concurrentielle sans respecter une autre règle d'or du marketing :

Pas d'action de marketing sans stratégie

Avant d'examiner le **processus** d'élaboration d'une stratégie de marketing, voyons quelles en sont les **composantes**.

Une stratégie de marketing a quatre composantes :

1. les objectifs commerciaux;
2. le plan de marketing;
3. les programmes de marketing;
4. les ressources engagées.

Stragégie = Objectifs + Plan + Programmes + Ressources

Ces quatre composantes correspondent à quatre questions que doit se poser le responsable de marketing.

Composantes ⟷		Questions
objectifs	①	où veux-je parvenir ?
plan	②	comment y parvenir ?
programmes	③	que faire précisément ?
ressources	④	avec quoi ?

On a introduit dans les chapitres précédents la notion d'objectif commercial (chapitre 6) et celle du plan de marketing (chapitre 1). Alors que l'élaboration du plan de marketing s'inscrit dans une perspective de planification stratégique, celle des programmes de marketing relève de la planification opérationnelle. En effet, on distingue généralement trois niveaux de planification dans l'entreprise :

Planification stratégique : définition des objectifs et plans.

Planification opérationnelle : définition des actions à mettre en œuvre pour atteindre les objectifs.

Planification structurelle : changements organisationnels requis par les deux niveaux précédents.

Planifier signifie gérer les ressources de l'entreprise dans le temps. La stratégie de marketing s'intègre dans la planification générale de l'entreprise. De la même façon, les programmes de marketing s'intègrent dans le plan de marketing. Ainsi, l'entreprise a **un plan** de marketing qui se décompose en **plusieurs programmes**.

Exemple : le plan de marketing de l'entreprise X prévoit une augmentation de part de marché de 20 %. Plusieurs programmes vont être combinés pour atteindre cet objectif : un programme de développement de produits nouveaux, un programme de publicité, un programme de motivation des vendeurs, un programme de promotion auprès des distributeurs, etc.

La qualité d'une stratégie de marketing dépend bien entendu de celle de ses objectifs (sont-ils réalistes ?), mais aussi de la cohérence entre les quatre composantes, en particulier celle entre les objectifs et les ressources disponibles. Il ne sert à rien de tracer des plans grandioses si on n'a pas les moyens de les mener à bien ; comme dit le proverbe :

« **il faut avoir les moyens de sa stratégie et la stratégie de ses moyens** »

Après avoir examiné les composantes d'une stratégie de marketing, voyons-en maintenant le processus d'élaboration, en d'autres termes, posons-nous la question : **comment** élaborer une stratégie de marketing ?

Nous allons suivre un processus logique en 5 étapes :

1. Analyse de l'environnement
2. Identification de l'opportunité de marketing
3. Plan de marketing
4. Programmes de marketing
5. Évaluation et contrôle

La figure 7.1 schématise l'articulation entre ces 5 étapes.

figure 7.1 **L'élaboration de la stratégie de marketing**

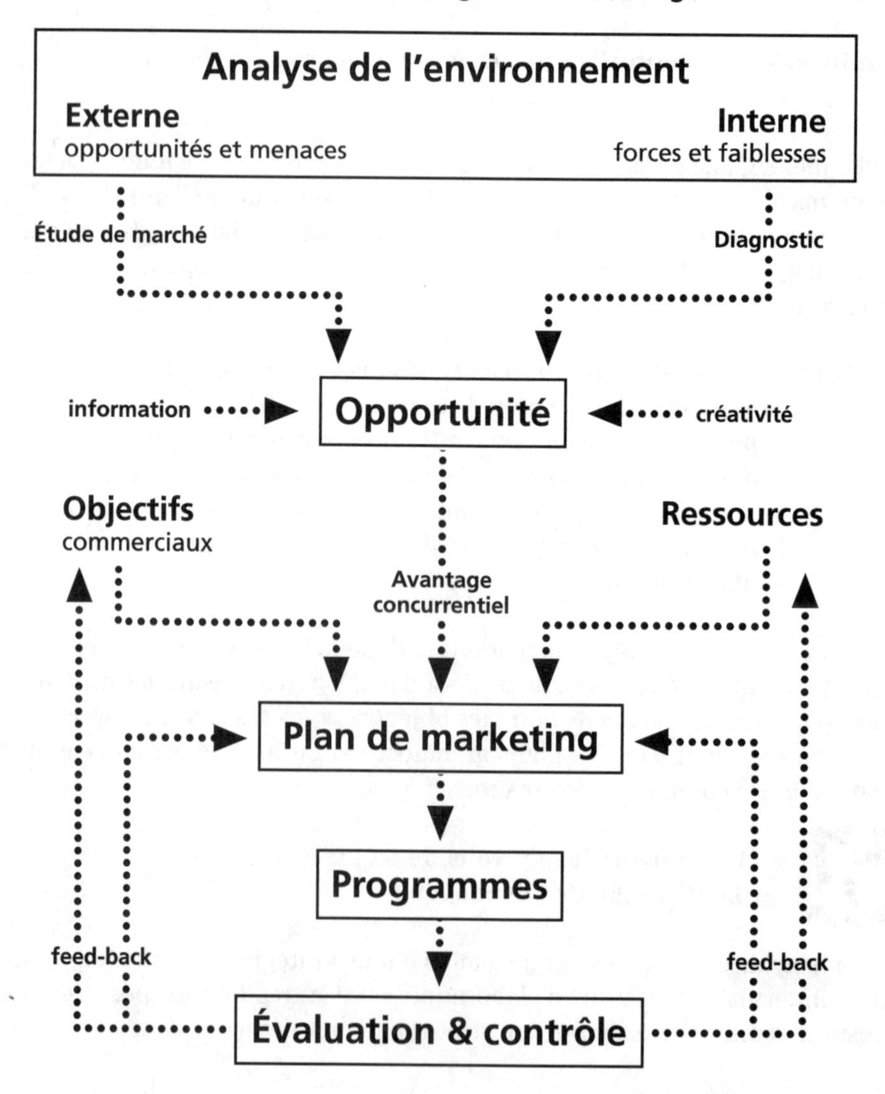

Analyse de l'environnement

Avant d'élaborer quelque stratégie que ce soit, le responsable du marketing doit faire le point de la situation actuelle de son entreprise dans son marché et se poser la question « où suis-je ? » avant de se demander « où veux-je parvenir ? ». Pour ce faire, il procédera à une double analyse : celle de l'**environnement externe** de l'entreprise (la demande, la concurrence, les facteurs légaux, le comportement des marchés, etc.), et celle de son **environnement interne**, c'est-à-dire des ressources propres à l'entreprise. Les facteurs d'environnement externe peuvent être positifs ou négatifs pour l'entreprise, ils constituent des opportunités ou des menaces. De la même manière, on peut considérer que l'environnement interne de l'entreprise a des points positifs et d'autres négatifs, il est tissé de forces et de faiblesses.

L'étude des opportunités et menaces contenues dans l'environnement externe s'appelle communément une **étude de marché**, tandis que celle des forces et des faiblesses de l'entreprise se nomme **diagnostic**. Les deux s'intègrent visuellement dans une matrice connue sous l'acronyme anglais SWOT (**S**trengths, **W**eaknesses, **O**pportunities, **T**hreats) ; voir Outil 7-1.

outil 7.1 **La matrice SWOT**

[S.W.O.T = Strengths - Weaknesses - Opportunities - Threats]
(forces / faiblesses / opportunités / menaces)

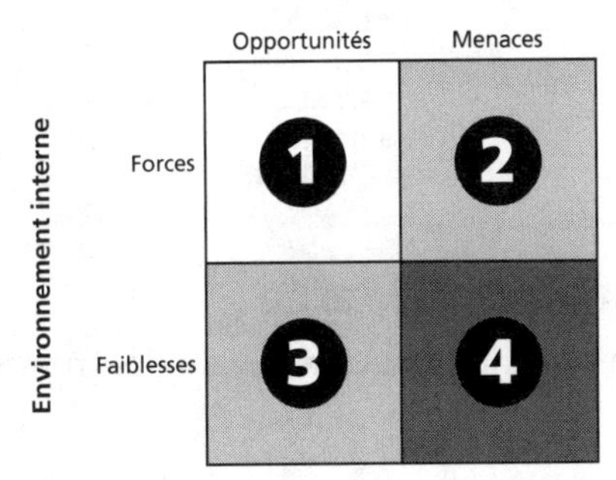

UTILISATION : Cet outil sert à faire la liste des facteurs internes et externes qui influent sur la stratégie de l'entreprise. Quand on analyse une situation d'affaires, on peut dire que l'environnement externe est porteur, c'est-à-dire qu'il contient plus d'opportunités que de menaces, ou inversement, qu'il s'agira d'un environnement négatif ; de même, on découvrira sur l'axe vertical que l'entreprise est forte (forces > faiblesses) ou faible (faiblesses > forces) dans le domaine considéré.

Etablissez la liste des facteurs à considérer. Donnez-leur un signe positif (forces, opportunités) ou négatif (faiblesses, menaces) selon la perception des responsables de l'entreprise.

Positionnez les facteurs dans le quadrant approprié de la matrice.

Utiliser la matrice comme support de discussion avant la prise de décision stratégique :

quadrant 1 : investir

quadrants 2 et 3 : segmenter le marché, différencier l'offre ou se retirer

quadrant 4 : retrait

Combinez avec le feu de signalisation stratégique (Outil 7-2).

outil 7.2 **Le feu de signalisation stratégique**

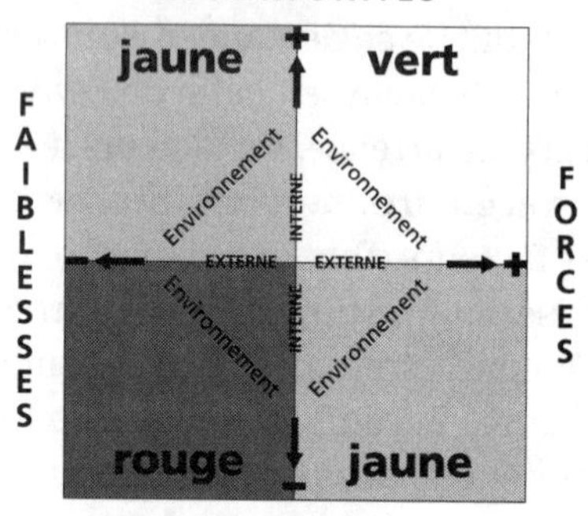

UTILISATION: Outil servant à faire un diagnostic préliminaire et à orienter la stratégie selon la couleur oú se situe le domaine analysé. Un domaine est un « couple produit-marché » voir plus loin dans ce chapitre pour une discussion de cette notion.
Utiliser d'abord la matrice SWOT pour établir la liste des facteurs internes et externes qui affectent la stratégie de l'entreprise. Remplir les quatre quadrants de la matrice, puis transférer l'analyse de chaque domaine au feu de signalisation stratégique. Par exemple, si un domaine se situe sur un quadrant jaune, cela signifie que l'entreprise est faible sur un secteur porteur, ou bien qu'elle est forte dans un environnement négatif.
Selon la couleur du quadrant oú se situe le domaine faisant l'objet de l'analyse on peut esquisser la stratégie souhaitable *a priori*:

COULEUR	STRATEGIE SOUHAITABLE
VERT	EXPANSION
JAUNE	REPOSITIONNEMENT ° différenciation du produit ° segmentation du marché
ROUGE	LIQUIDATION

Analyse de l'environnement externe

Au sens le plus large, l'environnement externe de l'entreprise comprend :

- les consommateurs
- les concurrents
- les marchés
- le macroenvironnement : technologie, réglementation, conjoncture économique, culture, démographie.

Chacune des dimensions de l'environnement externe est susceptible d'affecter la stratégie de l'entreprise. Il convient donc de les étudier soigneusement et de trouver réponse aux questions de l'outil 7.3. Sur la base des réponses obtenues, on peut imaginer les **scénarios** les plus probables d'évolution de l'environnement qui serviront d'hypothèse de travail pour cerner l'opportunité de marketing et élaborer un plan.

Outil 7.3
Grille d'analyse de l'environnement externe

Les consommateurs (voir chapitres 2 et 3)

- quels sont les principaux segments de consommateurs ?
- quelles sont leurs motivations ?
- quels sont leurs besoins — satisfaits et non-satisfaits ?

Les concurrents

- qui sont-ils ? ← actuels et potentiels
- que vendent-ils ? ← produits, chiffre d'affaires, croissance, part de marché, profits
- quelles sont leurs forces et leurs faiblesses ?
- quelles sont leurs stratégies apparentes ?

Les marchés

- quelle est la demande ? ← réelle, potentielle (cf. chap 4)
- quels sont les facteurs susceptibles d'affecter
  - la profitabilité du marché ?
  - la facilité d'entrer sur le marché et d'en sortir ?
  - les prévisions de croissance ?
  - la structure des coûts ?
- quels sont les canaux de distribution ? (cf. chap. 10) quelles sont les tendances du marché ?
- quels sont les facteurs-clé de succès sur les marchés ?

Le macro-environnement

Technologie

- où en est la technologie actuelle ?
- quel est son cycle d'évolution le plus probable ?

Réglementation

- s'agit-il d'un secteur réglementé (monopole. nuisances, pollution...) ?
- peut-on prévoir l'évolution de la réglementation ?
- existe-t-il des incitatifs fiscaux qui pourraient affecter la stratégie ?
- y a-t-il un risque politique, lié par exemple à un changement de politique gouvernementale ?

Conjoncture

- quelles sont les prévisions de conjoncture économique ? à court, moyen et long terme ; inflation, récession, expansion — dans le pays d'origine et à l'étranger
- comment les divers scénarios économiques affecteraient-ils la stratégie de l'entreprise ?

Culture

- quelles sont les valeurs prédominantes des consommateurs actuels ?
- quelle est l'évolution des styles de vie, modes, etc.

Démographie

- quelles sont les tendances de la démographie qui affectent la demande ? (opportunités & menaces)

Analyse de l'environnement interne

L'analyse de l'environnement interne de l'entreprise n'est pas à vrai dire du ressort du marketing, mais on conçoit aisément que le marketing s'y intéresse, car il ne servirait à rien de rêver des **opportunités de marché** sans avoir conscience des **capacités de l'entreprise** pour en tirer profit :

- *capacité humaine :* ressources humaines disponibles, plan d'embauche, formation, nouvelles capacités à développer;
- *capacité financière : cash flow*, capacité d'investissement, d'endettement, de recapitalisation;
- *capacité de production :* installations, machinerie, usine, terrains;
- *capacité technologique :* technologies dominées par l'entreprise, en voie d'apprentissage, inconnues;
- *capacité de commercialisation :* réseau de distribution actuel, force de vente, améliorations possibles.

L'analyse de l'environnement doit être une activité continue de recherche de la part de l'entreprise à l'écoute de ses marchés. Il faut donc qu'elle mette sur pied un **système d'information de marketing**, c'est-à-dire un ensemble de moyens techniques lui permettant de recueillir systématiquement des données sur son environnement externe et interne, de traiter ces données de façon à pouvoir en tirer de l'information utile à la prise de décision, et enfin de diffuser l'information auprès de ceux qui ont pour tâche d'élaborer la stratégie. L'expression *système d'information de marketing* évoque sans doute l'image de chercheurs entourés d'ordinateurs au 40e étage de la tour d'une entreprise multinationale, mais un tel système peut se réduire dans le cas d'une petite ou moyenne entreprise, à des procédures de collecte d'information auprès des clients par les vendeurs ou d'analyse systématique et périodique de données secondaire publiées. L'entreprise est certes forcée d'avoir un système d'information à la mesure de ses moyens, mais elle ne doit pas oublier que la qualité de sa planification en marketing dépendra d'abord de la justesse de l'information sur laquelle elle se fonde. Les anglo-saxons expriment cette évidence par un dicton : « *garbage in, garbage out* », autrement dit, **si l'information ne vaut rien, la stratégie qui s'ensuivra ne vaudra rien.**

Avec l'avènement du commerce électronique, le système d'informa-tion, ou du moins la base de données qui lui sert de support, devient l'élément-clef de la stratégie de marketing et parfois même « le pro-duit en soi », puisque celui-ci représente la valeur de l'entreprise. Au côté des acteurs traditionnels du commerce (producteurs, distributeurs, prestataires de services) s'installe un nouveau type d'entreprise : les navigateurs. C'est ainsi que l'on surnomme les firmes comme *Yahoo!* [www.yahoo.com] ou *Mysimon.com* [www.mysimon.com] qui organisent l'information et permettent à leurs clients de naviguer dans l'océan des offres, et de faire des choix de transactions sans que ces entreprises elles-mêmes participent à la distribution physique des produits ou à la prestation des services[1]. Elles ne vendent rien à proprement parler; de fait, elles offrent souvent des services « gratuits »... en échange d'information sur les utilisateurs de leurs services (voir Illustration 7.1)

Illustration 7.1

Cookies : des biscuits insidieux !

La connaissance des choix que font les consommateurs est une information de grande valeur pour les responsables du marketing. Avec l'avénement d'Internet, une nouvelle industrie est née, celle des agents d'information connus en anglais sous le nom de *data gatherers* ou *profilers.* Des firmes comme DoubleClick Inc. (www.doubleclick.net), 24/7 Media Inc. (www.247media.com) et AdForce Inc. (www.adforce.com) s'emploient à alimenter leurs clients qui font du commerce électronique en information recueillie à même le réseau au moyens de « *cookies* ».

Lorsque vous contactez certains sites Internet, ceux-ci renvoient automatiquement à votre ordinateur un petit fichier dénommé *cookie* qui emmagasine l'information sur votre profil d'acheteur : qu'achetez-vous sur Internet ? où ? combien dépensez-vous ? etc.

En analysant les *cookies,* les agents d'information établissent des profils d'acheteurs et procèdent à une segmentation du marché. Sur la base de ce que vous avez acheté dans le passé, ils prédisent vos achats futurs et vendent des listes d'adresses électroniques aux entreprises susceptibles d'être intéressées par tel ou tel profil. La firme DoubleClick, par exemple, possède plus de 88 millions de transactions enregistrées dans les *cookies* auxquels elle a accès.

Cette activité de collecte d'information se fait à l'insu de l'internaute et donne lieu à un débat éthique. Les adversaires des *cookies* pensent que les consommateurs ne devraient pas faire l'objet d'espionnage à leur insu; les partisans rétorquent que c'est un bon moyen de diriger la publicité et les offres promotionnelles vers les segments dont le profil indique qu'ils sont susceptibles d'acheter, sans avoir à importuner les autres.

Une industrie en crée une autre : des entreprises comme Zero-Knowledge Systems Inc. (www.freedom.net), à Montréal, assurent leur client contre tout espionnage électronique intempestif.

Vous pouvez vous-même opter pour ne plus être ciblé par les neuf agences d'information les plus importantes en suivant la procédure indiquée dans leur site.

Aimez-vous les *cookies* ?

Source : Electronic Privacy Information Center (http://epic.org)

Identification de l'opportunité de marketing

Une opportunité de marketing existe chaque fois qu'un besoin ou un désir des consommateurs peut être satisfait dans des conditions qui satisfassent les objectifs de l'entreprise. Une opportunité peut être *externe* ou *interne* à l'entreprise. Par opportunités externes, on entend celles qui proviennent du marché.

Exemples :

- *la croissance démographique engendre une demande pour un certain produit à laquelle les fabricants actuels ne peuvent pas répondre; cette situation crée une opportunité pour de nouveaux concurrents;*
- *les clients actuels réclament un produit nouveau ayant telles et telles caractéristiques; une entreprise saisit l'occasion d'affaire et le met au point;*
- *l'essor du commerce électronique entraîne une demande dérivée pour les firmes de télécommunication qui fournissent des équipements liés à la transmission du traffic Internet (ex : Nortel, JDS-Uniphase, Newbridge, Cisco, etc.) et pour les entreprises de courrier (ex : DHL, Federal Express, UPS, etc.) qui acheminent les marchandises achetées sur le réseau.*

Par opportunités internes, on entend celles qui proviennent de l'entreprise elle-même :

Exemples :

- *le département de Recherche & Développement d'une entreprise découvre un concept de produit nouveau qui semble répondre à une demande potentielle;*
- *une firme industrielle utilise un procédé de fabrication qui génère des sous-produits. La firme peut vendre les sous-produits à très bas prix puisque leur coût est considéré comme nul;*
- *l'intégration d'une ligne aérienne, d'une chaîne hôtelière et de centres de vacances dans un même groupe corporatif permet à ce dernier d'offrir un service complet aux voyageurs et aux vacanciers.*

Pour le responsable du marketing, il est essentiel d'évaluer l'opportunité de marketing en termes mesurables (demande, marché potentiel, marché probable, coûts, prix marges, durée de vie espérée de l'opportunité) et d'examiner les effets que la saisie de l'opportunité pourrait avoir sur les autres activités de l'entreprise (cannibalisme, risque financier, changements organisationnels). Cette étude sera consignée dans le plan de marketing.

Le plan de marketing

Le plan de marketing a été décrit au chapitre 1 de ce livre. Rappelons qu'il s'agit d'un document décrivant les objectifs commerciaux, les programmes d'action de marketing, les ressources à mettre en œuvre et leur calendrier. Un bon plan de marketing a les caractéristiques suivantes :

- c'est un **document d'intégration** qui doit non seulement décrire dans le détail les actions à entreprendre, mais encore en montrer le bien-fondé;
- c'est un **guide d'action** répondant pour chaque action projetée à quatre questions : que faire? quand? qui le fera? à quel coût?;
- c'est un **calendrier** auquel les responsables de marketing devront se plier. En ce sens, le plan de marketing est un instrument de discipline organisationnelle;
- c'est une **base d'évaluation** permettant d'apprécier à tout moment la performance de l'entreprise et celle des responsables du marketing par rapport au plan tracé.

Le plan de marketing **n'est pas :**

- un exercice annuel ou quinquennal pour faire plaisir à la haute direction;
- quelque chose que l'on peut confier en sous-traitance à des consultants spécialisés;
- élaboré selon un ordre de marche inflexible : des changements peuvent survenir autant dans l'environnement externe qu'interne qui appellent des révisions du plan de marketing.

En résumé, un bon plan de marketing est un outil au service des responsables du marketing et non un devoir imposé par la haute direction ou une tâche accomplie au nom de l'orthodoxie administrative.

Il existe de nombreux logiciels de présentation de plans de marketing[2], ils permettent de ne pas oublier les considérations essentielles d'un plan et proposent des questions pertinentes, mais en aucun cas, ils ne fournissent les réponses.

Les programmes de marketing

L'action de marketing est multidimensionnelle : elle fait généralement appel à des changements de plusieurs variables du marketing-mix. Par exemple, à quoi servirait de réduire le prix d'un produit, si parallèlement on ne faisait pas la publicité de cette baisse de prix auprès des consommateurs ! Ceci n'est qu'un exemple qui montre qu'une action sur une variable requiert une action concomitante sur une ou plusieurs autres variables.

Programme de marketing : ensemble d'actions liées touchant généralement à plusieurs variables du marketing-mix.

Un plan de marketing fait appel à plusieurs programmes. L'horizon du plan de marketing est long (un an ou plus, sauf dans le cas de produits à cycle de vie court), tandis que les programmes de marketing peuvent se dérouler dans un laps de temps beaucoup plus court — ex. : campagne de publicité. On dit que le plan est **stratégique**, alors que les programmes sont **tactiques**.

Évaluation & contrôle

La planification, on l'a déjà dit, n'a de sens que si elle est accompagnée d'une évaluation et d'un contrôle. Alors que le contrôle mesure le degré de conformité de la performance par rapport au plan, l'évaluation remet en question l'adéquation de la stratégie aux conditions d'environnement interne et externe de l'entreprise.

Contrôle et évaluation doivent être faits périodiquement. Il n'y a pas de règle gouvernant la périodicité. Celle-ci dépend de la durée de cycle de vie du produit, de facteurs saisonniers, de l'intervalle moyen entre deux achats, des procédures administratives de la compagnie, etc. Toutefois, la plupart des entreprises procèdent à une évaluation globale de la stratégie de marketing au moins une fois l'an et à des contrôles de performance beaucoup plus fréquents. Dans des entreprises informatisées, le contrôle peut être permanent. Il porte sur :

- **les ventes** : l'instrument de contrôle des ventes le plus simple consiste à faire un tableau comparatif des ventes planifiées et réalisées, des écarts et des tendances.

figure 7.3 **Tableau de contrôle des ventes**

Mois	Ventes en unités		Écart		
	planifiées	réalisées	mensuel	cumulé	tendance
janvier	1000	800	– 200	– 200	
février	1200	950	– 250	– 450	(→)
mars	1500	1000	– 500	– 950	(→)
avril	1800	1500	– 300	– 1250	(→)
mai	2000	2000	0	– 1250	(→)
juin	2000	2500	+ 500	– 750	(→)

Le tableau ci-dessus (Figure 7.3) montre l'analyse des ventes d'un nouveau produit pendant les six premiers mois. On peut en conclure que le démarrage n'a pas été aussi rapide que prévu et que le potentiel de ventes au bout de six mois avait été sous-estimé. Il faudrait sans doute réviser maintenant les projections pour les six prochains mois, à la lumière de la performance réalisée.

- **la part de marché :** la surveillance de la part de marché est essentielle dans l'arène concurrentielle.

L'évolution de la part de marché indique à l'entreprise si elle gagne ou si elle perd du terrain par rapport à ses concurrents.

L'outil 7.4 s'avère très utile pour visualiser l'évolution de la part de marché d'une entreprise dans ses différents domaines (couples produit-marché).

outil 7.4 **Moniteur de l'évolution de la part de marché**

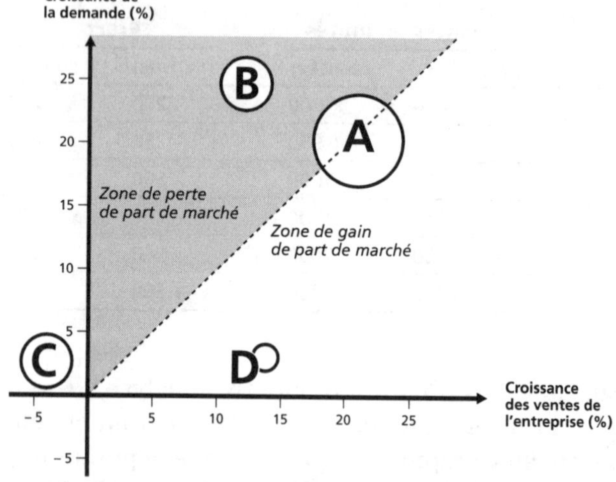

UTILISATION : ce graphique compare la croissance des ventes de l'entreprise à celle de la demande dans chaque domaine. Au moyen d'un abaque, représentez chaque domaine par un cercle proportionnel aux ventes annuelles dudit domaine. Par exemple, si le cercle A représente un domaine dans lequel l'entreprise réalise des ventes annuelles de 100 000 $, le cercle C représente un domaine aux ventes annuelles 50 000 $.
Cet exemple décrit une entreprise qui opère dans quatre domaines, perd de la part de marché en B et C (la demande croît plus rapidement que les ventes), en gagne en D et se maintient en A.

Dans cet exemple, les dirigeants de l'entreprise feraient bien de réviser leur stratégie. Que pensez-vous en effet d'une compagnie qui perd du terrain sur un marché en croissance et en gagne sur un marché en déclin ? Est-elle bien **positionnée** ?

les dépenses de marketing

Le but du contrôle des dépenses de marketing est double :
– s'assurer du respect des allocations budgétaires ;
– mesurer l'efficacité des dépenses de marketing.

Un tableau comparatif (budget planifié // dépenses effectuées // écart) sert à contrôler les dépenses et à voir où il y a eu dépassement budgétaire et où, au contraire, on n'a pas dépensé tout le budget alloué.

Effort de marketing : proportion des dépenses de marketing aux ventes réalisées pendant une période déterminée

$$\text{effort de marketing} = \frac{\text{dépenses de marketing}}{\text{revenus des ventes}}$$

On peut mesurer l'efficacité de l'effort de marketing au moyen de l'outil 7.5.

outil 7.5 **Contrôle de l'efficacité commerciale**

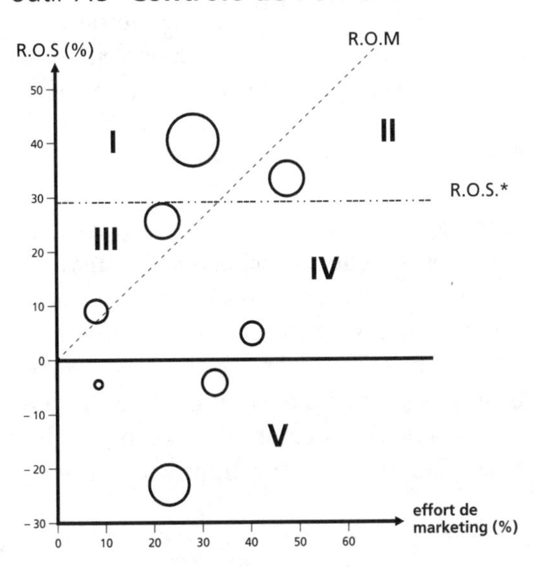

Utilisation : Cet outil sert à visualiser la performance de chaque domaine de l'entreprise par rapport à un objectif de marge commerciale (R.O.S) et un objectif d'efficacité commerciale (R.O.M). L'efficacité commerciale se définit comme le rapport du profit et des dépenses de marketing.

$$\text{R.O.M.} = \text{efficacité commerciale} = \frac{\text{profit}}{\text{dépenses de marketing}}$$

*(**R**eturn **O**n **M**arketing)*

Le taux de rentabilité des ventes, ou marge commerciale, ou R.O.S, est égal au produit de l'effort de marketing et de l'efficacité commerciale

$$\text{R.O.S.} = \frac{\text{profit}}{\text{dépenses de marketing}} \times \frac{\text{dépenses de marketing}}{\text{ventes}}$$

L'exemple ci-dessus montre un cas où le responsable du marketing s'est fixé un objectif global de marge commerciale de 30 % et un objectif d'efficacité commerciale de 100 %, c'est-à-dire que les profits des ventes doivent couvrir entièrement les dépenses de marketing.

Les domaines situés dans le quadrant I satisfont les deux objectifs. Le domaine du quadrant II satisfait l'objectif de marge, mais au prix d'un effort de marketing trop élevé. Les domaines du quadrant III ne demandent pas un gros effort de marketing, mais n'atteignent pas l'objectif de R.O.S. Le domaine du quadrant IV est le seul qui ne réponde ni à l'objectif de rentabilité ni à celui d'efficacité. Enfin, ceux du quadrant V non seulement ne répondent à aucun objectif, mais on y fait des pertes, il faut les liquider, à moins que ce soient des **produits d'appel** *(loss leaders).*

L'avantage concurrentiel

La poursuite d'un avantage concurrentiel est le fondement de toute stratégie de marketing. En effet, l'entreprise qui n'aurait aucune compétence distinctive, aucun avantage par rapport à ses concurrents tant au niveau du produit, du service et de la distribution, etc., aurait peu de chances de survivre dans l'arène concurrentielle. Le premier devoir du responsable de marketing est donc de construire un avantage concurrentiel pour son entreprise, puis de le renforcer afin d'assurer d'abord sa survie, puis sa croissance et son profit.

D'où peut provenir l'avantage concurrentiel ?

Exemple #1 : La compagnie *Warwick Ladders* de Warwick (Québec) fabrique des échelles mobiles que l'on monte sur un véhicule, pour réparer les lignes électriques ou téléphoniques, pour installer la télévision câblée, etc. Les échelles mobiles pivotent sur leur base. *Warwick Ladders* a mis au point une échelle qui peut pivoter de 360°, alors que les échelles concurrentes ne pivotent que de 180°. Cet avantage technique est fort apprécié par les utilisateurs.

Exemple #2 : La firme *Pizza Pizza* ne prétend pas fabriquer la meilleure pizza au monde. Elle annonce seulement que ses pizzas seront livrées à votre domicile en moins de 30 minutes, sinon vous n'aurez rien à payer. La garantie de livraison rapide est un atout concurrentiel.

À travers ces deux exemples, on voit que les sources de l'avantage concurrentiel sont multiples. On peut les classer en quatre catégories :

- avantage lié au **produit**
- avantage lié au **marché**
- avantage de **prix**
- avantage de **temps de réponse**

L'avantage de produit

Avoir un meilleur produit que la concurrence en facilite bien entendu grandement la vente, si toutefois l'entreprise vendeuse ne souffre pas d'un handicap sur les autres variables du marketing-mix (prix, publicité, distribution). Cependant, il ne faut pas oublier que c'est le consommateur, et non le vendeur, qui détermine si le produit est « meilleur ». Le vendeur ne manque certes pas de l'affirmer, mais le consommateur est juge. C'est sa **perception** du produit qui confère ou non à ce dernier un avantage par rapport aux produits concurrents.

Les échelles de *Warwick Ladders* ne sont pas meilleures parce qu'elles pivotent de 360° au lieu de 180°, mais parce que les acheteurs potentiels considèrent que cet attribut du produit est important et lui confère un avantage par rapport aux autres échelles. Tous les éléments du produits, conception, design, qualité, coloris, conditionnement, marque, garantie, etc., sont susceptibles de servir de base à un avantage commercialement exploitable… ou à un désavantage que la concurrence ne manquera pas d'exploiter à son profit.

L'avantage de marché

Par « avantage de marché » on entend tout avantage lié au contrôle du marché ou à l'accès privilégié au marché dû à la localisation de l'entreprise ou à un système de distribution particulier. Des entreprises comme *Hydro Québec* ou la *Société des alcools du Québec (SAQ)* bénéficient d'un accès privilégié au marché via le monopole ou quasi-monopole que leur confère la loi. Parfois, cet accès privilégié au marché *(market power)* ne dépend d'aucune protection légale comme le montre le cas des phosphates de Floride sur le marché canadien :

Exemple : *Plus de 90 % du phosphate (roche phosphatée) canadien vient de Floride, transporté en bateau vers Halifax et vers Vancouver via le canal de Panama.*

- *Le coût du transport maritime est inférieur à celui du chemin de fer et la roche phosphatée qui venait du Wyoming ou du Montana n'est plus compétitive.*
- *Le Maroc, 1er exportateur mondial de phosphates, ainsi que l'Algérie ont essayé de pénétrer le marché canadien, mais n'y réussirent pas, car même avec des concessions sur les prix, on leur objecte l'ancienneté des relations avec les fournisseurs de Floride qu'on ne peut de toutes façons abandonner pour des raisons stratégiques de sécurité des approvisionnements ; en fait, en marketing industriel, il est très difficile de rompre les habitudes d'achat.*

En règle générale, une grande entreprise a un avantage de marché soit parce qu'elle est en mesure d'offrir une gamme plus large d'articles à ses clients et leur permet ainsi de regrouper leurs achats, soit parce qu'elle intimide les intermédiaires et même les consommateurs finals via l'**effet de marque**. Quel dépanneur oserait ne pas avoir de produits de marque *Procter & Gamble*, *Colgate* ou *Gillette*?

L'avantage de prix

De tous les avantages, celui du prix vient immédiatement à l'esprit du consommateur qui se targue d'être rationnel et de toujours acheter « le meilleur produit au meilleur prix ». En fait, peu de consommateurs achètent les produits aussi froidement, ils se laissent influencer par l'image du produit, sa marque et parfois par le boniment du vendeur. Cependant, toutes choses étant égales par ailleurs, — et elles le sont rarement! — l'acheteur accordera sa faveur au meilleur prix.

Mais d'où vient cet avantage de prix? Il peut provenir d'un rabais momentané consenti par le fabricant ou les intermédiaires de distribution. Il s'agit alors d'un **prix de promotion**. Il peut provenir d'une **politique de bas prix** de la part de l'entreprise désireuse d'augmenter sa part de marché par ce moyen, car elle juge que l'acheteur est sensible au prix.

À long terme, une entreprise ne peut maintenir son avantage de prix que si elle a un avantage de coût. C'est une autre règle d'or du marketing.

La guerre des prix se gagne dans la bataille des coûts

Cela est d'autant plus vrai en marketing des biens industriels où l'acheteur est réputé être plus rationnel et où de nombreux achats se font par **appel d'offres**. Le contrat est ensuite adjugé au **soumissionnaire** qui offre le prix le plus bas, tout en respectant les **termes de référence**, c'est-à-dire les spécifications techniques, commerciales, légales et autres de l'appel d'offre.

L'avantage de prix durable doit donc être recherché dans l'avantage de coût. Comment certaines entreprises réussissent-elles à avoir des coûts plus bas que la concurrence? De multiples façons… en voici trois à titre d'exemple :

- avantage de **coût des facteurs de production**, c'est-à-dire de main-d'œuvre, de matière première, d'infrastructure de production, etc. Plusieurs industries américaines et européennes sont venues s'implanter au Québec pour bénéficier de l'énergie électrique qui est à meilleur prix chez nous qu'aux États-Unis ou en France, par exemple.

D'un autre côté, des entreprises canadiennes ont dû fermer des usines au Canada et en ouvrir d'autres dans des pays du Tiers-Monde où les coûts de main-d'œuvre sont généralement moins élevés. C'est le cas des entreprises du secteur électronique, qui font fabriquer la plupart des composants électroniques en Asie ou en Amérique Centrale.

Un facteur non négligeable est le coût du capital (coût de financement). Les pays, les régions et les villes se font concurrence pour attirer l'implantation de nouvelles usines génératrices d'emplois. En négociant des prêts avantageux, des subventions, des exemptions de taxes et d'autres faveurs, une entreprise peut acquérir un avantage de coût lié à son infrastructure de production.

- **avantage technologique**. Les aciéries nord-américaines étaient en déroute il y a quelques années face à leurs concurrents européens et asiatiques. En modifiant leur technologie (mini-aciéries, coulée continue, fours à oxygène), certaines aciéries nord-américaines ont survécu à la crise et regagné un avantage concurrentiel grâce à leur technologie et ce, malgré un handicap de coût de main-d'œuvre par rapport aux aciéries coréennes et japonaises.

- **économies d'échelle**. Plus une entreprise produit d'unités, plus elle opère à grande échelle, et plus ses coûts unitaires s'abaissent du fait que les coûts fixes se trouvent divisés par un grand nombre d'unités. Il y a moins de **charges fixes** par unité, c'est ce que l'on appelle une économie d'échelle.

  Les économies d'échelles sont particulièrement importantes dans les industries lourdes intensives en capital, c'est-à-dire celles où il faut investir des montants considérables avant de pouvoir fabriquer. Ex. : automobile, télécommunications, industrie pétrolière, pétrochimie, etc.

D'autre part, on a constaté que dans de nombreuses industries, le coût unitaire diminue d'un pourcentage constant chaque fois que le volume cumulé de production double. C'est ce que l'on appelle l'**effet d'expérience**. L'entreprise qui accumule le plus d'expérience (expérience = volume cumulé) obtient normalement le coût le plus bas[3].

L'avantage de temps de réponse

« Le temps c'est de l'argent ». Le monde des affaires vient de redécouvrir ce dicton et de se rendre compte que le temps est un facteur de compétitivité. Certaines entreprises réagissent plus vite que d'autres à des changements intervenant dans le marché ou à des demandes des clients. Celles qui sont capables de réagir vite se donnent un avantage concurrentiel à plusieurs niveaux :

- au niveau de la **conception et de la modification du produit** : au début des années 1980, *HONDA* a distancé *YAMAHA* sur le marché des motos en introduisant en 18 mois 113 modifications majeures sur ses modèles, alors que son concurrent ne réussissait à en produire que 37 ;
- au niveau du **cycle de production** : plus un produit prend de temps à fabriquer, plus il coûte cher. Grâce à un meilleur système de production tenant compte du facteur temps, le constructeur de machines-outils américain *Cross & Trecker* a réduit, en l'espace de cinq ans, le temps moyen de production de ses pièces complexes de cinq mois à cinq jours ;
- au niveau des **coûts d'inventaires** : les inventaires représentent des coûts pour le fabricant et les agents de distribution. Ces coûts sont énormes dans les industries où il faut fabriquer les produits longtemps à l'avance sans savoir si on réussira ensuite à les vendre. Considérez par exemple l'industrie de la mode. Traditionnellement, les confectionnistes essayaient de fabriquer une certaine quantité de vêtements six mois avant la saison à laquelle ils pensaient les vendre. Il arrivait souvent que l'on n'écoule pas toute la production ou au contraire que l'on se retrouve en rupture de stock. Grâce à l'ordinateur, on a réussi à réduire le cycle de production à soixante jours (Figure 7.4), ce qui se traduit par un abaissement des coûts d'inventaire et permet au confectionniste de réagir immédiatement aux tendances du marché.

figure 7.4 **La réduction du cycle de fabrication et des coûts d'inventaires**

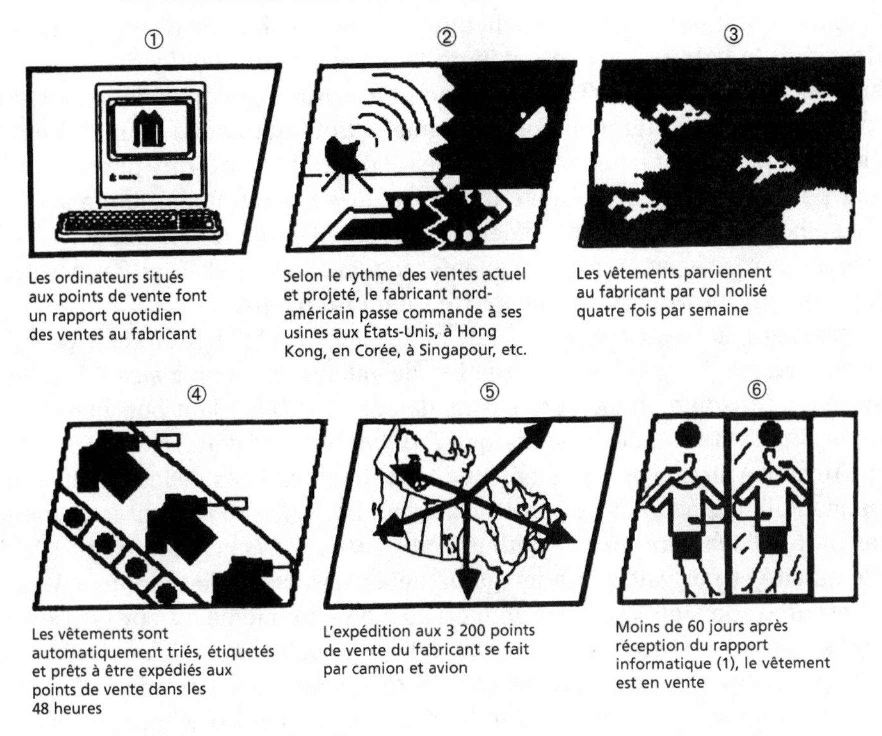

Source : adapté de *Fortune*, 26 septembre 1988.

Le triangle du profit

On peut reclasser les avantages concurrentiels étudiés ci-dessus en deux grandes catégories :

- les avantages de valeur – ceux qui créent une préférence de la part du consommateur
- les avantages d'opération – ceux qui abaissent les coûts de production, de distribution ou de service

L'avantage de valeur

Une entreprise existe parce que ce qu'elle vend a de la valeur aux yeux des consommateurs, sinon ceux-ci n'achèteraient pas. Du point de vue strict du marketing, c'est la **valeur perçue** qui importe, pas la valeur « objective » tant est qu'une telle notion existe. Tous les efforts de marketing depuis la conception du produit, puis la différenciation, la segmentation du marché et finalement le positionnement, n'ont qu'un but : valoriser le produit, c'est-à-dire augmenter sa valeur perçue par le consommateur. Mettre un « P » ou un crocodile sur une chemise ne lui confère objectivement aucun supplément de valeur, par contre la valeur « perçue » par certains segments augmente du fait de la différence symbolique qui est introduite par une **griffe** ou un **logotype**.

La première tâche du responsable de marketing ou, si l'on préfère, le premier côté du triangle du profit, est la création de valeur, de façon à susciter la préférence du consommateur. Comparons deux stylos bille, l'un bon marché de marque *Bic*, l'autre luxueux de marque *Parker*. Tous les deux se vendent bien, ce qui revient à dire qu'ils représentent de la valeur aux yeux de leurs acheteurs. Cependant, il ne s'agit pas de la même valeur : *Bic* offre un produit fonctionnel à bas prix… l'acheteur *« en a pour son argent »*, *Parker* vend un produit de haute qualité et fait valoir une image luxueuse associée à la marque… l'acheteur renforce son statut social, l'opinion qu'il a de lui-même, ses projections… à moins qu'il ne l'achète pour faire un cadeau à quelqu'un chez qui il aimerait trouver les mêmes qualités que celles qu'il reconnaît dans le produit offert.

La valeur, on le voit, peut se créer de plusieurs façons. Le schéma de la page suivante (Figure 7.5) montre trois **positionnements** possibles susceptibles de représenter de la valeur aux yeux de certains segments du marché.

Le positionnement I correspond à un produit perçu comme étant de qualité exceptionnelle et jouissant d'une image de luxe; on l'achète parce qu'il confère à l'acquéreur une certaine exclusivité en ce sens qu'il fait partie d'un groupe sélect. Pensez aux marques suivantes : *Parker* (stylos), *Chanel* (parfums), *Mercedes Benz* (automobiles). Le positionnement II correspond aussi à des produits perçus comme étant de haute qualité mais qui ne jouissent pas d'une image de luxe; on les achète en raison de leur supériorité. Pensez à *Michelin*, *Maytag*, *Volvo*… Enfin les produits positionnés en III représentent des aubaines, ce sont des produits fonctionnels à bas prix (conformité). On peut penser à des marques comme *Bic* ou *Hyundai* et à la plupart des produits génériques, vendus sous marques de distributeurs ou « sans nom ».

L'entreprise doit éviter de se positionner au centre du triangle, dans la zone hachurée, celle des produits sans image ou sans qualité définie, ce qui en marketing équivaut à la médiocrité.

Position	Perception de valeur	Type de valeur
I	Exclusivité : « un produit unique »	Émotionnelle
II	Supériorité : « davantage pour le même prix »	Fonctionnelle/émotionnelle
III	Conformité : « la même chose à meilleur prix »	Fonctionnelle

Le schéma montre des positionnements extrêmes. En réalité, plus un secteur est concurrentiel, plus l'on trouvera de marques cherchant à se positionner différemment des marques concurrentes en introduisant des différences minimes au niveau du prix, de l'image et de la qualité. Il n'y a qu'à penser par exemple au marché des parfums : *Chanel*, *Dior*, *Courrège*, *Lancôme*, *Klein*…

figure 7.5 **Trois positionnements de valeur**

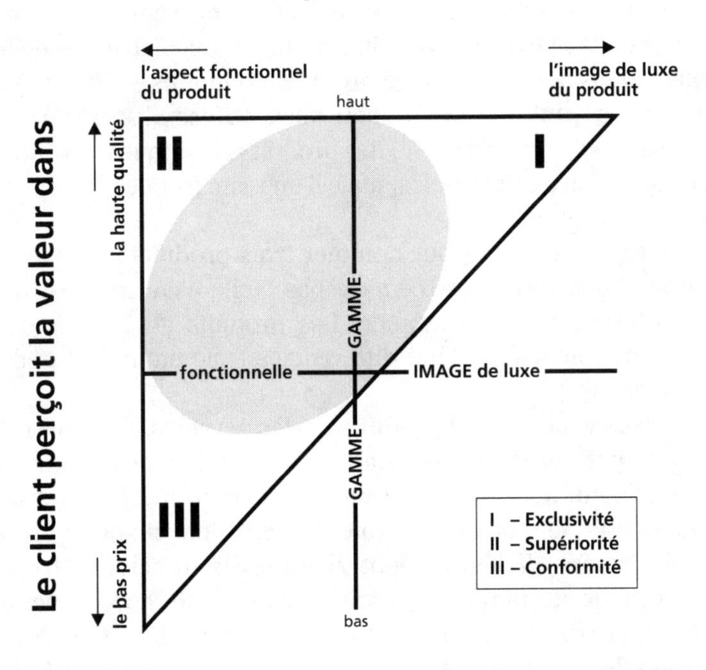

Différenciation : modification physique ou symbolique d'une ou plusieurs composantes stratégiques de l'offre dans le but de lui donner une valeur distinctive.

La différenciation du produit alliée à la segmentation du marché aboutit à un positionnement stratégique. Ainsi, les fabricants de dentifrices, par exemple, segmentent le marché selon le type d'usager (enfants, adolescents, adultes, personnes portant des dentiers, etc.) et différencient leurs produits (dentifrices à saveur qui plaît aux enfants, dentifrices contre la carie, le tartre, la mauvaise haleine, le jaunissement des dents des fumeurs, etc.) de façon à positionner chacun sur un segment précis.

La recherche de la différenciation est une préoccupation constante des responsables du marketing. Un produit non différencié ne se remarque pas et de ce fait ne se vend pas facilement. Cela ne veut pas dire que n'importe quelle différence ajoute de la valeur au produit, seulement que l'absence d'élément distinctif le place dans la catégorie des produits communs — les américains parlent de « *me-too products* » — peu susceptibles d'attirer l'attention du consommateur. Il est vrai qu'il existe des produits génériques *(« commodities »)* non susceptibles d'être différenciés, mais il en reste fort peu dans l'univers concurrentiel du XXIe siècle.

TEST ! Prenez une minute pour nommer trois produits non susceptibles de différenciation. Vous verrez que ce n'est pas facile d'en trouver trois en notre époque de différenciation à outrance. Les produits génériques d'antan (par exemple, le talc) sont aujourd'hui différenciés (talc naturel, désodorant, parfumé, médicinal, etc.)

Les entreprises vendent des produits et des services. Par contre, ce que le consommateur perçoit est un ensemble plus vaste appelé l'offre. L'offre inclut, outre le produit ou le service, tout ce qui l'entoure : la garantie, le mode de livraison, le prix, le mode de paiement, etc. Même quand le produit est indifférenciable *(commodities)* on peut toujours différencier l'offre, que ce soit au niveau du mode de livraison ou de paiement, de la garantie, du service après vente, etc. Considérez par exemple la variété des modalités de services de connexion à *Internet* : prix fixe/durée illimitée ou par tranche d'heures ou à la minute, ou même gratuit, avec l'obligation de recevoir des messages publicitaires. Et que dire des plans de souscription à un service de téléphonie cellulaire !...

Pour montrer aux consommateurs la valeur que ces différences représentent pour eux, il convient de chercher les points de différenciation face à la concurrence. L'analyse de la **chaine de consommation** permet de découvrir de nouveaux points de différenciation.

MacMillan et McGrath[4] définissent la chaine de consommation comme étant le vécu du client avec le produit ou le service et ils invitent les entreprises à élargir leurs efforts de différenciation à l'offre au lieu de les limiter au produit lui-même.

La Figure 7.6 illustre le concept de chaine de consommation et détaille les maillons de l'expérience totale qu'un consommateur pourrait avoir avec un produit particulier.

figure 7.6 **La chaine de consommation**

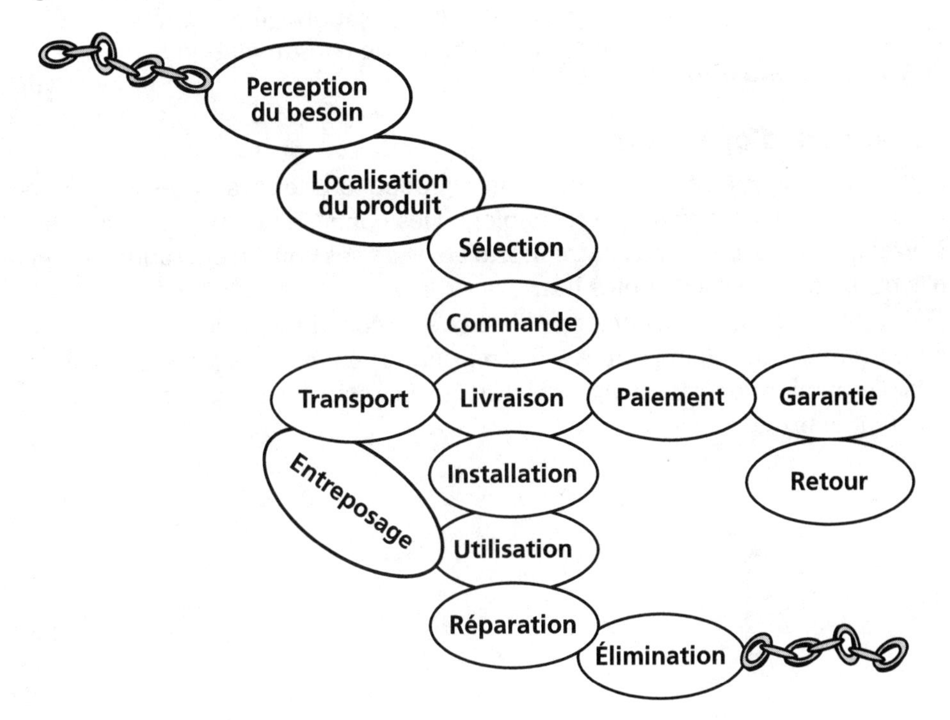

La plupart des entreprises s'acharnent sur le produit et délaissent les opportunités de différenciation de l'offre, alors qu'il est souvent moins coûteux et plus rapide de se différencier à ce niveau.

> *Après avoir dépensé 70 millions de $ US en recherche et développement, ORAL B, filiale de GILLETTE, lança en août 1999 une brosse à dents révolutionnaire appelée CROSS ACTION. La brosse est ergonomique, a quatre types de poils différents tous scientifiquement orientés et de couleurs chatoyantes...*

Le seul problème, (si le prix de 6,99 $ ne vous parait pas être un problème) est que Cross Action ne rentre pas dans les supports muraux de brosses à dents que l'on trouve dans de nombreuses salles de bains. Auraient-ils oublié d'analyser la chaine de consommation ?

Retenons que : L'entreprise vend un **produit**. Le client perçoit une **offre** et entame **une chaîne de consommation**. Ainsi la différenciation a trois points d'application : le produit, l'offre et la chaîne de consommation.

L'avantage d'opération

Sous le titre d'avantage d'opération, on regroupe tous les avantages liés à la localisation de la production, la technologie, les coûts de production, etc., c'est-à-dire tout ce qui permet à l'entreprise d'abaisser ses coûts d'opération et donc d'avoir un prix de revient plus bas.

L'avantage d'opération constitue le deuxième côté du triangle du profit. Alors que l'avantage de valeur permet à l'entreprise de vendre davantage et à meilleur prix, l'avantage d'opération abaisse les coûts. Les deux avantages combinés augmentent le profit.

figure 7.7 **Le triangle du profit**

avantage d'opération

Profit = (Prix unitaire − Coût unitaire) × Quantité

avantage de valeur

Construisons maintenant le triangle du profit. Imaginons que les deux côtés du triangle soient articulés au sommet au moyen d'une charnière (Figure 7.8a). Si l'on augmente la création de valeur, le côté n° 1 se lève vers la gauche (Figure 7.8b), la base et l'aire du triangle s'agrandissent. De la même façon, si le côté n° 2 s'écarte vers la droite du fait d'une amélioration des opérations, la base et l'aire du triangle augmentent (Figure 7.8c). L'effet est encore plus grand lorsque les deux côtés s'écartent simultanément. (Figure 7.8d).

Retenons que : L'avantage concurrentiel est la base du triangle du profit. Il résulte de deux politiques :

- une politique de marketing tendant à créer davantage de valeur
- une politique de productivité recherchant la meilleure efficience possible des opérations

figure 7.8 **La création de l'avantage concurrentiel**

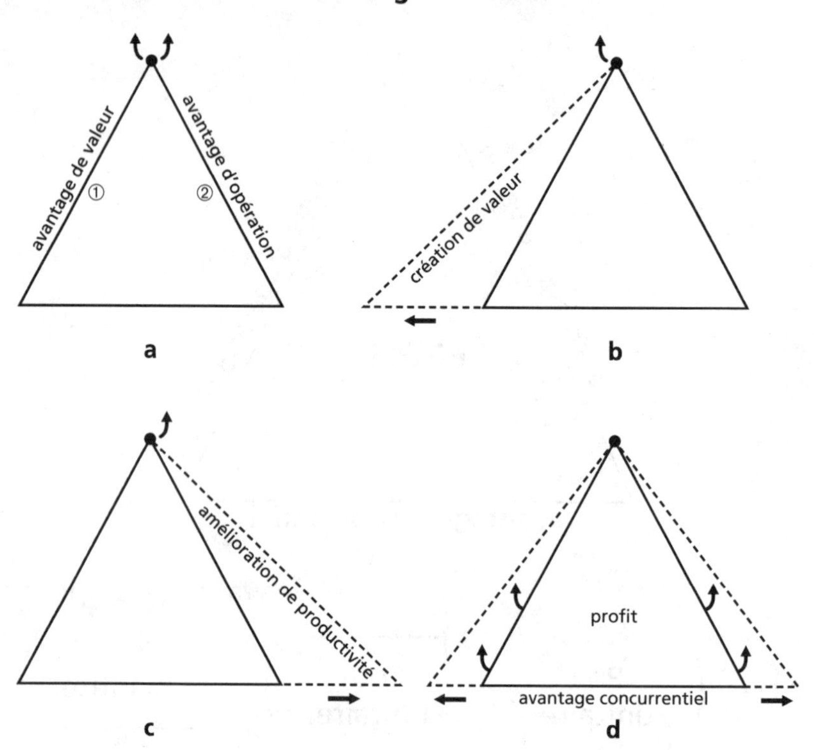

La notion de domaine

Lorsqu'on demande à un américain ce qu'il fait dans la vie, on lui pose la question « *What business are you in ?* », question banale et pourtant difficile à traduire. En effet, le mot *business* n'a pas d'équivalent exact en français. L'Américain comprend la question dans un sens double : « quel(s) **produit**(s) vendez-vous dans quel(s) **marché**(s) ? ». La langue française n'a hélas pas de mot pour traduire la double connotation de produit et de marché, alors inventons-en un : le **domaine**.

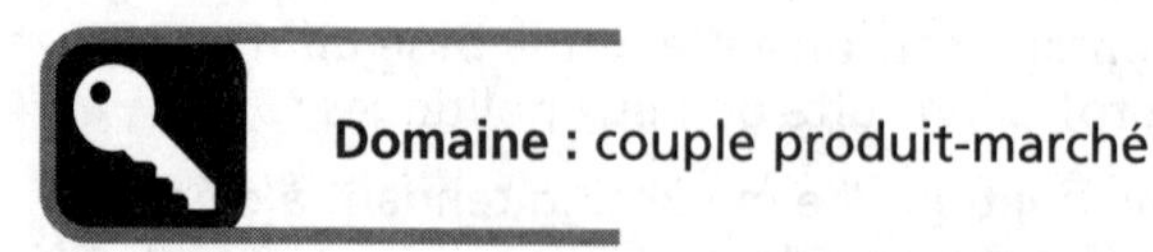

Domaine : couple produit-marché

On peut visualiser la notion de domaine à l'aide de la Figure 7.9 dans laquelle une entreprise établit la liste des produits qu'elle vend (axe horizontal) et la liste des marchés auxquels elle les destine (axe vertical). Chaque carré de la matrice ainsi obtenue représente un domaine, c'est-à-dire un produit s'adressant à un marché. Le même produit s'adressant à un autre marché constitue un autre domaine.

figure 7.9 **La matrice des domaines**

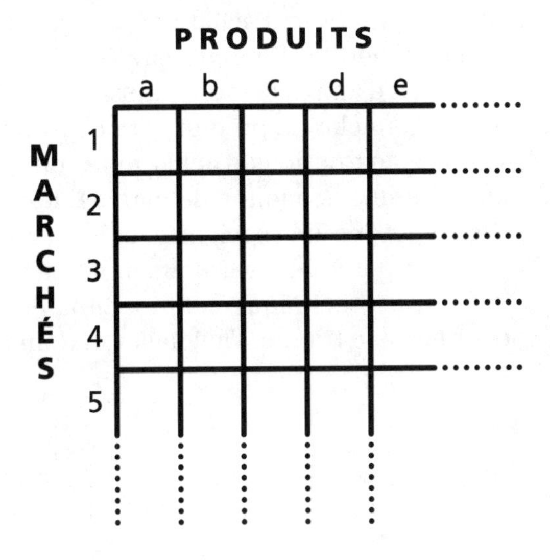

Le domaine est la cellule de base de la planification en marketing. L'entreprise doit élaborer autant de stratégies différentes qu'elle a de domaines. Supposons en effet qu'une entreprise vende un seul produit, disons un ordinateur, à deux marchés distincts, soit le public et les grandes entreprises et par deux canaux différents : elle vend directement aux grandes entreprises et passe par des distributeurs et détaillants pour atteindre le public. Bien que ne vendant qu'un seul produit, l'entreprise en question est active sur deux domaines et doit mettre au point deux stratégies, l'une pour commercialiser son ordinateur auprès des entreprises, l'autre pour le vendre au public.

Même s'il semble facile, à première vue, de représenter la matrice des domaines d'une entreprise, l'exercice est difficile en pratique, car on bute contre deux difficultés rencontrées dans les chapitres précédents : comment définir les produits (Chapitre 5) et les marchés (Chapitre 4).

Un produit peut se définir au sens technique (la confiture d'abricots), au sens d'une classe de produits (la confiture), au sens d'une utilisation (un dessert) ou au sens d'une branche industrielle (produit d'alimentation). Chacune de ces définitions correspond à un point de vue particulier.

La définition technique du produit est une définition utile ou « opérationnelle » du point de vue de la production : il importe de connaître exactement les ingrédients de la confiture d'abricots avant d'en commencer la fabrication. La définition la plus large « produit d'alimentation » est utile à l'économiste qui étudie les tendances de la consommation des ménages. Du point de vue du marketing, les définitions opérationnelles sont les définitions intermédiaires, ni trop étroites ni trop larges, qui situent le produit ou le service par rapport à un ensemble d'alternatives d'achat perçues par le consommateur. Le consommateur a le choix entre différentes saveurs de confitures et entre l'achat de confiture ou l'achat d'autres desserts. Ainsi, du point de vue du marketing, la définition opérationnelle du produit sera celle qui fait référence à la concurrence, c'est-à-dire aux options d'achat telles qu'elles sont perçues par le consommateur. Dans une économie de marché, les notions de « produit » et de « concurrence » sont indissociables, et le « produit » doit se définir opérationnellement du point de vue commercial par rapport à la concurrence. L'avion n'est pas techniquement semblable au train, mais l'utilisateur peut choisir entre le train et l'avion sur certains parcours. De ce fait, ils sont concurrents.

Marché objectif : segment ou ensemble de segments de clientèle visé par l'entreprise.

La notion de marché fait elle aussi l'objet de multiples définitions, ainsi qu'on l'a vu au chapitre 4. Pour déterminer le **marché objectif**, on a recours à la **segmentation**, c'est-à-dire au découpage de l'ensemble du marché potentiel en sous-ensembles ou **segments** offrant des caractéristiques communes. Ainsi, on pourra segmenter le marché des acheteurs d'équipement de tennis selon des critères géographiques (ex. : le marché québécois vs le marché ontarien), selon des critères d'utilisation (joueurs réguliers vs joueurs occasionnels, ou encore débutants vs experts), selon des critères socioéconomiques (ceux qui sont prêts à dépenser plus de 200 $ pour une raquette vs les autres) ou encore des critères démographiques (enfants, adolescents, jeunes adultes, adultes, séniors). On peut combiner chacune des méthodes de segmentation pour aboutir à une infinité de définitions possibles des marchés de l'entreprise. La question est de savoir, comme c'était le cas pour le « produit », laquelle des définitions est opérationnelle du point de vue de celui qui va l'utiliser. Les définitions étroites (ex. : marché québécois des joueurs experts de moins de 16 ans) sont utiles du point de vue du vendeur qui doit adapter son argumentation selon les caractéristiques de l'acheteur. Toutefois, le responsable du marketing se doit d'adopter une perspective plus large qui lui permette de poser et de résoudre les problèmes de stratégie de marketing, par opposition aux questions de tactique de vente. Il doit ainsi définir opérationnellement les marchés selon trois axes :

- **marché desservi / marché potentiel :** quel est le marché que pourrait desservir l'entreprise, étant donné ses capacités actuelles ?
- **produits actuels / produits potentiels :** comment différencier les produits futurs pour agrandir le marché desservi ?
- **horizon de temps :** combien de temps faut-il à l'entreprise pour resegmenter son marché et différencier les produits, c'est-à-dire pour obtenir la nouvelle configuration de domaines désirée ?

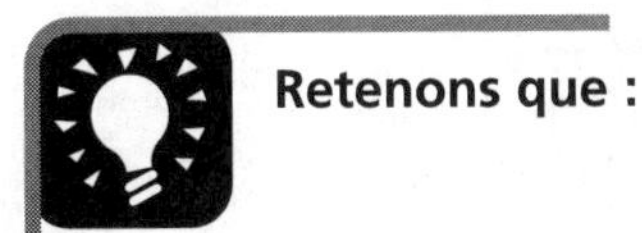

Retenons que : Du point de vue du responsable du marketing, un marché existe dans le temps, par rapport à un potentiel d'acheteurs et par rapport à une offre de produits concurrents. Produits et marchés sont indissociables. Ils n'existent que les uns par rapport aux autres. La gestion des produits ne peut se concevoir sans intégrer la dimension de marché, et vice versa. C'est pourquoi la notion de domaine est opérationnellement utile pour élaborer la stratégie de marketing.

Le portefeuille de domaines

Rares sont les entreprises qui ne vendent qu'un seul produit sur un seul marché. La plupart ont plusieurs produits et plusieurs marchés, elles gèrent un portefeuille de couples produit-marché, ou **portefeuille de domaines**.

Dans le tableau de la Figure 7.10, on peut définir le portefeuille de l'entreprise X par l'ensemble [a1 .. a4, b2 .. b6, c3] et celui de l'entreprise Y par [a4 .. e4, a5 .. e5, a6 .. f6, a7 .. f7]. On constate que deux entreprises se concurrencent rarement sur l'ensemble de leurs portefeuilles, mais s'affrontent sur quelques domaines seulement. [a5, b4 .. b6] est le **champ de concurrence** entre X et Y.

Une entreprise se développe en étendant son portefeuille de domaines dans le sens horizontal par le développement de produits, dans le sens vertical par le développement de marchés ou dans les deux sens à la fois par la diversification (revoir Figure 6.1).

figure 7.10 **Portefeuille de domaines et champ de concurrence**

PRODUITS

MARCHÉS	a	b	c	d	e	f
1	X					
2	X	X				
3	X	X	X			
4	XY	XY	Y	Y	Y	
5	Y	XY	Y	Y	Y	
6	Y	XY	Y	Y	Y	Y
7	Y	Y	Y	Y	Y	Y

Une autre approche du développement du portefeuille de domaines consiste pour l'entreprise à modifier la nature des produits offerts (**différenciation**) et à redéfinir les segments de clientèle visés (**segmentation**). Dans les deux cas, il ne s'agit pas d'une division naturelle des produits et marchés, mais d'une volonté de l'entreprise de modifier la nature des produits et sa conception des marchés. Elle le fait dans le but de se démarquer par rapport à ses concurrents et de reconfigurer son champ de concurrence. On parle alors de différenciation et de segmentation stratégiques aboutissant à un **positionnement concurrentiel**.

On reviendra sur ces notions au chapitre 11 ; retenons pour l'instant que les politiques de segmentation, de différenciation et de positionnement aboutissent à créer des domaines nouveaux. Le problème se pose alors de gérer l'ensemble du portefeuille de domaines de façon harmonieuse afin que dans son ensemble il assure les trois objectifs de survie, croissance et profit de l'entreprise. Le *Boston Consulting Group* (BCG) a imaginé une manière de classer les domaines de l'entreprise de façon à faire ressortir les caractéristiques financières de chacun et le type de contribution qu'il apporte au bien-être de l'entreprise : contribue-t-il à la survie, à la croissance ou au profit ? On part de la constatation qu'il existe dans les secteurs industriels intensifs en capitaux et caractérisés par une faible différenciation des produits, une relation entre les flux financiers, la part de marché et la croissance de la demande* :

* Attention ! cette relation n'est pas vraie dans les secteurs à faible intensité de capital, dans les secteurs à technologie évolutive, dans les marchés très segmentés ou encore dans le cas où les entreprises offrent des produits fortement différenciés.

- les investissements nécessaires en production et commercialisation sont d'autant plus grands que la croissance de la demande augmente;
- les revenus s'accroissent avec la part de marché.

La **matrice du BCG** offre une représentation graphique de cette double relation (Figure 7.11). Les domaines de l'entreprise appartiennent à l'un des quatre quadrants suivants :

1. faible part de marché / forte croissance de la demande : DILEMMES

   Les dilemmes sont les domaines nouveaux (produits nouveaux ou marchés nouveaux), sur lesquels l'entreprise doit faire plus d'investissement à court terme qu'elle ne retire de revenus. Cependant, les dilemmes sont les produits et les marchés de l'avenir, ils contribuent donc à la survie de l'entreprise et à sa croissance.

2. Forte part de marché / forte croissance de la demande : VEDETTES

   Les vedettes sont des domaines en croissance; de surcroît ils s'autofinancent. Ils contribuent donc à la croissance sans déprimer le profit.

3. Forte part de marché / faible croissance de la demande : VACHES-À-LAIT

   Comme leur nom l'indique, les vaches-à-lait contribuent au profit, par contre, elles n'offrent aucun potentiel de croissance. Ce sont les produits et marchés murs.

4. Faible part de marché / faible croissance de la demande : POIDS MORTS

   Il n'y a rien à attendre des poids morts. Pas de profit, pas de croissance. Cependant, ils sont autofinancés et contribuent quelquefois à stabiliser le chiffre d'affaires à un certain niveau, situation que l'entreprise peut juger préférable à la liquidation des poids morts.

figure 7.11 **La matrice du BCG**

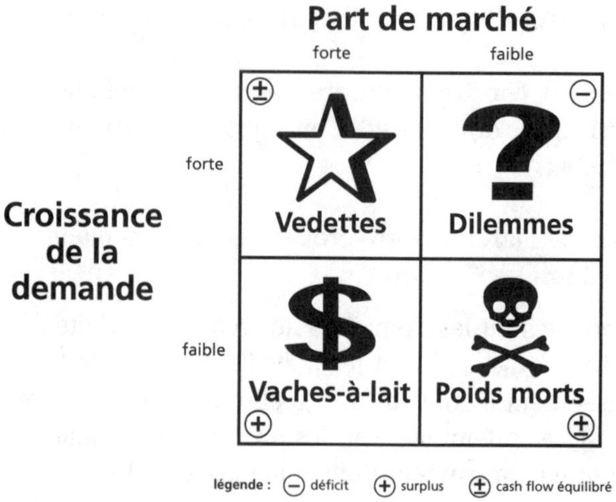

L'analyse du portefeuille de domaines de l'entreprise à l'aide de la matrice du BCG fournit un point de départ utile à la définition de la stratégie de marketing. Elle permet de définir tout d'abord la stratégie désirable *a priori* pour chaque type de domaine. Ainsi, on voudra liquider les poids morts, « traire » les vaches-à-lait pour investir dans les dilemmes et enfin, maintenir les vedettes. Tout n'est pas aussi simple en deuxième analyse :

- la liquidation d'un poids mort risque d'affecter un autre domaine de la matrice, ou l'image de la compagnie;
- les vaches-à-lait ne suffisent peut-être pas à faire les investissements souhaitables dans tous les dilemmes. Dans ce cas, il faut choisir : en abandonner certains, investir dans d'autres;
- la concurrence peut empêcher l'entreprise de mettre en œuvre une stratégie jugée désirable du point de vue de l'équilibre du portefeuille.

Il est donc nécessaire, avant de prendre une décision, d'aller plus loin que la suggestion de la stratégie désirable *a priori* que l'on peut tirer de l'examen de la matrice de BCG. Toutefois, cette matrice met en évidence 4 grandes stratégies possibles en marketing :

- le **renforcement**, c'est-à-dire l'investissement dans un domaine de façon à accroître la part de marché de l'entreprise;
- le **maintien** de la position actuelle sur un domaine dans le but de poursuivre l'exploitation d'un avantage concurrentiel existant;
- la **récolte** du profit, généralement dans un domaine mûr ou bien dans un domaine nouveau que l'on veut écrémer.

- le **redéploiement**, qui consiste à se retirer du domaine actuel pour se lancer dans un autre, lequel peut être une variante du premier obtenue par différenciation du produit ou segmentation du marché.

Toute stratégie de marketing sur un domaine s'apparente forcément à l'un des quatre **modes stratégiques** ci-dessus.

Un autre intérêt de la matrice du BCG est de présenter le cycle de vie des domaines en fonction de deux paramètres mesurables par l'entreprise : croissance de la demande et part de marché. Notez comme les quatre quadrants font écho aux quatre phases de la vision traditionnelle du « cycle de vie du produit ». Cependant, on ne fait plus référence à la variable « temps » et on évite l'épineuse question à savoir combien de temps un produit mettra à parcourir son cycle? Et tout d'abord, quel cycle? En effet, la matrice de BCG montre qu'un domaine a deux cycles de vie possibles :

le cycle du succès (⟶)
l'entreprise gagne de la part du marché dans le dilemme, qui devient vedette; puis lorsque la croissance s'estompe, elle privilégie le profit au détriment de la part de marché qui se réduit peu à peu. Le domaine finit par devenir un poids mort.

le cycle de l'échec (····▶)
le dilemme passe directement à l'état de poids mort, car l'entreprise est incapable d'atteindre le **seuil de pénétration utile du marché**, c'est-à-dire d'atteindre une part de marché suffisante pour générer des profits.

Il est donc essentiel que le responsable fasse le tri des dilemmes et investisse suffisamment pour les propulser sur le cycle du succès. Il vaut mieux sacrifier (liquider) certains dilemmes pour connaître le succès dans ceux que l'on garde, plutôt que de les conserver tous et de les condamner tous au cycle de l'échec, faute de capacité d'investissement.

Enfin, la matrice du BCG aide à faire un diagnostic global de l'équilibre du portefeuille :

- un *portefeuille équilibré* contient des domaines dans chaque quadrant. Les fonds générés par les vaches-à-lait suffisent à faire face aux investissements requis par les dilemmes.
- un *portefeuille anémique* montre une concentration de dilemmes et de poids morts. Au fil du temps, les dilemmes passent directement à l'état de poids mort, car l'entreprise n'a pas les moyens financiers (pas de vache-à-lait) de les propulser sur le cycle du succès. L'entreprise ané-

mique doit absolument différencier ses produits et segmenter son marché de façon à se positionner sur des segments plus petits, pour avoir une chance de les attaquer avec succès. Rappelez-vous de cette autre règle d'or du marketing :

Il vaut mieux être grand sur un petit marché que petit sur un grand marché.

- un *portefeuille obèse* est alourdi par trop de vaches-à-lait et ne contient pas assez de dilemmes. L'entreprise est très rentable à court terme, mais elle n'a pas su assurer son avenir. Il lui faut générer des dilemmes, soit par la recherche et le développement, soit par une politique d'acquisitions.

La matrice du BCG (voir Figure 7.11) n'est qu'un des outils possibles pour orienter l'analyse du portefeuille de domaines vers la détermination de stratégie souhaitables. Il ne faut pas croire cependant qu'un outil, quel qu'il soit, puisse supplanter le dirigeant du marketing. C'est à lui qu'incombe la responsabilité finale d'élaborer la stratégie de marketing, non seulement sur la base de l'analyse de portefeuille, mais aussi à la lumière de l'analyse de l'environnement externe, en particulier celle de la concurrence et du consommateur.

CONCLUSION

Que veut le consommateur ?
Y a-t-il un marché ?
Que veut l'entreprise ?

Telles étaient les trois questions fondamentales qui servaient d'ossature au trois premières parties du livre.

Le responsable du marketing ne doit pas se contenter de chercher les réponses à ces questions, il doit encore entamer un processus d'actions commerciales concertées, c'est-à-dire élaborer une stratégie de marketing.

Conscient des opportunités et des menaces de l'environnement externe, et des forces et des faiblesses de son entreprise, il doit tirer le meilleur parti de la situation et chercher la configuration de domaines qui lui permettra de créer et d'exploiter au maximum un avantage concurrentiel.

L'avantage concurrentiel est le fondement de toute stratégie de marketing. Comment le créer, comment l'accroître, comment l'exploiter pour atteindre les objectifs commerciaux ? Le plan et les programmes de marketing mis en œuvre par l'entreprise fournissent les réponses explicites à ces trois questions.

Nous nous sommes posés bien des questions au long des trois premières parties de ce livre. Maintenant que nous croyons y avoir apporté les bonnes réponses, il est temps de passer au **marketing en action** (Partie IV).

EXERCICES ET SUJETS DE RÉFLEXION

1. *« Le domaine est la cellule de base de la planification en marketing »*. Expliquez et commentez.

2. *« Beaucoup d'entreprises ont des plans, mais pas de stratégie »* (B. Henderson). Expliquez et commentez.

3. Monsieur Marketix a réuni les données suivantes sur le portefeuille de domaines de son entreprise :

Domaines	Ventes [000 $]	Croissance annuelle de la demande	Croissance annuelle des ventes de l'entreprise	Estimation de part de marché
A	212	+ 11 %	+ 11 %	moyenne
B	619	0 %	+ 5 %	forte
C	315	+ 21 %	+ 12 %	faible
D	540	– 6 %	+ 6 %	faible
E	159	+ 17 %	+ 16 %	faible
F	25	29 %	+ 20 %	très faible

a) Quels sont les domaines où l'entreprise gagne de la part de marché et ceux où elle en perd ?

b) Faites un graphique de contrôle de la part de marché de l'entreprise (voir Outil 7.4).

c) Calculez et comparez la croissance moyenne pondérée de la demande et la croissance moyenne pondérée des ventes de l'entreprise (pondérez par les ventes).

d) représentez le portefeuille de domaines de l'entreprise en vous servant de la matrice du BCG (voir Figure 7.11).

e) selon les graphiques établis en b) et d), que pensez-vous de la stratégie globale de cette entreprise ?

4. Le « cycle du succès » dans la matrice du BCG passe par quatre quadrants. Le « cycle de vie du produit » (voir chapitre 5) passe par quatre phases. Jusqu'à quel point existe-t-il une correspondance entre les deux ? Qu'est-ce qui les différencie ?

5. Détaillez la chaîne de consommation des produits ou services d'une entreprise que vous connaissez, afin d'imaginer des alternatives aux *modi operandi* actuellement en vigueur. Cet exercice de remue-méninges *(brainstorming)* permettra d'améliorer les procédés actuels, de les simplifier et de découvrir de nouveaux points de différenciation face à la concurrence. Durant cet exercice, adoptez trois perspectives :

   a) quels sont les procédés actuels et comment pourrait-on les améliorer pour mieux servir les clients ?

   b) que fait la concurrence et comment pourrait-on faire mieux ?

   c) en quoi pourrait-on innover ?

CAS-DISCUSSION

Les établissements Labulle

Richard Labulle est Président des Établissements Labulle, fabricants de savons et de détergents. L'entreprise a quatre concurrents que nous appellerons *Alpha, Beta, Gamma et Delta.*

1. Monsieur Labulle s'adresse à Monsieur Marketix, son fidèle Directeur du Marketing : « *As-tu vu le tableau concurrentiel que nous a préparé le consultant? Regarde ça.* » et il lui montre le tableau ci-dessous :

DOMAINES	Labulle	Alpha	Beta	Gamma	Delta
A	?	?	☆		?
B	☆	?		?	?
C	$		☠	☠	
D	☠	$		☠	☠

légende : ? dilemme ☆ vedette $ vache-à-lait ☠ poids mort

A = savon de luxe
B = détersif à usage domestique
C = savon de ménage
D = détersif à usage industriel

Question : Que pensez-vous du portefeuille de chaque concurrent?

2. Monsieur Labulle se tourne maintenant vers le comptable, Jean Lachessé : « *Je viens de recevoir plus de renseignements sur notre position concurrentielle par rapport à Alpha sur les domaines B et D :*

		Prix [$]	Part de marché	Volume	Ventes [$]
B	Labulle	20	60 %	6 000	120 000
	Alpha	20	5 %	500	10 000
D	Labulle	10	10 %	1 000	10 000
	Alpha	10	40 %	4 000	40 000

« Je pense que nous devrions liquider progressivement le domaine D en y augmentant notre prix de 20 %, afin de maximiser le profit à court terme et réinvestir en A. Qu'en pensez-vous ? »

Question : Et vous, que pensez-vous de la proposition de M Labulle ?

3. M Lachessé n'est pas d'accord : *« Si nous augmentons le prix de 20 %, nous allons gagner 2 000 $ de plus, mais Alpha augmentera lui aussi son prix en D, ce qui lui permettra de financer une promotion en B. Par exemple, il pourrait insérer un jouet en plastique dans chaque paquet de détersif (B) et nous obliger à faire de même sous peine de perdre de la part de marché. En supposant que chaque jouet coûte 1 $..*[LACHESSÉ SORT DE SA POCHE SA MINI-CALCULATRICE NOUVEAU MODÈLE]*...la même promotion nous coûterait 12 fois plus. D'oú sortirions-nous les 94 000 $ manquant ?*

Question : Êtes-vous d'accord avec le raisonnement du comptable ?

En fin de compte, quelle décision de prix les *Établissements Labulle* devraient-ils prendre en D ?

NOTES

1. Evans P., Wurster T., *Blown to bits*, Harvard Business School Press, 1999.
2. Berry T. : *Marketing Plus*, Palo Alto Software: – *Plan write for marketing*, Business Resources Software Inc., Austin, Tx, 2000, www.brs-inc/pwritem.html, PlanMagic 5.o, PlanMagic Corp., 2000, http://planmagic.com/hom00004.htm
3. Sallenave J-P, *Experience analysis for industrial planning*, Lexington Books, *Mass.*, 1976.
4. MacMillan I.C., McGrath R.G. « Discovering new points of differentiation », *Harvard Business Review*, juillet-août 1997.

Partie IV

Le marketing en action

Chapitre 8

La communication en marketing

Le marketing nous parle tout le temps. Le matin, au réveil, la radio nous invite à visiter les pharmacies *Jean Coutu* où *« on trouve de tout, même un ami ! »*. Que lit-on dans *La Presse* en sirotant son premier café de la journée ? Des nouvelles bien sûr, mais aussi l'annonce du grand solde retour à l'école de *Future Shop.* Dans la voiture on n'y échappe pas ; du jingle de la station en passant par celui *de Mountain Dew « Mountain Dew, y'a rien de mieux, pour vaincre la soif en moins de deux... ♫ »* ; jusqu'au publi-reportage « sur place » de notre animateur préféré qui nous implore d'aller le rencontrer (maintenant !) pour profiter du « blitz » 48 heures (qui s'achève !) de *Brault et Martineau* où *« la qualité n'est pas un obstacle aux bas prix »*. Éteindre la radio ? Qu'à cela ne tienne, les panneaux publicitaires sont nombreux sur la route à nous dire d'aller faire un essai routier de la nouvelle *Volkswagen Jetta*, d'acheter un billet de loto (avec l'Extra !) et à nous rappeler que *« La vitesse tue »*. Un arrêt au centre commercial pour faire quelques courses et nous voilà assaillis par les affiches qui annoncent les soldes, les vitrines qui présentent les nouveautés et les vendeurs qui sont prêts à nous servir. Au travail, nous nous croyons à l'abri, allumons l'ordinateur, allons faire un tour sur *Internet*, et voilà que des bannières s'affichent automatiquement sur l'écran à chaque mot-clé transmis au moteur de recherche *Alta Vista.* De retour à la maison, le courrier nous réserve quelques surprises : un échantillon des nouvelles barres galette *Hop* de *Vachon*, une offre d'abonnement au club de disque *Columbia* et une enveloppe de coupons que nous envoie Carole Martin. En soirée, il y a quelques bonnes émissions, mais elles sont entrecoupées systématiquement de spots publicitaires de toutes sortes : le groupe financier *Banque Royale (« un client à la fois »)*, les céréales suisses *Alpen (« un demi-bol, pour les bolées »)* et les meilleures chansons de Louis Armstrong & Friends *(« what a wonderful world »)*.

Cette introduction aura suffi, sans doute, à nous faire comprendre que les moyens dont dispose l'entreprise pour communiquer avec ses marchés sont variés et que la compétition pour retenir l'attention des consommateurs est vive. Il est donc impératif pour le responsable du marketing de connaître les éléments fondamentaux du processus de communication, les différents moyens de communication en marketing que la firme peut employer et de savoir comment concevoir, mettre en œuvre et évaluer un plan de communication. C'est là l'objet de ce chapitre.

LE PROCESSUS DE COMMUNICATION

Examinons d'abord les concepts de base de la communication, car c'est à partir de ceux-ci que l'action de communication de la firme doit s'organiser. La Figure 8.1 présente un modèle général du processus de communication. Ce modèle identifie les étapes principales qui caractérisent l'activité de communication.

L'**émetteur** est l'appellation que l'on donne à l'entité qui désire communiquer des informations. Il peut s'agir, par exemple, d'une entreprise qui veut informer son marché à propos des produits et des services qu'elle offre ou encore d'un vendeur qui cherche à convaincre un client d'acheter la marque qu'il représente. Quel que soit le type d'émetteur — personne, groupe de personnes ou organisation — il est important que des **objectifs de communication** soient fixés, car ceux-ci conditionnent directement la nature du message à communiquer. S'agit-il d'attirer l'attention, de donner des informations ou de persuader celui ou ceux à qui on s'adresse ? Selon l'objectif poursuivi, le message sera différent dans sa forme et dans son contenu.

figure 8.1 **Un modèle du processus de communication**

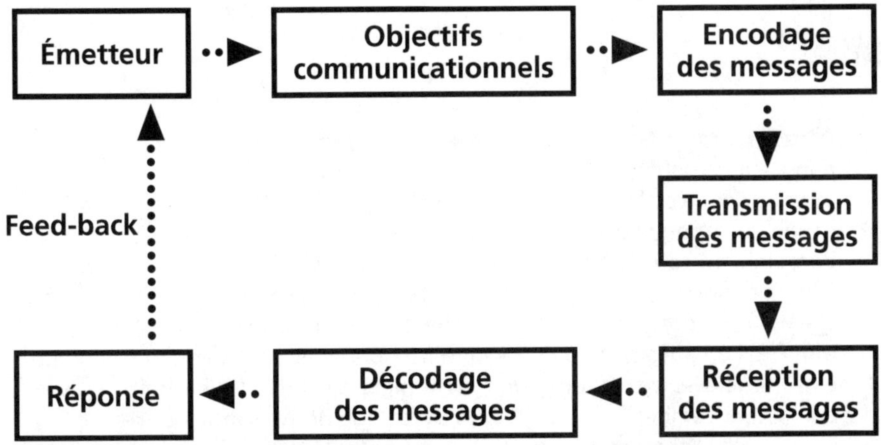

Émetteur → Objectifs communicationnels → Encodage des messages → Transmission des messages → Réception des messages → Décodage des messages → Réponse → Feed-back → Émetteur

C'est à l'étape d'**encodage** que l'émetteur transforme ses objectifs de communication en un message. C'est une étape cruciale, car cette transformation doit correspondre le plus possible à ce que l'émetteur cherche à communiquer. Cette correspondance doit se faire selon la perspective de ceux qui recevront le message beaucoup plus que selon celle de l'émetteur, car en dernière analyse, ce sont eux qui interpréteront le message. En d'autres termes, pour qu'une communication soit efficace, il faut que l'émetteur réussisse à produire un message qui sera compris par celui ou ceux qui le recevront. Cela nécessite non seulement que l'émetteur connaisse le langage et les symboles utilisés par la cible visée, mais aussi qu'il puisse transcender sa propre perspective pour adopter temporairement celle de la cible. Le cas de la publicité québécoise fournit un bon exemple d'une industrie qui s'est préoccupée de l'encodage des messages. Dans les années 50 et 60, la majorité des publicités télévisées au Québec étaient des adaptations ou encore des traductions de messages publicitaires conçus aux États-Unis ou au Canada anglais. Cela donnait lieu à des situations bizarres où le lien entre le message transmis et le message voulu était loin d'être clair (voir l'Illustration 8.1). Grâce à la détermination d'une poignée de publicitaires convaincus, une véritable publicité québécoise est née et s'est attirée rapidement les faveurs du grand public[1].

Illustration 8.1
Qu'est-ce qu'il avait ?

Dans les années 60 au Québec, le sirop *Lambert* était une marque leader dans le marché des médicaments contre la toux. Ceci était dû en grande partie à des investissements publicitaires importants. Une pub télévisée très connue à l'époque avait comme cadre une salle de classe dans laquelle se déroulait un cours d'histoire. Dans cette pub, traduite intégralement de l'anglais, l'institutrice (une actrice québécoise très connue) interrogeait ses élèves afin d'obtenir le nom de Lambert Closse, gouverneur intérimaire de Montréal à l'automne 1655 (lorsque Maisonneuve partit en France). Pour aider ses élèves à trouver le nom de famille recherché, elle disait : « Lambert Clo..., Lambert Clo... » (si vous avez l'âge de vous rappeler cette pub, vous voyez probablement dans votre esprit les lèvres en forme de « O » de l'institutrice). Finalement, un peu exaspérée, elle décide de donner un indice aux élèves : « Pour se protéger il avait toujours... Qu'est-ce qu'il avait ? ». Dans la version anglaise de la pub, cette question est pertinente, car elle suggère l'homonyme « clothes » (prononcé close et signifiant vêtements). Mais, pour un public largement unilingue français, ni la question ni la réponse n'avait de sens. En réponse à la question de l'institutrice, une jeune fille lève alors sa main pour dire « Du sirop *Lambert* ! ». Et pour expliquer sa réponse à l'institutrice un peu étonnée (comme les téléspectateurs sans doute !), elle ajoute : « C'est le sirop que maman me donne quand j'ai le rhume ».

Une fois le message encodé, l'émetteur choisit un moyen de transmission. S'il s'agit d'une communication de face-à-face entre deux personnes, le message est habituellement transmis par la voix et les gestes. Dans d'autres situations, le choix des moyens n'est pas nécessairement évident. Comment, par exemple, nos deux entrepreneurs qui songent à mettre sur le marché le *« homard »* peuvent-ils rejoindre leur marché cible ? Doivent-ils utiliser la télévision, les journaux, Internet, des vendeurs itinérants, des offres postales ou encore des solliciteurs par téléphone (télémarketing) ? Le choix des moyens de transmission dépend de la cible à atteindre, des coûts impliqués et de la nature des messages à transmettre. Si ce choix est mal fait, la réception des messages par la cible est compromise. Il faut aussi considérer la possibilité que des perturbations diverses viennent diminuer la qualité de la réception. Par exemple, un message publicitaire dans le journal peut n'avoir été remarqué que par 10 % des lecteurs à cause d'une mauvaise décision concernant l'endroit de l'insertion. De même, un panneau-réclame placé sur une autoroute sera inefficace si la circulation automobile est déviée à cause de réparations à effectuer sur la chaussée.

Les messages reçus sont ensuite **décodés**, c'est-à-dire interprétés par les récepteurs-cibles afin de leur donner une signification. C'est à ce stade que les efforts déployés par l'émetteur lors de l'encodage prennent toute leur valeur. Si l'émetteur a su concevoir ses messages en tenant compte des spécificités de la cible, les chances que les résultats du décodage correspondent à ce qu'il voulait communiquer sont meilleures. Sinon, l'interprétation que la cible fera des messages pourra différer partiellement ou totalement.

Dans une situation de communication interpersonnelle, les réponses produites par la cible suite aux messages sont généralement directes, regard interrogateur, étonnement, colère, approbation, etc., et permettent à l'émetteur de s'ajuster rapidement. Par contre, dans une situation de communication de masse (par ex. publicité télévisée), le *feed-back* que reçoit l'émetteur est beaucoup moins direct et l'ajustement ne peut être immédiat. En marketing de grande consommation, on utilise habituellement des moyens de communication de masse, car un grand nombre de consommateurs doivent être rejoints. Pour améliorer le processus de communication, il est important que les firmes se dotent d'un système de *feed-back* efficace. Les ventes constituent un indicateur important qui renseigne sur la performance de l'action commerciale, mais d'autres moyens existent. La firme *Procter & Gamble* dispose d'un système de *feed-back* bien rodé. Par exemple, sur la boîte de son produit vedette *Tide* on peut lire : *« Nous sommes fiers de Tide. Pour toute question ou commentaire, composez notre numéro SANS FRAIS »*. De même, les entreprises engagées dans le commerce électronique offrent à leurs client internautes la possibilité de les rejoindre par courriel.

Le processus de communication constitue la trame centrale de l'action communicationnelle de l'entreprise. Quel que soit le type d'action envisagé, les implications qui découlent du modèle présenté à la Figure 8.1 sont toujours pertinentes. Pour le responsable du marketing, cette représentation est cependant incomplète, car elle ne renseigne pas sur les moyens de communication en marketing, sur les cibles à considérer et les stratégies à envisager.

LE MIX-COMMUNICATION

Une fois qu'elle a identifié les segments-cibles de marchés auxquels elle désire vendre ses produits ou ses services, l'entreprise doit établir une communication avec eux dans le double but de les **informer** de son offre, et de les **inciter** à acheter. Pour ce faire, l'entreprise met au point un **mix-communication**.

Mix-communication : Ensemble des moyens que l'entreprise utilise pour communiquer avec ses différents marchés. Les éléments qui composent le mix-communication sont les suivants :

- la vente personnelle
- la publicité
- les relations publiques et la publicité rédactionnelle
- la promotion des ventes
- la commandite
- le marketing direct

De la même façon qu'elle doit décider d'une combinaison des éléments du marketing-mix (prix, produit, communication et distribution), la firme doit concevoir un mix-communication approprié lorsqu'elle envisage une action communicationnelle. Examinons chacun de ces éléments à tour de rôle.

La vente personnelle

La vente personnelle est une forme de communication directe, interpersonnelle et adaptée. **Directe**, car les messages transmis par les représentants des ventes rejoignent des cibles bien identifiées, généralement des clients actuels ou potentiels. **Interpersonnelle**, car elle implique un échange entre des individus. **Adaptée** enfin car, contrairement aux autres moyens de communication en marketing, les messages que transmettent les vendeurs peuvent varier dans leur forme et leur contenu, selon la situation.

Les firmes ne mettent pas toutes la même emphase sur la vente personnelle comme moyen de communication. Dans certaines entreprises, les vendeurs occupent une place centrale. Par exemple, dans le domaine de l'assurance vie, le rôle des représentants est crucial, car ce type de produit doit être adapté aux besoins particuliers des clients. Dans d'autres entreprises, la vente personnelle est une fonction beaucoup moins importante. Les compagnies de transport de voyageurs, les entreprises de déménagement et les réseaux de machines distributrices sont des exemples de firmes sans vendeurs. Étant donné l'importance stratégique de la force de vente pour la firme et les coûts importants qu'une équipe de vendeurs implique, nous consacrons le chapitre 9 à une discussion sur la vente et la gestion des ventes.

La publicité

En marketing, la publicité est certainement la forme de communication la plus visible et la plus envahissante. À la radio, dans les journaux, à la télé, sur Internet, dans les corridors du métro, dans les champs, dans les toilettes ou sur les autobus, elle nous bombarde continuellement de messages de toutes sortes; images de la vie facile, slogans, idéal matérialiste, humour, émotions, provocation et informations commerciales. Il en existe plusieurs types. La **publicité institutionnelle** vise à établir et à embellir l'image d'une compagnie ou d'une organisation. Elle se distingue de la **publicité de produit** qui sert à la promotion des produits et services. Par exemple, lorsque *IBM Canada* nous montre des jeunes enfants qui utilisent les micro-ordinateurs de marque *IBM* que la compagnie a offerts généreusement à l'école, elle fait de la publicité institutionnelle. Par contre, lorsqu'elle annonce son ordinateur portatif *Thinkpad* ou son service de support aux entreprises qui désirent investir dans le commerce électronique, elle fait de la publicité de produit.

La publicité peut être **nationale** ou **locale**. Règle générale, une publicité nationale est payée par une entreprise manufacturière alors qu'une publicité locale est payée par un détaillant. Un même produit peut jouir d'une couverture locale ou nationale. Ainsi, la camionnette *Voyager* peut être annoncée par un concessionnaire de la ville ou par la compagnie *Chrysler Canada*. La couverture géographique de ces deux annonces ne sera évidemment pas la même. La publicité peut aussi être pour une industrie entière, pour une marque ou une compagnie particulière. Par exemple, la Fédération des producteurs de lait du Québec (www.lait.org/) utilise la publicité télévisée pour faire la promotion du fromage au nom de toute l'industrie « *Du fromage s'il vous plaît* ». La compagnie *Kraft General Foods* fait de même pour annoncer son fromage *P'tit Québec*. Quel que soit le type de publicité envisagé, les décisions et les activités reliées à l'action publicitaire de la firme sont nombreuses. Nous y reviendrons un peu plus loin dans ce chapitre.

Les relations publiques

Il existe un type particulier de publicité qu'on appelle la **publicité rédactionnelle**. L'entreprise qui utilise cette forme de communication publicitaire ne paie pas pour obtenir de temps d'antenne ou de l'espace dans un journal. L'information qui est communiquée est plutôt de caractère journalistique, même si elle a trait à des produits ou services. Par exemple, une entreprise qui lance un nouveau produit peut convoquer une conférence de presse afin d'informer le public de l'introduction prochaine du produit sur le marché. La couverture publicitaire qu'elle obtient alors est de type rédactionnel. Cette forme de communication en marketing s'inscrit généralement à l'intérieur des activités de **relations publiques** de la firme. La plupart des moyennes et grandes entreprises possèdent un service de relations publiques qui a la responsabilité de gérer toutes les communications. Dans certaines entreprises, ce service s'occupe aussi de la publicité conventionnelle, quoique la plupart du temps, c'est au service du marketing que revient cette responsabilité. Plusieurs entreprises font aussi affaire avec des cabinets spécialisés.

Un avantage important de la publicité rédactionnelle est qu'elle est plus crédible, du fait qu'elle est associée au domaine journalistique. Par exemple, le constructeur d'automobiles *Toyota* se plaît à dire dans ses annonces publicitaires que ses voitures sont toujours bien classées par l'Association Canadienne des Automobilistes au chapitre de la satisfaction des propriétaires. De même, les nouveaux films et les nouveaux livres sont souvent publicisés en utilisant des extraits de critiques qui ont paru dans les médias *« Un film époustouflant, j'ai simplement adoré! »*, a dit René Homier-Roy; *« Un livre que j'aurais voulu écrire! »*, admet Pierre Foglia, journaliste à *La Presse*.

Il y a un type de publicité imprimée qui se donne des allures de publicité rédactionnelle, même s'il s'agit en fait de publicité payée : le **publi-reportage**. Une entreprise achète de l'espace dans un journal ou une revue à fort tirage et y insère une publicité qui se présente sous la forme d'un article rédigé par un journaliste. Les plus astucieux prennent soin d'utiliser un caractère typographique identique à celui du média dans lequel le publi-reportage apparaît. L'entreprise qui utilise le publi-reportage pour faire la promotion de ses produits (automobiles, thermo-pompes, produits de santé, appareils électroniques, etc.) cherche à augmenter artificiellement la crédibilité de son action publicitaire. Des études ont montré que cette stratégie peut s'avérer efficace[2]. Cette pratique publicitaire pose des problèmes importants sur le plan éthique, surtout si la firme essaie volontairement de berner les consommateurs en camouflant la nature commerciale des informations transmises.

La promotion des ventes

Alors que la publicité parle du produit ou du service, la promotion vise à le faire essayer, au moyen de coupons, de bons d'essai, de primes, de démonstration, d'échantillons, etc. Les actions promotionnelles de l'entreprise peuvent être dirigées vers les intermédiaires du réseau de distribution (grossistes, détaillants, vendeurs) ou vers les consommateurs (Figure 8.2). Les offres spéciales (jeux, livres à colorier, etc.) de *Burger King* à ses clients, les coupons-rabais pour acheter le nouveau mélange à gâteau de *General Foods*, les dégustations de bière dans les épiceries *Provigo*, les bons d'essence *Ultramar*, les offres de type *« achetez-en deux et obtenez le troisième gratuitement »*, les concours de la *Banque Nationale*, les primes offertes à l'achat d'une eau de toilette *Calvin*

Klein, les échantillons qu'on reçoit dans le courrier, la promotion « *courez la chance de gagner un voyage aux Caraïbes* » de la compagnie *Pétrolière Impériale Ltée* sont tous des exemples de promotion des ventes. Ces actions sont incitatives (rabais, primes, concours, etc.) et visent à stimuler les ventes à court terme.

figure 8.2 **Les outils de la promotion des ventes**

a) Actions dirigées vers les intermédiaires

Outil	Illustration
Offres spéciales	*Pepsi-Cola* offre à ses détaillants un carton de six bouteilles de *Pepsi Diète* gratuit s'ils en achètent dix.
Rabais de quantité	Achetés auprès d'un grossiste en fleurs en paquet de 100, les oeillets coûtent environ 50 cents l'unité ; en paquet de 600, ils reviennent à 36 cents.
Expositions commerciales	Deux fois par année, à l'hôtel Concorde à Québec, les manufacturiers de vêtements présentent aux propriétaires de merceries et boutiques du Québec leurs nouveautés. L'événement est appelé « La semaine des placements ».
Concours	La banque *CIBC* fait tirer un montant de 500 $ auprès des employés de succursales qui trouvent de nouveaux clients pour la carte *VISA*.

b) Actions dirigées vers les consommateurs

Outil	Illustration
Échantillons	*Procter & Gamble* offre gratuitement aux nouvelles mamans un paquet de couches *Pampers*.
Réductions	*Chrysler Canada ltée* réduit certains de ses modèles en inventaire d'un montant de 2 000 $.
Coupons	En présentant un coupon dans un *Pharmaprix*, on économise 25 cents sur l'achat de la lotion hydratante *Nivea*.
Primes	*Pétro-Canada* offre à ses clients un joli verre avec un plein d'essence d'au moins 30 litres.
Concours	Courez la chance de gagner jusqu'à 1 500 $ au concours « Dindon-dollars ». Il suffit d'acheter un produit de la dinde du Québec et de remplir le bulletin de participation.
Offres spéciales	Pour un temps limité, on obtient une réduction de 10 % du prix de l'abonnement au câble de *Vidéotron*.
Points bonis, timbres, bons d'échange	Lorsqu'on paie comptant chez *Canadian Tire*, on reçoit des bons échangeables contre de la marchandise pour une valeur de 3 % de l'achat. Chez *Zellers*, on accumule des points du *Club Z* échangeables contre des produits. Chez *Provigo*, ce sont des milles *Air Miles* à utiliser pour les vacances.

La variété des techniques de promotion des ventes est grande et leur utilisation est généralement complémentaire des autres moyens de communication en marketing comme la publicité et la vente personnelle. Ainsi, lorsque *Lever Brothers* a introduit au Canada son super nettoyant *VIM*, une campagne publicitaire nationale axée sur la puissance de nettoyage du produit « sans égratignure » a été réalisée. Parallèlement à cette action publicitaire, la firme a distribué par courrier des échantillons du produit afin que les consommateurs puissent l'essayer, ainsi que des coupons-rabais pouvant être appliqués sur l'achat du produit en magasin. Comme on le voit dans cet exemple, les outils de promotion des ventes, tels que les échantillons et les coupons, jouent un rôle important dans la stratégie de communication de la firme. Ils ont pour objectif de stimuler l'achat et d'accélérer le processus de décision des consommateurs.

La commandite

Les firmes ont de plus en plus de difficulté à se faire entendre par les consommateurs. D'une part, il y a un encombrement réel des médias par les messages publicitaires de toutes sortes. D'autre part, avec la multiplication des moyens de diffusion (canaux de télévision, revues, etc.), les auditoires sont fragmentés et il devient plus compliqué pour une entreprise de communiquer avec ses marchés. Ces deux raisons expliquent en grande partie l'essor important de la commandite comme moyen de communication en marketing durant ces dernières années.

Commandite : Activité de communication en marketing par laquelle une firme apporte un support financier à un événement sportif, culturel ou philanthropique, dans le but d'augmenter sa notoriété et d'améliorer son image.

La commandite offre des possibilités étonnantes de visibilité. À titre d'illustration, lorsqu'en 1992 le coureur automobile Nigel Mansell a remporté le *Grand Prix de Formule 1* de San Marino en Italie, sa photo a fait la couverture de cinq quotidiens en Angleterre et on estime à 10 millions le nombre de personnes qui ont pu lire sur son uniforme les noms des commanditaires *Labatt* (bière), *ELF* (produits pétroliers), *Canon* (caméras, photocopieurs, etc.), et *Champion* (bougies)[3]. Cet exemple est celui d'une commandite sportive (plus fréquent et plus visible), mais les événements commandités peuvent aussi être culturels (*Labatt Bleue* et Le Festival Juste Pour Rire ; *l'Oldsmobile Alero* et le spectacle Notre-Dame-de-Paris) ou appuyer des causes humanitaires (*Les Aliments Ault ltée* et Parents-Secours ; *Toyoto Canada* et les Jeux olympiques spéciaux). Il est possible aussi pour une firme de commanditer une personne, généralement un sportif (*Le Pain Bon Matin* et Caroline Brunet; *Price Waterhouse Coopers* et Mélanie Turgeon).

L'entreprise qui décide d'utiliser la commandite comme outil de communication en marketing doit prendre plusieurs décisions[4]. En premier lieu, elle doit faire le choix entre une commandite commerciale ou philanthropique (humanitaire). La majorité des commandites sont de nature commerciale, c'est-à-dire qu'elles impliquent que le commanditaire reçoive des bénéfices commerciaux directs (couverture médiatique, ventes) de par son association à l'événement. Bien qu'une commandite philanthropique vise d'abord et avant tout à supporter une cause sociale ou humanitaire, l'entreprise commanditaire peut néanmoins en tirer des bénéfices commerciaux, dans la mesure où la commandite contribue à améliorer son image corporative.

Par ailleurs, l'entreprise commanditaire peut créer son propre événement ou encore elle peut choisir de commanditer un événement existant. L'avantage principal associé à la création d'un nouvel événement est que l'entreprise est libre de l'organiser en fonction des objectifs commerciaux qu'elle cherche à atteindre. Cependant, pour que la commandite soit efficace, il faut que l'événement créé intéresse le public et ne soit pas perçu comme une activité fondée uniquement sur l'intérêt commercial du commanditaire.

L'événement commandité peut être continu, c'est-à-dire se produisant à intervalles réguliers (par ex. Le Festival d'été de la ville de Québec), ou ponctuel, c'est-à-dire n'ayant lieu qu'une seule fois (par ex. *« Nettoyons le Saint-Laurent »*). On croit généralement qu'une commandite continue a de meilleurs chances d'avoir un impact commercial positif, car il faut du temps pour construire la crédibilité d'un commanditaire. Il faut noter cependant que la commandite continue court le risque, avec le temps, de voir diminuer l'intérêt des consommateurs envers l'événement.

Enfin, l'entreprise doit décider si elle commandite une événement lié naturellement à ses activités (par ex. un fabricant de bâtons de hockey et un tournoi de hockey) ou non (par ex. un fabricant d'ordinateurs et un combat de boxe de poids lourds). Bien qu'on puisse penser *a priori* que le lien entre l'événement et le commanditaire devrait être fort, cela n'est pas une garantie de succès. Certains experts de la commandite croient qu'un certain degré d'incongruence peut être bénéfique, car une commandite est aussi une occasion pour l'entreprise de surprendre et de montrer son ouverture à des domaines autres que ceux dans lesquels elle évolue habituellement.

La commandite d'émissions de télévision est un type de commandite de plus en plus répandu. Dans ce type de communication, un commanditaire paie un certain montant d'argent pour obtenir que ses produits apparaissent durant l'émission (par ex. un animateur avec un jus d'orange *Oasis*). Le **placement de produit** est la stratégie qui consiste à insérer un produit, le nom d'une marque ou d'une entreprise dans une émission à des fins promotionnelles[5]. Cette stratégie offre trois avantages par rapport à la publicité traditionnelle : le commanditaire obtient une certaine notoriété en s'associant à une émission populaire, il évite que des concurrents viennent perturber sa communication (s'il est l'unique commanditaire) et, en s'intégrant à l'émission, il évite que les auditeurs changent de canal (*zapping*) comme ils le font fréquemment lorsqu'ils voient venir une publicité. Le placement de produit est aussi beaucoup utilisé au cinéma[6].

Le marketing direct

La publicité, la promotion des ventes et la commandite sont des moyens de communication de masse. Le marketing direct comprend un ensemble de moyens de communication qui permettent d'atteindre des cibles sélectionnées. Les outils privilégiés du marketing direct sont la poste, le téléphone et Internet. La Figure 8.3 présente une typologie des formes principales de marketing direct.

figure 8.3 **Une typologie des formes principales de marketing direct**

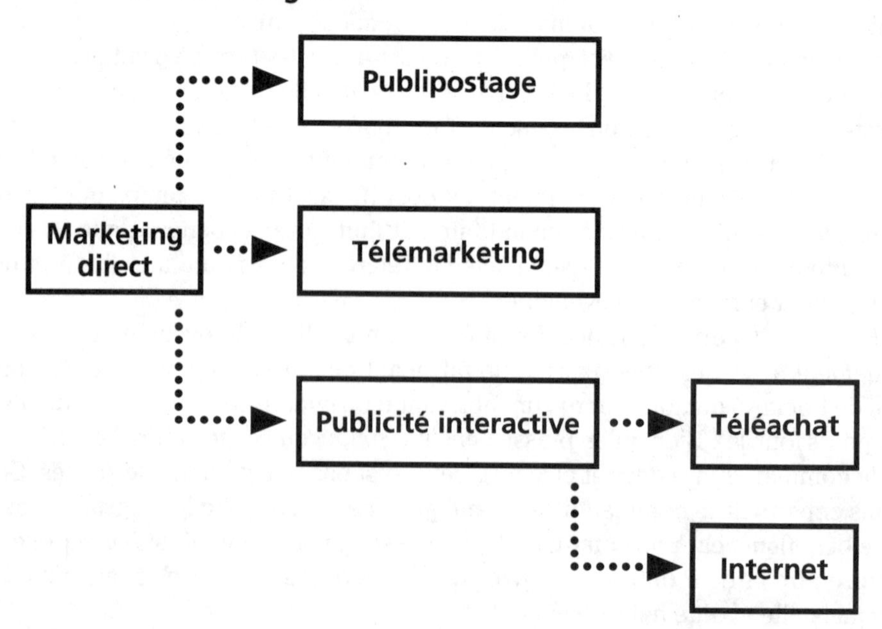

Le **publipostage** *(direct mail)* est la forme la plus courante de marketing direct[7]. Cela consiste à envoyer à un groupe de personnes choisies (souvent à partir d'une base de données) des informations habituellement incitatives sur les produits et les services offerts par l'entreprise. Il peut s'agir de lettres personnalisées (*Vision Mondiale* qui vous écrit afin de vous inciter à parrainer un enfant du Tiers-Monde), d'enveloppes ou de sacs contenant des coupons (Carole Martin) ou des circulaires *(Publisac)*, ou de dépliants publicitaires annonçant des nouveaux produits, des promotions sur des produits existants, des concours, etc. Les principaux avantages du publipostage sont les suivants. En premier lieu, ce moyen de communication permet de cibler des clients qui possèdent des caractéristiques bien spécifiques. La sélection peut se faire par exemple sur une base géographique (l'épicier du coin n'envoie des circulaires qu'aux gens du quartier), démographique ou socioéconomique (la carte de crédit platine de la *Banque MNBA* est offerte uniquement aux clients qui ont des revenus annuels importants). Deuxièmement, l'annonceur contrôle la qualité du message et sa circulation. Avec d'autres médias comme les journaux ou même la télévision, il n'est pas sûr que le message sera aussi bien transmis. Enfin, il est relativement facile d'évaluer le succès d'une campagne de publipostage, car l'efficacité est mesurée directement par les réponses (ventes, demandes d'information, appels téléphoniques) des personnes ou des organisations auxquelles on a fait parvenir les informations publicitaires. Un inconvénient majeur du publipostage est que la concurrence pour attirer l'attention des consommateurs par ce moyen de communication est très grande. Les consommateurs sont littéralement inondés d'envois par la poste et plusieurs n'hésitent pas à tout envoyer à la poubelle ou à la récupération. L'entreprise qui souhaite réaliser une campagne de publipostage doit donc tout mettre en œuvre pour concevoir des envois qui feront en sorte que les personnes ciblées seront rejointes, qu'elles prendront connaissance des informations communiquées et qu'elles seront tentées d'y répondre. Défis de création certes, mais aussi l'obligation pour l'annonceur de planifier rigoureusement les diverses étapes de la campagne.

Le **télémarketing** est une forme de marketing direct qui s'appuie essentiellement sur l'utilisation du téléphone. On distingue deux types : le **télémarketing de l'émission d'appels**, où des appels téléphoniques sont faits à des clients actuels ou potentiels dans le but de leur vendre des produits ou des services, et le **télémarketing de la réception d'appels** où les clients font des appels téléphoniques à l'entreprise suite à une campagne de communication (publipostage, publicité conventionnelle) ou dans d'autres situations (demandes d'informations, plaintes, etc. utilisant un numéro 1-800 ou 1-888). La plupart des firmes qui utilisent le télémarketing font affaire avec des centres d'appel (on en compte plus de 6 000 au Canada et leur nombre va grandissant) qui offrent des services complets de réception d'appels (prise de commandes, service à la clientèle, facturation, etc.) et d'émission d'appels (vente, sollicitation, enquête, etc.).

La vente par télémarketing peut représenter un moyen efficace et moins coûteux que la publicité de masse pour promouvoir les produits de l'entreprise, à condition que le programme soit bien conçu. Pour qu'une campagne de télémarketing soit un succès, il faut que le message soit planifié de façon adéquate et que les représentants soient bien entraînés (le chapitre 9 traite des facteurs de réussite dans la vente). Le télémarketing jouit malheureusement d'une mauvaise réputation auprès des consommateurs. Une enquête a montré que les trois quarts des consommateurs canadiens considèrent que les appels de télémarketing sont indésirables et envahissants. Dans cette enquête, plus de 50 % des personnes interrogées ont dit qu'elles n'hésitaient pas à raccrocher lorsqu'elles recevaient de tels appels[8]. La mauvaise réputation du télémarketing est par ailleurs entretenue par les médias qui associent parfois systématiquement le télémarketing à la vente par téléphone frauduleuse[9]. Malgré tout, les avantages du télémarketing semblent compenser les inconvénients, puisqu'un grand nombre d'entreprises y ont recours régulièrement.

Comme son nom l'indique, la **publicité interactive** se distingue de la publicité conventionnelle par son caractère interactif. C'est un type de publicité qui incite le consommateur à entreprendre un action immédiate : passer une commande *« composez le numéro suivant sans frais pour commander votre exerciseur »* ou faire une demande d'information *« appelez maintenant pour obtenir gratuitement votre brochure d'informations »*. Le **téléachat** est une forme de publicité interactive très courante. Il peut s'agir d'un spot publicitaire télévisé (généralement de 60 à 90 secondes) qui présente un produit et ses bénéfices, et qui propose un numéro de téléphone à composer pour acheter ou s'informer (les annonces de la compagnie d'assurance sur la vie *L'alternative*, dont le porte-parole est Jacques Demers, l'ex-entraîneur du club de hockey les Canadiens de Montréal). Ou encore, il peut s'agir d'une émission de télévision entièrement consacrée à la présentation d'un seul produit *(infomercial)* ou de plusieurs produits (*Boutique TVA* avec Louise-Josée Mondoux — voir le site Web suivant : https://vogel.videotron.net/Boutiques/fr-tva.html/).

La **publicité sur Internet** est une forme relativement récente de publicité interactive. Internet est un vaste réseau d'ordinateurs connectés dans un cyberespace. Les utilisateurs d'Internet, ou « internautes », peuvent naviguer dans le cyberespace au moyen d'un ordinateur et visiter un très grand nombre de sites *(Web sites)* qui contiennent des informations de toutes sortes. Au Canada, environ 40 % des ménages possèdent un ordinateur, mais ceux-ci n'ont pas tous accès à Internet. Dans une enquête conduite en 1997 par *A.C. Nielsen Canada*, on a estimé que 31 % des canadiens (pas des ménages) avaient accès à Internet[10]. Les études montrent que les internautes utilisent principalement Internet pour aller chercher des informations et pour envoyer et recevoir du courrier électronique. Actuellement, le magasinage électronique constitue l'utilisation d'Internet la moins populaire chez les internautes canadiens. Dans l'enquête Nielsen citée ci-dessus, seulement 13 % des internautes, soit 4 % des personnes interrogées ont dit avoir déjà fait un achat sur Internet et 50 % ont avoué n'avoir jamais cliqué sur une publicité Web *(Web ad banner)*. Ces résultats indiquent que l'efficacité d'Internet à des fins de communication publicitaire n'est pas encore assurée, particulièrement en ce qui concerne la possibilité de rejoindre certaines catégories de consommateurs. Les études montrent en effet que les internautes ont des caractéristiques bien particulières : ils sont en général plus jeunes, plus aisés et sont de grands utilisateurs de l'ordinateur et du courrier électronique. Il est certain que la publicité sur Internet va prendre de plus en plus d'importance dans les années à venir. Les entreprises l'ont bien compris. Au Québec, en l'an 2000, on estime qu'une entreprise sur deux a son site Web.

Internet est un média intéractif. Cette caractéristique permet aux entreprises de communiquer avec leurs marchés de façon originale. Un bon exemple est le site Web de la compagnie *Labatt* (www.labatt.com) où il est possible de discuter avec la barman ou avec d'autres amateurs de bière dans le bar, de lire et d'envoyer des farces (dans *Riez*), d'aller dans un salon privé *(le Salon bleu)*, et de se connecter à des sites d'événements culturels commandités par *Labatt,* comme celui du Festival Juste pour Rire (dans *La scène*). Un site à visiter (si vous avez 18 ans et plus) !

Retenons que : Le mix-communication est un ensemble de moyens devant être intégrés dans une stratégie de communication.

LES STRATÉGIES COMMUNICATIONNELLES DE BASE

Les entreprises ne font pas toutes les choses de la même façon. Certaines mettent l'accent surtout sur la communication de masse, d'autres utilisent plutôt le contact personnel avec les clients. Certaines investissent beaucoup dans la publicité institutionnelle, d'autres se limitent à promouvoir leurs produits. En définitive, chaque entreprise adopte une stratégie de communication qui lui est propre et cette stratégie doit être cohérente avec l'ensemble du marketing-mix. Ainsi, une entreprise qui vend des produits hautement techniques qui s'adressent à des marchés très sélects n'a pas intérêt à envisager une action publicitaire de masse. Elle optera plutôt pour une stratégie de communication dans des revues spécialisées. Par contre, si le produit ou le service touche tout le monde (les flocons de maïs pour le petit déjeuner, les services bancaires), une communication de masse est certainement indiquée.

Au-delà des préférences particulières de la firme et des considérations dictées par le type de produit commercialisé, il existe cependant des stratégies de communication de base. Comme l'illustre la Figure 8.4, ces stratégies se distinguent essentiellement par la cible du mix-communication. Une stratégie de type **communication-aspiration** (mieux connue sous le vocable anglais *pull*) vise à stimuler la demande pour le produit par une action orientée vers les consommateurs. De façon imagée, l'objectif d'une telle stratégie est de favoriser « l'aspiration » du produit à travers les composantes du réseau de distribution, en éveillant chez les consommateurs le désir d'acheter. Si la demande est forte, les détaillants seront alors incités à stocker le produit, et la demande initiée par les consommateurs se répercutera à travers toute la chaîne de distribution.

figure 8.4 **Les stratégies de communication en marketing**

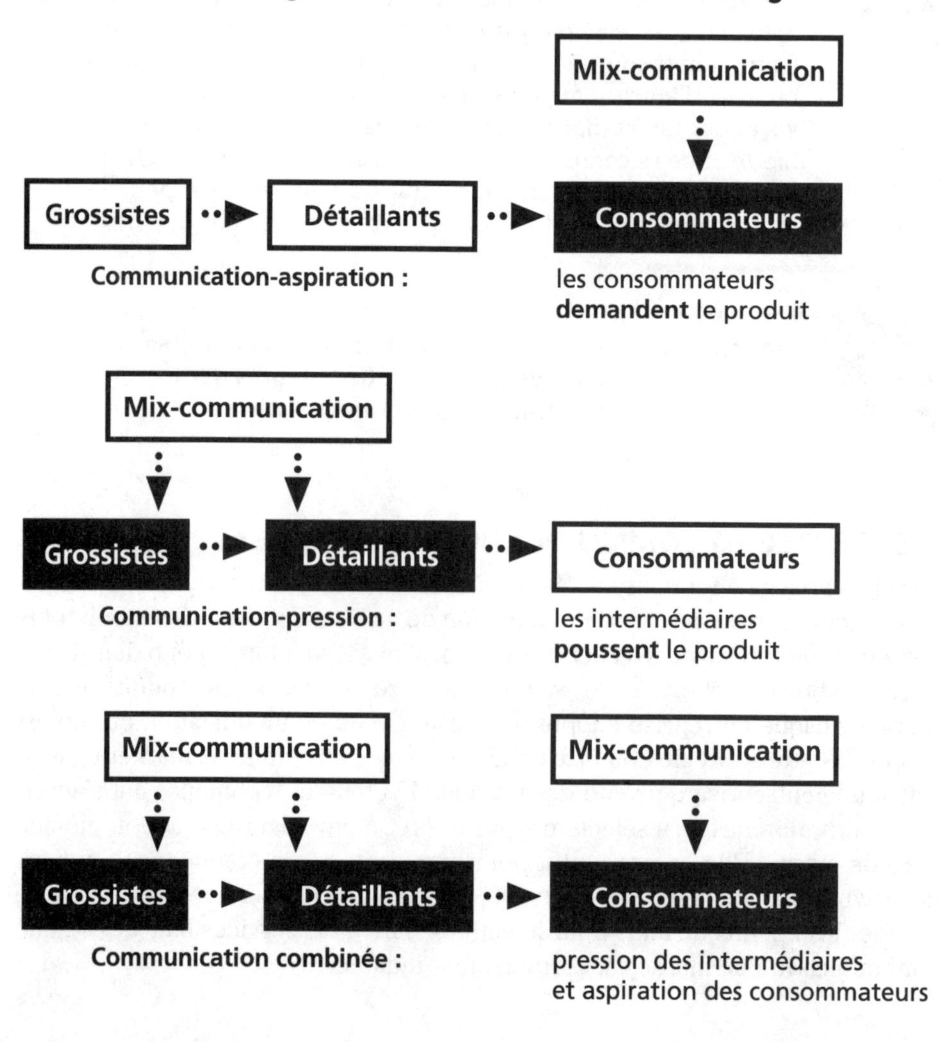

À l'opposé, dans une stratégie de type **communication-pression** *(push)*, la demande est initiée par le fabricant ou les intermédiaires. L'objectif est d'inciter les grossistes, détaillants ou vendeurs à « pousser » le produit vers les consommateurs à l'aide de mesures promotionnelles diverses (escomptes, primes, concours, etc.).

Enfin, une stratégie de **communication combinée** utilise à la fois l'aspiration et la pression pour accroître le flux des produits dans le réseau.

Retenons que : Une stratégie de communication-aspiration s'appuie surtout sur la publicité, tandis qu'une stratégie de communication-pression fait appel à la vente personnelle et à la promotion.

Quelle stratégie communicationnelle la firme doit-elle utiliser ? Il n'y a pas de réponse précise à cette question. Beaucoup de facteurs interviennent dans cette décision. Si la firme dispose de peu de moyens financiers, une stratégie de communication-aspiration à l'aide d'une campagne de publicité à l'échelle nationale n'est pas une option viable. Aussi, lors de l'introduction d'un nouveau produit, une stratégie de communication-pression pour mieux asseoir le réseau de distribution sera sans doute préférable. Si le nouveau produit vise un marché où la compétition est grande, une stratégie de communication combinée et agressive, ayant pour objectif de faire une brèche significative dans la fidélité des intermédiaires et des consommateurs, devrait être envisagée.

LA PUBLICITÉ

La publicité a ses supporters et ses admirateurs, mais elle a aussi ses critiques. Certains louent sa vivacité et sa créativité, d'autres la trouvent plutôt sotte et sans éclat. Une chose est sûre, on y est rarement indifférent. Pour le responsable du marketing, la publicité est avant tout un outil de communication de masse, un moyen pour la firme de communiquer avec un très grand nombre de consommateurs à la fois. Elle est utilisée à des fins diverses. Fondamentalement, la publicité sert à informer les acheteurs actuels et potentiels des caractéristiques (qualité, disponibilité, choix, etc.) des produits et des services offerts par la firme, mais ce rôle d'information est trop limitatif. Les publicitaires se plaisent à dire que *« la publicité vend de la différence »*, qu'elle cherche à créer dans l'esprit du consommateur une représentation distinctive de l'objet annoncé, qu'elle s'applique à positionner les produits afin de rejoindre des segments de marché précis. Par exemple, la publicité de *Procter & Gamble* pour le savon

Ivory destiné aux soins de la peau et du visage, insiste peu sur les qualités nettoyantes du produit et vise surtout à présenter *Ivory* comme un savon pur, conçu pour celles (le segment cible) qui sont soucieuses de garder une apparence fraîche, un teint propre et en santé.

La publicité informe, c'est vrai, mais elle incite aussi les consommateurs à acheter le produit. Parfois, on cherche à provoquer une action immédiate *« Appelez MAINTENANT ou envoyez un chèque ou mandat, VISA et MasterCard acceptées! »*. Dans d'autres cas, on ne désire pas nécessairement que les consommateurs agissent à l'instant même, mais on veut plutôt stimuler la demande en général. *Loto-Québec*, par exemple, utilise des slogans publicitaires qui encouragent les consommateurs à continuer de tenter leur chance : *« Ça change pas le monde, sauf que... »*, *« Un jour, ce sera ton tour »*, *« Tout d'un coup! »*.

La publicité représente aussi un moyen pour la firme de contrer la concurrence. Sur des marchés où les différences physiques entre les marques en concurrence sont minces (la bière, les hamburgers), il est important de différencier psychologiquement son produit. Il est primordial aussi de déployer un effort publicitaire aussi grand que celui des concurrents afin de maintenir sa part de marché. Parfois, la firme peut attaquer directement la compétition au moyen d'une **publicité comparative.** Cette stratégie de comparaison a été très efficace pour *Pepsi-Cola ltée*. Le défi *Pepsi* où les consommateurs étaient invités à comparer le goût de *Pepsi* avec celui de *Coke* a été un véritable succès commercial. Si grand en fait qu'à la fin, *Coca-Cola ltée* a décidé de modifier la formule originale de *Coca-Cola* et de lancer le *Nouveau Coke*. De façon plus subtile, le slogan publicitaire de *Burger King* : *« Je **préfère** le goût de Burger King »* est une réplique à celui de son concurrent *McDonald* : *« Moi **j'aime** McDonald »*.

La publicité enfin est l'aide-mémoire par excellence. Qu'est-ce qu'on voit aux comptoirs près des caisses dans les supermarchés ? La vignette auto-collante de *Loto-Québec* qui dit : *« Loulou, oublie pas ta mini »*. Sur la route, un panneau-réclame annonce un restaurant *St-Hubert* à deux kilomètres. À la fête des mères ou à la Saint-Valentin, les fleuristes prennent soin de nous rappeler d'offrir un bouquet ou un arrangement floral.

Tous ces efforts publicitaires pour attirer et retenir l'attention, informer et persuader les consommateurs coûtent cher. Pour en avoir une idée, la Figure 8.5 présente les dépenses en publicité effectuées par les dix plus gros annonceurs au Québec durant l'année 1998. À eux seuls, *General Motors, Sears Canada* et *BCE* dépensent plus de 500 millions de dollars annuellement en publicité uniquement au Québec ! Ce sont des sommes colossales et pourtant, ces montants ne représentent qu'une fraction des dépenses totales de tous les annonceurs.

figure 8.5 **Les 10 principaux annonceurs au Québec en 1998**

Annonceurs	Montant dépensé (en millions de $)
General Motors Canada	20,4
Sears Canada	17,1
BCE (Bell)	16,4
Concessionnaires Chrysler	15,5
Les compagnies Molson	14,1
Gouvernement du Canada	13,1
Loto-Québec	12,5
Concessionnaires Chevrolet/Geo	12,0
Concessionnaires Pontiac/GMC	11,8
Chrysler Canada	11,8

Source : Le guide annuel des médias 2000, Éditions Info Presse.

La plupart des annonceurs utilisent les services des **agences de publicité** pour concevoir, produire et gérer la diffusion de leurs messages. Ce secteur de l'industrie est très important. On retrouve des agences de publicité partout au Canada, mais c'est à Toronto que la concentration est la plus forte. On estime qu'environ 65 % du chiffre d'affaires des agences de publicité canadiennes est généré en Ontario. Au Québec, les agences de publicité sont aussi très présentes. La Figure 8.6 présente la liste des dix principales agences québécoises en 1998, selon le montant facturé à leurs clients et le nombre d'employés. Le chiffre d'affaires de toutes les agences de publicité au Québec représente environ 22 % du moment total facturé au Canada.

figure 8.6 **Les 10 principales agences de publicité au Québec en 1998-1999**

Agence	Revenus 1998-1999 (en millions de $)	Nombre d'employés (au Québec)
Cossette Communication-Marketing	53,7	558
Publicis Canada	20,1	190
Marketel	15,8	117
PNMD Communication	12,9	110
Groupaction	11,9	112
Groupe Everest	11,6	165
BOS	9,2	51
Palm publicité marketing	8,4	78
Saint-Jacques Vallée Young & Rubicam	7,3	51
Allard & associés	6,9	80

Source : *Le Guide annuel des entreprises de services en communication 2000*, Éditions Info Presse.

LA PUBLICITÉ EN ACTION

L'entreprise peut gérer elle-même son action publicitaire ou elle peut confier ce travail à une agence de publicité. L'une ou l'autre de ces options exige d'accomplir un certain nombre d'activités de façon systématique. La nature de ces activités et l'ordre dans lequel elles sont réalisées peuvent varier selon la situation (méthodes de l'agence, ressources de la firme, temps disponible, type de produit annoncé, marché visé). Toutefois, le développement d'une campagne de communication suppose généralement une série d'étapes bien définies. Ces étapes sont présentées à la Figure 8.7.

figure 8.7 **Les grandes étapes du développement d'une campagne de publicité**

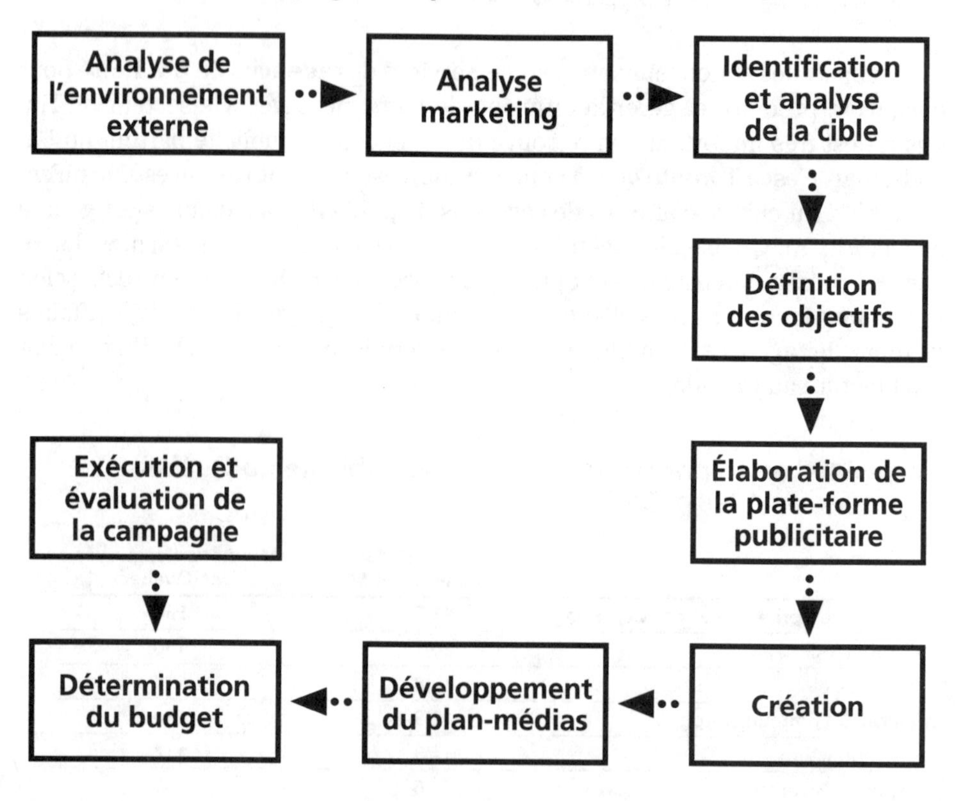

Analyse de l'environnement

La première étape du développement d'une campagne de publicité est celle de l'analyse de l'environnement externe. L'objectif de cette étape est d'établir le contexte dans lequel se situe l'action de communication envisagée par la firme. Les éléments de l'environnement externe qui peuvent être considérés à ce stade sont multiples : économie, industrie, situation politique et sociale, contraintes légales, etc. C'est ainsi qu'avant d'entreprendre une campagne de publicité au Québec pour des jouets destinés aux enfants, une firme devrait étudier attentivement la *Loi sur la protection du consommateur* qui régit la publicité orientée vers les jeunes de moins de 13 ans. De même, une analyse des grandes questions politiques et sociales de l'heure (environnement, mondialisation des échanges, chômage, immigration, etc.) peut être utile à la firme qui souhaite faire de la publicité institutionnelle.

L'analyse marketing

À l'étape de l'analyse marketing, les responsables de la communication s'intéressent aux aspects directement liés à l'action commerciale de la firme : le processus d'achat des consommateurs, le marketing-mix et la concurrence. L'objectif de cette analyse est d'arriver à comprendre le mieux possible l'environnement concurrentiel et commercial de la firme pour pouvoir planifier une communication cohérente et efficace. Les résultats suggéreront éventuellement des axes publicitaires à exploiter ou des styles publicitaires. Cependant, cette analyse vise surtout à décrire le plus précisément possible la situation marketing de l'entreprise. Une liste de questions qui peuvent servir à conduire cette analyse est présentée à la Figure 8.8. Ces questions sont fournies à titre indicatif et n'ont pas la prétention de couvrir tous les aspects de l'analyse marketing.

figure 8.8 **Questions représentatives d'une analyse marketing**

Processus d'achat	Marketing-mix	Concurrence
• Quels sont les besoins des consommateurs ? • Quels sont leurs critères de choix ? • Comment les consommateurs achètent-ils ? Comment utilisent-ils le produit ? • Où et quand achètent-ils ? Quelles sont les sources d'influence ? • Quelles sont leurs préférences ?	• Comment les produits sont-ils distribués ? • Les magasins sont-ils bien localisés ? • Comment le merchandising se fait-il ? • Quelles sont les stratégies de vente utilisées ? • Quelle est la structure des prix ? • Quels sont les points forts du produit ? • Le service après vente est-il adéquat ?	• Qui sont les concurrents actuels ? Éventuels ? • Quelles sont leurs stratégies ? • Quelles sont leurs forces et leurs faiblesses ? • Qu'est-ce qu'ils préparent ?

L'identification de la cible

La troisième étape du développement de la campagne de publicité est très importante. C'est à cette étape que les responsables de la communication posent la question « *Qui voulons-nous rejoindre avec cette campagne ?* ». Toute action de communication est orientée vers une cible et l'efficacité de la communication publicitaire est étroitement liée à l'identification et l'analyse de cette cible. Comme le suggère le processus de communication (voir Figure 8.1), la connaissance de la cible augmente les chances que le message soit bien encodé et bien transmis, c'est-à-dire qu'il soit reçu et compris par ceux à qui il est destiné. Considérons, par exemple, la publicité pour la bière *Black Label.* Les buveurs de *Black* représentent un segment de marché particulier. Ce sont des individus qui aiment penser qu'ils sont marginaux, différents des autres. Par conséquent, ils ont choisi une bière distincte, une bière à leur image. En effet, *Black Label* s'est toujours distinguée des autres marques de bière dans son approche du marché. Jusqu'en 1987, la bière n'avait jamais fait l'objet d'une publicité télévisée. Aussi, quand la décision fut prise de développer une campagne pour la *Black,* les caractéristiques du segment de marché ont dû être considérées. Pour maintenir son image anticonformiste, *Black Label* a opté pour une publicité originale et très différente de celle des concurrents : en noir et blanc, jazzée, sans slogan, avec des séquences fragmentées filmées dans des lieux inhabituels.

La définition des objectifs

Lorsque la cible de la campagne a été définie et analysée, les responsables de la communication doivent fixer les objectifs à atteindre. Il s'agit en fait de décider de ce que la campagne de publicité devra accomplir. On pourrait croire *a priori* que toute publicité n'a qu'un seul objectif : faire vendre le produit annoncé. C'est vrai en fin de compte, mais cet objectif ultime est trop vague pour être utile. Il faut être plus précis dans l'identification des moyens à prendre pour augmenter les ventes. On peut distinguer trois niveaux d'objectifs de communication (voir la Figure 8.9). Au niveau **cognitif**, les objectifs concernent les connaissances qu'on veut transmettre à la cible. Ces connaissances peuvent être très simples (le nom de la marque) ou plus complexes (comment utiliser le produit). Au niveau **affectif**, les objectifs de communication sont axés sur la création et la modification des préférences des consommateurs qui constituent la cible. Plutôt que de se limiter à transmettre de l'information, on cherche alors à influencer les attitudes de l'auditoire. Enfin, au niveau **comportemental**, les objectifs de la communication sont énoncés en fonction des changements qu'on souhaite voir se produire dans les comportements des individus qui composent la cible.

figure 8.9 **Exemples d'objectifs publicitaires généraux**

Niveau cognitif	Niveau affectif	Niveau comportemental
• Augmenter la notoriété de la marque • Changer les perceptions • Augmenter la connaissance des attributs de la marque	• Changer les attitudes envers la marque • Augmenter les préférences pour la marque	• Augmenter les intentions d'achat de la marque • Augmenter le taux d'utilisation • Créer de nouvelles occasions d'achat • Faire adopter de nouvelles utilisations • Favoriser le changement de marque • Accroître la fidélité à la marque

La Figure 8.9 présente plusieurs exemples d'objectifs publicitaires classés selon les niveaux cognitif, affectif et comportemental. Tels qu'ils sont énoncés, ces objectifs ne sont cependant pas opérationnels. D'abord, les responsables de la communication doivent transformer ces objectifs généraux en **objectifs spécifiques.** Par exemple, l'objectif « augmenter la connaissance des attributs de la marque » est louable, mais peu précis. Par contre, l'objectif « faire savoir que la gomme *Dentyne* est maintenant disponible avec *Nutrasuc* » est plus spécifique et donc plus opérationnel. Ensuite, les objectifs publicitaires doivent être **mesurables.** Il ne suffit pas de dire que l'on veut augmenter significativement la notoriété de la marque, il faut exprimer cet objectif en termes mesurables, en chiffres, par exemple : "doubler la proportion de consommateurs qui se rappellent spontanément de nom de la marque". Finalement, les objectifs publicitaires doivent être fixés en fonction de cibles bien identifiées (par ex. les jeunes de 18 à 25 ans) et les effets escomptés, qu'ils soient de niveau cognitif, affectif ou comportemental, encadrés dans un **horizon temporel** précis (à l'intérieur d'une période de trois mois, par exemple).

L'élaboration de la plate-forme publicitaire

L'étape suivante est l'élaboration de la plate-forme publicitaire. Par plate-forme publicitaire, on entend l'ensemble des idées sur lesquelles s'appuie la communication. Par exemple, la plate-forme publicitaire du savon pour la lessive *Cheer* est constituée de deux idées essentielles : la prévention de l'usure des vêtements et la protection des couleurs. Celle du détersif *ABC* comprend aussi deux idées : le pouvoir nettoyant comparable aux autres marques et le prix moins élevé *(« Pourquoi payer plus cher? »)*. La plate-forme publicitaire des croustilles *Pringles* renferme aussi deux idées : la fraîcheur croustillante et le fait de ne pas laisser de résidus de graisse sur les doigts. En d'autres termes, établir la plate-forme publicitaire c'est donner les grandes lignes de la communication, les idées qu'on souhaite transmettre à la cible.

La création

Entre la plate-forme publicitaire et le message tel qu'il sera diffusé intervient la création. L'objectif de cette étape est de transformer les idées qu'on veut communiquer en une annonce efficace. C'est là que la créativité, mais aussi toute l'expertise du publicitaire entre en jeu. Chaque annonce publicitaire est bien sûr unique, mais il est possible d'identifier des approches de communication de base :

1. *Utilisation de l'humour :* dans ce type d'approche, les informations sur le produit ou le service sont présentées dans un contexte humoristique. Par exemple, la campagne publicitaire de *Bell* au Québec qui utilise le comédien Benoît Brière, a été et demeure toujours très populaire. Dans une annonce pour les pages jaunes, Monsieur B est incapable de soulever son ordinateur portable parce qu'il contient toutes les pages jaunes du Canada.

2. *Utilisation de la peur :* dans certains cas, il peut être avantageux de créer une certaine anxiété chez l'auditoire pour démontrer que le produit est nécessaire. Les publicités gouvernementales qui nous invitent à attacher notre ceinture de sécurité, à réduire notre vitesse et à ne pas consommer d'alcool au volant utilisent couramment cette stratégie communicationnelle.

3. *Utilisation de témoignages :* il s'agit de faire témoigner des personnes en faveur du produit. Ces témoignages peuvent être vrais ou il peut s'agir de comédiens engagés pour jouer le rôle de consommateurs ordinaires. Par exemple, dans une annonce pour le shampooing *Prêt Plus*, des clientes d'un magasin reçoivent un shampooing sur place et font des commentaires spontanés. Cette approche est aussi utilisée de façon très originale au Québec par *Wal-Mart*.

4. *Utilisation de l'émotion :* avec cette approche, on essaie de susciter des émotions diverses (pitié, regret, peine, joie, etc.) et d'en faire bénéficier le produit annoncé. Par exemple, dans une pub télévisée des magasins *Zellers*, on voit une mère en train de farcir une dinde et qui se plaint amèrement que son fils n'apprécie pas ce qu'elle fait pour lui. Lorsqu'il arrive dans la cuisine en lui disant : « *Merci pour le linge m'man, yé super cool* », elle reste saisie un instant, reprend ses esprits et dit : « *J'ai les meilleurs enfants au monde* ». L'utilisation des enfants est une pratique très courante en publicité. On mise sur l'attachement des adultes aux enfants, sur la candeur et la fraîcheur de ces derniers. Depuis la pub légendaire de Marie-Josée Taillefer pour les *Caisses populaires Desjardins* dans les années 1960[11], de nombreuses entreprises québécoises ont utilisé cette stratégie avec succès. Dans leurs annonces publicitaires télévisées, *Les pharmacies Uniprix* font intervenir des enfants qui parlent candidement des raisons pour lesquelles on se rend chez *Uniprix (« Parce que gros bobo »)*.

5. *Utilisation d'effets spéciaux :* il existe différentes possibilités de produire des effets spéciaux en publicité comme l'animation, les trucs de montage ou le graphisme par ordinateur. Ces effets sont utilisés pour diverses raisons : retenir l'attention, favoriser la mémorisation ou encore augmenter artificiellement les qualités du produit. La publicité de la gomme *Clorets* où le visage de personnes dans un restaurant prend la forme d'un poisson ou d'une gousse d'ail (pour symboliser la mauvaise haleine) est une illustration intéressante de l'utilisation d'effets spéciaux en publicité. Dans une annonce télé pour *Pepto-Bismol*, on voit des mains qui malaxent l'intérieur

du ventre d'un homme pour illustrer les maux d'estomac. La pub du supplément de calcium de marque *Caltrate* montre une femme dont le visage vieillit de façon graduelle et qui se demande à quel âge elle doit prendre du calcium; le slogan « *Il n'est jamais trop tôt ou trop tard* » donne la réponse.

6. *Utilisation de la provocation :* il s'agit d'une tendance en publicité, présente surtout dans l'industrie de la mode. Dans ce type de publicité, on a recours à des stimuli surprenants et choquants, qui touchent à des sujets tabous n'ayant habituellement pas leur place dans un contexte publicitaire[12]. L'objectif est de choquer les consommateurs afin de retenir leur attention. La firme *Benetton* est reconnue comme celle qui a initié ce genre publicitaire et qui l'exploite de façon régulière. Dans une de ses nombreuses publicités, on voit un jeune homme mourant du sida, entouré de ses parents et, au bas de la pub, le slogan habituel : « *United Colors of Benetton* ».

7. *Utilisation du sexe :* une forme particulière de provocation consiste à utiliser, à divers degrés, le désir sexuel pour promouvoir le produit. La publicité télévisée du café *Carte Noire* en est un bon exemple. Dans cette pub, un homme et une femme brûlent de désir l'un pour l'autre et, vêtus uniquement d'un drap de satin noir, ils s'enlacent, tourbillonnent et se confondent finalement au liquide chaud d'un café bien noir : « *Carte noire. Un café nommé désir* ».

Ces approches de communication sont générales. Elles servent de guide à la stratégie de création, mais elles n'expliquent pas tout. Produire une communication publicitaire c'est aussi et surtout être créatif, réussir à communiquer une idée de façon intéressante et originale. Il n'est pas simple de parler de la créativité, car c'est un processus difficile à saisir. Comment réussit-on à être créatif? Selon John Keil, un publicitaire américain très réputé, les individus créatifs semblent posséder cinq caractéristiques principales[13]. Ce sont d'abord des gens indépendants, qui pensent différemment des autres. Ils sont aussi plus curieux que la moyenne des gens. Leur flexibilité et leur ouverture d'esprit par rapport aux idées des autres et aux événements qui surviennent est grande. Ils aiment résoudre des problèmes. Enfin, ils sont naturellement spontanés. En plus de ces qualités, le créateur publicitaire doit avoir une bonne connaissance de l'entreprise, du produit, de la cible et des compétiteurs.

L'objectif du processus de création publicitaire est de traduire simplement, efficacement et de façon originale les informations que la firme désire transmettre à ses marchés. Par exemple,

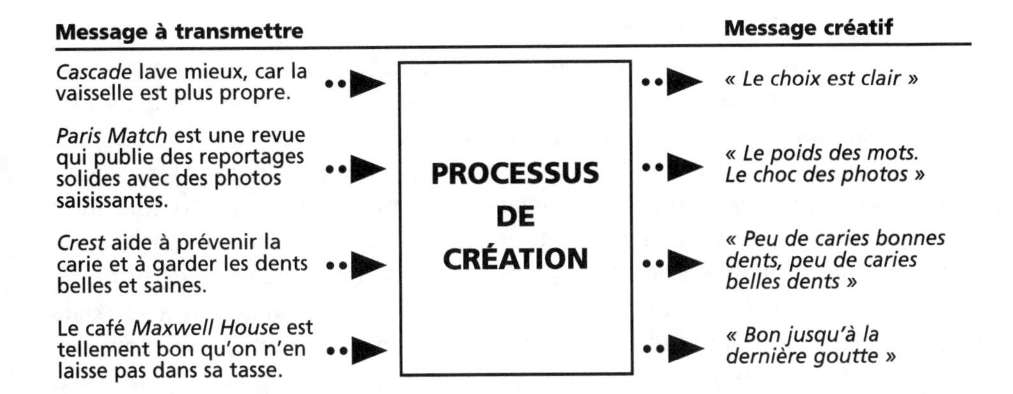

Le développement du plan-médias

Après l'étape de création, les responsables de la campagne doivent se préoccuper de la **diffusion** des messages. À ce stade, il y a trois types de décision à considérer :

- les décisions relatives au choix des **médias** (journaux, télévision, Internet, etc.)
- les décisions relatives au choix des **supports** (Actualité, CKOI, *« Salut Bonjour! »*, etc.)
- les décisions relatives au **calendrier** de la campagne (programmation, fréquence, etc.)

Les choix qui sont faits par rapport à ces trois types de décision correspondent au développement du plan-médias. Cette étape de la campagne est importante à cause des coûts impliqués qui représentent généralement la plus grosse partie du budget alloué à la publicité et, ensuite, parce que le succès de l'action publicitaire dépend dans une large mesure de la capacité des annonces à rejoindre les acheteurs qui composent la cible. Examinons brièvement les décisions reliées à l'élaboration du plan-médias.

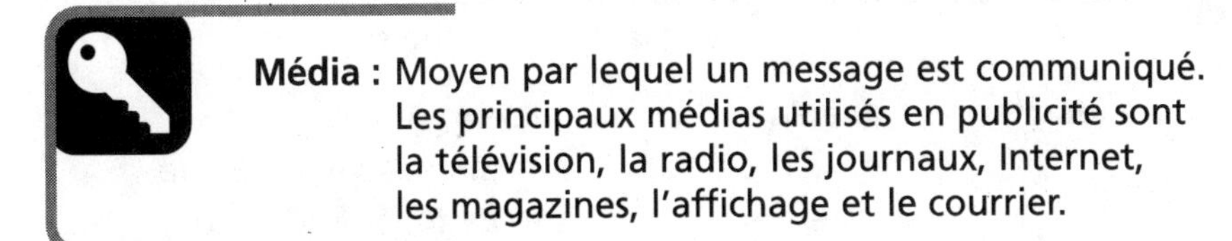

Média : Moyen par lequel un message est communiqué. Les principaux médias utilisés en publicité sont la télévision, la radio, les journaux, Internet, les magazines, l'affichage et le courrier.

Quel **médias** doit-on utiliser pour une campagne publicitaire ? Il y a plusieurs facteurs à considérer dans cette décision. Chaque média comporte des avantages et des désavantages. La télévision, par exemple, permet une grande flexibilité dans l'exécution du message et offre la possibilité de rejoindre de larges auditoires, mais c'est un média qui coûte cher et qui contraint le message à une durée très courte. La radio coûte moins cher et permet aussi de rejoindre beaucoup de consommateurs, mais elle est moins flexible (audio uniquement) et son impact sur l'auditoire est moins grand. Les journaux offrent une bonne couverture de marché et sont flexibles par rapport aux délais de parution, mais le coût d'utilisation est relativement élevé et la qualité des annonces laisse généralement à désirer. Les magazines permettent de cibler des segments de marché précis, de produire des annonces de très grande qualité dont la durée de vie est longue, mais les coûts peuvent être élevés. Internet ne coûte pas très cher et permet de rejoindre des groupes très ciblés, mais c'est un média peu flexible dont l'impact est difficile à mesurer. L'affichage extérieur est moins dispendieux, rejoint un grand nombre de consommateurs et peut avoir beaucoup d'impact, mais son utilisation est souvent réglementée (localisation) et le message a une durée très courte (cela dépend évidemment de la vitesse à laquelle on roule !). Quant à la communication directe par courrier postal (publipostage), elle permet de rejoindre des cibles précises et a un impact plus grand parce qu'il y a peu de messages en concurrence, mais elle coûte cher et son efficacité dépend de sa capacité à susciter et maintenir l'intérêt du lecteur. Le concepteur du plan-médias doit examiner ces avantages et inconvénients tout en tenant compte des objectifs de la campagne, des contraintes imposées par la création et des stratégies publicitaires des concurrents.

Le choix des **supports publicitaires** est dicté généralement par des considérations ayant trait aux cibles visées par la campagne et aux coûts. Dans le premier cas, le concepteur du plan-médias s'intéresse à sélectionner des supports dont l'auditoire se rapproche le plus de la cible. Par exemple, s'il s'agit d'annoncer un nouveau type de cuillère pour la pêche, le magazine *Aventure, Chasse & Pêche* est un support plus approprié que la revue *Châtelaine* ou encore *Mon bébé*. De même, l'émission *Visa santé* serait sans doute un support publicitaire intéressant pour annoncer un magasin d'aliments naturels.

Support publicitaire : Véhicule du message, une fois le média choisi.

Exemples :	**média**	**support**
	télévision	émission *La vie en Estrie*
	Internet	site *La toile du Québec*
	journaux	journal *Le Soleil*
	affichage	panneau-réclame sur l'autoroute Jean Lesage

Le choix des supports publicitaires doit aussi se faire en fonction des coûts. Le prix d'une annonce couleur dans le magazine *Décoration Chez-Soi* n'est pas le même que si l'annonce est diffusée dans la revue *Rénovation Bricolage.* Pour pouvoir faire des comparaisons appropriées cependant, il faut considérer en plus la taille de l'auditoire. Une façon habituelle d'exprimer le coût d'un support publicitaire est la mesure du coût par mille, communément appelé CPM. Il s'agit en fait du coût d'une annonce publicitaire donnée pour chaque tranche de mille individus (ou ménages selon le cas) rejoints par le support :

$$\text{CPM} = \frac{\text{Coûts en dollars}}{\text{Nombres d'individus (ou ménages) rejoints)}} \times 1\,000$$

À titre d'illustration, supposons qu'une pub de 30 secondes dans une station de télévision donnée coûte 1 000 $ et que cette station rejoigne 500 000 auditeurs à l'heure où l'annonce est diffusée. On a alors :

$$\text{CPM} = \frac{1\,000\ \$}{500\,000} \times 1\,000 = 2\ \$$$

Il en coûte donc 2 $ pour chaque tranche de mille personnes touchées par l'annonce. Comparons ce support avec une autre station qui ne demande que 400 $ pour un spot publicitaire de 30 secondes, mais dont l'auditoire à l'heure de diffusion est estimé à 100 000. On a alors :

$$\text{CPM} = \frac{400\ \$}{100\,000} \times 1\,000 = 4\ \$$$

Donc, ce qui semble *a priori* être une bonne affaire (400 $ versus 1 000 $ pour le même temps d'antenne) n'en est pas une. La première station est plus intéressante malgré son coût absolu plus élevé, car elle rejoint un plus grand auditoire par dollar de publicité investi. La mesure du CPM est un outil précieux pour la planification des médias. Son emploi s'étend aisément à différents supports publicitaires[14].

Le plan-médias doit aussi décrire le déroulement de la campagne dans le temps, c'est-à-dire son **calendrier**. Connaissant les supports publicitaires utilisés, le responsable du plan-médias doit déterminer le nombre d'insertions dans chaque support ainsi que leur distribution durant la campagne. Si par exemple on prévoit dix insertions de l'annonce dans *Le journal de Montréal*, il faut décider comment ces insertions seront réparties dans le temps (une par jour tous les jours, une par semaine toutes les deux semaines, etc.). Il existe un grand nombre de possibilités de programmation de la campagne. Plus le nombre de supports envisagés est grand, plus le problème est complexe. La Figure 8.10 montre quelles sont les stratégies de programmation de base. Une stratégie de **publicité soutenue** prévoit un effort publicitaire continu dans le temps. Cette stratégie est intéressante pour des produits qui sont connus et dont l'achat n'est pas soumis à des variations saisonnières. Une stratégie de **publicité par impulsions** implique différents niveaux d'efforts publicitaires durant la campagne. Les raisons qui justifient l'emploi d'une telle stratégie sont diverses : coïncidence avec des habitudes de consommation, saisonnalité des achats ou étirement du budget de publicité. Une stratégie de **publicité décroissante** suppose un effort publicitaire initial très élevé et une décroissance régulière jusqu'à un niveau qui se maintient. C'est une stratégie type pour l'introduction de nouveaux produits quand il est nécessaire d'obtenir rapidement un taux de notoriété élevé.

figure 8.10 **Trois stratégies de programmation de la publicité dans le temps**

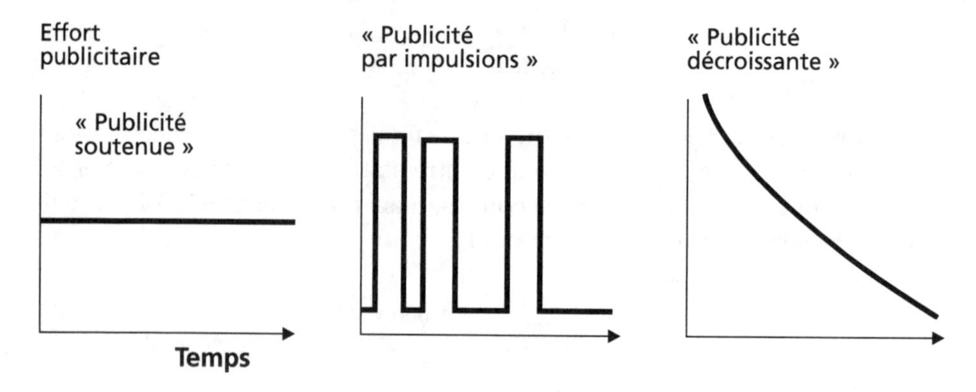

La détermination du budget

Après avoir défini le plan-médias, il faut déterminer le budget de la campagne, c'est-à-dire estimer tous les coûts qui composent la facture totale de la campagne. Cela inclut les coûts relatifs au développement de la campagne et à la création, les coûts de production, les coûts des médias (temps et espace), les coûts de la recherche (le cas échéant), les frais généraux et les imprévus. Si les étapes précédentes ont été bien accomplies, l'estimation du budget est une tâche relativement facile. En effet, le publicitaire aura déjà accumulé suffisamment d'informations pour établir ses estimés. C'est là le principal avantage de placer l'étape de détermination du budget à la fin du processus de développement de la campagne. Ce choix est fondé sur un principe de base : un budget de publicité doit découler des objectifs qu'on veut atteindre et non le contraire. Comme bien des principes, celui-ci est discutable. Généralement, la firme dispose *a priori* d'une enveloppe budgétaire qu'elle ne peut ou ne veut pas dépasser. Si le budget estimé de la campagne dépasse cette enveloppe, cela pose un problème.

Il y a deux réponses à cette argumentation. D'abord, il n'est pas exclu que l'on puisse réévaluer le budget à la baisse s'il est trop élevé. Évidemment, cela pose le problème de décider où les coupures seront effectuées, mais cela n'est pas une difficulté insurmontable. L'autre réponse à l'objection de placer la détermination du budget en bout de ligne est basée sur l'observation que nous avons faite auparavant, à savoir que la firme connaît habituellement le montant maximum qu'elle est prête à investir en publicité. Cette information est généralement disponible dès les premières étapes du développement de la campagne et elle sert de cadre de référence dans le déroulement des étapes subséquentes.

L'exécution et l'évaluation de la campagne

L'étape finale du processus de planification publicitaire comprend l'exécution et l'évaluation de la campagne. Une campagne de publicité ne s'exécute pas d'elle-même, c'est le fruit du travail d'un grand nombre de personnes dont il faut assurer la direction, la coordination et le contrôle : producteur, artistes, chercheurs, imprimeurs, créateurs, scripteurs, pour ne nommer que ceux-là. Pour mener à bien cette tâche, le responsable publicitaire doit planifier adéquatement les activités, s'assurer du suivi et savoir adapter ses plans aux événements imprévisibles.

Comme on peut facilement l'imaginer, l'élaboration et l'exécution d'une campagne publicitaire représentent un investissement important en temps et en ressources humaines et financières. C'est pourquoi des mécanismes d'évaluation de l'efficacité de la campagne doivent être mis en place. Mais qu'est-ce qu'une campagne de publicité efficace ? En une phrase : c'est une campagne qui permet d'atteindre les objectifs publicitaires qui ont été fixés. Si, par exemple, un objectif était d'augmenter les ventes du produit annoncé de 20 % sur une période de trois mois, la vérification de l'atteinte de cet objectif constitue une façon appropriée d'évaluer l'efficacité de l'action publicitaire.

L'évaluation requiert donc que l'on définisse des mesures d'efficacité. Mais que faut-il mesurer ? Cela dépend des objectifs, mais on peut aborder cette question de façon générale par le biais du **modèle de la hiérarchie des effets**. Ce modèle offre une représentation des événements qui surviennent chez les consommateurs entre le moment où une annonce publicitaire pour un produit ou une marque est présentée pour la première fois, et le moment ultime où l'achat est effectué. La Figure 8.11 présente une version de ce modèle[15].

figure 8.11 **Le modèle de la hiérarchie des effets et la mesure d'efficacité publicitaire**

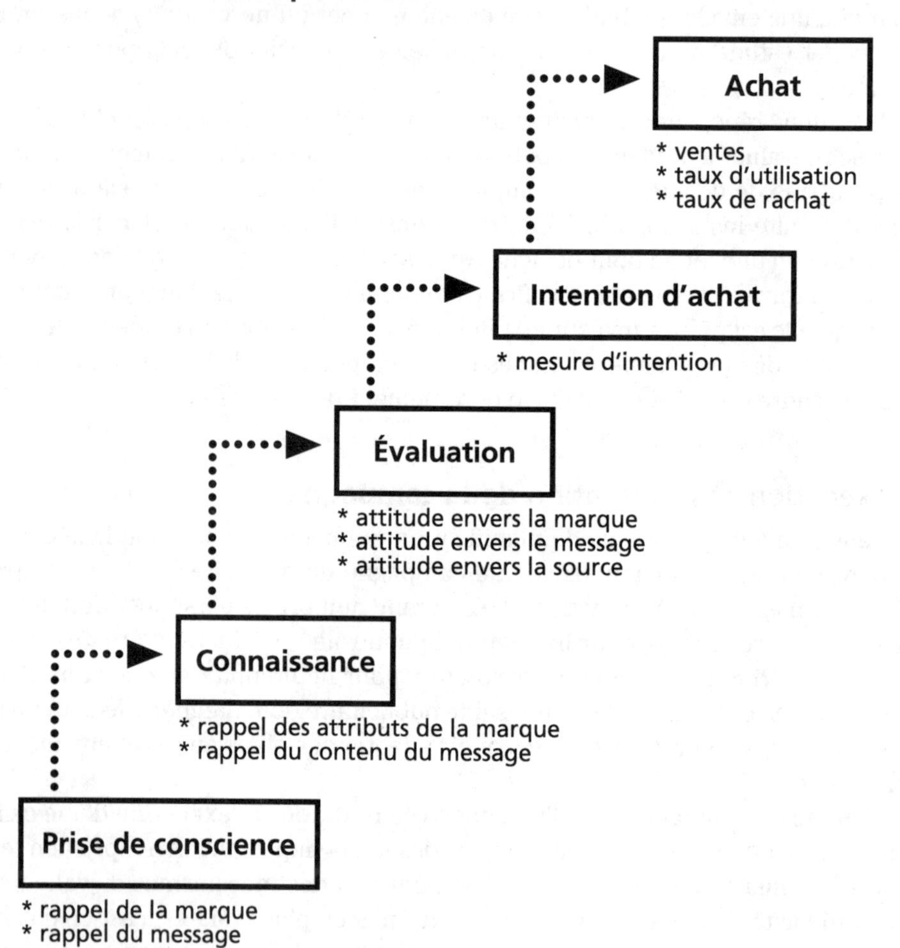

La première étape du processus est une **prise de conscience** de l'existence du produit, provoquée par la campagne de publicité. Si les consommateurs sont attentifs à l'annonce, ils vont éventuellement acquérir des **connaissances** relatives au message et au produit. Ces connaissances vont leur permettre de juger de la valeur du produit annoncé, c'est-à-dire de faire une **évaluation**. Si cette évaluation est positive, l'**intention d'acheter** aboutira peut-être à un **achat**.

Ce modèle est intéressant parce qu'il correspond à une vision intuitivement raisonnable de ce qui se passe dans un marché pendant qu'une campagne publicitaire se déroule. Mais surtout, il permet de se poser des questions importantes : Combien de consommateurs savent que le produit est disponible ? Combien ont vu l'annonce ? Qu'ont-ils retenu du message qu'ils ont vu ? Quelle sorte d'évaluation font-ils de la compagnie, du produit et du message ? Combien ont l'intention d'acheter le produit ? Combien l'ont acheté ? Combien de fois ? Ont-ils l'intention de le racheter ? Toutes ces questions touchent à des aspects différents de l'efficacité de la campagne de publicité. Et à ces questions correspondent aussi des mesures d'efficacité publicitaire employées couramment (voir la Figure 8.11) parmi lesquelles :

1. *Le rappel.* Combien de consommateurs se rappellent du message ? Le rappel est une mesure fréquemment utilisée pour juger de l'efficacité de la publicité. On distingue le **rappel spontané** où on demande aux consommateurs de se remémorer des informations spécifiques sans les aider *« Quels sont les pubs télévisées que vous avez vues récemment ? »* du **rappel assisté** où on demande de reconnaître certaines informations parmi un ensemble possible *« Quelles sont parmi les marques suivantes celles que vous connaissez ? »*. Au Canada et aux États-Unis, on utilise beaucoup la mesure du rappel le jour suivant la première présentation d'une annonce (*day after recall*). Une enquête téléphonique est conduite le lendemain du premier passage de l'annonce à la télévision afin d'établir la notoriété spontanée et assistée de la marque et du message. La firme de conseil en marketing *Burke Marketing Research* a popularisé cette mesure.

2. *La mesure d'attitude.* Il s'agit d'évaluer si les consommateurs aiment la marque, le message et parfois la firme qui commercialise le produit annoncé. Habituellement, on utilise une ou des échelles de mesure du genre :

Je n'aime pas cette marque	1 2 3 4 5 6 7 (encerclez un chiffre)	J'aime beaucoup cette marque

3. *La mesure d'intention.* On cherche à connaître la probabilité que les consommateurs achètent la marque dans un avenir plus ou moins rapproché. On peut mesurer les intentions de différentes façons. Par exemple :

Quelles sont les chances que vous achetiez la marque X cette semaine ?

- ❑ Absolument certain
- ❑ Forte possibilité
- ❑ Assez probable
- ❑ Assez improbable
- ❑ Peu de chances
- ❑ Aucune chance

Qu'est-ce qui fait que la publicité est efficace ?

Les étapes d'une campagne de communication que nous avons présentées constituent un guide de planification très utile pour le responsable du marketing. Cependant, ce guide donne peu d'informations sur les facteurs qui expliquent l'efficacité de la publicité. Définir les conditions qui rendent la publicité efficace est un problème complexe que les chercheurs en marketing ont étudié depuis de nombreuses années. La recherche dans ce domaine est difficile, car de nombreuses variables interviennent. Il est cependant possible de formuler quelques généralisations[16]. Ainsi, plusieurs études ont montré que les effets à court terme de la publicité sur les ventes sont positifs et significatifs, mais qu'ils sont moins importants que ceux de la promotion. Bien que la majorité des chercheurs en marketing croient que les effets de la publicité à long terme sont réels, les études à ce sujet ne sont pas concluantes. Il apparaît clairement cependant que les rendements marginaux de la publicité sont décroissants. Par exemple, le fait de doubler le budget de publicité n'aura pas nécessairement pour conséquence de doubler les ventes. Les effets les plus importants de la publicité sont généralement observés dans les premiers stades du cycle de vie du produit.

Une conclusion très importante concernant l'efficacité de la publicité est que celle-ci dépend de la nature du produit et du niveau d'implication personnelle du consommateur. En simplifiant, on peut distinguer deux catégories de produit : les produits à **caractère rationnel** (*think product*), c'est-à-dire ceux dont l'achat est réfléchi, et ceux à **caractère émotionnel** (*feel product*), c'est-à-dire ceux dont l'achat est fondé davantage sur les sentiments. Il s'agit bien sûr de catégorisations grossières, tous les produits évoquant des rationalisations et des émotions à divers degrés (par ex. l'automobile). De même, un produit peut entraîner une implication personnelle faible ou forte. En combinant ces deux dimensions, on obtient une grille (Figure 8.12)[17] qui permet de définir quatre types de produit appelant des stratégies publicitaires différentes. Ainsi, pour les produits se situant dans le quadrant I (*implication forte, rationnel*), la publicité devrait employer une approche informationnelle mettant l'accent sur la performance. Les produits du quadrant II (*implication forte, émotionnel*) devraient être promus par une publicité utilisant les émotions et insistant sur l'image du consommateur. La publicité pour les produits du quadrant III (*implication faible, rationnel*), devrait être conçue dans le but de maintenir la notoriété de la marque et de favoriser le rachat. Enfin, la publicité pour les produits du quadrant IV (*implication faible, émotionnel*) devrait miser principalement sur l'association du produit à des symboles et à des images positives par le biais du conditionnement classique. Ces prescriptions sont données à titre indicatif et ne sauraient se substituer à une analyse rigoureuse de la situation. Il faut noter aussi qu'il est possible d'envisager de déplacer un produit d'un quadrant à l'autre par la publicité afin de s'assurer un positionnement concurrentiel plus différencié.

figure 8.12 **Une typologie des produits pour planifier l'action publicitaire**

Produit d'implication	Produit à caractère : Rationnel	Produit à caractère : Émotionnel
Forte	I Produits financiers Agenda électronique Batterie d'auto	II Parfum Vêtements Articles de décoration
Faible	III Détergent Cire à chaussures Insecticide	IV Carte de souhaits Disque compact Chocolat

Une campagne de publicité

Pour illustrer les différentes étapes du déroulement d'une campagne de communication, considérons un cas réel, celui de la campagne de communication de l'entreprise québécoise *Betflex* qui fabrique des panneaux à base de ciment de haute performance pouvant être utilisés dans la construction de balcons, de patios, de garages, etc. Cette campagne a été conçue en 1999 par Le Groupe Everest[18].

L'analyse de l'environnement

Les ventes de l'entreprise *Betflex* dépendent principalement de deux phénomènes environnementaux : le nombre de mises en chantier de construction résidentielle et, de façon plus importante, les dépenses affectées à la rénovation résidentielle. En 1999, la situation de l'industrie de la construction résidentielle était stagnante, après la diminution importante (56,1 %) des mises en chantier causée par la crise économique de 1994-1995; le nombre de mises en chantier oscillant autour de 25 000 par année. La situation économique et la situation démographique affectent beaucoup le marché de la construction. En 1999, les perspectives économiques étaient bonnes et l'accessibilité à la propriété était facilitée par des taux hypothécaires relativement bas. Par contre, les projections démographiques laissaient entrevoir une forte tendance à la baisse de la croissance des ménages au Canada. Les perspectives étaient plus positives du côté du marché de la rénovation. On observait une croissance annuelle d'environ 8 % des dépenses affectées à la rénovation.

L'analyse marketing

Le produit de l'entreprise *Betflex* a deux concurrents principaux : le bois traité et la fibre de verre. Même si le bois coûte moins cher, il a une durée de vie plus courte et il nécessite un entretien régulier. La fibre de verre est le matériau le plus dispendieux, mais elle offre une garantie de 5 ans. Sa durabilité est supérieure au bois, mais inférieure à celle du panneau de béton. Le prix du produit de *Betflex* se situe entre ceux de ses deux concurrents.

La durée de vie du produit *Betflex* peut être un facteur déterminant pour les entrepreneurs et les consommateurs à la recherche de produits substituts aux produits traditionnels. Cependant, il faut noter que le détaillant peut être tenté de faire une vente rapide et recommander le bois à ses clients. C'est pourquoi la campagne devait être orientée vers les consommateurs et prévoir un volet de sensibilisation des détaillants. Le taux de pénétration chez les détaillants avant la campagne était de 5 % environ.

En résumé, le produit de *Betflex* possède plusieurs attraits : l'innovation technologique, la durabilité, le prix (par rapport aux panneaux en fibre de verre), la facilité d'utilisation et diverses propriétés uniques comme la flexibilité, l'imperméabilité, la résistance au feu. En revanche, à cette époque, le produit était méconnu, peu esthétique et la réputation de l'entreprise *Betflex* restait à faire.

L'identification de la cible

La campagne s'adressait à quatre cibles différentes :

1. Approche communication-pression (*push*) : les détaillants et les bannières dirigeantes du réseau de distribution.

2. Approche communication-aspiration (*pull*) : les consommateurs et les professionnels de la construction.

Définition des objectifs de communication

Les objectifs de communication de la campagne ont été définis ainsi :

1. Déployer la notoriété de *Betflex* auprès du marché.

2. Présenter le produit *Betflex* comme un substitut économique et durable aux produits concurrents (bois, fibre de verre).

L'élaboration de la plate-forme publicitaire

La campagne visait à positionner à la fois l'entreprise et le produit :

1. Positionnement de l'entreprise : *Betflex* est une entreprise de haute technologie qui met en marché des produits de béton révolutionnaires qui se prêtent à des applications tant résidentielles que commerciales et industrielles.

2. Positionnement du produit : le panneau de béton flexible *Betflex* est un matériau de construction unique qui allie la souplesse et la polyvalence du bois à la solidité et la durabilité du béton. Durable, flexible et rentable, le panneau *Betflex* est l'ultime alternative aux matériaux de construction traditionnels.

Création

L'agence de publicité a opté pour un slogan qui utilise une comparaison positive avec le bois. Le slogan « *Le panneau de béton qui se travaille comme le bois* » a été conçu dans l'objectif de montrer les avantages du produit sans pour autant dénigrer les concurrents. La réputation de *Betflex* étant peu établie, il n'était en effet pas souhaitable de s'exposer à des risques de représailles ou de comparaisons négatives.

Le concept de communication choisi est celui d'une mise en scène de rénovation d'une galerie. Ce concept est pertinent pour toutes les clientèles cibles puisque le bricoleur ou l'entrepreneur peuvent être appelés à devoir rénover une galerie ou un balcon. Appuyé par le slogan, le concept fait la démonstration pratique du produit et se prête bien à différents supports de communication (dépliants, vidéos). Voir la Figure 8.13.

figure 8.13 **Concept publicitaire de *Betflex***

Stratégies communicationnelles

Pour atteindre les objectifs communicationnels de la campagne, diverses stratégies ont été mises en œuvre :

Relations publiques. Une campagne de relations publiques a été organisée autour de trois éléments : un blitz médiatique printanier, une démarche de sensibilisation des regroupements (l'Association de la construction du Québec, l'Association provinciale des constructeurs d'habitation du Québec, etc.) et des grands acheteurs, et une campagne d'information auprès des détaillants. Selon le cas, on a utilisé des pochettes de presse et un suivi téléphonique. Un « *teaser* » a été envoyé aux médias sous la forme d'une petite chaise de patio sur laquelle était apposé un autocollant signé « *Betflex : L'été, c'est aussi fait pour se reposer* ». La pochette de presse qui suivait cet envoi présentait des photos mettant en scène le personnage rénovateur et sa famille (Figure 8.13) profitant du confort de son nouveau patio construit avec *Betflex*. Plusieurs quotidiens (*La Presse*, *Le Journal de Montréal*, *Le Devoir*, etc.) et magazines spécialisés (*Rénovation Bricolage*, *Les Idées de ma maison*, etc.) ont présenté le produit de

Betflex dans leurs chroniques de nouveaux produits ou dans un cahier spécial (par ex. *Habitation/Décoration*).

Magazines et journaux. On a fait paraître des annonces dans des magazines spécialisés comme *Constructo* et *La terre de chez nous*, dans des magazines grand public comme *Rénovation Bricolage*, et dans des quotidiens comme *Le journal de Montréal* et *La Tribune* (région de l'Estrie).

Télévision. L'agence a recommandé l'achat de placements sur deux chaînes spécialisées : Météomédia et Le Canal des Nouvelles (voir la Figure 8.14). Ces canaux présentaient l'avantage d'offrir un coût par mille (CPM) raisonnable tout en rejoignant les clientèles cibles. Le choix de Météomédia était justifié par l'hypothèse qu'une personne tentée de planifier une rénovation s'informerait des conditions météorologiques à venir.

figure 8.14 **Un message télé de 30 secondes pour la campagne de *Betflex***

Durée : 5 secondes

Betflex, c'est une nouvelle génération de matériau qui allie la versatilité du bois à l'extrême résistance des bétons de haute performance.

(Plan d'un coup de masse sur un panneau de Betflex)

Durée : 7 secondes

Durables, ultra résistants et sans entretien, les panneaux de béton Betflex se travaillent aussi facilement que le bois !

(Série de plans rapides et rapprochés montrant le produit en action : mesure, découpe à la scie ronde, pose avec niveau, perçage, vissage, pose du joint scellant).

Durée : 5 secondes

Les panneaux de béton Betflex se prêtent aussi à la plupart des produits de finition pour béton.

(Pose de la teinture à béton Stef — Plan sur les contenants de teinture Stef/Super : Vaste choix de coloris disponibles)

Durée : 7 secondes

Oui, les panneaux de béton Betflex sont vraiment idéals pour tous vos projets de construction ou de rénovation.

(Série rapide de photos et de plans de réalisations diverses – Retour au patio terminé et peint – des enfants jouent dans la piscine en avant).

Durée : 6 secondes

Demandez Betflex : le panneau de béton qui se travaille comme le bois !

(Image thème de la campagne avec logo Betflex, *signature « Le panneau de béton qui se travaille comme le bois »* et logo garantie limitée de 15 ans. Fade au noir — Super : *Disponible chez votre détaillant de produits de construction).*

Promotion. Divers outils promotionnels ont été conçus pour attirer l'attention des clients sur le lieu de vente et inciter à l'achat : deux types de présentoirs, une affiche et un dépliant, et une fiche technique/guide d'installation pour les professionnels de la construction.

La détermination du budget

Les montants réels affectés à la réalisation de cette campagne ne peuvent être dévoilés. La Figure 8.15 présente la ventilation des dépenses en pourcentage du total du budget.

figure 8.15 **Répartition du budget publicitaire**

Plan de communication et stratégie	10 %
Relations publiques	17 %
Promotion	20 %
Publicité	53 %
– quotidiens (30 %)	
– télévision (23 %)	
Total	100 %

Les résultats

Les objectifs de vente de panneaux *Betflex* ont été dépassés de 60 % dès la première année.

CONCLUSION

Pour assurer sa survie, sa croissance et sa profitabilité, l'entreprise doit être à l'écoute du consommateur. Cette règle, nous l'avons répétée encore et encore, et il y a fort à parier que nous y reviendrons dans les chapitres subséquents, tellement elle constitue un principe fondamental du marketing. Dans ce chapitre, nous avons voulu montrer qu'être à l'écoute du consommateur, cela signifie aussi de savoir communiquer avec ses marchés. Dans notre système économique de libre entreprise, nombreuses sont les firmes qui cherchent à connaître les besoins des consommateurs et à développer des produits et des services pour les satisfaire. La concurrence existe au niveau des idées et de la technologie bien sûr, mais elle se fait aussi au chapitre de la communication. Pour être rentable, l'entreprise doit vendre; pour vendre, il faut que les produits qu'elle offre permettent de satisfaire des besoins réels. Et il faut en plus que les consommateurs soient informés et même persuadés que les produits de la firme sont nécessaires et, surtout, les meilleurs. L'atteinte de cet objectif exige de gérer efficacement la communication avec ses marchés. Pour ce faire, il faut répondre à plusieurs questions importantes :

- Qui sont les consommateurs du marché-cible ?
- Comment peut-on les rejoindre ?
- Quels messages doit-on leur transmettre ?
- Comment attirer leur attention et les persuader d'acheter ?

Une politique de communication efficace répond de façon satisfaisante à ces questions.

CAS-DISCUSSION

*Les minoteries Ogilvie Ltée**

Les Minoteries Ogilvie Ltée produisent et vendent au Canada et à l'étranger de la farine et d'autres produits issus de la mouture des céréales. Division de la compagnie *John Labatt*, cette corporation, ayant son siège social à Montréal, est la première minoterie du Canada. Depuis des décennies, elle dessert deux marchés bien différents : le marché industriel (boulangeries, fabricants de pâtes alimentaires, de biscuits et autres) et domestique sous le nom de marque *Five Roses*.

Le phénomène de la femme au travail a modifié considérablement les habitudes alimentaires des nord-américains. Les ménages canadiens recherchent de plus en plus des plats vite faits pour économiser du temps. Cette situation a entraîné une croissance du marché de la farine industrielle à cause de la popularité des mets préparés. Ceci s'est réalisé au détriment de la farine domestique dont les ventes ont diminué légèrement d'années en années.

Suite aux récoltes de l'automne et en prévision des préparatifs du temps des Fêtes, les gens sont plus portés à cuisiner des plats de grande cuisson. C'est pourquoi les ventes de farine sont significativement plus élevées de la mi-août jusqu'à la fin du mois de février Le réchauffement de la température du printemps et de l'été rend la cuisine traditionnelle beaucoup plus ardue et la farine devient donc un ingrédient moins utilisé à cette période de l'année.

---

* Ce cas a été écrit par Caroline Roberge. Nous tenons a remercier les Minoteries Ogilvie Ltée de leur collaboration à la rédaction de ce cas.

À l'échelle nationale, la farine *Five Roses* occupe le deuxième rang avec une part de marché d'approximativement 15 % en 1989. Son concurrent majeur est la marque *Robin Hood* qui détient près de 40 % du marché canadien. En Ontario et au Québec, *Five Roses* possède une position plus favorable que dans les autres provinces, car son écart par rapport au leader est d'environ 5 %.

Ces dernières années, la compagnie *Ogilvie* s'est efforcée de répondre à la demande grandissante de produits nutritifs suite à une tendance marquée d'un retour à l'alimentation saine. Ainsi, la compagnie introduisait cinq nouvelles variétés de farine à valeur nutritive : *tout usage* naturellement blanche, de *blé entier*, de *graham*, de *seigle brun* et *enrichie de son*. *Five Roses* est maintenant en mesure de répondre aux différents goûts et besoins des consommateurs de farine domestique.

Ceux-ci sont divisés en deux groupes distincts : les segments urbain et rural. Le premier, imposant par sa taille, est formé de nombreux utilisateurs qui achèteront rarement des sacs de farine de petits formats. Le segment rural, pour sa part, est constitué de gros consommateurs en termes de fréquence et de volume. Malgré cette différence fondamentale, ils possèdent la caractéristique commune d'être majoritairement composés de ménagères.

À chaque début d'année fiscale, le département marketing d'*Ogilvie* doit songer à la campagne publicitaire à venir. Depuis plusieurs années, *Five Roses* réalise la publicité de sa marque par le biais de médias imprimés tels les revues, les dépliants publicitaires et son traditionnel livre de recette. Le recours à ce type de média est une pratique couramment employée dans l'industrie alimentaire car elle permet de suggérer au marché-cible des recettes qui encourageront l'utilisation des produits présentés. Son slogan publicitaire *« On le dit avec des roses mais on le fait avec Five Roses »* (en version anglaise *« No Flour blooms as beautifully as Roses »*) exprime la finesse obtenue des plats préparés avec la farine *Five Roses*.

Pour l'année fiscale 1990, un budget de 150 000 $ a été prévu pour l'élaboration d'une campagne publicitaire nationale. La direction a opté pour le maintien des éléments de communication utilisés auparavant. Elle a décidé de concentrer ses efforts sur une meilleure planification médias étant donné les coûts élevés et l'importance de rejoindre efficacement le marché-cible.

QUESTIONS

1. Quelles sont les caractéristiques de l'environnement et du marketing dans lesquels évolue la marque *Five Roses* ?

2. Décrivez les objectifs publicitaires de *Five Roses* pour sa prochaine campagne publicitaire, de même que les éléments sur lesquels s'appuie la communication.

3. À l'aide des annexes 1, 2 et 3, élaborez le plan-médias de la campagne publicitaire nationale de *Five Roses.* Plus précisément, dans la limite budgétaire de 150 000 $, déterminez quels types de médias devraient être considérés, quels supports publicitaires seront sélectionnés et élaborez le calendrier des insertions du message publicitaire.

Annexe I

Liste de journaux canadiens

Régions	Villes	Publications	Coût ($)[1]	Tirage	CPM ($)
Maritimes	Charlottetown	Guardian and Patriot	385,00	18 459	20,85
	Halifax	The Chronical Herald	1172,50	87 194	13,45
	Moncton	The Tiimes Transcript	490,00	52 630	9,31
Québec	Laval	Courrier Laval	420,00	95 835	4,38
	Québec	Le Soleil	1627,50	145465	11,19
	Sherbrooke	LaTribune	724,50	47950	15,10
	Trois-Rivières	Le Nouvelliste	759,50	55 212	13,76
Ontario	Etobicoke	Advertiser Guardian	787,50	40 000	19,68
	Hamilton	The Hamilton Spectator	1305,50	139 413	9,36
	Mississauga	Mississauga News	1095,50	IOI 000	10,85
	Ottawa	The Ottawa Citizen	2376,50	248 979	9,54
	Scarborough	Mirror	833,00	50000	16,66
Manitoba	Régina	The Leader Post	640,00	71 910	8,90
Saskatchewan	Saskatoon	Star Phoenix	623,00	65 893	9,45
	Winnipeg	Winnipeg Free Press	2079,00	234 562	8,86
Alberta	Calgary	Calgary Herald	1666,00	180 211	9,25
	Edmonton	The Edmonton Journal	1953,00	204 346	9,56
Colombie-Britannique	Burnaby	The Sunday News	514,50	64 406	7,98
	Richmond	Richmond Reviëw	616,00	40 000	15,40
	Surrey	Super Shopper	252,00	107 000	2,36
	Vancouver	TheVancouver Sun	4207,00	279899	15,03

Source : Répertoire **CARD**, janvier 1989
I. Coût de 350 lignes agates, 1/4 page d'un journal de format tabloïde

Annexe 2

Liste de revues canadiennes

Publlcations	Coût ($)[1]	Tirage	CPM ($)	Disfribution
• Canadian/Canadien	8 950	114 986	77,84	10 % Maritimes 15 % Québec 23 % Ontarjo 5 % Manitoba 18 % Aiberta 29 % C.B.
• Fishing & Hunting	I 940	29 142	66,57	n/d
• Sentier Chasse-Pêche	4 725	69 805	67,69	96 % Quebec
• Sel et Poivre	3 010	28 034	107,37	86 % Québec
• Reader's Digest	23 295	I 261 705	18,46	41 % Ontarlo 13 % Alberta 15 % C.B.
• Sélection du Readers Digest	8 455	336 237	25,15	96 % Québec
• Santé	2 800	31 725	88,26	90 % Québec 4 % Ontario
• Today's Health	10 750	37 121	289,59	7 % Québec 50 % Ontaria I % Alberta 17 % C.B.
• Homes Magazine	5 500	88 025	62,48	99 % Ontario
• Les Idées de ma Maison	4 285	86 118	49,76	71 % Québec
• L'Actualité	8 800	261 635	33,63	54 % Québec 5 % Ontario
• Maclean's	21 675	621 302	34,89	53 % Ontario 7 % Québec 13 % C.B. 10 % Alberta
• Canadian Living/ Coup de Pouce	(ang.) 16 875 6120	552 789 169 475	30,52 36,11	50 % Ontario 96 % Québec
• Châtelaine/Châtelaine	27 420	I 257 484	21,81	8 % Maritimes 22 % Québec 42 % Ontarjo 8 % Man/Sask 9 % Aiberta 9 % C.B.
• Homemaker's/ Madame au Foyer	25 995	I 585 600	16,39	4 % Maritimes 26 % Québec 43 % Ontaria 5 % Man/Sask 9 % Aiberta 13 % C.B.
• Le Lundi	4 405	105 094	41,91	96 % Québec

Source : Répertoire **CARD**, août 1989.
I. Coût de I page en 4 couleurs.

Annexe 3

Liste de compagnies spécialisées dans la publicité en épicerie

Compagnies	Étendue des activités		Coût (cycle 4 sem.) ($)	Circulation (000) (1 sem)	CPM ($)
• Grocery Cart Advertising (publlcité sur les chariots)	38 chaînes 970 épiceries	Maritimes	5 420	1 094	1,25
		Québec	13 585	2 717	1,25
		Ontario	19 835	3 967	1,25
		Manitoba	2 445	489	1,25
		Saskatchewan	855	171	1,25
		Alberta	7 575	1 515	1,25
		Colombie-Brit.	8 715	1 743	1,25
• ShelfVision (Publicité sur les tablettes ex. : recettes)	20 chaînes	Maritimes	920	463	0,50
		Québec	2 292	1 146	0,50
		Ontario	7 626	3 813	0,50
		Saskatchewan	54	27	0,50
		Alberta	444	222	0,50
		Colombie-Brit.	1 184	592	0,50

Source : Répertoire **CARD**, août 1989.

EXERCICES ET SUJETS DE REFLEXION

I. Voici la liste des 15 spots publicitaires de 30 secondes chacun diffusés à la télévision lors de l'émission d'information quotidienne de 30 minutes sur la chaîne américaine CBS, le jeudi 19 octobre 1989 à 19 h.

Les nouvelles furent entrecoupées par 4 séquences de 3 ou 4 spots chacune.

Séquence #	spot #	marque	produit
1	1	*Dimetapp*	médicament contre la grippe
	2	*Subaru*	automobiles
	3	*Anusol*	médicament contre les hémorroides
	4	*Maalox*	médicament contre les douleurs d'estomac
2	*5*	*Kellogg's*	*Corn Flakes enrichis*
	6	*Red Lobster*	restaurants
	7	*U S Air*	ligne aérienne
3	8	*Hartford Insurance co.*	compagnie d'assurance
	9	*Préparation H*	médicament contre les hémorroïdes
	10	*Anacin*	analgésique
	11	*Castrol*	huile à moteur
4	12	*Oatmeal*	céréales nutritives
	13	*Norelco*	rasoirs
	14	*Toyota*	automobiles
	15	*Mylanta II*	médicament contre les douleurs d'estomac

D'après la liste des annonceurs, établissez le profil-type du téléspectateur qui regarde cette émission.

2. Feuilletez quelques revues et sélectionnez un exemple de chacun des sept styles publicitaires énoncés à la page 346. Faites-en un analyse critique.

3. Chacun des sept styles publicitaires énoncés à la page 346 a des effets pervers, c'est-à-dire des effets secondaires sur le consommateur qui peuvent aller à l'encontre du résultat recherché et le détourner de l'achat du produit. Pouvez-vous imaginer lesquels ?

4. Considérez les affirmations suivantes :
   - La publicité est un fléau social car elle crée des besoins et persuade les gens d'acheter des produits qu'ils n'auraient pas achetés autrement.
   - La publicité encourage l'idéal matérialiste, contribue par le fait même au gaspillage des ressources et banalise les valeurs fondamentales de la société.

   Commentez.
5. Rick Pollay, un professeur de marketing à l'Université de Colombie-Britannique, a fait une analyse de contenu de 2 000 annonces publicitaires imprimées entre 1900 et 1980 aux États-Unis et au Canada[19]. Il a identifié quatre phases importantes dans l'évolution des tactiques de communication durant cette période :
   - les années '30 : utilisation fréquente de la peur et des bandes dessinées
   - les années '40 : emploi d'appels patriotiques
   - les années '50, '60 et début '70 : communication axée sur les bénéfices plutôt que sur les attributs *(« ne vendez pas de cosmétiques, vendez de l'espoir »)*
   - milieu et fin des années '70 : retour marqué aux attributs des produits annoncés

   Comment expliquez-vous cette évolution ? Y a-t-il un lien avec l'évolution des valeurs et des mœurs de notre société ? Comment pourriez-vous caractériser la publicité imprimée des années '80 et '90 ? Que nous réserve l'avenir ?

6. La banque *BICB* vous a approché pour que vous lui proposiez une plate-forme publicitaire pour sa prochaine campagne au Québec. La *BICB* est la deuxième plus importante banque au Canada (après la *Banque Royale*). Cependant, sa pénétration au Québec n'est pas aussi forte que dans les autres provinces canadiennes. Une étude de marketing effectuée par le service de la recherche a fait ressortir trois perceptions partagées par les consommateurs québécois : (1) la *BICB* est une banque « pour les anglophones », (2) la *BICB* est une « grosse banque » où on n'a pas de service aussi personnalisé que dans une caisse populaire et (3) la *BICB* est une banque pour les gens d'affaires.

À partir des résultats de l'étude, quelle plate-forme publicitaire suggérez-vous ? Donnez une idée des approches communicationnelles qui pourraient être utilisées pour cette campagne.

7. Considérez la typologie des produits présentée à la Figure 8.12. Pour chaque catégorie de la typologie, trouvez deux annonces publicitaires. Les stratégies communicationnelles de ces annonces correspondent-elles aux prescriptions offertes dans ce chapitre ?

NOTES

1. Pour en apprendre davantage sur l'histoire de la publicité québécoise d'expression française, on peut consulter l'ouvrage de Jean-Marie Allard, *La Pub, 30 ans de publicité au Québec*, Montréal, Libre Expression, 1989. Pour un débat intéressant sur la nécessité d'adapter sa publicité au Québec, voir l'article de Corinne Berneman, « Est-il nécessaire d'adapter sa publicité ? », *Gestion*, 24, été 1999, pp. 10-11 et la réplique de Jean-Jacques Stréliski, « Montre-moi ta pub, je te dirai si j'achète ! », *Gestion*, 24, été 1999, pp. 12-13
2. Alain d'Astous et Claude Hébert, « Une étude comparative des effets de la publicité écrite conventionnelle et du publi-reportage », in *Rapport du congrès annuel de l'Association des sciences administratives du Canada*, section Marketing, éd. D.A. Schellinck, Niagara Falls, 1991, pp. 102-112.
3. Voir Brian Dunn, « Speeding into Sponsorship, » *The Gazette*, C10-C11, 8 juin 1992.
4. Alain d'Astous et Pierre Bitz, « Consumer Evaluations of Sponsorship Programmes », *European Journal of Marketing*, vol. 29, n° 12, 1995, pp. 6-22.
5. Alain d'Astous et Nathalie Séguin, « Consumer Reactions to Product Placement Strategies in Television Sponsorship », *European Journal of Marketing*, vol. 33, nos 9/10, 1999, pp. 896-910.
6. Alain d'Astous et Francis Chartier, « A Study of Factors Affecting Consumer Evaluations and Memory of Product Placements in Movies », *Journal of Current Issues and Research in Advertising*, 2000.
7. Une enquête réalisée auprès de 127 entreprises québécoises a montré que le publipostage est le moyen de marketing direct le plus utilisé. Voir Dominique Hudon, Louis Fabien et Normand Turgeon, « Les pratiques de marketing direct au Québec », *Cahier de recherche n° 94-14*, École des Hautes Études Commerciales de Montréal, 1994.
8. Mary Gooderham, « Level of antipathy a wake-up call for telemarketers », *The Globe and Mail*, 6 mai 1997, page C11.
9. À titre d'exemple : Yves Boisvert, « Plusieurs condamnations dans le télémarketing », *La Presse*, 12 mars 1999 ; Jean-François Bégin, « Montréal est la plaque tournante du télémarketing frauduleux », *La Presse*, 23 mars 1999 (dossier).
10. Un sommaire des résultats de cette enquête est disponible sur le site de la firme A.C. Nielsen Canada à l'adresse URL suivante : http://www.acnielsen.ca/sect_studentcor/studcor_en.htm/. Une autre enquête intéressante a été réalisée au printemps de l'année 1998 sur l'accès et l'utilisation d'Internet au Québec : http://www.risq.qc.ca/enquete/enquete98/saillants.html/.

11. Voir le numéro spécial intitulé « Les enfants et la publicité » du magazine *Info-Presse*, Vol. 13, nº 3, novembre 1998.

12. Richard Vézina et Olivia Paul, « Provocation in Advertising : A Conceptualization and an Empirical Assessment » *International Journal of Research in Marketing*, 14 (2), 1997, pp. 177-192.

13. John M. Keil, *How to Zig in a Zagging World : Unleashing your Hidden Creativity*, New York, John Wiley & Sons, 1988.

14. Pour une discussion plus détaillée du CPM et de la planification-médias en général, on peut consulter l'ouvrage de Jacques Brisoux, René Y. Darmon et Michel Laroche, *Gestion de la publicité*, Montréal, Mc Graw-Hill, 1987, chapitre 14 en particulier. Pour une discussion intéressante de l'utilisation du CPM dans la répartition de l'effort publicitaire entre différents supports, voir Yvan Boivin, « Media Planning with the CPM Rule », *Rapport du congrès annuel de l'Association des sciences administratives du Canada*, section Marketing, éd. Alain d'Astous, Montréal, 3, 1989, pp 9-47.

15. Voir Robert J. Lavidge et Gary A. Steiner, « A Model for Predictive Measurement of Advertising Effectiveness », *Journal of Marketing*, 25, octobre 1961, pp. 59-62. Une discussion de la mesure de l'efficacité publicitaire est offerte dans l'ouvrage suivant : William D. Wells, *Measuring Advertising Effectiveness*, Mahwah, NJ. Lawrence Erlbaum Associates, 1997.

16. Cette section s'inspire de l'article suivant : Demetrios Vakratsas et Tim Ambler, « How Advertising Works : What Do We Really Know ? », *Journal of Marketing*, 63, janvier 1999, pp. 26-43.

17. Richard Vaughn, « How Advertising Works : A Planning Model », *Journal of Advertising Research*, octobre 1980, pp. 27-33.

18. Nous tenons à remercier l'équipe du bureau de Sherbrooke du Groupe Everest et son directeur publicité/promotion, Monsieur Nicolas Grandmangin, de même que la compagnie *Betflex* de nous avoir permis d'utiliser cet exemple. Les détails relatifs à la campagne ont été reconstitués pour les fins de l'exemple et ne donnent qu'un aperçu de la campagne telle qu'elle s'est déroulée.

19. Richard Pollay « The Subsiding Sizzle, A Descriptive History of Print Advertising, 1900-1980 », *Journal of Marketing*, 49, été 1985, pp. 24-37.

Chapitre 9

Vendre et faire vendre

« Rien ne se passe tant qu'on n'a pas vendu » — Peter Drucker

Que serait le marketing sans la vente ? Pas de marketing sans vente, pas de vente sans marketing. Dans ce chapitre, nous allons nous intéresser à un élément central de la stratégie de plusieurs firmes : la vente personnelle. Contrairement à la vente de masse qui utilise la publicité pour attirer les consommateurs vers les produits ou les services, la vente personnelle est un moyen de pousser les produits vers les consommateurs.

Nous commençons d'abord par discuter de la vente et du travail du vendeur. Par la suite, nous verrons comment une firme doit administrer son programme de vente.

LA VENTE

La vente est souvent perçue comme une activité indigne à laquelle s'adonnent quelques quêteux d'entreprise incapables de trouver un meilleur emploi. La pièce de théâtre *La mort d'un commis voyageur* de Arthur Miller ne fait rien pour redorer le blason du vendeur ; elle nous présente un vieux vendeur usé par son métier, en proie à la dépression.

Pourquoi la vente renvoie-t-elle une image si négative ? Nombre d'études ont montré que les gens n'ont pas une bonne opinion des vendeurs et de ce que représente la vente. Interrogez un étudiant, finissant en marketing, sur ces projets de carrière et il vous répondra peut-être : *« J'espère obtenir rapidement un poste de direction. Mais je sais qu'il faudra que je sois d'abord représentant. C'est un mal nécessaire! »*.

Du point de vue des consommateurs, l'image négative de la vente est entretenue par des stéréotypes plus ou moins exacts. Les vendeurs, dit-on, n'ont qu'un but : nous persuader d'acheter, par tous les moyens, même par de la fausse représentation; ils sont tellement obnubilés par leurs quotas et leurs commissions, qu'ils se moquent bien de l'intérêt de leurs clients; enfin, leur salaire contribue à augmenter le coût d'acquisition du produit. Dans une étude réalisée auprès de 281 consommateurs québécois, on a trouvé que la vente sous pression est ce qui irrite le plus les gens qui magasinent (voir l'Illustration 3.3 du chapitre 3).

Du point de vue d'une carrière éventuelle dans la vente, ce n'est guère plus brillant. La vente est perçue comme un travail ingrat, qui incite à manipuler et berner les gens, un emploi sans prestige, du travail sous pression (objectifs à atteindre, clients à satisfaire) qui implique beaucoup de déplacements, peu ou pas de sécurité d'emploi et qui, en définitive, n'est pas très payant.

L'image du vendeur d'encyclopédies, d'aspirateurs ou de brosses à tapis qui tente obstinément de s'infiltrer dans les maisons en mettant son pied dans le cadre de la porte est peut-être pour certains une caricature amusante, mais elle est loin d'être représentative du travail des représentants des ventes au sein de l'organisation marketing d'une entreprise. La vérité est que la vente recouvre une diversité étonnante d'activités. Souvent, l'idée qu'on en a se limite à la vente au détail, où le contact se fait directement avec le consommateur final (porte-à-porte, assurances, courtiers immobiliers, vendeurs dans des magasins, etc.). Pourtant, en termes de volume de ventes, la vente industrielle, c'est-à-dire celle où l'acheteur est une organisation plutôt qu'un individu, est beaucoup plus importante. Les clients des vendeurs industriels peuvent être des revendeurs (grossistes, magasins de détail), des entreprises ou des institutions (hôpitaux, maisons d'enseignement, gouvernements). Dans le domaine de la vente industrielle, les représentants peuvent occuper diverses fonctions, sur une base partielle ou complète :

Représentant commercial : la responsabilité de ce type de vendeur est d'offrir une aide promotionnelle aux entreprises clientes pour qu'elles augmentent leur volume d'affaires. Par exemple, les représentants de *Procter & Gamble* visitent régulièrement les magasins d'alimentation qui sont sur leur territoire, afin de s'assurer que les produits sont bien disposés dans les étalages, qu'ils sont visibles et accessibles.

Représentant technique : sa responsabilité est d'offrir une aide technique et de l'information sur les produits de la firme. Ce travail exige souvent une expertise particulière. Dans certaines firmes, ce sont des ingénieurs qui occupent ces fonctions.

Représentant missionnaire : ce type de représentant ne prend généralement pas de commandes, mais offre de l'information sur les produits et services de la firme aux personnes qui influencent les acheteurs (les prescripteurs). Par exemple, les entreprises pharmaceutiques emploient des représentants missionnaires pour faire la promotion de leurs médicaments auprès des médecins. Les maisons d'édition font de même pour pousser les livres de leurs auteurs auprès des professeurs.

Représentant prospecteur : sa responsabilité première est d'identifier de nouveaux clients pour la firme. Ce travail exige une grande détermination et aussi une somme d'efforts importante. C'est pourquoi certaines entreprises préfèrent spécialiser quelques-uns de leurs représentants dans des tâches de prospection.

Le métier de vendeur offre des avantages intéressants. Faites l'expérience suivante. Demandez à un vendeur de carrière de vous parler de son emploi. En général, les vendeurs s'estiment très satisfaits de leur travail. Des études ont montré que l'insatisfaction des vendeurs ne provient pas de l'emploi lui-même, mais souvent de tout ce qui l'accompagne : les styles de direction des gérants des ventes, les programmes de motivation et de formation, les politiques d'embauche et de promotion et les modes de rémunération.

Quels sont donc les avantages du métier de vendeur ?

Une grande autonomie : en général, les vendeurs jouissent d'une liberté que peuvent leur envier plusieurs travailleurs. À la condition qu'ils rencontrent leurs objectifs, ils sont libres d'organiser leur temps comme ils l'entendent. Cet avantage est significatif pour les personnes qui ont besoin d'une certaine indépendance et qui tiennent à gérer eux-mêmes leur travail et leur emploi du temps. Il est fréquent d'affecter au représentant la responsabilité d'un territoire. C'est un peu comme s'il avait sa propre entreprise.

De la variété et des défis : plusieurs études réalisées dans le domaine de la gestion des ressources humaines tendent à montrer que les tâches routinières ennuient les gens et contribuent à diminuer la productivité. Pour y remédier, on essaie d'enrichir les emplois en donnant aux travailleurs plus de responsabilités. L'ennui n'est pas une caractéristique du travail de représentant. Les vendeurs rencontrent régulièrement de nouveaux clients qui ont des besoins à satisfaire. Les problèmes qu'ils doivent résoudre sont souvent complexes et requièrent de la patience, de la créativité et des connaissances poussées.

Des opportunités de carrière : les représentants ont la chance d'être en contact étroit avec la clientèle. Ils sont placés mieux que quiconque pour tâter le pouls du marché, pour entendre les consommateurs. Dans une entreprise ayant adopté l'orientation marketing, de tels individus occupent une position privilégiée. Il n'est d'ailleurs pas rare que les représentants soient promus à des postes clés de la gestion des entreprises.

Des conditions salariales intéressantes : la vente peut être une profession très payante. En 1996 au Canada, les vendeurs (toutes catégories confondues) ont déclaré des revenus annuels moyens de 34 500 $. Les femmes gagnent légèrement moins que les hommes (34 200 $ versus 34 600 $) et sont moins nombreuses (environ une femme vendeur pour 2 hommes)[1]. La rémunération d'un vendeur est généralement une fonction de sa performance. L'atteinte et le dépassement des objectifs de ventes conduisent à des bonis et des commissions avantageuses. Il n'est pas inhabituel de rencontrer des entreprises dans lesquelles les vendeurs sont mieux payés que les cadres et, dans certains cas, les meilleurs vendeurs gagnent plus que le président.

Des conditions de travail intéressantes : selon le stéréotype populaire, les vendeurs sont souvent « sur la route », ont un compte de dépenses, couchent à l'extérieur, mangent au restaurant, etc. Cela n'est pas tout à fait exact. La plupart des firmes sont conscientes des problèmes qui peuvent être engendrés par des conditions de travail trop pénibles. Étant donné les coûts élevés d'entraînement des nouveaux vendeurs, il n'est pas avantageux d'avoir une rotation excessive du personnel de vente. On prend donc les moyens pour éviter les déplacements trop longs, en assignant aux vendeurs des petits territoires. Dans le cas où cela n'est pas possible, la firme peut organiser les visites de clients éloignés à des intervalles raisonnables. Par ailleurs, avec le développement des moyens de communication (fax, cellulaire, courriel), les vendeurs peuvent souvent travailler à la maison ou au bureau.

Le processus de vente

Y a-t-il des vendeurs nés ? Sur cette question, les avis sont partagés. D'aucuns diront que réussir dans la vente requiert des connaissances, des attitudes et des comportements spécifiques qui doivent être assimilés par l'individu. D'autres maintiennent que certaines personnes ont des dispositions naturelles à la vente. Là où il semble y avoir un consensus cependant, c'est sur le fait qu'un bon vendeur n'est pas nécessairement un vendeur né : on peut développer les habiletés et les compétences nécessaires à l'accomplissement du métier de représentant des ventes.

Un objectif majeur de tout vendeur est évidemment de convaincre les clients potentiels d'acheter les produits de la firme. Une grande partie des activités du vendeur s'orientent vers l'atteinte de cet objectif. Il est utile de concevoir la vente personnelle comme un processus qui comporte cinq étapes (Figure 9.1). À chaque étape correspond une activité type du travail du vendeur.

figure 9.1 **Le processus de vente**

La prospection. C'est l'activité qui consiste à identifier de nouveaux clients potentiels afin d'accroître les ventes de l'entreprise et de compenser la perte possible de certains clients. Selon le type de produit vendu, la portion du temps du vendeur qui doit être allouée à la prospection varie. Ainsi, pour des produits comme les encyclopédies, les formules d'épargne-études ou le pavage des entrées de maison, il n'y a pas ou très peu de renouvellement et le vendeur doit chercher continuellement de nouveaux prospects. Ceci est moins vrai pour d'autres produits comme les assurances, le matériel de bureau ou l'huile à chauffage.

Tout bon vendeur tient à jour une liste de clients potentiels. Il y a différentes façons de dresser cette liste, selon la situation et les goûts de chacun. Au Québec, par exemple, les agents de l'*Assurance-vie Desjardins-Laurentienne* concluent des ententes de prospection avec les gens des caisses populaires. Ces derniers offrent à leurs membres les services des agents. Les sources d'information qu'un vendeur peut utiliser sont multiples : clients actuels, amis, collègues vendeurs, annuaires téléphoniques, listes et bottins ou la simple observation.

Pour la firme, il est important d'inciter les vendeurs à prospecter. En raison de la difficulté associée à cette tâche et parfois du manque de motivation des représentants qui préféreraient se limiter à leurs clients actuels, certaines firmes établissent des objectifs de prospection et vont même jusqu'à rémunérer le vendeur pour ses activités de prospection, même si elles ne conduisent pas à des ventes (un vendeur itinérant ne vous a-t-il jamais dit ceci : *« Écoutez, vous n'avez pas besoin d'assister à ma démonstration. Signez simplement ici pour indiquer que je vous l'ai faite ! »* ?).

La qualification. Étant donné les efforts déployés dans les étapes subséquentes du processus de vente et les coûts impliqués, il importe que le vendeur concentre ses efforts sur les prospects susceptibles de devenir des clients. L'étape de qualification consiste à déterminer si le client potentiel a la capacité et l'autorité d'acheter, c'est-à-dire à distinguer un « prospect » d'un « suspect ». En d'autres termes, il s'agit de savoir si le prospect identifié a des besoins que les produits de la firme peuvent satisfaire, a le pouvoir de décision d'achat, a les moyens de payer et s'il peut éventuellement être persuadé d'acheter. Si le prospect ne rencontre pas toutes ces conditions, le vendeur doit l'écarter ou encore lui accorder une moins grande attention.

Le succès de l'étape de qualification des prospects repose sur la qualité des informations que peut recueillir le vendeur. Le téléphone est sans doute l'outil de travail le plus utile à ce stade. Il est relativement aisé de procéder à une vérification de crédit par téléphone, d'identifier les décideurs dans l'entreprise et même de s'enquérir auprès d'individus bien informés des besoins et des projets d'achats d'un prospect.

La préparation. Préparer correctement la visite du prospect est d'une importance stratégique. Tous les vendeurs savent qu'une visite bien préparée a plus de chances d'être réussie. Une bonne préparation nécessite que le vendeur obtienne des informations sur le client et sur sa compagnie, établisse les objectifs qu'il veut atteindre et développe le plan de la présentation[2]. Quel est le nom du prospect ? Son prénom ? Ses passe-temps ? Ses responsabilités dans l'entreprise ?

Combien d'employés l'entreprise a-t-elle ? Quels sont ses fournisseurs ? Quelle est sa situation concurrentielle ? Autant d'informations qui peuvent aider le vendeur à mieux contrôler l'entretien de vente et à dégager une impression de professionnalisme. Il est facile d'obtenir plusieurs de ces informations en consultant les sites Web des firmes.

Le vendeur doit aussi décider des objectifs de la visite. Peut-être s'agit-il d'une première rencontre où il faut avant tout faire connaissance. Ou encore d'une occasion pour présenter certains produits spécifiques. Les objectifs poursuivis conditionnent la nature même de la présentation du vendeur.

Quand les objectifs à atteindre ont été bien définis, le vendeur doit préparer son plan d'attaque. Cela peut impliquer de dresser une liste des besoins du client en parallèle avec les bénéfices associés aux produits de la firme ou, plus simplement, d'identifier les informations dont le vendeur aura besoin pour les futures rencontres avec le prospect.

L'obtention d'un accord. C'est à l'étape de la présentation que toute la préparation du vendeur va porter fruit. Pour obtenir l'accord du client, le vendeur doit faire bonne impression, identifier correctement les besoins, démontrer que les produits qu'il vend permettent de satisfaire ces besoins, contrer les objections et réaliser la vente. Quelle approche doit-il adopter pour arriver à ses fins ? Doit-il faire appel à des motifs émotionnels ou rationnels ? Doit-il faire figure d'autorité ou doit-il plutôt laisser le client contrôler la visite ? Doit-il faire un exposé mémorisé ou improviser selon les événements ? Un grand nombre d'études ont été menées par les chercheurs en marketing pour essayer d'identifier les approches de vente les plus efficaces. Selon Barton Weitz[3], un spécialiste dans le domaine, il n'existe pas une seule approche qui soit la meilleure. La performance d'un vendeur durant un entretien de vente dépend des comportements qu'il va adopter avec le client : capacité de s'adapter à la situation, emploi de techniques de persuasion et contrôle de l'interaction. L'efficacité de ces comportements est elle-même conditionnée par trois types de facteurs : les ressources du vendeur (connaissances, habiletés de communication, etc.), les caractéristiques de la relation client-vendeur (qualité, conflits, etc.) et les caractéristiques de la situation d'achat (risque, complexité de l'achat, etc.).

Le suivi. Une vente réussie ne représente pas la conclusion du processus de vente ; c'est généralement le début d'une relation à long terme client-vendeur fondée sur la confiance mutuelle. En ce sens, le suivi est très important. Le vendeur doit maintenir le contact, être disponible pour des informations, savoir gérer les plaintes et donner satisfaction, enfin consolider les relations avec les clients afin de renforcer leur fidélité et favoriser un accroissement des affaires.

Il y a plusieurs raisons pour lesquelles il est important d'entretenir la relation avec les clients actuels. En premier lieu, des études ont montré qu'il en coûte jusqu'à cinq fois moins pour retenir un client que pour en trouver un nouveau[4].

Deuxièmement, les pertes engendrées par un client perdu peuvent s'échelonner sur une longue période et représenter, en valeur actuelle, une somme d'argent très importante pour l'entreprise. Troisièmement, les études mentionnées ci-dessus ont montré que les clients qui quittent une relation d'affaires parce qu'ils sont insatisfaits ne se gênent pas pour le dire à d'autres. Le bouche-à-oreille négatif n'est jamais bon pour une entreprise. Quatrièmement, les clients satisfaits seront portés à dire des choses positives de l'entreprise. Dans les entreprises qui se préoccupent de la satisfaction des clients, ne dit-on pas que les clients sont les meilleurs vendeurs ? Cinquièmement, un client satisfait est non seulement un client acquis, mais aussi un client qui a de bonnes chances d'acheter davantage. Sixièmement, les coûts « d'entretien » d'une relation avec un client diminuent avec le temps. L'écart entre les coûts d'acquisition (ou de remplacement) et les coûts d'entretien s'élargit donc à mesure que la relation client-vendeur progresse. Enfin, un client qu'on entretient correctement est moins sensible à des hausses de prix.

Réussir dans la vente

Le processus de vente représente les étapes essentielles du travail d'un représentant des ventes. C'est une procédure systématique que tout vendeur doit comprendre et assimiler s'il veut atteindre un niveau élevé d'efficacité. Toutefois, le processus de vente ne peut à lui seul expliquer la performance d'un vendeur. Par exemple, si demain vous décidez de vous improviser vendeur, ce n'est pas parce que vous aurez lu la section précédente de ce chapitre que votre réussite est assurée.

En simplifiant, on peut dire que la performance dans la vente dépend de deux facteurs : la **quantité d'efforts** déployés et les **habiletés** que le vendeur a développées et dont il se sert dans l'accomplissement de ses fonctions. En ce qui a trait au premier facteur, il est bien évident que plus le vendeur consacre d'énergie à son travail (par ex. nombre de clients potentiels identifiés et qualifiés, nombre de visites, nombre d'heures de disponibilité pour les clients), plus les chances sont grandes d'obtenir des résultats de vente supérieurs. Souvent, les meilleurs vendeurs sont des individus qui ne comptent pas leurs heures, qui sont constamment à l'affût des occasions de dénicher de nouveaux clients et qui offrent à leurs clients actuels un service après vente de première classe.

Mais les efforts seuls ne suffisent pas. Pour pouvoir exceller comme représentant des ventes, il faut aussi développer et raffiner certaines habiletés de base. Un des aspects les plus importants à ce niveau est la **communication** avec le client. Le vendeur est celui qui informe le client des biens et des services offerts par sa compagnie, et c'est lui qui le persuade de les acheter. Ces deux objectifs ne peuvent être atteints que si la communication entre lui et le client se fait correctement. En ce qui regarde la **communication verbale**, il est essentiel de savoir s'exprimer clairement et distinctement et de le faire de façon intéressante, en utilisant un langage que le client comprend. Seule la pratique permet d'arriver à une maîtrise du style de communication : emploi d'un vocabulaire intéressant, jeu des intonations, du volume et du rythme de la voix. La **communication non verbale** est tout aussi importante. Les aspects dont il faut tenir compte sont nombreux : tenue vestimentaire et propreté, politesse, façon de procéder lors de l'entrée en matière, regard, position du corps et expressions faciales.

Les habiletés du vendeur à intéresser les clients potentiels aux produits de la firme et à les convaincre d'acheter dépendent grandement des **connaissances** qu'il a acquises à différents niveaux. D'abord, il est primordial que le vendeur ait une connaissance approfondie de sa compagnie, de ses produits et de ses politiques. Les clients s'attendent à des réponses rapides et précises aux questions qui les préoccupent et toute hésitation de la part du vendeur entame la confiance que le client a en lui. Ensuite, le vendeur doit apprendre à analyser correctement la situation de vente et à adopter les stratégies et les tactiques appropriées. Les vendeurs expérimentés ont appris à reconnaître les situations de ventes types et à leur appliquer des stratégies de vente qui donnent des résultats positifs[5]. L'illustration 9.1 présente quelques-unes des tactiques de vente couramment utilisées pour persuader les consommateurs.

Illustration 9.1
Les trucs du métier

Tous les vendeurs ont leurs méthodes favorites pour « accrocher » le client. Certains trucs sont bien connus de tous les vendeurs, d'autres ont été acquis par expérience et sont jalousement gardés par ceux qui les utilisent.

Dans son livre *Influence : Science and Practice,* le psychologue américain Robert Cialdini présente ce qu'il appelle des « armes d'influence ». Partant du raisonnement que les trucs du métier sont efficaces, Cialdini a tenté d'en savoir plus. Il s'est donc inscrit à des cours de vente et s'est même parfois fait embaucher comme vendeur dans différentes entreprises (assurances. encyclopédies, etc.) sans dévoiler son identité ni les objectifs de sa démarche. Dans ce livre, il identifie ce qu'il croit être les six **principes d'influence** avec une série d'anecdotes amusantes et instructives.

Le principe de cohérence : *« après avoir prix un engagement, un individu a plus de chances d'être d'accord pour entreprendre des actions qui sont cohérentes avec cet engagement ».* À titre d'illustration, une technique de vente employée par les vendeurs d'automobiles consiste à proposer à l'acheteur éventuel un prix très bas pour la nouvelle voiture ou une allocation élevée pour sa voiture. Une fois la décision prise par le client, le vendeur s'excuse et informe le client qu'il y a eu une erreur (mauvais calcul) ou encore que le patron ne veut pas. En général, le client a pris un engagement personnel d'acheter et il lui est difficile d'y renoncer

Le principe de réciprocité : « *un individu a plus de chances d'acquiescer à une demande s'il se sent redevable* ». Une technique de vente très efficace de la compagnie *Amway* est la suivante : un représentant laisse au client potentiel une boîte remplie de produits *Amway* pour essai pendant une période de temps déterminée. Ce sont habituellement des bouteilles déjà entamées. Lorsqu'il revient, le client se sent redevable et décide le plus souvent d'acheter des produits *Amway.* Le représentant reprend la boîte et la laisse chez un autre client.

Le principe de validation sociale : « *un individu a plus de chances d'acquiescer à une demande si d'autres individus qu'il admire ou qu'il juge semblables à lui se sont comportés ou se comportent tel qu'on lui demande de le faire.* » Dans une présentation de vente, on conseille généralement au vendeur de faire référence à des individus semblables au client qui ont acheté le produit. D'ailleurs, c'est souvent par l'entremise de ces individus que le représentant a obtenu le nom du client potentiel.

Le principe d'autorité : « *un individu a plus de chances d'acquiescer à une demande d'un individu perçu comme ayant une "autorité légitime"* ». À titre d'illustration, pour augmenter la crédibilité des vendeurs on leur donne le titre de « conseillers », « experts-conseils » ou « gérants-adjoints ». Aussi, pour obtenir de gros contrats, il n'est pas rare que le représentant soit accompagné du gérant des ventes, du directeur du marketing ou du président lui-même.

Le principe de rareté : « *les gens ont tendance à vouloir obtenir les biens qui sont rares* ». Par exemple, pour clore une vente, un stratagème souvent utilisé est de dire à l'acheteur potentiel que le produit est disponible en quantités limitées et qu'il doit faire vite tant qu'il en reste.

Le principe de sympathie : « *un individu a plus de chances d'acquiescer à une demande faite par un ami ou par un individu sympathique* ». Puisqu'il n'y a pas toujours de liens amicaux *a priori* entre le client et le vendeur, ce dernier doit tout mettre en œuvre pour paraître sympathique. Certaines tactiques sont très efficaces. Par exemple, la **similitude.** Les bons vendeurs cherchent chez les clients potentiels des indications sur leur travail, leurs passe-temps, etc. et s'empressent de faire état des ressemblances avec leurs propres intérêts. N'oubliez pas que les gens sont sensibles aux **compliments.** On raconte souvent l'histoire de Joe Girard, le plus grand vendeur du monde (selon *Le livre des records Guinness*), qui envoie des cartes de souhaits à tous ses clients anciens et actuels (environ 13 000) à différentes occasions : Noël, Pâques, etc. Sur la carte, il est toujours inscrit « *I like you* ». La **coopération** est aussi une tactique qui marche bien. Par exemple, le gérant des ventes d'automobiles joue parfois à l'individu qui ne cède sur rien (« le méchant ») et le vendeur joue au conciliateur (« le bon »). Le jeu est évidemment réglé d'avance et a comme objectif de rendre le vendeur encore plus sympathique.

Source : Robert B. Cialdini, (1998). *Influence : Science and Practice*, 2e édition, Gleniew, Illinois, Scott, Forestman and Company.

LA GESTION DES VENTES

L'environnement dans lequel opèrent les entreprises est dynamique et incertain. Les fluctuations économiques, les besoins changeants des consommateurs, la concurrence, les changements technologiques sont autant de facteurs qui menacent la survie de l'entreprise. Dans un tel contexte, il serait téméraire d'adopter une approche non systématique à l'effort de vente. Pour s'assurer d'une croissance à long terme et d'une position concurrentielle avantageuse, la firme doit établir un programme cohérent de ses activités liées au développement des ventes. Ce programme implique la planification, l'organisation, l'exécution et le contrôle de l'effort de vente. Comme le montre la Figure 9.2, ces quatre opérations familières de la démarche administrative définissent l'ensemble des activités de la gestion des ventes. Dans les prochaines sections de ce chapitre, notre objectif sera de décrire chacune de ces activités.

figure 9.2 **Les activités de la gestion des ventes**

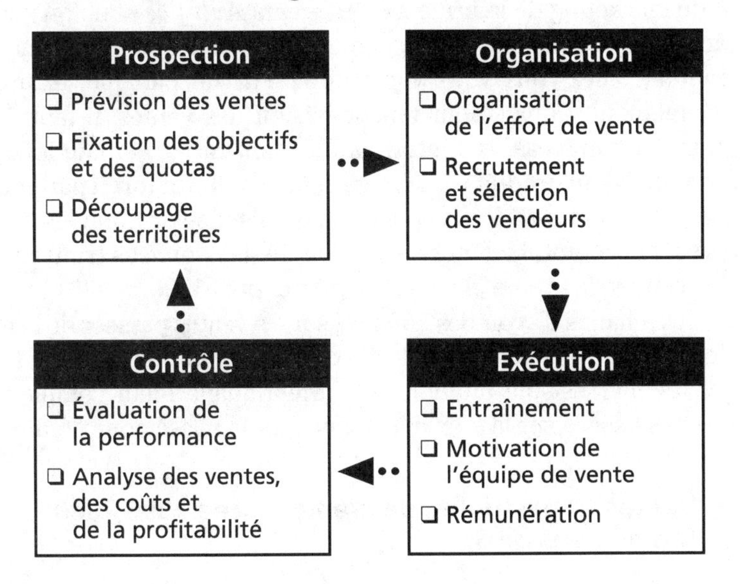

Planifier l'effort de vente

Nous avons vu auparavant que la planification est une opération essentielle à la stratégie de marketing. Sans planification, l'entreprise est condamnée à réagir aux changements continuels de son environnement. La planification est une philosophie de gestion pro-active qui nécessite que l'on établisse des objectifs en tenant compte des ressources de la firme et des opportunités qui existent. Concrètement, cela consiste à développer un plan dans lequel seront définis la direction que l'on veut prendre, les buts à atteindre et les moyens à mettre en œuvre pour y parvenir.

La prévision des ventes. Pour pouvoir planifier adéquatement, il faut cependant savoir prédire l'évolution des événements futurs. Prenons un exemple simple : la planification d'un week-end. Plusieurs choses doivent être anticipées : la durée du trajet, l'achalandage des autoroutes, la température, les dépenses, les horaires et même les pépins ! Dans le contexte de la planification stratégique de l'entreprise, la **prévision des ventes** joue un rôle très important. C'est à partir des estimés des ventes futures qu'on peut établir la planification budgétaire et opérationnelle de la firme. Les prévisions des ventes influencent tous les secteurs de l'entreprise. Elles permettent de planifier les horaires de production, les opérations financières, les achats, les mouvements d'inventaire et les besoins de personnel. Donc, même si elle est abordée ici dans le cadre restreint de la gestion des ventes, il faut se rappeler que la prévision des ventes est une activité qui est cœur du processus de planification de toute l'entreprise.

Soyons un peu plus concrets et imaginons que vous ayez été engagé au département de marketing de la firme *Les Aliments Ault ltée* et qu'on vous ait assigné la tâche de prévoir les ventes de la crème glacée *Frisquet* pour l'an prochain. Comment allez-vous vous y prendre? Pas de panique, examinons la situation calmement. Pour établir une prévision des ventes, il faut des informations. Dans certains cas, ces informations sont rares, comme lorsqu'il faut prévoir les ventes d'un produit totalement nouveau. Il y a fort à parier que dans le cas de *Les Aliments Ault ltée*, cependant, on dispose de données historiques sur les ventes du produit. La Figure 9.3 présente des données trimestrielles fictives sur les ventes de crème glacée *Frisquet* depuis 1996.

Lorsqu'on a la chance d'avoir des données sur les ventes passées de l'entreprise, on peut alors utiliser des **techniques d'extrapolation** pour prédire les ventes futures. Ces techniques sont multiples et varient quant à leur complexité, mais elles sont toutes basées sur la même idée : utiliser le passé pour prédire l'avenir.

figure 9.3 **Ventes trimestrielles de crème glacée 1996-2000 (en millions de $)**

	Janvier à mars	Avril à juin	Juillet à septembre	Octobre à décembre	Moyenne annuelle
1996	3	4	5	3	3,75
1997	3	6	5	4	4,50
1998	4	6	7	3	5,00
1999	5	7	7	4	5,75
2000	5	8	8	5	6,50
Total	20	31	32	19	25,5

Transposons les données de la Figure 9.3 sur un graphique (voir la Figure 9.4) afin de visualiser la **tendance** des ventes dans le temps. Comme on peut le constater, au cours des années, les ventes de crème glacée *FRISQUET* ont augmenté régulièrement. Mais il est difficile de prévoir ce qui va se passer par la suite car, d'une année à l'autre, il y a des **variations saisonnières**. Ainsi, on remarque que les ventes de crème glacée sont plus importantes durant les deuxième et troisième trimestres de chaque année. Pour faciliter les choses, nous allons devoir **désaisonnaliser** les chiffres de ventes que nous avons.

figure 9.4 **Graphique des ventes trimestrielles de Frisquet**

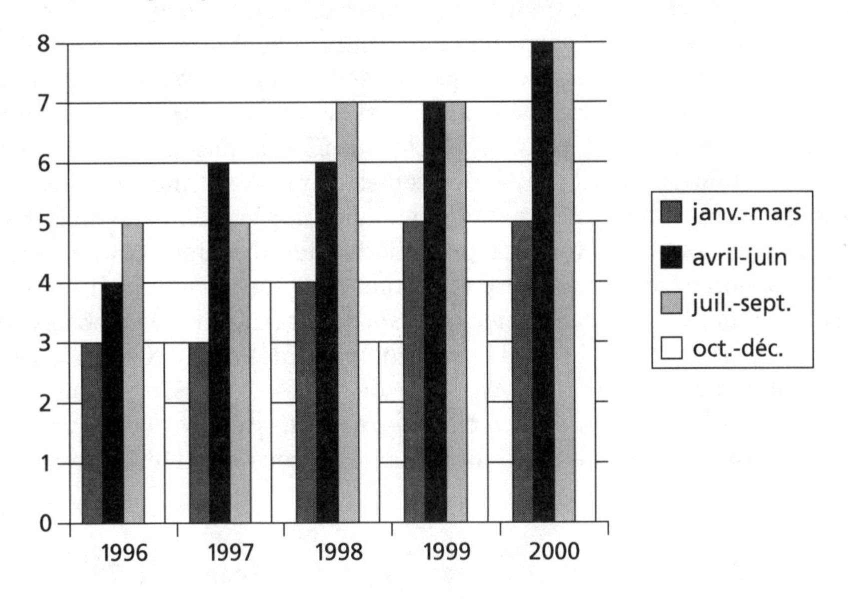

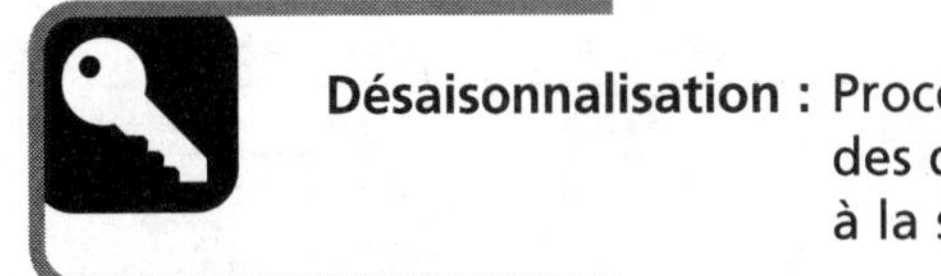

Désaisonnalisation : Procédure qui consiste à éliminer des données de ventes les effets dûs à la saisonnalité

La façon la plus simple de désaisonnaliser des données de ventes est d'évaluer l'effet moyen de chaque trimestre par rapport à l'année. Par exemple, pour le premier trimestre, les ventes totales sur cinq ans se chiffrent à 20 millions de dollars. Par rapport à la moyenne du total des années, cela représente 78,4 %, c'est-à-dire 20/25,5. Si on fait de même pour chaque trimestre, on obtient ce qu'on appelle des **indices saisonniers** :

Trimestre 1 : 20/25,5 = 0,784
Trimestre 2 : 31/25,5 = 1,216
Trimestre 3 : 32/25,5 = 1,255
Trimestre 4 : 19/25,5 = 0,745

L'interprétation des indices saisonniers est simple : en moyenne, les ventes du premier trimestre représentent 78,4 % des ventes trimestrielles moyennes de l'année, celles du deuxième trimestre 121,6 % et ainsi de suite. Maintenant, pour désaisonnaliser les ventes, on n'a qu'à diviser chaque donnée de la Figure 9.3 par l'indice saisonnier qui correspond au trimestre d'observation.

Les résultats apparaissent à la Figure 9.5 et sont transposés sur le graphique de la Figure 9.6. On remarque que les ventes désaisonnalisées sont beaucoup plus stables. C'est normal, puisque les chiffres ne sont plus affectés par les variations saisonnières. Pour prévoir les ventes du premier trimestre de 2000, on peut simplement tracer une droite de tendance sur le graphique de la Figure 9.6. Cela nous donne une valeur approximative de 6,9. Mais, attention ! Il s'agit d'une prévision désaisonnalisée. Il faut donc cette fois-ci multiplier le résultat obtenu (6,9) par l'indice saisonnier correspondant au trimestre d'observation, soit 0,784. Le résultat final est une prévision de ventes de 6,9 X 0,784 = 5,4 millions de dollars, pour le premier trimestre de l'année 2001. Saurez-vous établir une prévision des ventes pour les trois autres trimestres de 2001 ? (vous pouvez utiliser une analyse de régression simple, si vous êtes familier avec cette technique).

figure 9.5 **Ventes désaisonnalisées de crème glacée 1996-2000 (en millions de $)**

	Janvier à mars	Avril à juin	Juillet septembre	Octobre à décembre
1996	3/0,784 = 3,83	4/1,216 = 3,29	5/1,255 = 3,98	3/0,745 = 4,03
1997	3/0,784 = 3,83	6/1,216 = 3,29	5/1,255 = 3,98	4/0,745 = 5,37
1998	4/0,784 = 5,10	6/1,216 = 4,93	7/1,255 = 5,58	3/0,745 = 4,03
1999	5/0,784 = 6,38	7/1,216 = 5,76	7/1,255 = 5,58	4/0,745 = 5,37
2000	5/0,784 = 6,38	8/1,216 = 6,58	8/1,255 = 6,37	5/0,745 = 6,71

figure 9.6 **Graphique des ventes désaisonnalisées de Frisquet**

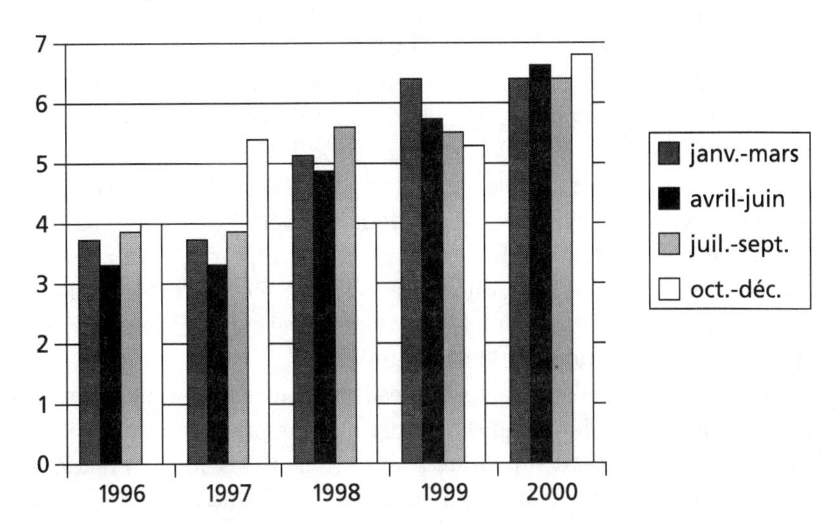

La technique de prévision que nous avons présentée donne de bons résultats si les variations saisonnières sont régulières d'une année à l'autre, si la tendance moyenne des ventes se maintient dans le temps et si, bien entendu, on dispose de données historiques sur les ventes. Dans bien des cas, malheureusement, ces données ne sont pas disponibles ou encore elles sont inutilisables. Il faut alors employer d'autres méthodes.

Un substitut aux techniques d'extrapolation est l'**enquête**. Un premier type est l'enquête auprès d'experts. Dans certaines situations, il est très difficile de prévoir ce qui va arriver, car il n'y a pas d'informations ou il y a trop d'incertitude. Par exemple, supposons qu'on veuille prévoir les ventes de gaz naturel pour les dix prochaines années. Ces ventes futures dépendent d'un grand nombre de facteurs : la croissance de la demande, l'épuisement des sources d'énergie concurrentielles, les fluctuations de prix, l'économie, la facilité d'approvisionnement, etc. Qui peut s'aventurer à faire des prédictions à ce niveau ? Seulement les personnes qui ont une grande compétence dans le domaine. On doit donc les consulter afin d'établir des prévisions subjectives.

Un autre type d'enquête se fait auprès des acheteurs éventuels. Considérons, par exemple, le problème d'établir une prévision de ventes pour notre produit fétiche le « *homard* ». On pourrait, dans ce cas, interroger un échantillon représentatif de consommateurs du marché cible ou encore faire une enquête auprès de revendeurs (par ex. *Sears*, *Canadian Tire*, *Wal-Mart*) pour connaître leurs intentions d'offrir le produit à leurs clients.

Une technique très utile et couramment employée par les firmes consiste à faire participer les **représentants** à la prévision. On leur demande d'estimer les ventes futures pour leur territoire, par produit et parfois par client. Ces données individuelles sont ensuite agrégées pour établir les prévisions de ventes finales.

Le **test de marché** est une autre façon de prévoir les ventes futures d'un produit. Cela consiste à introduire le nouveau produit à petite échelle, dans une zone géographique représentative du marché total visé. On observe la performance des ventes dans le marché-test pendant une période donnée (par ex. deux mois) et on tente de généraliser les résultats au marché total. Pour les produits de grande consommation où la concurrence est vive et les risques élevés (par ex. bière, détersifs, mets congelés), le test de marché est fréquemment employé en dépit des coûts importants qu'il implique.

Finalement, quand elles sont disponibles, les **données secondaires** compilées par différents organismes (par ex. Statistique Canada, les Chambres de commerce, les ministères) peuvent aider à établir la prévision. Considérez, par exemple, l'**indice de pouvoir d'achat** publié dans *FP Markets – Canadian Demographics* pour les villes et zones métropolitaines du Canada (www.fpmarkets.com/resource.html) ; il s'agit d'un indice numérique calculé à partir de la population, des revenus et des ventes au détail, qui fournit une **évaluation relative** du pouvoir d'achat d'une région en général.

La fixation des objectifs et des quotas. Quelle que soit la façon dont on les établit, les prévisions de ventes constituent des informations utiles pour fixer les **objectifs de ventes** de la firme. Toutefois, contrairement à ce qu'on pourrait croire, ces objectifs ne sont pas établis simplement à partir des prévisions. Il faut en effet tenir compte des objectifs corporatifs de l'entreprise : veut-on pousser ou non les ventes du produit considéré, et au prix de quel effort de marketing ?

Un objectif corporatif possible pour *Les Aliments Ault ltée* pourrait être par exemple de renforcer sa présence en Ontario. Cet objectif se traduira à un niveau opérationnel par un accroissement souhaitable des ventes en Ontario. Une fois cet objectif quantifié et défini dans le temps, on pourra le comparer avec les prévisions. Cela peut impliquer la révision des objectifs de ventes, la reformulation des stratégies de marketing ou encore la vérification des prévisions.

Quand les objectifs de vente sont bien définis, il faut les répartir entre les différentes unités d'activités de vente de la firme, c'est-à-dire les vendeurs, les territoires ou encore les groupes de vente. C'est ce qu'on appelle les **quotas**.

Quota : Objectif chiffré à atteindre par un vendeur, une équipe de vente ou dans un territoire, à l'intérieur d'une période de temps donnée.

Habituellement, un quota s'exprime en volume ou en unités de ventes. Par exemple, un quota possible pour un représentant chez *Les Aliments Ault ltée* pourrait être de vendre pour 500 000 $ de crème glacée dans la région de la Beauce, durant l'année 2001. Mais il existe d'autres types de quotas. Ainsi, il est parfois nécessaire de fixer des quotas par rapport au nombre de nouveaux clients à recruter, au nombre de visites à effectuer ou à toute autre activité liée au développement des ventes de la firme.

Les quotas sont des instruments de gestion des ventes d'une grande utilité. D'abord, ils permettent un partage équitable entre les vendeurs des responsabilités qui découlent des objectifs de vente. Ils servent aussi à stimuler l'effort de vente en fournissant aux représentants des standards de réussite. Ils sont un moyen de diriger et de contrôler les activités de vente de façon à les rendre plus efficaces. Enfin, ils offrent l'avantage d'établir des mesures objectives de performance par lesquelles les vendeurs peuvent être évalués.

Le découpage des territoires. La majorité des firmes qui utilisent une équipe de vente établissent des zones de responsabilité pour leurs représentants, qu'on appelle des **territoires**. Bien qu'il soit souvent défini en fonction de considérations géographiques, un territoire est d'abord et avant tout un groupe de clients. L'établissement des territoires est une opération critique pour la firme, car cela a un impact direct sur la motivation des vendeurs, la couverture du marché et l'efficacité de la gestion. En effet, la délimitation territoriale est un facteur de motivation important pour la force de vente. Gérer son territoire, nous l'avons dit, c'est un peu comme avoir sa propre entreprise. Le découpage doit donc se faire de manière équitable entre les vendeurs. Un représentant qui est affecté à un territoire défavorisé par rapport aux autres (par ex. nombre peu élevé de clients, quantité importante de prospection, couverture géographique plus grande) aura toutes les raisons d'être mécontent et insatisfait, ce qui se répercutera sans doute sur sa performance. Par contre, si les territoires sont bien découpés, pas trop grands afin de minimiser les longs déplacements et pas trop petits pour éviter de visiter toujours les mêmes clients, les activités de vente pour l'ensemble du marché seront plus efficaces. Il faut considérer également qu'il est plus facile pour la firme d'assurer un contrôle des activités de vente sur plusieurs petits territoires que sur un seul grand.

La firme doit procéder au découpage des territoires de vente de façon méthodique. Idéalement, les territoires doivent être équivalents en ce qui a trait au potentiel de ventes et au travail requis pour visiter les clients. Un découpage optimal est rarement possible, mais l'équivalence des territoires doit demeurer un objectif prioritaire.

Organiser l'effort de vente

La structure organisationnelle. Qu'est-ce qu'une bonne organisation des ventes ? Les options qui s'offrent à la firme pour définir la structure organisationnelle de la fonction vente sont multiples. Une bonne organisation des ventes est celle qui permet d'atteindre les objectifs de vente le plus efficacement possible. Dans l'entreprise, la structure organisationnelle des ventes est toujours au service des objectifs de ventes.

Considérons l'objectif suivant : « Augmenter de 5 % la part de marché de la marque auprès des utilisateurs du produit ». Pour atteindre cet objectif, plusieurs activités sont nécessaires : visites des clients des concurrents, établissement et mise en œuvre de stratégies pour inciter les non-acheteurs du produit à l'essayer et éventuellement à l'adopter (par ex. démonstration, périodes d'essai, conditions de crédit), fixation de quotas de visites de prospection, etc. Chacune de ces activités doit être sous la responsabilité d'une ou de plusieurs personnes de l'entreprise. L'organisation de l'effort de vente, c'est essentiellement l'organisation des activités qui ont été définies pour atteindre les objectifs de ventes. Concrètement, cela requiert de créer, dans l'entreprise, des postes qui regroupent ces activités et d'affecter du personnel à ces postes.

On distingue trois types principaux d'organisation des ventes : géographique, par produits/services et par clients/marchés. L'organisation **géographique** des ventes implique de structurer l'effort de vente par régions. La Figure 9.7 présente un exemple réel d'organisation géographique des ventes, celle qu'on retrouve dans la firme *SIBN*, une filiale de la *Banque Nationale* qui se spécialise dans la mise en œuvre de solutions financières électroniques (voir le site Web de l'entreprise à l'adresse suivante : www.sibn.ca/htmfr/index.html)[6]. Ce type d'organisation est très répandu dans les firmes à cause de sa simplicité et de son efficacité. En effet, la division des responsabilités est simplifiée parce qu'elle dépend directement de la façon dont le marché est morcelé géographiquement. Aussi, les relations entre clients et vendeurs sont facilitées, car chaque vendeur est habituellement responsable d'un territoire de vente bien défini. Par contre, il est nécessaire que les vendeurs connaissent tous les produits de la firme. Lorsque ceux-ci sont nombreux, variés et complexes, il peut être difficile pour un seul individu d'en assurer la vente. Le danger alors est que le vendeur décide naturellement de pousser surtout les produits qu'il connaît bien.

figure 9.7 **Un exemple d'organisation géographique des ventes : la direction des ventes de SIBN**

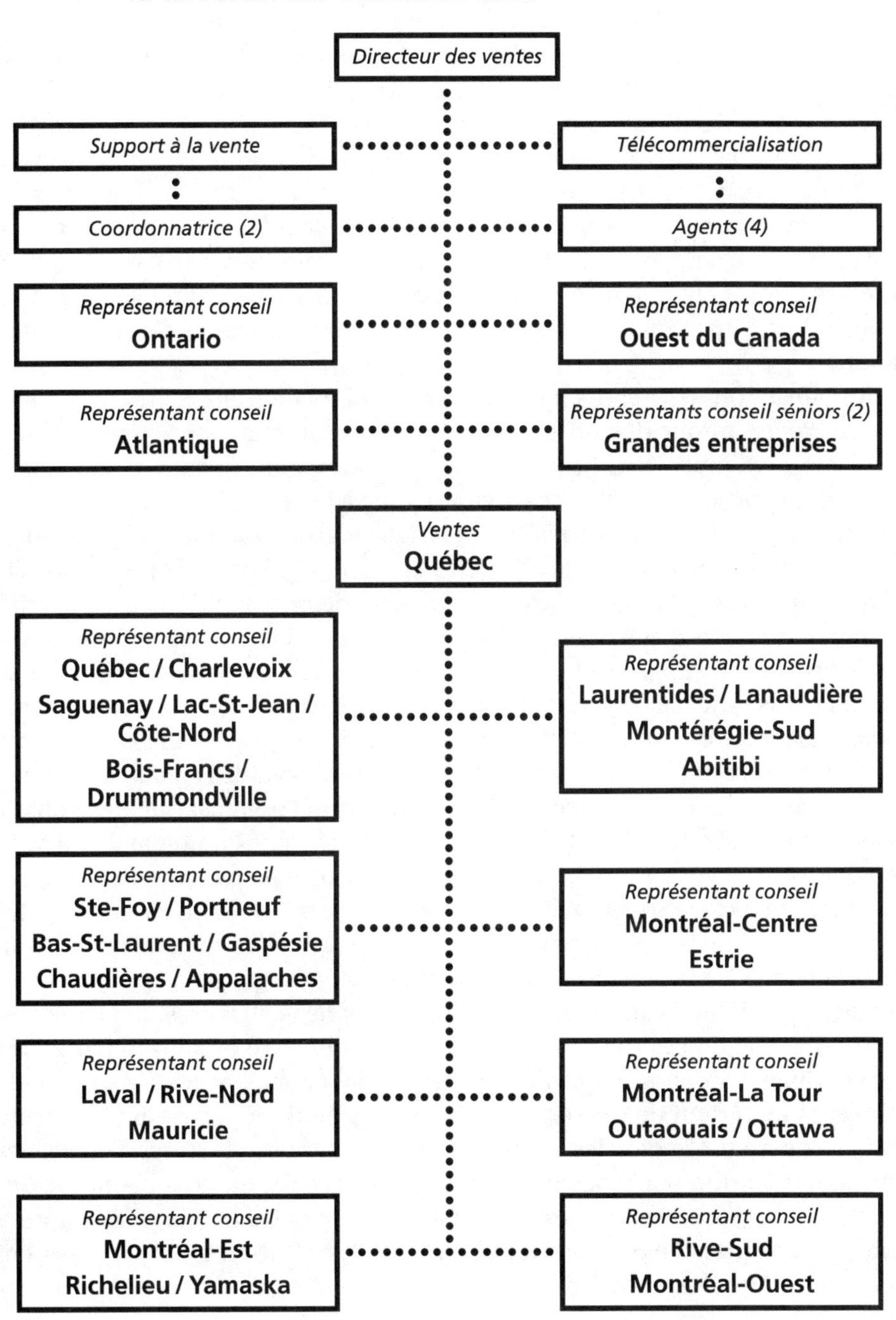

L'organisation des ventes par **produits/services** permet d'éviter que les efforts alloués à la vente des produits de la firme soient conditionnés par les connaissances ou les motivations des vendeurs. Dans ce type d'organisation des ventes, les vendeurs sont affectés à la vente et à la promotion de certaines lignes de produit uniquement. On peut ainsi arriver à un niveau plus élevé de spécialisation des représentants pour tous les produits de la firme. Par exemple, dans les magasins à rayons (*Sears*, *Zellers*, *Rona*, etc.), les vendeurs sont généralement spécialisés dans la vente de catégories de produits spécifiques (équipements électroniques, ameublement, outils, vêtements). Le principal désavantage de l'organisation par produits/services est la duplication des efforts auprès de la clientèle. En effet, il arrive qu'un client ait à interagir avec plusieurs représentants d'une même firme afin d'obtenir satisfaction.

L'organisation des ventes par **clients/marchés** consiste à structurer l'effort de vente autour des différentes catégories de clients ou marchés desservis. Par exemple, *Bell Canada* a des vendeurs qui s'occupent seulement des clients corporatifs. D'autres sont affectés à la vente des équipements téléphoniques pour le marché résidentiel (dans les Téléboutiques). *Bell* a aussi des vendeurs affectés à de gros clients qui ont des besoins spécifiques (la Sûreté du Québec). Lorsque les marchés que dessert la firme sont très différenciés ou encore que des clients représentent une part importante du volume de ventes, la spécialisation par clients/marchés peut représenter la façon la plus efficace de structurer l'effort de vente. C'est cependant un type d'organisation des ventes relativement coûteux dans la mesure où, pour un même territoire, il peut y avoir plusieurs vendeurs pour des clients différents.

Il est rare qu'une entreprise utilise un seul type d'organisation des ventes. Généralement, l'effort de vente s'organise autour d'une combinaison des approches de base que nous avons présentées. Par exemple, une firme qui se spécialise dans la fabrication d'équipements électroniques pourrait procéder d'abord à une division par types de produits : appareils ménagers et de divertissement (fours à micro-ondes, magnétoscopes, caméras, etc.) et équipements spécialisés (micro-ordinateurs, téléphones cellulaires, télécopieurs, etc.). Chacune de ces deux divisions peut ensuite être organisée par zones géographiques comme l'Est du Canada, les Maritimes et les Provinces de l'Ouest. À l'intérieur de ces régions, on pourra définir des territoires de vente auxquels seront affectés les représentants. Il est possible aussi d'envisager une spécialisation par types de clients. Par exemple, un gros client tel *Canadian Tire* pourrait être servi par un vendeur ou une équipe de vente à temps plein. Dans l'exemple présenté à la Figure 9.7, on note que des vendeurs sont affectés spécifiquement aux grandes entreprises clientes canadiennes.

Recrutement et sélection des vendeurs. Organiser l'effort de vente, c'est aussi embaucher des représentants. Étant donné les coûts importants d'entraînement des nouveaux vendeurs et le taux élevé de rotation du personnel de vente, une attention particulière doit être apportée au recrutement et à la sélection des représentants. La Figure 9.8 résume les préoccupations majeures des responsables du marketing à ce niveau et présente les méthodes qui existent pour faciliter et rendre plus efficace le processus.

Avant de penser à recruter des candidats, il est important d'avoir une bonne compréhension du travail que la personne devra accomplir. L'**analyse des tâches** a comme objectif de décrire, de la façon la plus complète possible, les postes à combler. On peut faire cette analyse en interrogeant les personnes qui occupent actuellement des postes semblables et celles qui ont une bonne connaissance des responsabilités qui y sont associées. Une autre méthode consiste à envoyer des observateurs sur le terrain pour étudier le travail requis par les postes.

L'analyse des tâches conduit directement à la **description du poste**. Celle-ci doit être la plus claire et la plus complète possible. Elle inclut généralement le titre du poste (conseiller en communications), la ligne d'autorité (le gérant des ventes) et les responsabilités attachées au poste (vente, service à la clientèle, promotion des ventes, prospection, territoire, tâches administratives). La description du poste offre un bon point de départ pour définir les qualifications que doivent posséder les candidats. Par exemple, s'il s'agit de la vente de produits techniques, on pourra éventuellement exiger que les candidats aient une formation spécialisée. Cependant, la description du poste est souvent insuffisante pour déterminer le profil souhaité des candidats. Des entrevues avec des vendeurs, des gérants des ventes ou des responsables du marketing peuvent permettre l'identification de critères de sélection additionnels. Parfois, des études plus approfondies sont nécessaires. Par exemple, on peut comparer les profils des vendeurs performants et non-performants de la firme afin de déterminer les caractéristiques qui les distinguent (analyse de la performance).

figure 9.8 **Le recrutement et la sélection des représentants : Questions et procédures**

Questions de base	Méthode
• Quels sont les postes à combler et quelles sont les tâches associées à ces postes ?	• Analyse des tâches (observation, entrevues)
• Quelles sont les qualifications requises pour ces postes ?	• Examen de la description du poste • Entrevues • Analyse de la performance
• Comment peut-on recruter des candidats et combien doit-on en recruter ?	• Affichage interne • Visites des collèges et des universités • Annonces dans les journaux • Firmes spécialisées dans l'embauche • Analyse marginale
• Comment sélectionne-t-on les représentants ?	• Formulaire • Entrevues • Tests • Examen des références

Comme la Figure 9.8 l'indique, le recrutement des candidats peut se faire de différentes façons. Le choix d'une ou de plusieurs méthodes dépend de nombreux facteurs : types et nombre de candidats souhaités, qualifications requises, urgence de la situation, préférences des recruteurs, budget disponible, etc. Une question importante à cette étape est de déterminer combien de candidats doivent être recrutés. Plus le nombre de candidats recrutés sera grand, plus les chances d'embaucher des vendeurs compétents vont augmenter, mais aussi les coûts de recrutement. Idéalement, la firme devrait recruter des candidats additionnels tant que les revenus espérés associés à un nouveau candidat excéderont les coûts marginaux. Il est possible de déterminer le nombre optimal de candidats à recruter en employant ce principe général[7].

L'étape finale du processus est la sélection des vendeurs. À cette fin, la firme peut utiliser plusieurs méthodes : entrevues, tests, analyse des qualifications et des références fournies. Généralement, on emploie une combinaison de ces méthodes afin de recueillir le maximum d'informations pertinentes pour la décision d'embauche. Bien que la façon de sélectionner les vendeurs soit laissée à la discrétion de la firme, des précautions doivent être prises pour rendre le processus le plus équitable et le plus transparent possible, afin d'éviter que des actions soient intentées contre la firme pour utilisation de pratiques de sélection discriminatoires.

Soutenir l'effort de vente

Nous avons vu auparavant que la performance d'un vendeur dépend de ses habiletés et de la quantité d'efforts fournis à accomplir son travail. Bien qu'il s'agisse d'une vision simplifiée, ces deux facteurs contribuent certainement à la réussite du vendeur. Il est donc important que des mesures soient définies et mises en œuvre pour agir positivement sur ces deux facteurs.

La formation. La Figure 9.9 montre que le développement des habiletés des représentants nécessite de la formation. La majorité des firmes ont mis sur pied des programmes de formation de leurs vendeurs. Ces programmes visent à augmenter le niveau des connaissances des représentants afin d'accroître leur efficacité et, de ce fait, leur satisfaction et celle de leurs clients. Les aspects couverts dans les programmes de formation sont divers, mais on y trouve habituellement des enseignements relatifs aux produits et services de la firme, aux pratiques commerciales de l'industrie, à la compagnie et aux techniques de vente. Bien que la formation continue soit perçue comme nécessaire par les directeurs des ventes, c'est sans doute à la formation initiale du vendeur que l'on consacre le plus de temps et d'efforts. En effet, les nouvelles recrues n'ont généralement aucune connaissance de la firme et de ses produits, et parfois même aucune expérience dans la vente.

figure 9.9 **La performance dans la vente**

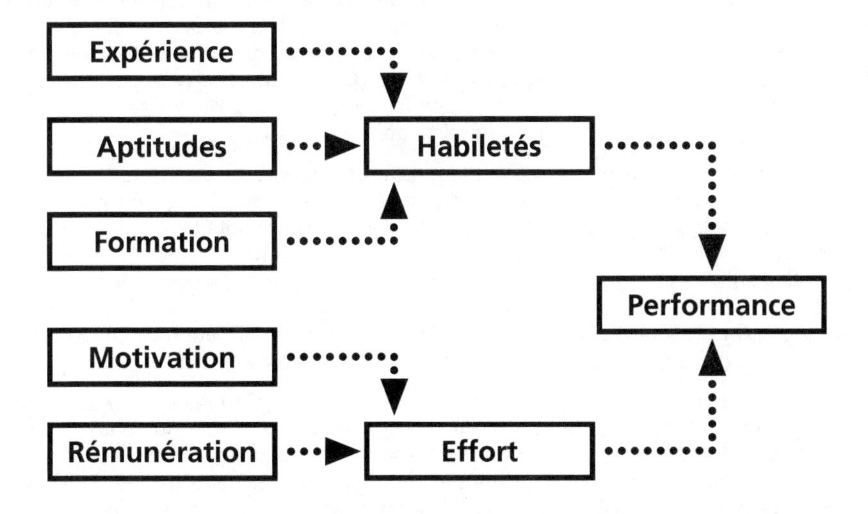

Des études ont montré que les programmes de formation des vendeurs mettent davantage l'accent sur les aspects techniques relatifs aux produits de la firme que sur le développement des habiletés de vente. Pourtant, la formation d'un représentant des ventes doit nécessairement comprendre une partie importante vouée à l'acquisition des techniques de vente. En outre, l'expérience dans la vente n'est pas une panacée. Tout comme un athlète, un vendeur a besoin d'être conseillé sur sa technique et sur les défauts à corriger. L'illustration 9.2 présente une méthode d'entraînement à la vente qui s'est avérée très efficace pour développer les habiletés de vente de base.

Illustration 9.2

Un, deux, trois,... vendu !

La compagnie *Xerox* a acquis une solide réputation dans la formation des vendeurs. Son programme d'entraînement appelé « Professional Selling Skills » a été utilisé avec succès par un grand nombre de firmes. L'objectif de la méthode est de développer des réflexes chez le vendeur pour améliorer sa performance durant un entretien de vente.

Selon les concepteurs de la méthode, un client peut avoir quatre réactions possibles a une tentative de persuasion de la part du vendeur : il peut être **indifférent,** il peut exprimer un **doute**, il peut apporter une **objection** ou encore il peut être **d'accord**. Chacune de ces réactions doit entraîner un comportement particulier du vendeur. Ainsi, si le client est indifférent, le vendeur doit le questionner afin d'amasser des informations qui vont l'aider à percer cette indifférence : « *Que voulez-vous dire ?* » « *Ne croyez-vous pas que ce produit est idéal pour vos besoins ?* ». Si le client exprime un doute, le vendeur doit reconnaître l'importance des inquiétudes du client et s'empresser d'éliminer le doute en apportant des informations convaincantes : « *Une étude récente démontre que...* » Si le client émet une objection, le vendeur doit la contrer de façon diplomatique. Si l'objection est sérieuse, le vendeur doit essayer de faire valoir des bénéfices du produit qui la compensent : « *Oui, je suis d'accord, mais la technologie utilisée dans la fabrication de notre produit est plus avancée que celle des concurrents* ». Enfin, si le client exprime son accord, le vendeur doit approuver ce que dit le client de façon à rendre son opinion importante.

Aussitôt que le vendeur pense que le client est mûr, il doit essayer de clore la vente. C'est à cette étape que l'essentiel de l'entretien de vente se joue. Pour clore la vente, on recommande au vendeur de faire un bref sommaire des avantages que le produit offre au client. Le vendeur doit cependant éviter de mentionner des bénéfices additionnels non discutés car cela risque d'ouvrir la voie à de nouvelles objections. Pour faciliter l'obtention de l'accord du client, le vendeur doit présenter l'achat de façon positive : « *On peut vous le livrer aujourd'hui même* » ou encore il peut faire une légère concession : « *Si vous signez maintenant, je vous offre un escompte de 5 %* ».

Pour développer les habiletés de vente, la méthode *Xerox* utilise le jeu de rôle. Cela implique qu'un individu joue le rôle du client et un autre le rôle du vendeur. La simulation est structurée de façon à ce que le client s'en tienne à certains bénéfices importants pour lui, certaines objections et certains comportements (par ex. indifférence). C'est le vendeur qui doit essayer d'identifier ces bénéfices, contrer les objections et réagir correctement aux comportements du client.

Source : Kenneth, G. Hardy, « Super Sales Rep. » in *Canadian Marketing*, 3e édition, K.G. Hardy, M.R. Pearce, T.H. Deutscher et A.B. Ryans, Toronto, Allyn & Bacon, 1988, pp. 482-487.

La motivation. Pourquoi les chercheurs en marketing s'intéressent-ils tellement à la motivation des vendeurs ? Le métier de vendeur a des particularités qui commandent une attention spéciale à la motivation. On mentionne souvent que la position du vendeur entre l'organisation et les clients n'est pas de tout repos, car ces deux groupes exercent des pressions et exigent des comportements qui ne sont pas toujours compatibles. Aussi, le travail du vendeur est frustrant, car il est rare que les ventes se maintiennent ; parfois les choses vont bien, parfois elles vont mal et ces irrégularités affectent le moral du vendeur. Pour ces raisons et aussi dans le but de stimuler leurs vendeurs, les firmes utilisent différentes techniques de motivation destinées à améliorer la productivité.

Les **réunions de vente** représentent probablement l'outil de motivation le plus employé. Ces réunions peuvent avoir lieu hebdomadairement, à tous les mois ou quelques fois par année. C'est l'occasion pour les vendeurs de faire le point, d'améliorer leurs connaissances, de recevoir des encouragements et des récompenses. Les réunions de vente contribuent grandement à revigorer les vendeurs et à leur transmettre l'enthousiasme nécessaire pour accomplir leur travail. Les concours sont aussi utiles pour stimuler l'effort de vente à court terme. Si les règles sont claires et équitables, si les objectifs à atteindre représentent des défis réalisables et si les prix sont attrayants, les concours ont de bonnes chances d'intéresser les vendeurs. Les distinctions sont un moyen économique et efficace de motiver les représentants. La grande majorité des firmes emploient cette méthode. Elles peuvent être de plusieurs types : titre *« le vendeur du mois »*, lettre de félicitations, certificats, publicité dans le journal de la compagnie ou sur le site Web, etc.

Sans vouloir minimiser l'importance des outils de motivation que nous avons décrits, il faut néanmoins souligner que la motivation du vendeur dépend de l'environnement de travail dans lequel il évolue. Quel est l'impact de ces outils motivationnels si les relations du vendeur avec ses supérieurs sont difficiles, si ses responsabilités sont mal définies, si le vendeur n'a pas reçu une formation adéquate, si le territoire qu'on lui a assigné ne lui convient pas, si le système de rémunération est insatisfaisant ou encore s'il n'aime pas la vente ? En définitive, la motivation de l'équipe de vente est conditionnée par tous les aspects de la gestion des ventes. Il est important de l'envisager de façon globale, en y intégrant l'ensemble des activités qui constituent le métier de vendeur.

La rémunération. La rémunération est un élément important de la gestion des ventes. Bien plus qu'un moyen de récompenser les vendeurs pour ce qu'ils font, la rémunération permet aussi de les orienter vers certaines activités qui s'inscrivent dans la planification des ventes de la firme.

L'établissement d'un plan de rémunération adéquat pour l'équipe de vente n'est pas un problème simple. On doit tenir compte de plusieurs aspects. En premier lieu, il faut avoir une bonne idée de la **valeur du travail** effectué par le vendeur. L'analyse de tâches que nous avons discutée dans la section précédente est d'une grande utilité à ce niveau. Cette évaluation doit aussi se faire en considérant la rémunération des autres membres du personnel de la firme, les salaires offerts dans d'autres entreprises et les coûts de remplacement des vendeurs. Ensuite, les responsables de la conception du plan de rémunération doivent tenir compte des **objectifs** à atteindre. S'agit-il d'augmenter les ventes en général ou celles de certains produits ? Faut-il encourager la prospection de nouveaux clients ? Ou développer les territoires ? Un bon plan de rémunération se doit d'être cohérent avec les objectifs de la firme. Il faut par la suite choisir le **mode de rémunération**. En simplifiant, on peut distinguer trois options de base : le salaire fixe, le salaire strictement à commission ou le plan combiné. Dans ce dernier cas, il existe une variété de possibilités : salaire plus commission, salaire plus bonis, salaire plus commission et bonis, etc. La firme a toute la latitude pour décider du mode de rémunération de ses représentants. Cependant, cette décision est généralement affectée par la situation. Ainsi, on recommande un plan de rémunération à salaire fixe pour les recrues qui sont encore à l'entraînement et pour les vendeurs missionnaires. Par contre, le salaire à commission est préférable dans les situations où la firme ne peut supporter financièrement des salaires, à moins que ceux-ci ne soient directement reliés au volume des ventes, ou lorsque le marché exige une approche agressive à la vente.

Contrôler l'effort de vente

Dans ce chapitre, nous avons insisté à plusieurs reprises sur la nécessité de fixer des objectifs de ventes. Les activités de la gestion des ventes sont toutes plus ou moins reliées à ces objectifs. Pour compléter la boucle, la firme doit mettre en place des mécanismes pour évaluer si les objectifs ont été atteints. Cette évaluation doit se faire de façon continue, afin de permettre un ajustement rapide des plans et des stratégies.

L'évaluation de la performance des vendeurs. Il est essentiel de vérifier à intervalles réguliers si les vendeurs satisfont les normes de productivité établies par l'organisation. La procédure d'évaluation doit être juste et précise, et suffisamment détaillée pour permettre l'identification des secteurs où des ajustements sont nécessaires. On utilise habituellement un ensemble de critères quantitatifs et qualitatifs pour faire cette évaluation. Parmi les critères quantitatifs couramment employés, on trouve : le volume de ventes par rapport au potentiel du territoire, les dépenses par rapport aux ventes, la proportion du quota réalisée, le nombre de nouveaux clients, le nombre de clients perdus et le nombre de commandes annulées. Des critères qualitatifs usuels sont : la réputation du vendeur auprès de la clientèle, les habiletés de vente, la qualité du travail administratif, la créativité dans la solution des problèmes et différentes caractéristiques personnelles telles l'enthousiasme, la coopération, l'apparence, l'initiative et la loyauté.

En général, la définition des critères d'évaluation ne pose pas trop de problèmes, ces critères se ressemblent beaucoup d'une firme à l'autre. Les problèmes surviennent surtout au niveau de leur application à l'évaluation des vendeurs. D'abord, il faut que la personne responsable de l'évaluation s'assure que les informations recueillies sur les critères sont exactes. Le manque de précision est fréquent dans le cas des critères qualitatifs, mais des erreurs peuvent aussi survenir au niveau des informations quantitatives. Il s'agit ensuite d'établir des scores de performance sur les différents critères. L'évaluation finale est obtenue en combinant ces scores de façon logique. Une simple sommation est une approche raisonnable dans beaucoup de situations, mais il est aussi possible de pondérer les scores de performance en fonction de l'importance relative que la firme accorde aux critères d'évaluation. L'interprétation des résultats de l'évaluation doit se faire avec précaution. La ou les personnes qui ont à évaluer les vendeurs doivent avoir accès à des informations complémentaires leur permettant de comprendre et, dans certains cas, de justifier certaines anomalies. Plusieurs facteurs peuvent expliquer une mauvaise performance : la situation familiale du vendeur, des changements survenus dans la structure concurrentielle du territoire, des problèmes d'approvisionnement des clients, des changements au niveau de la direction des ventes, etc.

L'analyse des ventes. La performance dans les ventes doit aussi être évaluée globalement. L'analyse des ventes est une procédure d'examen et de contrôle de la performance à l'échelle de l'organisation. Dans sa forme la plus simple, elle consiste à compiler les ventes totales de la firme dans le temps et à vérifier si les objectifs ont été réalisés. Afin d'avoir plus d'informations, on procède généralement à différentes ventilations des données de vente : par territoire, par produit ou ligne de produit, et par client ou marché. Les informations obtenues à partir de ces analyses sectorielles sont plus fines et aident à isoler les problèmes spécifiques.

Bien que le volume des ventes fournisse une indication valable de la performance de la firme, cette information est incomplète. Il faut aussi tenir compte des coûts impliqués. La Figure 9.10 présente un exemple fictif d'analyse de profitabilité pour la firme *Les Aliments Ault ltée.* Dans cet exemple, l'analyse est faite pour deux territoires desservis par la compagnie. Il est aussi possible de conduire ce type d'analyse pour différents segments de marché et différents produits.

figure 9.10 **Analyse de profitabilité de la firme *Les Aliments Ault ltée* (en milliers de $)**

	Région de Québec		Région de l'Estrie	
	1999	**2000**	**1999**	**2000**
Revenus des ventes	16 200	18 300	6 300	6 600
Coûts des produits vendus	11 700	14 000	5 100	5 350
Marge brute	**3 500**	**4 300**	**1 200**	**1 150**
Dépenses				
Salaires	100	105	100	105
Commissions	50	60	10	15
Bonis	20	25	—	—
Administration	35	45	30	45
Promotion	15	25	20	20
Total des dépenses	220	260	160	185
Contribution au profit	3 280	4 040	1 040	955

CONCLUSION

Les responsables du marketing insistent beaucoup sur la distinction entre le marketing et la vente. On dit souvent que l'entreprise ne doit pas chercher à vendre les produits qu'elle fabrique mais plutôt essayer de fabriquer les produits qu'elle peut vendre. C'est là le véritable esprit marketing. La distinction est importante, mais elle ne doit pas nous faire oublier que la vente fait partie du marketing. En dernière analyse, l'entreprise qui réussit est celle qui sait vendre ses produits. Bien entendu, cela dépend de sa capacité à évaluer correctement les besoins des consommateurs. Mais, encore faut-il convaincre ceux-ci que le produit permet de satisfaire leurs besoins.

Il faut communiquer. Il faut vendre !

EXERCICES ET SUJETS DE RÉFLEXTION

1. Considérez les données contenues dans la Figure 9.10. Faites une brève analyse de la situation. Quelles informations additionnelles souhaiteriez-vous avoir ?
2. Décidément, le « *homard* » semble une excellente idée de produit. Après avoir fait une étude de marché et réglé les problèmes de production, vous avez donc décidé de lancer le produit au Canada. Votre stratégie de marketing nécessite, entre autres, d'utiliser des vendeurs pour « pousser » le « *homard* » dans les grands magasins au détail tels *Sears*, *Zellers*, *Canadian Tire*, etc. À ce stade, vous

avez le choix entre recruter votre propre équipe de vente ou engager des vendeurs multicartes, c'est-à-dire des vendeurs qui représentent plusieurs compagnies comme la vôtre. Quels sont les avantages et les désavantages de chaque option ? Quelle est la meilleure stratégie ?

3. Vous êtes responsable du recrutement des vendeurs dans une firme qui fabrique des produits pharmaceutiques. On vous a demandé de trouver un représentant missionnaire pour la région de Montréal ouest. Les procédures de sélection que vous avez utilisées ont réduit le nombre de candidats à trois. Voici une brève description du profil de chacun :

Gilles : il a dix ans de métier dans la vente d'appareils électroménagers. Les lettres de recommandation qu'il a fournies sont excellentes. Il souhaite obtenir le poste pour pouvoir s'installer à Montréal. Gilles vient de divorcer et il a besoin de quitter la région de Québec qu'il habite présentement. C'est un individu très dynamique, âgé de 49 ans. Un bon vendeur à n'en pas douter.

Corinne : fraîchement diplômée d'une université montréalaise dans le domaine pharmaceutique, elle avoue qu'elle a développé le goût des affaires. Son ambition est de s'intégrer à la compagnie pour pouvoir éventuellement décrocher un poste de gestion. Elle a écrit dans sa lettre de présentation : « *Je crois sincèrement qu'il me faut d'abord être représentante au sein de votre compagnie avant d'accéder à un poste de cadre dans le département de marketing. Je suis prête à investir quelques années pour y parvenir.* »

Antoine : il a été représentant missionnaire pour une compagnie pharmaceutique concurrente pendant cinq ans. Il la quitte, dit-il « *...parce que les opportunités d'avancement sont très limitées.* » Il ne vous cache pas que son expérience dans le domaine est un atout : « *Je connais tous les médecins et leurs secrétaires. Croyez-moi, je serai très efficace et vous n'aurez pas besoin de m'entraîner.* »

Qui choisissez-vous ?

4. Voici les données mensuelles fictives d'un fleuriste de la ville de Trois-Rivières. Pouvez-vous établir une prévision des ventes pour les mois de janvier, février et mars 2001 ? Quelles sont les limites de votre analyse ?

	1998	1999	2000		1998	1999	2000
Janvier	12 701	12 536	23 192	**Juillet**	13 733	19 804	24 831
Février	22 609	24 399	36 625	**Août**	11 766	17 077	23 550
Mars	13 456	18 779	22 529	**Septembre**	12 733	16 596	23 508
Avril	26 488	29 169	39 835	**Octobre**	13 286	24 251	21 640
Mai	30 340	35 648	49 271	**Novembre**	15 416	23 975	27 326
Juin	14 153	22 088	26 231	**Décembre**	25 747	29 303	32 213

5. Vous avez reçu les résultats d'un travail de session dans le cours *Introduction au marketing* et vous croyez que vous méritez mieux que cela. Préparez un plan de la présentation que vous ferez au professeur pour lui « vendre » l'idée d'augmenter votre note.

6. « *Réussir dans la vente requiert plus que la connaissance des produits et des techniques de vente. Cela dépend beaucoup de l'attitude du vendeur et de sa personnalité* ». Commentez.

7. L'Illustration 9.2 présente la méthode *Xerox* qui utilise le jeu de rôle pour entraîner les vendeurs. Selon certains[8], le jeu de rôle est une technique d'entraînement intéressante mais elle ne remplacera jamais la réalité : on ne peut apprendre à devenir un vendeur que par la pratique sur le terrain. Qu'en pensez-vous ?

CAS-DISCUSSION

Le homard

Vous connaissez tous la fable de Perrette et du pot au lait. Qu'il est bon de rêver à tous les bénéfices futurs d'un marketing efficace ou, comme le disait plus poétiquement Jean de La Fontaine :

> « *Quel esprit ne bat la campagne ?*
> *Qui ne fait châteaux en Espagne ?* »

Figurez-vous que nos jeunes entrepreneurs rêvent de fonder leur propre compagnie *Ceres* inc., et d'embaucher leur fidèle ami Louis-Ovide B. Stair comme représentant des ventes. Et, comme Perrette, Alain se prend à rêver souvent. L'autre jour, il fit un songe étrange, dans lequel Louis-Ovide B. Stair faisait sa première visite de vente chez (ZZZ...) *Zellers.*

●●●

L.O.B. STAIR : *Bonjour. Monsieur Édouard Crevisse je présume ? Mon nom est Louis-Ovide Stair. Je représente la compagnie Ceres inc. qui fabrique des homards. Est-ce que je peux entrer ?*

É. CREVISSE : *(l'air absorbé) Heuh... oui, mais je ne peux pas vous accorder beaucoup de temps. Vous savez, ici le lundi il y a beaucoup de travail. Ceres vous dites ? Connais pas. Je croyais qu'on trouvait les homards dans la mer...*

L.O.B. STAIR : (tendant sa carte de visite) *Ceres est une nouvelle compagnie qui vient d'être créée. Nous fabriquons des homards. Tenez, voilà le bijou* (montrant un homard).

É. CREVISSE : *Et ça sert à quoi votre homard ? Oups... j'ai échappé quelque chose.*

L.O.B. STAIR : (s'empressant de ramasser la petite pince) *C'est rien, c'est rien... c'est juste la petite pince. Elle devait être mal ajustée. Bon, tenez, là elle est bien en place.*

É. CREVISSE : *Pas solide votre truc...*

L.O.B. STAIR : *Non, voyons, au contraire !* (hésitant) *C'est mon démonstrateur qui fait défaut. Croyez-moi, les homards que nous fabriquons sont d'excellente qualité. Ils sont faits pour durer.*

É. CREVISSE : *Je vous crois...* (regardant vers la porte, comme s'il souhaitait voir entrer quelqu'un).

L.O.B. STAIR : (résolument) *Monsieur Crevisse, vous êtes un homme occupé. Aussi, j'irai droit au but. Ma compagnie souhaite conclure une entente de distribution exclusive du homard avec la chaîne Zellers. Nous pensons qu'il s'agit d'un excellent produit. Tous les tests que nous avons faits auprès des consommateurs sont positifs. Pensez à tous les désagréments que cette petite merveille permet d'éviter. Nos études indiquent par ailleurs que ce sont les femmes qui…*

É. CREVISSE : (impatient) *Quels désagréments*?

L.O.B. STAIR : *J'y arrivais…* (reprenant son souffle) *Le homard est un produit révolutionnaire. Il permet de fixer solidement la porte du coffre arrière de la voiture afin d'y insérer des choses à transporter. Avec le homard, fini de chercher des ficelles, plus de danger d'endommager la voiture. Facile à installer et peu encombrant, il…*

É. CREVISSE : (très poli) *Je vous arrête tout de suite. Vous me parlez de toute évidence d'un produit pour l'automobile. Malheureusement, mon rayon c'est la quincaillerie. Il faut voir plutôt Monsieur Cage.*

L.O.B. STAIR : (déconcerté) *Ah bon… on m'avait pourtant dit que vous étiez responsable des achats…*

É. CREVISSE : (poli mais sec)… *des produits de quincaillerie. Allez voir Monsieur Cage. C'est le bureau au fond du corridor.*

L.O.B. STAIR : (visiblement découragé) *Je m'excuse de vous avoir importuné. Cage vous dites… Il est là vous croyez ?*

É. CREVISSE : (se levant et dirigeant son interlocuteur vers la porte) *Demandez à mon adjointe, elle vous le dira. Bonne journée*!

●●●

Louis-Ovide sortit. La porte claqua derrière lui, ce qui eut pour effet de tirer notre jeune entrepreneur de son rêve. Ah, que les réveils sont difficiles !

QUESTIONS

Quelles erreurs majeures Louis-Ovide B. Stair a-t-il commises ? Discutez de sa performance durant l'entretien de vente.

Malgré tout, aurait-il pu tirer de cet entretien des éléments positifs ? Comment ?

Que doit-il faire maintenant ?

NOTES

1. Ces données sont tirées de *Statistiques sur le revenu*, Édition 1998, Revenu Canada.
2. Carlton A. Peterson, Milburn D. Wright et Barton A. Weitz Selling, *Principles and Methods*, Neuvième édition, Homewood, Illinois, Irwin, 1988.
3. Voir Barton A. Weitz, Harish Sujan et Mita Sujan « Knowledge, Motivation and Adaptive Behavior : A Framework for Improving Selling Effectiveness », *Journal of Marketing*, 50, octobre 1986, pp. 174-191.
4. Ces études ont été réalisées par le *Technical Assistance Research Program* (TARP) mis sur pied par l'Université Harvard dans les années 1970. Voir le site Web suivant : http://www.e-satisfy.com/
5. Voir Alain d'Astous « L'adaptation stratégique des vendeurs aux situations de vente », *Recherche et Application en Marketing*, 12, (3), 1997, pp. 65-76.
6. Nous tenons à remercier Monsieur Louis Labranche, directeur des ventes chez SIBN, de nous avoir fourni cet exemple. Cet organigramme est une version légèrement modifiée de l'organigramme réel de l'organisation.
7. Un modèle mathématique d'optimisation du processus de recrutement de la force de vente est présenté par René Y. Darmon, *Management des Ressources Humaines des Forces de Vente*, Paris : Economica, 1993, pp. 104-116. Un programme interactif pour micro-ordinateur conçu pour faciliter l'utilisation de ce modèle est décrit par Alain d'Astous et Claude Brousseau dans « RECRUIT : A Micro-Computer Program to Optimize the Sales Recruiting Process », Document de travail #87-1, Faculté d'administration, Université de Sherbrooke, 1987.
8. Voir Alan Test « Role playing is not for me », *Marketing News*, 23 mai 1994, p. 4.

Chapitre 10

La distribution

Nous avons tous entendu dire par un inventeur optimiste ou par un homme d'affaires confiant *« mon produit est tellement bon qu'il se vendra tout seul »*. Rien n'est plus faux. Aucun produit ne se vend tout seul. Même si la publicité et la promotion sont réduites au minimum, il faut toujours le distribuer, c'est-à-dire l'acheminer vers l'acheteur ou les points de vente où viendront les acheteurs.

Le mot **distribution** est utilisé en marketing sous deux acceptions distinctes :

1. la **distribution au sens large** désigne le transfert des biens et des services du producteur aux consommateurs. Elle recouvre un ensemble de décisions concernant le choix des circuits de distribution et des intermédiaires, la couverture du marché, la disponibilité du produit en magasin, etc.

Distribution : ensemble des moyens, des opérations et des décisions permettant de mettre les biens et les services produits par les entreprises à la disposition des consommateurs finals.

Circuits (canaux) de distribution : succession d'intermédiaires, d'entreprises ou d'industries qui acheminent un produit du producteur aux consommateurs.

2. la **distribution physique** consiste à mettre matériellement les biens et les services à la disposition des consommateurs. Elle recouvre donc de façon plus spécifique les tâches liées à la planification et à la mise en place de

flux physiques de marchandises, depuis leur point d'origine ou de fabrication jusqu'aux points de vente.

Distribution physique : ensemble des activités exercées par une entreprise pour entreposer, transporter et assurer le mouvement efficace des marchandises, afin qu'elles soient disponibles à l'endroit et au moment appropriés.

Les principales activités de la distribution physique comprennent le service à la clientèle, le contrôle des stocks, la manutention des produits, le traitement des commandes, la sélection de l'emplacement des entrepôts, le transport et l'entreposage.

La fonction de distribution est essentielle tant à la bonne marche de l'entreprise qu'au fonctionnement harmonieux de la société moderne. Pensez seulement aux embouteillages en ville lorsque la société de transports urbains cesse de distribuer ses services en raison d'un conflit de travail, ou aux dangers que courrait la population, si la distribution de certains services essentiels était interrompue. Hydro-Québec en sait quelque chose…

Pour notre société de relative opulence, on en vient à considérer que la distribution va de soi et on trouve normal de trouver de tout partout. Les magasins sont bien approvisionnés. Nous faut-il une pièce de rechange pour l'automobile ou pour un appareil domestique ? Elle est probablement en stock chez le dépositaire local, ou bien celui-ci pourra la faire venir en moins d'une semaine. Entrons chez un détaillant de radios et téléviseurs ; ses produits viennent de tous les coins du monde et chacun contient des composants fabriqués dans plusieurs pays. Tout cela nous semble normal parce que la fonction de distribution est bien assurée dans notre société occidentale, mais il suffit de sortir de l'hémisphère nord pour se rendre compte que l'insuffisance de la distribution est une marque de sous-développement, au même titre que les carences de production. Au Canada, les problèmes de marketing les plus fréquents sont relatifs à d'autres variables du marketing-mix que la distribution, alors que dans les pays en voie de développement, le premier obstacle de marketing rencontré par les producteurs est un problème de transport de marchandises du lieu de production aux lieux de consommation.

Pour assurer convenablement la fonction de distribution, l'entreprise doit prendre un ensemble de décision stratégiques qui entraîneront des décisions tactiques.

Exemple : *Décision stratégique : un fabricant de maisons mobiles hésite entre vendre lui-même ses modèles en région ou les distribuer dans l'ensemble du Québec via un réseau de distributeurs.*

Décision tactique : vaut-il mieux attirer les clients afin qu'ils viennent voir les modèles à l'usine ou est-il préférable d'exposer les modèles dans plusieurs centres commerciaux ?

Les décisions stratégiques ont des répercussions sur les autres variables du marketing-mix. Les décisions tactiques concernent la mise en œuvre des actions stratégiques. Il faut que toutes les décisions forment un ensemble cohérent : ainsi la décision (stratégique) d'*Agropur* d'augmenter le nombre moyen de pots de yogourt *Yoplait* disponibles dans chaque supermarché entraîna la décision (tactique) de modifier la forme des pots (cylindriques au lieu de coniques) et de relier 4 pots entre eux par une membrane de plastique. L'entreposage des « multi-packs » est plus facile, on peut les empiler plus haut dans une gondole réfrigérée, et le consommateur aura tendance à acheter quatre pots plutôt que de briser la membrane les reliant pour n'en acheter qu'un, deux ou trois.

Non seulement les décisions de distribution doivent-elles être cohérentes entre elles, mais elles doivent aussi s'intégrer dans un marketing-mix harmonieux. Une distribution sélective dans des boutiques spécialisées, va généralement de pair avec un produit de luxe, un prix élevé et une publicité de prestige. Il est essentiel d'aborder les décisions concernant la fonction de distribution comme faisant partie d'un ensemble plus vaste : la stratégie de marketing.

La nature des circuits de distribution

Un circuit de distribution devient nécessaire dès lors que le lieu de production d'un bien ou d'un service ne coïncide pas avec son lieu de consommation. Un restaurant n'a pas besoin de circuit de distribution, car les clients viennent sur place, mais un producteur de bâtons de hockey de Victoriaville doit se préoccuper d'acheminer ses produits vers tous les joueurs de hockey du Canada et même à l'étranger, il doit avoir recours à des intermédiaires de distribution.

Les fonctions des intermédiaires

Les intermédiaires, grossistes ou détaillants, remplissent cinq fonctions essentielles de la distribution :

1. le **transport** : il va de soi que l'activité essentielle vise le transport physique des produits du lieu de fabrication aux lieux d'achat. À cela s'ajoute l'éclatement des produits, c'est-à-dire leur mise en disponibilité dans un marché géographiquement dispersé.

   Agropur doit assurer le transport de ses produits laitiers depuis Granby jusqu'à ses points de vente à travers le Québec et l'Ontario.

2. le **fractionnement** : la production se faisant en grande quantité, il convient de diviser les produits en lots et conditionnements correspondant aux besoins de chaque client et utilisateur.

   Les camions de livraison des Aliments Delisle transportent le yogourt par caisse de 24 pots de 125g et 175g et des caisses de 6 contenants de 750g et 1kg. Dans les centres de distribution, ces caisses sont empilées sur des palettes (98 caisses/palette) puis acheminées vers les magasins de détail.

   Dans le cas des supermarchés, le livreur fait un simple ***dépôt*** *(en anglais : drop shipment) à l'entrepôt du supermarché, tandis que le livreur* ***agence*** *directement les yogourts sur les tablettes des magasins d'accommodation (en anglais : rack jobbing).*

3. l'**assortiment** : il s'agit de constituer un ensemble comprenant divers modèles d'un même produit ou de produits complémentaires et/ou concurrents, de façon à mieux s'adapter aux situations de consommation et à offrir un plus grand choix à la clientèle.

   Les yogourts Delisle sont disponibles en quatre formats – 125g (paquet de deux), 175g, 750g et 1 kilo – et offerts en 16 saveurs pour satisfaire tous les goûts. Plusieurs saveurs sont d'ailleurs uniques à Delisle.

4. le **stockage** : pour qu'un produit soit constamment disponible au point de vente, les intermédiaires doivent maintenir des inventaires ou des stocks.

La durée de vie du yogourt est de 28 jours. La date d'expiration est marquée sur chaque pot. Les détaillants sont incités à se réapprovisionner au moins une fois par semaine et à retirer ceux qui n'ont pas été vendus des tablettes 4 jours avant leur date d'expiration.

5. l'**information** : alors que le produit « descend » le canal de distribution, du producteur au consommateur, l'information ou *feed-back* remonte des consommateurs au producteur via les intermédiaires. Le détaillant écoute les réactions et les préoccupations des consommateurs, les grossistes en sont informés et sont au fait des problèmes rencontrés par les détaillants. L'ensemble de l'information remonte vers le producteur qui modifie son offre en conséquence.

La mise en marché de la boisson lactée YOP, l'introduction de nouvelles saveurs de yogourt aux fruits et la modification du conditionnement de YOPLAIT ont fait suite à des suggestions des consommateurs et des détaillants.

Retenons que : La distribution implique un ensemble de travaux de la part des intermédiaires. Il faut s'assurer qu'ils sont bien FAITS (**F**ractionnement, **A**ssortiment, **I**nformation, **T**ransport, **S**tockage), faute de quoi, non seulement la distribution mais encore la stratégie de marketing tout entière sera menacée.

Faut-il supprimer les intermédiaires ?

On accuse parfois les intermédiaires d'être responsables des prix élevés au détail. Ces derniers incorporent les marges substantielles que les intermédiaires prélèvent au passage. Selon cette vision, les intermédiaires ne seraient que des parasites vivant aux crochets du consommateur. Rappelez-vous de l'exemple de la bouteille d'eau de l'Illustration 6.1 : les marges du grossiste et du détaillant représentent près de 40 % du prix au consommateur.

On peut rétorquer à cela que les intermédiaires remplissent une fonction importante que le consommateur n'apprécie pas dans la mesure où elle est bien remplie. Le consommateur en effet trouve normal de rencontrer les produits qu'il désire, au lieu choisi et en quantités voulues. En serait-il de même si l'on supprimait les intermédiaires ? Vraisemblablement pas, car la plupart des firmes productrices des biens de consommation n'ont pas les moyens techniques, humains et financiers d'assumer les cinq FAITS (voir plus haut) de la fonction de distribution.

figure 10.1 **Le principe de démultiplication des transactions**

1. Distribution **sans** intermédiaire

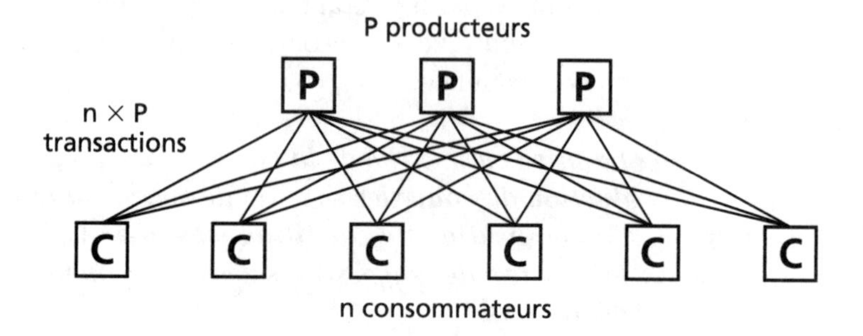

2. Distribution **avec** intermédiaire I

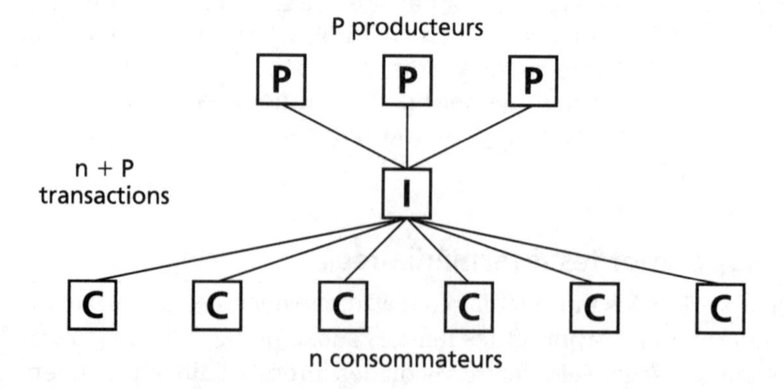

Les intermédiaires rendent un service aux producteurs et aux consommateurs en les rapprochant et en facilitant l'échange qui est à la base de toute transaction commerciale. Dans bien des cas, les intermédiaires réduisent les coûts de distribution. En effet, supposons que trois producteurs désirent offrir chacun un produit à six consommateurs. S'ils distribuent leurs produits « directement du producteur au consommateur », c'est-à-dire sans intermédiaire, il y aura 3 X 6 = 18 transactions (Figure 10.1 [1]). Supposons maintenant qu'ils passent par un intermédiaire, le nombre de transactions est réduit à 3 + 6 = 9 (Figure 10.1 [2]).

En diminuant le nombre de contacts nécessaires entre l'ensemble des producteurs et celui des consommateurs, les intermédiaires rendent le système de distribution efficace. Pensez au nombre de produits de consommation que vous achetez tous les mois, auriez-vous le temps de faire autre chose que magasiner, si vous deviez pour chacun faire affaire directement avec le producteur ?

La question n'est donc pas de supprimer les intermédiaires, mais plutôt de concevoir un système de distribution efficace dans lequel chaque intermédiaire apporte une contribution réelle en permettant de :

- réaliser des **économies d'échelle**, en regroupant en un même site l'offre de plusieurs producteurs. Cela est particulièrement vrai pour les produits nécessitant un stockage dans des conditions spéciales de température (entrepôts réfrigérés, silos à grains, etc.)
- offrir l'**assortiment désiré par le client** : ce dernier veut un choix de produits et de marques. Les détaillants constituent l'assortiment qui leur paraît susceptible d'attirer la clientèle.
- **réduire les besoins de fonds de roulement**. En effet, chaque intermédiaire vend à un terme plus court qu'il ne paie, il réduit ainsi ses besoins de liquidités en faisant financer une partie des opérations par ses clients. Ainsi, les détaillants vendent au comptant, mais paient les grossistes à 30 ou 60 jours. Ils peuvent donc disposer de l'argent des clients pendant un ou deux mois avant de payer leurs fournisseurs.
- **améliorer le service à la clientèle**. Un bon producteur n'est pas toujours un bon distributeur. Ce sont deux métiers différents faisant appel à des qualités différentes. La présence d'intermédiaires renforce la spécialisation des fonctions, permettant à chacun de faire ce qu'il sait le mieux faire.

Supprimer un intermédiaire est justifié lorsque le producteur peut assumer le rôle de l'intermédiaire et ses fonctions à un moindre coût. Trop souvent cependant, on supprime un intermédiaire pour économiser la marge qu'il retenait, sans se rendre compte de la contribution qu'il apportait à l'effort total de marketing déployé par tous les intervenants (producteur et les intermédiaires). Tous forment une chaîne pour acheminer le produit au consommateur, en supprimant un maillon, il faut s'assurer de ne pas l'affaiblir.

Les systèmes de distribution

Un système de distribution est nécessaire pour acheminer le produit du fabricant aux consommateurs.

Système de distribution : organisation et définition des tâches des intervenants (producteur et intermédiaires) dans la distribution d'un bien ou service.

On distingue quatre systèmes de distribution possibles : la distribution directe, le réseau indépendant, les systèmes verticaux et les systèmes horizontaux de marketing. Examinons-les à tour de rôle.

La distribution directe

Le marketing direct et la vente directe connaissent actuellement un formidable essor, tant en Amérique qu'en Europe. De quoi s'agit-il? Selon la « Direct Marketing Association » :

« Le marketing direct est un système interactif de marketing qui utilise un ou plusieurs médias publicitaires pour obtenir une réponse mesurable et/ou une transaction »

Lorsqu'une chaîne de télévision organise un téléthon, elle fait du **marketing direct**. Quand, sur un autre canal, on vous offre « la collection des plus grands succès musicaux des années '60, en 8 cassettes ou 2 CD, pour seulement 23,95 $ + T.P.S. », il s'agit de **vente directe**. D'une part, la prolifération des ordinateurs, des babillards électroniques, des réseaux de courrier électronique dont notamment l'*Internet* et, d'autre part, le manque de temps pour faire du magasinage chez les ménages où les deux conjoints travaillent, convergent pour assurer le développement de la distribution directe dans les années à venir.

Dans un système de distribution directe, le producteur vend au consommateur sans passer par un intermédiaire. Le producteur doit solliciter directement le consommateur à la fois pour l'informer de l'offre qu'il lui fait, et pour recevoir sa commande et son paiement. Parmi les formes les plus courantes de distribution directe, retenons :

- la **vente par correspondance** : analysez le courrier que vous avez reçu la semaine dernière, il serait bien étonnant que vous n'ayez pas reçu d'offre assortie de bon de commande à renvoyer avec un chèque.

- la **vente par petites annonces** : voir votre journal favori.
- la **vente par catalogue** : à l'origine cette forme de vente qui consiste à envoyer un catalogue de produits par la poste, puis à laisser le client faire son choix et passer sa commande par la poste, avait été mise au point pour rejoindre les familles habitant les zones rurales. Aujourd'hui, les firmes de vente par catalogue (ex. : *Sears*) rejoignent aussi une clientèle urbaine qui n'a pas toujours le temps de magasiner.
- la **vente par machines distributrices** : environ 150 000 machines distributrices au Canada réalisent près de 400 $ millions de ventes annuelles. Ce mode de distribution n'est possible que pour les produits de faible prix unitaire, de petite taille, de faible poids et non-périssables. De plus, les produits doivent être prévendus par une publicité intensive (stratégie d'aspiration). Par exemple, les boissons gazeuses, la gomme à mâcher, etc.
- le **démarchage** ou **vente de porte en porte** : c'est la forme la plus ancienne de distribution. Vous avez sûrement déjà ouvert votre porte à un démarcheur qui vous proposait des tapis, des services d'entretien de pelouse, de ramonage de cheminée, etc. Comment avez-vous réagi ? Pourquoi ? Vous lui avez peut-être claqué la porte au nez parce qu'il vous dérangeait. Pour éviter l'intrusion au mauvais moment, plusieurs firmes ont imaginé d'organiser des réunions entre voisins durant desquelles un représentant vient faire la démonstration de ses produits. Des firmes comme *Tupperware* (fournitures de plastique pour la cuisine) et *Mary Kay* (produits cosmétiques) utilisent cette forme de vente.
- la **vente d'entrepôt** : plusieurs fabricants de tapis, de chaussures et de textiles, par exemple, offrent à la clientèle de venir s'approvisionner directement à l'usine ou à l'entrepôt, à meilleur prix.
- le **télémarketing** : (vente par téléphone, radio et télévision) : un grand nombre de commerces, par exemple dans les domaines de la location d'outils ou d'automobiles, la réparation et l'entretien des maisons, etc., se contentent de figurer dans les pages jaunes de l'annuaire téléphonique et d'attendre que vous fassiez marcher vos doigts, ainsi que vous y incite la publicité

figure 10.2 **Les pages jaunes, moyen d'information, de publicité et de distribution directe**

D'autres entreprises font de la sollicitation directe par téléphone ; des firmes spécialisées en télémarketing offrent en effet d'appeler des clients potentiels, soit personnellement soit par ordinateur. Dans ce dernier cas, un message contenant l'offre est enregistré sur bande magnétique et diffusé par l'ordinateur qui compose automatiquement des numéros d'appel à l'intérieur d'une région ou d'une zone. Le télémarketing connaît actuellement deux nouveaux axes de développement : d'une part le **téléachat,** ou marketing par télévision câblée (exemple : *The Shopping Channel* (www.tsc.ca) diffuse des messages de vente sur un canal qui atteint plus de 5 millions de foyers au Canada ; les téléspectateurs passent leurs commandes en appelant un numéro sans frais d'appel), d'autre part le **télémagasinage** qui permet aux foyers dotés d'un ordinateur, d'accéder directement à plusieurs catalogues et de passer les commandes par ordinateur. Le TV marketing et le télémagasinage se développent très rapidement et conduisent certains experts en marketing à penser qu'ils deviendront les systèmes de distribution privilégiés de demain, aux dépens des systèmes traditionnels qui font appel à une chaîne d'intermédiaires et à des magasins. Nous reviendrons sur ce sujet dans la section *Commerce électronique.*

Le réseau indépendant

Dans un réseau indépendant, chaque intermédiaire, grossiste ou détaillant n'est lié aux autres intervenants que par des relations d'approvisionnement ou de vente.

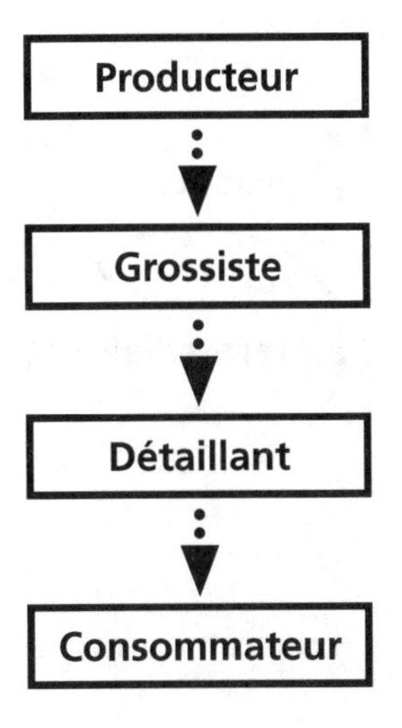

Grossiste (ou distributeur) : entreprise ou intermédiaire qui achète la marchandise en grande quantité, ou « en gros », pour la fractionner et la revendre à des détaillants.

Détaillant : entreprise ou intermédiaire qui vend « au détail », c'est-à-dire au consommateur final.

Le grossiste et le détaillant sont des entreprises indépendantes qui peuvent à tout moment décider de changer de source d'approvisionnement. Il est courant de voir, par exemple, les installateurs-détaillants de systèmes d'échappement pour automobile, changer plusieurs fois de fournisseur au cours d'une même année, faisant la navette entre les deux plus grands fabricants *Monroe* et *Gabriel*. Dans un réseau indépendant, le producteur a très peu de contrôle sur les intermédiaires. Ces derniers témoignent peu de loyauté aux fournisseurs, tendent à faire de la surenchère et à traiter avec le plus offrant.

Les systèmes verticaux de marketing

Dans un système vertical de marketing, les intervenants sont liés entre eux, ce que symbolisent les deux maillons de chaîne dans le schéma ci-contre. Producteur et intermédiaires forment un système unifié.

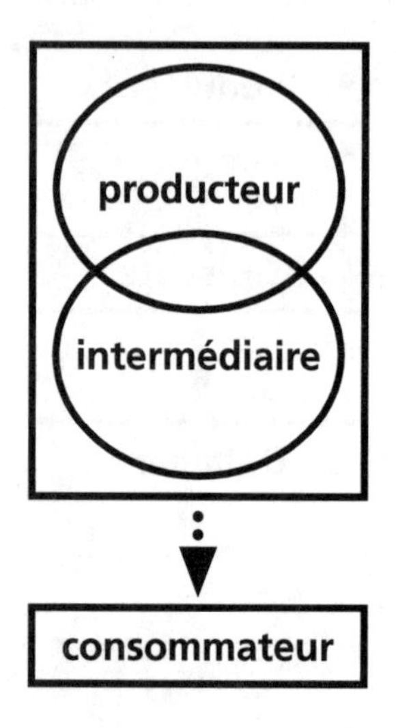

De façon générale, il peut exister trois types de liens de dépendance entre les entreprises, qui les forcent à unifier ou du moins à coordonner leurs actions :

- le **lien de propriété** : une entreprise qui possède une partie importante du capital d'une autre entreprise est en mesure de lui dicter sa stratégie. Cette relation existe entre maison-mère et filiales.
- le **lien contractuel** : deux entreprises peuvent convenir par contrat de coordonner leurs stratégies et de faire ce que l'on appelle une *alliance stratégique.*
- le **lien d'approvisionnement** : lorsqu'une entreprise dépend d'un seul fournisseur pour son approvisionnement en matières premières ou en marchandises, le fournisseur a une grande influence sur sa stratégie.

Les systèmes verticaux de marketing peuvent se classer en trois catégories correspondant aux trois types de liens unissant le producteur et les intermédiaires.

- **le système vertical intégré** (lien de propriété) : dans un tel système, les intermédiaires, grossistes ou détaillants appartiennent au producteur.

  Exemple : les chaussures Bata.

- **le système vertical dirigé** (lien d'approvisionnement) : les consommateurs s'attendent à trouver chez les détaillants certaines grandes marques leaders, par exemple dans le domaine de l'alimentation : *Heinz, Quaker Oats, Coca Cola / Minute Maid*. Cela place les fournisseurs de ces marques dans une position de force par rapport aux détaillants. Les grandes marques ont ce que l'on appelle un **pouvoir de marché**, c'est-à-dire qu'elles peuvent dicter des règles de conduite aux détaillants, notamment en ce qui concerne l'assortiment à offrir, l'espace dans le magasin à consacrer à leur marque, les présentoirs, etc. Le même pouvoir de marché peut être utilisé pour imposer des normes techniques que les concurrents moins puissants seront forcés d'adopter. Par exemple, *IBM* a « imposé » la norme des micro-ordinateurs et les concurrents sont « forcés » d'offrir des équipements compatibles avec *IBM*. De même, *Microsoft* imposa *Windows* comme système opérationnel pour les nouveaux logiciels apparaissant sur le marché.

  L'utilisation du pouvoir de marché en distribution permet au producteur d'imposer sa loi aux détaillants, ceux-ci ne voulant pas risquer de le perdre comme fournisseur. On dit dans ce cas que le système de distribution est **dirigé** par le producteur.
- **le système vertical contractuel** (lien contractuel) : les intermédiaires d'un tel système sont légalement indépendants, mais signent un contrat les obligeant à suivre certaines règles d'opération concernant le nom de marque, l'assortiment de produits, le service, les prix, l'approvisionnement, etc. Le restaurant *McDonald* près de chez vous, appartient à un entrepreneur indépendant, toutefois, ce dernier a signé un contrat avec la firme *McDonald* l'autorisant à opérer sous le nom *McDonald* et l'assujettissant à un certain nombre de règles
- Le **franchisage** (*franchising*) est le système vertical contractuel le plus répandu. Il représente près de 20 % du commerce de détail au Canada.

Qu'est-ce qu'une franchise ? C'est un accord entre le détenteur d'une marque et d'un savoir-faire — le **franchiseur** — et des négociants désireux d'utiliser cette marque et ce savoir-faire — les **franchisés**.

Au terme de l'accord de franchise, le franchiseur concède aux franchisés le droit d'utiliser sa marque de commerce (par exemple, *Pierre Cardin*, *Rodier*, *H & R Block*, *Hilton*), leur transmet son expertise technique et commerciale, et fait des apports permanents (par exemple, support publicitaire, conseils de gestion, approvisionnement). En contrepartie, les franchisés payent au franchiseur un droit d'entrée ou une redevance initiale forfaitaire payée à la signature du contrat, et des redevances *(royalties)*, c'est-à-dire un pourcentage prélevé sur les ventes. Les redevances varient généralement entre 3 % et 7 %, tandis que le droit d'entrée peut atteindre 500 000 $ et plus dans le cas de franchises ayant un fort pouvoir d'attraction sur la clientèle (ex. : McDonald, KFC).

Il existe une grande variété de franchises. Parmi les plus courantes :

- franchises de détail — ex. : *McDonald* et la plupart des firmes de restauration rapide;
- franchises de distribution — ex. : *Chrysler* et toutes les concessions automobiles;
- franchises de distributeurs — ex. : embouteilleurs de *Coca-Cola*.

Illustration 10.1

La protection des marques et du savoir-faire

Il est essentiel pour un inventeur de protéger son savoir-faire, ses procédés de fabrication et son produit contre la contrefaçon. Il est aussi important pour une firme qui a investi de fortes sommes d'argent en publicité pour se faire connaître, de protéger sa marque contre le piratage.

Comment faire ?

Une marque peut être déposée au bureau des marques et brevets (fédéral). Le dépôt assure l'exclusivité de la marque et des symboles associés à la marque (logotypes). Pratiquement toutes les marques de produits connus sont déposées. Regardez une canette de boisson gazeuse et vous y lirez l'inscription « *marque déposée* ».

Un brevet (en anglais : *patent*) est délivré par l'état pour conférer à un inventeur un monopole d'exploitation pendant une durée limitée (16 ans en général). Le produit ou le savoir-faire doit réunir trois caractéristiques pour être brevetable :

- il doit être nouveau;
- il ne doit pas être évident;
- il doit être utile à l'industrie.

La protection des marques, du savoir-faire et des œuvres littéraires fait l'objet du *Droit de la Propriété Industrielle,* régi par des conventions internationales qui ont abouti à la création de l'Office Mondial de la Propriété intellectuelle (OMPI) en 1967.

Le mot « franchise » est aussi utilisé génériquement pour désigner l'accès à un nom de marque ou à une exclusivité territoriale. Ainsi la *Ligue Nationale de Hockey* accorde des « franchises », c'est-à-dire le droit d'avoir une équipe dans une ville. N'importe quel artiste, sportif ou personnage célèbre qui fait commerce de l'usage de son nom est de ce point de vue un franchiseur.

Une **coopérative** est une franchise dans laquelle le franchiseur appartient collectivement aux franchisés. Ces derniers agissant comme franchiseur co-optent (recrutent) de nouveaux affiliés. Ainsi, chaque membre d'une coopérative est à la fois franchisé (affilié) et possède des parts de franchiseur (co-opérateur). Les coopératives de détail que l'on retrouve surtout dans les domaines de la ferronnerie, de la quincaillerie, de l'outillage et du jardinage ont été formées à l'initiative de détaillants désireux de grouper leurs achats et de constituer une centrale d'achat afin d'obtenir de meilleures conditions de leurs fournisseurs.

Les **chaînes volontaires** sont des franchises dues à l'initiative de grossistes. Ceux-ci, agissant comme franchiseur, signent un contrat d'affiliation avec des détaillants, aux termes duquel les détaillants affiliés s'approvisionnent chez le grossiste-franchiseur, opèrent sous le même nom (par exemple *Pharmaprix*) et suivent certaines règles de gestion communes à tous.

Dans le domaine industriel, l'**accord de licence** (en anglais : *licensing*) s'apparente au franchisage. Dans un tel accord, le concédant ou donneur de licence transmet au licencié un savoir-faire technique *(know-how)* et l'autorise à fabriquer, assembler et commercialiser un bien industriel sous une marque donnée. La marque et le savoir-faire du concédant sont le plus souvent protégés (voir l'Illustration 10.1).

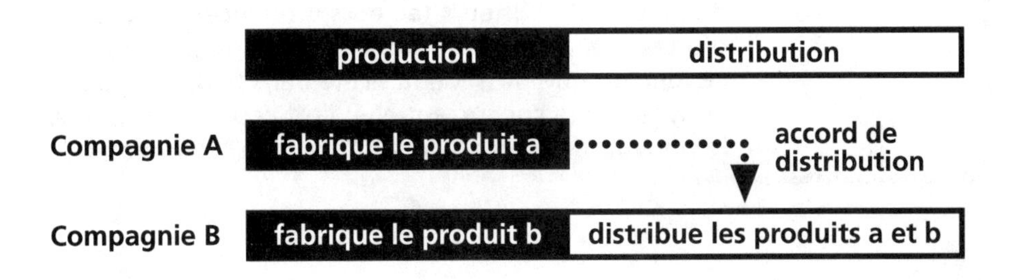

L'organisation et la gestion d'un réseau de vente et de distribution seraient trop onéreuses pour une entreprise qui fabriquerait une gamme limitée de produits. Imaginez une firme [A] qui monterait tout un réseau pour ne vendre que des « *homards* » (produit a), le coût du réseau serait prohibitif. Que faire ? Contacter une entreprise [B] possédant déjà un réseau de distribution orienté vers le même segment de clientèle et négocier un **accord de distribution**, aux termes duquel l'entreprise [B] accepte de distribuer le produit (a) de l'entreprise [A] et de l'ajouter à sa propre gamme (b). Ainsi [A] sous-traite la fonction de distribution de son produit à [B]. [B] est rémunéré par une commission sur les ventes du produit (a). Les accords de distribution, connus sous leur nom anglais de *piggy-back**, connaissent actuellement un grand essor du fait de la difficulté qu'ont les petites entreprises à forcer les réseaux de distribution de grandes firmes dominant leur marché. Plutôt que de se battre contre plus fort qu'elles, les petites entreprises ont souvent avantage à faire une alliance stratégique, autre vocable parfois utilisé pour désigner les accords de distribution.

Vicon Industries *est un manufacturier américain de produits vidéo. En 1989,* Vicon *mit au point un système de surveillance électronique pour prévenir le vol à l'étalage dans les grands magasins. N'ayant pas d'expérience dans ce nouveau marché pour eux, les dirigeants de* Vicon *négocièrent une entente avec* Knogo Corporation, *la plus grande firme de systèmes commerciaux d'alarme électronique. Aux termes de cette alliance stratégique,* Knogo *distribue le produit sous le nom de «* Knogo Surveillor *fabriqué par* Vicon », *et l'incorpore à sa gamme d'appareils de détection.*

Retenons que : Il existe quatre systèmes de distribution de base : la distribution directe (vente par correspondance, par machines distributrices, *Internet*, etc.), le réseau indépendant (producteur ► grossiste ► détaillant ► consommateur), les systèmes verticaux (intégrés, dirigés ou contractuels) et les systèmes horizontaux (impliquant des accords de distribution). Plusieurs facteurs influencent le choix d'un système de distribution : le type de produit, l'expertise que possède la firme dans la distribution, la dynamique concurrentielle, l'efficacité du système, le pouvoir de marché de la firme et la technologie.

Du producteur au consommateur

Regardons de plus près un système de distribution pour observer le circuit que suit le produit du producteur jusqu'au consommateur. Il emprunte parfois un circuit court — peu d'intermédiaires — parfois un circuit long (Figure 10.3).

* Piggy-back : littéralement, le mot signifie « jouer à saute-mouton ».

figure 10.3 **Les circuits de distribution**

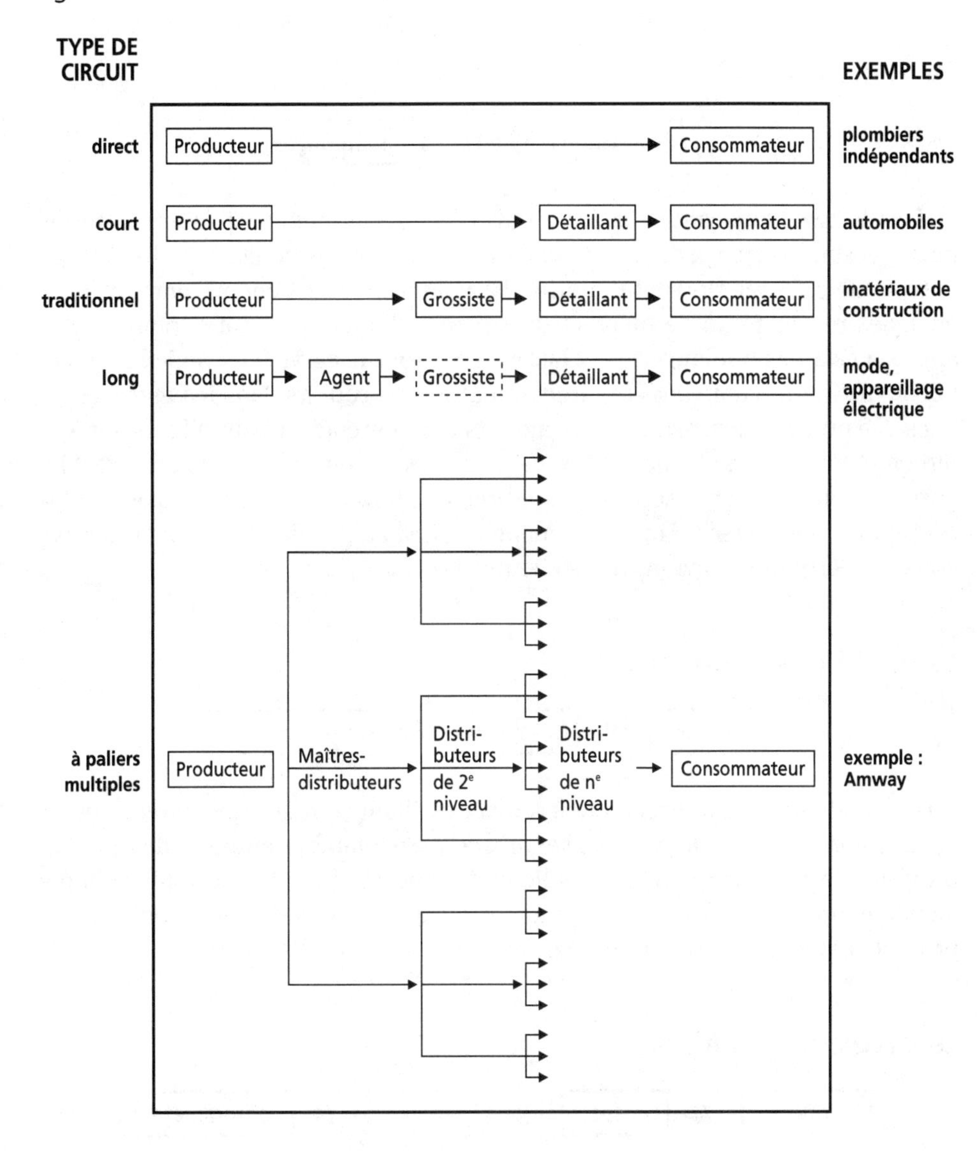

Voici quelques exemples de système de distribution :

La vente directe

C'est le circuit marketing le plus court et le plus direct puisqu'aucun intermédiaire n'est utilisé. Le producteur vend directement ses produits à l'utilisateur par le biais de sa force de vente interne. La voie directe est encore employée par quelques producteurs de biens et de services d'utilité courante comme, entre autres, certaines boulangeries et laiteries qui font le service à domicile, ou certains cultivateurs qui vendent directement leurs produits dans les marchés publics. De nombreux artisans indépendants commercialisent aussi leurs services directement. Il en va de même dans les cas où la valeur de la transaction est importante, où les clients sont peu nombreux et lors de la vente de biens industriels non standardisés. Ainsi, la compagnie *Bombardier* livre elle-même ses wagons de métro et ses avions à ses clients.

La vente par détaillants

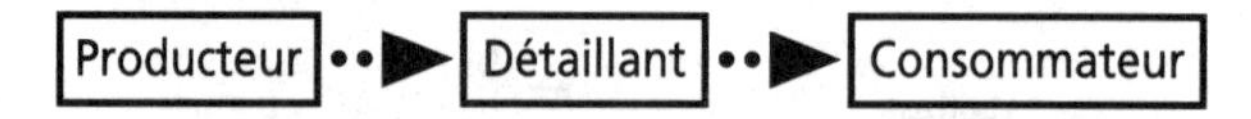

Le producteur vend directement à des détaillants qui eux se chargent de les offrir à leur clientèle. On peut penser aux concessionnaires automobiles qui s'approvisionnent directement sur les lieux de fabrication, ou encore plus simplement aux producteurs locaux de pommes ou de sirop d'érable qui écoulent leurs produits dans quelques commerces de fruits et légumes.

Le circuit traditionnel

Le circuit traditionnel est le plus courant, que ce soit dans un réseau indépendant, vertical intégré, dirigé ou contractuel. On le retrouve aussi bien dans la distribution des biens de consommation que dans celle des biens industriels.

Le circuit traditionnel réduit les coûts de distribution du producteur, en les transférant à deux paliers d'intermédiaires, chacun ayant des fonctions spécifiques ainsi qu'on l'a vu au début de ce chapitre.

La vente par agents manufacturiers

La différence entre un **agent** ou un **courtier** et un **distributeur** est qu'un agent n'achète pas la marchandise, il n'en est jamais propriétaire, mais il agit dans la chaîne de distribution pour le compte du producteur, il le représente auprès des grossistes ou des détaillants. Un distributeur ou un grossiste achète la marchandise du producteur*.

L'agent manufacturier effectue à l'occasion des tâches de finition, d'assemblage, de fractionnement et de conditionnement pour le compte du fabricant.

Ce sont surtout les firmes manquant d'expérience ou de ressources pour avoir leur propre force de vente qui font appel aux agents manufacturiers. Ces derniers travaillent à la commission (généralement de l'ordre de 3 % à 6 %).

La vente à paliers multiples

Dans un circuit à paliers multiples, le nombre d'intermédiaires est théoriquement infini. Un **maître-distributeur** recrute le plus de distributeurs possibles, ceux-ci recrutent des sous-distributeurs, et ainsi de suite. Chaque recrue paye un droit d'entrée dans la chaîne de distribution. Les droits d'entrée des nouveaux venus viennent rémunérer les distributeurs déjà en place. Attention! la plupart des systèmes à paliers multiples sont des **fraudes pyramidales** (voir chapitre 12, illustration12.2) dans lesquelles l'activité commerciale est accessoire par rapport à l'activité de recrutement, beaucoup plus lucrative. Ce sont toujours les derniers recrutés qui perdent le plus, car ils ne peuvent pas récupérer leurs droits d'entrée en attirant de nouvelles victimes. Les fraudes pyramidales sont passibles d'amendes et de peines d'emprisonnement pour leurs instigateurs.

Un système à paliers multiples est cependant légal dans la mesure où l'existence du produit est démontrée et où la distribution du produit n'est pas une activité accessoire de l'activité de recrutement des distributeurs.

---

* On retrouve cette distinction en marketing international entre un **agent importateur** et un **distributeur importateur**.

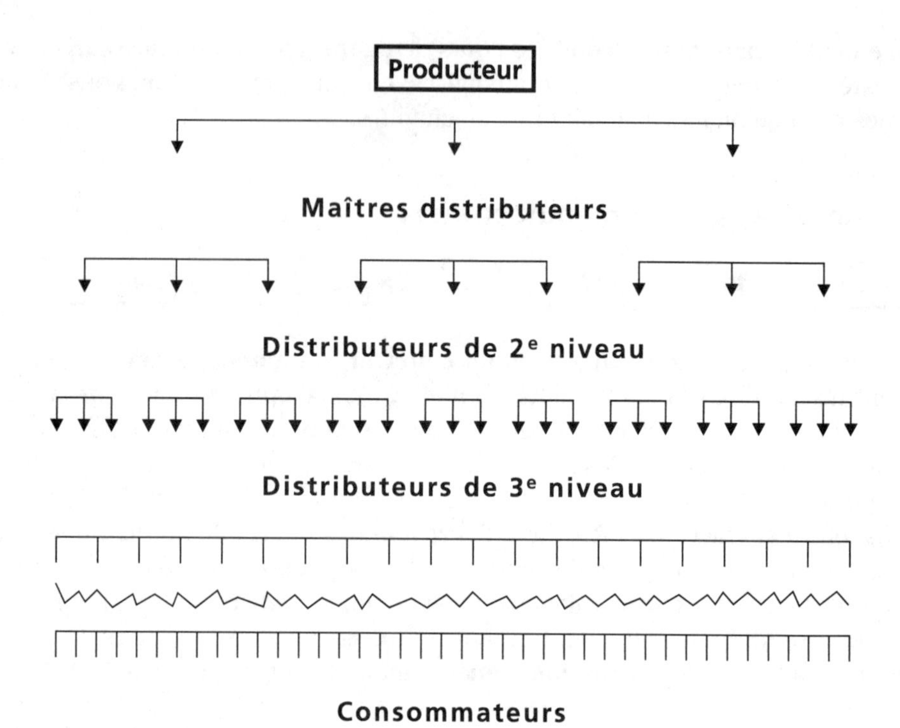

Commerce de gros et commerce de détail

Les détaillants et les grossistes constituent les intermédiaires les plus fréquemment empruntés dans la distribution. La plupart des biens et des marchandises dirigés vers les consommateurs passent entre les mains de l'un et/ou de l'autre de ces intermédiaires de gros ou de détail. L'importance de ces derniers dans l'économie canadienne et québécoise est donc indéniable.

Les fonctions accomplies, la taille, l'éventail et le type de produits vendus sont autant de facteurs qui caractérisent les différents grossistes. Les **grossistes généraux** vendent plusieurs gammes de marchandises, les **grossistes à lignes de produits limités** ne vendent qu'une ou deux lignes de marchandises (par ex. : grossistes en quincaillerie, en produits pharmaceutiques) et les **grossistes en produits spécialisés** offrent une partie limitée d'une ligne de produits (par ex. : grossistes en pièces et accessoires automobiles, en fruits de mer, etc.). D'autres grossistes vendent aux fabricants plutôt qu'aux détaillants, ce sont les **distributeurs industriels** (par ex. outillage électrique, roulements à billes, chariots élévateurs, etc.).

Par ailleurs, certains grossistes ne fournissent qu'un service limité à leurs clients. Les **grossistes-livreurs** font la vente et la livraison de marchandises périssables (par ex. pain, lait, friandises) aux détaillants tels les supermarchés, épiceries, cafétérias, etc. Les **grossistes au comptant** ne font pas crédit mais exigent le paiement immédiat de la marchandise achetée. Les **grossistes par correspondance** vendent par catalogue aux détaillants ou clients institutionnels des produits tels les bijoux, les produits de beauté et autres menus articles qui s'expédient facilement en petites quantités. Quant aux **coopératives de producteurs**, telles *Agropur*, leur objectif est de rassembler divers produits de la firme pour les revendre, au profit des membres sous des marques de commerce connues.

En 1996, on dénombrait près de 60 000 emplacements de commerce de gros au Canada (dont plus de 13 000 au Québec) pour un volume d'affaires se chiffrant à plus de 350 $ milliards. La répartition des recettes par groupe de commerce est présentée à la Figure 10.4. La part de l'emploi dans le secteur du commerce de gros par rapport à l'emploi total est de 6,2 % (1996). Les intermédiaires du commerce de gros ont des responsabilités-clefs dans la chaîne de distribution. Ils doivent notamment :

- **cibler le marché**, c'est-à-dire identifier la clientèle à desservir en termes de taille et de besoins de services similaires, pour ainsi permettre un positionnement et une spécialisation dans un secteur bien défini. Les grossistes les plus rentables ne tentent pas de servir tout le monde, mais élaborent de bonnes relations d'affaires avec une clientèle relativement limitée et, bien entendu, avec leurs fournisseurs.

- **optimiser l'assortiment des produits et services** à offrir à leur clientèle. Il leur faut faire des choix difficiles face à certains produits peu rentables mais demandés par leurs clients, et déterminer le niveau de service à offrir.

- **fixer le prix de vente aux détaillants**. La concurrence dans le commerce de gros est aussi vive, sinon plus, que dans le commerce de détail. La décision de prix y est d'autant plus critique que les marges des grossistes sont faibles (souvent inférieures à 10 %) et les coûts d'opération, de manutention, d'entreposage et de transport sont élevés.

figure 10.4 **Commerce de gros – Recettes d'exploitation totales par groupe de commerce, Canada, 1996**

Groupe de commerce	Recettes d'exploitation totales (en millions de dollars)	Pourcentage des recettes d'exploitation totales du commerce en gros
Produits alimentaires	47 077	13,38
Boissons, médicaments et tabac	19 544	5,55
Vêtements et articles de mercerie	5 600	1,59
Articles ménagers	7 991	2,27
Véhicules automobiles, pièces et accessoires	50 614	14,39
Métaux, articles de quincaillerie, matériel de plomberie et de chauffage	19 455	5,53
Bois et matériaux de construction	23 159	6,58
Machines, matériel et fournitures agricoles	8 429	2,40
Machines, matériel et fournitures industriels et autres	40 906	11,63
Ordinateurs, logiciels et autres équipements électroniques	25 645	7,29
Produits divers	45 129	12,83
Céréales	18 673	5,31
Produits pétroliers	39 607	11,26
Tous les groupes	**351 829**	**100,00**

Source : Statistique Canada, Cat. 63-236-XIB

On pense habituellement que les recettes d'exploitation du commerce de gros se réalisent surtout auprès des détaillants. La vérité est que les ventes aux détaillants représentent un peu plus de 30 % des recettes totales. Les autres clientèles importantes des commerçants de gros sont les industries (environ 32 %), les autres grossistes (environ 17 %) et les marchés étrangers (environ 10 %).

Le commerce de détail

Le commerce de détail comprend toutes les activités reliées à la vente de produits ou de services offerts directement aux consommateurs pour leur usage personnel, familial ou domestique, mais non pour un usage commercial ou une revente. Les détaillants achètent en grande quantité les articles destinés à répondre aux besoins des consommateurs, puis se chargent de les revendre à l'unité avec un certain profit.

L'industrie du commerce de détail est l'une des plus dynamiques et importantes dans l'économie canadienne. En 1996, le secteur du commerce de détail représentait environ 13 % de l'ensemble des emplois au Canada et les recettes globales du secteur se chiffraient à plus de 225 $ milliards (magasins uniquement). Contrairement à la croyance populaire, on constate que les recettes du secteur du commerce de détail sont inférieures à celles du commerce de gros. La Figure 10.5 montre l'évolution des ventes au détail au Canada entre 1996 et 1997. Malgré le nombre imposant d'établissements de détail au pays, près du tiers des commerçants réalisent un chiffre d'affaires annuel inférieur à 50 000 $. Moins de 5 % des détaillants ont des ventes annuelles supérieures à 1$ million. Ce sont les gros détaillants (*La Baie*, *Canadian Tire*, *Zellers*, etc.) qui emploient la majorité des personnes travaillant dans ce secteur.

figure 10.5 **Chaînes de magasins de détail au Canada (sans les grands magasins) selon le nombre de magasins exploités.**

Nombre de magasins exploités	Chaînes		Magasins (maximum)		Ventes	
	Nombre	%	Nombre	%	$	%
1996 :						
4 – 9 magasins	657	55,2	3 763	9,7	5 534 041	7,8
10 – 49 magasins	364	30,6	7 579	19,5	16 303 826	23,0
50 – 99 magasins	84	7,0	5 932	15,3	15 372 054	21,6
100 – 199 magasins	54	4,5	7 521	19,4	11 458 083	16,1
200 – 299 magasins	16	1,4	3 980	10,3	10 023 842	14,2
300 magasins et plus	16	1,3	10 012	25,8	12 318 010	17,3
Total	**1191**	**100,0**	**38787**	**100,00**	**71 009 856**	**100,0**
1997 :						
4 – 9 magasins	625	54,4	3 538	9,5	6 300 821	8,4
10 – 49 magasins	355	30,9	7 385	19,9	16 935 884	22,5
50 – 99 magasins	83	7,3	5 752	15,4	17 781 933	23,6
100 – 199 magasins	54	4,7	7 578	20,3	13 975 970	18,6
200 – 299 magasins	17	1,5	4 248	11,4	8 286 656	11,0
300 magasins et plus	14	1,2	8 767	23,5	11 924 892	15,9
Total	**1148**	**100,0**	**37268**	**100,00**	**75 206 156**	**100,0**

Source : Statistique Canada, Cat. 63-210-XIB

Il existe de nombreuses classifications du commerce de détail. Parmi les principales :

- classement par volume de ventes : petits détaillants vs gros
- classement par nombre de lignes de produits offerts
- beaucoup de lignes : magasins généraux, magasins à rayons
- peu de lignes : boutiques, magasins de spécialité, magasins d'accommodation

- classement par forme de propriété
  - magasins corporatifs
  - détaillants indépendants
  - associations de détaillants indépendants
- classement par type d'opération
  - service personnalisé vs libre-service
  - plein prix vs escompte
  - magasin vs vente de porte en porte, par correspondance, téléphone, machines distributrices

Le commerce de détail est un secteur extrêmement dynamique de l'économie canadienne. Le nombre de magasins de détail augmente moins vite que la population, mais le volume de ventes par magasin et les ventes au détail *per capita* s'accroissent beaucoup plus vite. Ceci est dû, d'une part, à l'inflation et à l'accroissement des revenus, mais aussi à l'ingéniosité, à l'esprit d'entreprise et au travail de marketing des détaillants canadiens.

La Figure 10.6 montre l'évolution du commerce de détail et de gros en pourcentage du PIB au Canada entre 1986 et 1996. Comme on peut le constater, la part du commerce de détail a diminué de façon systématique au cours des ans alors que celle du commerce de gros a augmenté. Cela s'explique en bonne partie par le fait que les commerçants de gros canadiens font de plus en plus d' affaires sur les marchés mondiaux (10 % des recettes totales).

figure 10.6 **Évolution du commerce de détail et de gros au Canada en % du PIB entre 1986 et 1996**

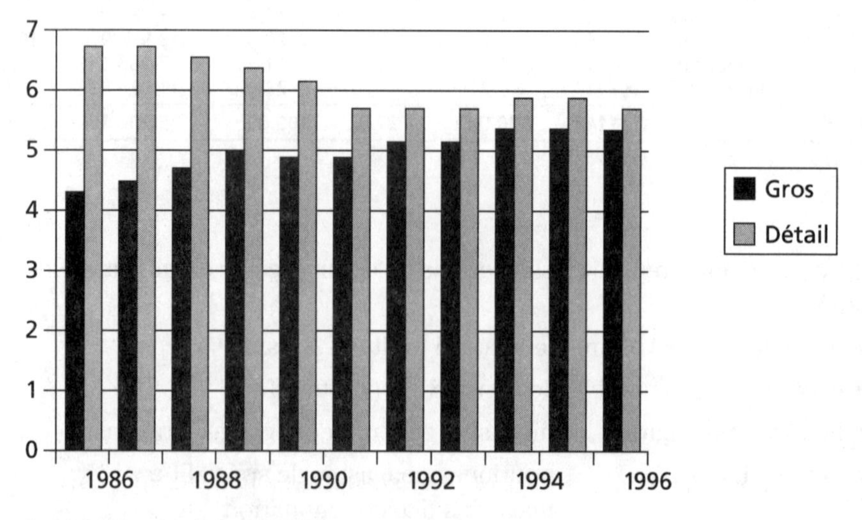

Source : Statistique Canada, Cat. 63-236-XIB

Le merchandising

Dans le commerce de détail, l'aboutissement de la chaîne de distribution est le magasin. C'est là que se produit ou non ce pourquoi tant d'efforts de marketing ont été mis en œuvre : la vente au consommateur. Il est donc de première importance de soigner le **marketing au point de vente**, ou comme on l'appelle communément, le **merchandising**.

Merchandising (ou marchandisage) : ensemble des actions de marketing réalisées au point de vente.

Le merchandising consiste à présenter le produit qu'il faut, où il le faut, comme il le faut, au moment souhaitable, en quantité optimale et au juste prix.

Allons acheter un tube de dentifrice et voyons sur le terrain en quoi consiste le merchandising. Première question : où aller? Nous avons le choix entre

- un **magasin spécialisé**, en ce cas, une pharmacie
- un **magasin d'accommodation**, par exemple le dépanneur près de chez nous
- un **magasin d'escompte**, une pharmacie *Jean Coutu*, par exemple
- un **supermarché**, comme *Provigo* ou *Métro*
- un **magasin à rayons**, comme *Woolco* ou *Zellers*

Chacun des magasins ci-dessus a une fonction bien particulière, un assortiment, une localisation et des prix différents. Nous trouverons sans doute moins de choix au magasin d'accommodation et le prix risque d'être plus élevé, mais il est à deux pas de chez nous, et reste ouvert tard le soir. Nous aurons certes plus de choix et de meilleurs prix au magasin d'escompte, mais jusqu'où sommes-nous prêts à nous déplacer pour acheter un tube de dentifrice? Quoiqu'il en soit, entrons aujourd'hui dans une pharmacie *Jean Coutu*... le merchandising commence avant même d'entrer dans le magasin. La devanture est attrayante et de bon goût, la porte s'ouvre automatiquement; c'est un détail direz-vous, mais c'est bien commode pour la mère de famille qui entre avec un bébé dans les bras, ou pour l'acheteur qui est déjà chargé de paquets.

À l'intérieur, le magasin est agencé de façon à créer une ambiance favorable à l'achat. Tous les détails ont leur importance : l'éclairage, l'ambiance, l'habillement du personnel, etc. Remarquez l'agencement des espaces de vente : le comptoir des prescriptions se trouve au fond du magasin, forçant les clients à passer dans les allées et à se laisser tenter en chemin par d'autres produits.

L'allocation du **linéaire de vente**, ou espace de tablettes, est le fruit de minutieux calculs pour chacun des produits, tenant compte de la fréquence des achats, du volume et de la forme de chaque boîte et de la marge bénéficiaire du détaillant.

Les produits susceptibles de plaire aux jeunes enfants sont sur les tablettes du bas, les produits pouvant faire l'objet d'un achat impulsif se trouvent près des caisse enregistreuses.

*

Notre visite chez *Jean Coutu* illustre trois principes de base du merchandising moderne :

Premier principe : L'ESCOMPTE : vendre moins cher.

L'escompte consiste à réduire la marge de profit par unité, en réduisant le prix de vente des produits afin d'en vendre davantage.

$$\text{Profit} = \text{marge} \times \text{volume}$$

Si un peu moins de marge permet d'obtenir beaucoup plus de volume, le détaillant est gagnant et le client aussi.

Deuxième principe : LE LIBRE SERVICE.

Le libre service est maintenant généralisé en Amérique du Nord. Le client se sert lui-même dans la plupart des cas, mais pas toujours (médicaments de prescription ou comptoirs spécialisés, par exemple). Le libre service répond à deux impératifs, d'une part satisfaire la volonté d'autonomie du consommateur qui aime aller où bon lui semble dans le magasin, regarder, toucher la marchandise, lire les emballages, etc., et d'autre part, réduire les frais de personnel. Les frais de personnel atteignent jusqu'à 20 % des ventes d'un grand magasin ou d'un magasin traditionnel « avec service ». Dans un libre service, ils sont de l'ordre de 10 % des ventes, ce qui permet de réduire les prix en conséquence.

Troisième principe : LA ROTATION RAPIDE DES STOCKS.

La rotation rapide des stocks est la clé de la distribution moderne. Un stock, ou un inventaire, représente un coût. C'est de l'argent immobilisé. On essaie donc, dans le commerce de détail, d'accélérer la rotation des stocks, c'est-à-dire de maintenir le stock minimum et de le vendre le plus vite possible. Dans bien des cas, le détaillant vend la marchandise (comptant) avant de l'avoir payée (à 30 ou 60 jours), ce qui augmente son *cash-flow* (disponibilité de fonds) et sa rentabilité. De plus, il n'a pas besoin de recourir au crédit bancaire pour financer ses stocks, puisque ce sont les fournisseurs qui le financent en acceptant un paiement à terme. La plupart des supermarchés qui vendent entre 6 000 et 8 000 produits ne seraient pas rentables s'ils devaient financer leurs inventaires avec du crédit bancaire. La rotation des stocks fait la différence entre le succès et l'échec.

LE COMMERCE ÉLECTRONIQUE

L'expression « commerce électronique » se réfère à un ensemble d'activités commerciales réalisées directement par ordinateur, généralement via *Internet*. Le commerce électronique englobe :

- le **télémagasinage** : le consommateur cherche à acquérir un bien ou un service en naviguant sur le Net.
- le **marketing numérique** : le vendeur cherche à rejoindre le client, l'informer, lui vendre un produit ou un service et procéder au service après vente au moyen d'équipement électronique.

Le tableau suivant (Figure 10.7) illustre par des exemples la diversité du commerce électronique. Ce nouveau type de commerce nous amène à amplifier les notions de « produit » et « service ». En effet, si on peut commander via *Internet* des produits qui seront ensuite livrés à domicile, on peut aussi télécharger instantanément des **produits virtuels**. Par exemple, le CD de musique que vous achetez chez *amazon.com* est un produit au sens traditionnel, mais la musique que vous achetez de *mp3.com* et que vous téléchargez sur votre ordinateur est un produit virtuel. Le support est un produit, le contenu téléchargeable est un produit virtuel. On trouve également deux types de services sur le Net, selon qu'on les obtient **en temps différé** — la prestation du service est postérieure à la commande (ex : réservation d'hôtel) — ou **en temps réel** — la prestation est immédiate (ex : téléphonie via *Internet*).

figure 10.7 **Diversité des applications du commerce électronique**

Nature de l'échange / Nature de la relation	Produits	Produits virtuels et téléservices en temps différé	Téléservices en temps réel
d'entreprise à entreprise	*Intel* achète plus d'un milliard de $ de fournitures par mois sur son site *Web* www.intel.com *Dell* vend des ordinateurs directement aux entreprises www.dell.com	*Perwit* offre aux entreprises des services de traduction www.perwit.com	*General Motors* a un centre d'appel sur le Net pour ses concessionnaires
d'entreprise à particuliers	*amazon.com* est la plus grande librairie virtuelle du monde. www.amazon.com Vous pouvez faire des envois de fleurs par ordinateur via 1-800-FLOWERS.COM www.1800flowers.com	*Mapquest* vous propose des itinéraires pour vous déplacer en auto d'un endroit à un autre www.mapquest.com	La *Banque Royale du Canada* permet à ses clients d'obtenir un prêt en temps réel sur le Net www.royalbank.com/applyonline.html
de particulier à particulier	*Ebay* organise des ventes aux enchères entre particuliers www.ebay.com	Clubs de bridge virtuel, services de gardiennage, de couette et déjeuner, de rencontres, etc.	Cercles de discussion (*« chat rooms »*) *Delta Three* commercialise un service de téléphonie à longue distance via *Internet* www.deltathree.com

Source : adapté de Rostenne, J. : *Shaping the future of e-commerce, Perwit,* 1999.

Le commerce électronique a connu un essor défiant toutes les prévisions. On estime[1] qu'en l'an 2 000 il y avait environ 200 millions d'internautes et qu'il y en aura un milliard avant l'an 2 005[2]. Cet engouement est dû à plusieurs facteurs :

- la **technologie** a mis l'ordinateur à la portée de tous, l'a introduit dans un nombre croissant de foyers et offre aux non initiés des logiciels demandant peu d'expertise technique.
- la **valorisation du consommateur**. Dans un système de marketing traditionnel, les divers agents de production et de distribution qui jalonnent la filière économique (cf. Figure 6.2) sont interconnectés, ils forment un système dont le but est d'ajouter de la valeur jusqu'à ce que le dernier maillon, le détaillant, présente une offre au client. Le client est la cible du système. En **marketing numérique**, le client est intégré au système. Son profil est continuellement remis à jour (Illustration 7.1) et il participe activement à l'élaboration de l'offre. Il n'est plus une simple cible mais un acteur dans le système : il communique ses désirs, intéragit avec d'autres consommateurs, exige des conditions à sa mesure et s'il ne les obtient pas d'un site, les obtient d'un autre quelques secondes plus tard sans déplacement et sans grand effort de recherche.
- la **communication améliorée**. En marketing traditionnel la communication est coûteuse (publicité) et à sens unique <entreprise —› client>. De plus, l'entreprise doit faire un choix entre la couverture du message et la richesse de l'information : on peut diffuser à grande échelle un message pauvre en information (ex : « *Buvez du lait* ») ou à petite échelle un message riche en information (ex : distribution de brochures sur les propriétés nutritives du lait auprès des professionnels de la santé), mais les publicitaires savent bien que l'impact du message diminue au fur et à mesure que son contenu s'enrichit. *Internet* met fin à ce dilemme. Le consommateur a désormais accès à une information riche et abondante (voir le site www.lait.org/). Qui plus est, il n'est plus uniquement un récepteur passif de l'information, il la demande, l'analyse, la compare et il est même émetteur dans la mesure où il communique son profil aux vendeurs.
- la **rapidité**. Alors que les étapes du marketing traditionnel sont séquentielles (cf. Figure 1.4), en marketing numérique tout est simultané. Quand vous téléchargez de la musique d'un site comme *mp3.com*, la publicité, la commande, la livraison, le paiement, la mise-à-jour des rapports de vente et du fichier clients se font simultanément.

– la **facilité d'accès**. Tout est à portée de clavier d'ordinateur 24 heures sur 24. Les magasins virtuels sont chez vous, toujours ouverts. Alors que la plus grande librairie d'Amérique du Nord offre 250 000 titres, *amazon.com* en propose 4,5 millions et compte 25 millions de « points de vente » potentiels, ou plutôt, d'écrans d'ordinateurs prêts à s'allumer[3].

De véritables grands magasins virtuels comme *shopnow.com*, et *bay.com* et *canada.com* donnent accès à l'achat de plusieurs dizaines de milliers de produits à partir d'un même site. Plus besoin de longues recherches pour comparer les prix et les caractéristiques des produits, un site comme *mysimon.com* le fera pour vous, ou, mieux encore, ce sera vous qui dicterez vos conditions au vendeur en lui proposant d'acheter un item ou un service à votre prix *(priceline.com)*.

Comme le font remarquer Davis et Meyer[4], *Internet* a complètement modifié la nature de la transaction qui est l'essence même du marketing. L'univers parfaitement défini d'antan, avec ses produits, ses services, ses vendeurs, ses acheteurs, fait place à un univers flou dans lequel les rôles se redéfinissent continuellement : l'offre numérique intègre le service au produit et plutôt que de distinguer les acheteurs des vendeurs, on ferait mieux de parler d'échangeurs. Parfois, l'information donnée par l'acquéreur a plus de valeur qu'un quelconque apport monétaire, à tel point que nombre de services et de produits virtuels peuvent être obtenus gratuitement sur le Net.

Le marketing numérique marque la révolution commerciale du début du XXIe siècle. Chaque acheteur est un vendeur, chaque vendeur est un acheteur, tous deux appartiennent à un même réseau où l'information circule librement. La connectivité optimale est celle qui permet de gérer une affaire en temps réel. Plusieurs entreprises le font déjà :

- les firmes d'automobiles commandent l'assemblage du véhicule selon les spécifications que le client donne au concessionnaire. La vente précède la fabrication, ou du moins, l'assemblage.

- plusieurs supermarchés ont lancé des programmes de fidélisation de la clientèle du type « cartes de fidélité », qui leur permettent de recueillir des données personnelles sur leurs clients et leurs habitudes d'achat *(« data mining »)*. Ils analysent continuellement les achats de leurs meilleurs clients pour déterminer l'éventail des produits à offrir.

- des entreprises prestataires de services de santé aux U.S.A. tiennent à jour en temps réel une base de données sur les accidents dans leur région afin de contacter les patients potentiels avant la concurrence.

- des livres individuels, personnalisés pour chaque lecteur ? Pourquoi pas ! Canfield et Hansen[5] ont ouvert la voie avec la publication de « *Bouillon de poulet pour l'âme* », un recueil d'histoires morales qui mettent du baume sur le coeur des lecteurs. En fait, le livre vient en une douzaine d'éditions séparées, chacune s'adressant à un segment particulier de lecteurs (collègiens, couples, amis des bêtes et même… golfeurs) et chaque édition contient des histoires différentes, les plus susceptibles de plaire aux lecteurs cibles.
- La revue *Golf Magazine* peut être imprimée en 3 000 versions différentes selon le profil du lecteur grace à la mise à jour permanente d'une base de données. Ainsi, l'abonné reçoit une version différente selon son âge, son sexe, ses caractéristiques socioprofessionnelles et la région où il vit. (cf. Illustration 4.1).
- Plusieurs auteurs établissent un dialogue avec leurs lecteurs dans des sites *Internet* ou des forums de discussion *(« chat rooms »)* afin d'adapter leurs écrits futurs au goût des lecteurs.

La connectivité donne plus de pouvoir aux consommateurs dans la mesure où elle les fait participer directement ou indirectement à toutes les décisions affectant le réseau. Les renseignements qu'ils fournissent constituent « la voix du consommateur » et les autres acteurs du réseau feront bien de l'écouter pour peaufiner leur offre. Bien sûr, on espère du consommateur qu'il sera plus fidèle quand il se sentira membre d'un réseau, et non simple « cible », mais comme plusieurs réseaux se disputent ses faveurs, il faudra gagner sa fidélité jour après jour.

La stratégie de distribution

Toute stratégie, on l'a vu au chapitre 7, commence par la détermination d'objectifs. La stratégie de distribution n'échappe pas à cette règle d'or. Ce sont en effet les **objectifs** de l'entreprise quant à l'étendue du marché à couvrir et l'intensité de la couverture (nombre de points de vente), ainsi que les **contraintes** accompagnant forcément les objectifs (coûts, durée de conservation de la marchandise, disponibilité des intermédiaires), qui vont guider la stratégie de distribution et le mode de couverture du marché.

Les 3 options stratégiques

Trois stratégies possibles de distribution s'offrent à l'entreprise, trois stratégies que l'on a d'ailleurs déjà vues au chapitre 8, dans le contexte de la communication en marketing :

- *stratégie de pression*
- *stratégie d'aspiration*
- *stratégie combinée*

Par une **stratégie de pression (*push*)**, le producteur oriente la promotion de ses biens auprès des intermédiaires de manière à les inciter à pousser et à privilégier la vente de ceux-ci en stockant d'importantes quantités, et en leur réservant des espaces de vente qui soient avantageux et visibles. La coopération des distributeurs est généralement acquise moyennant certains incitatifs tels des marges bénéficiaires plus élevées, l'octroi de remises, l'installation de présentoirs, certaines ententes d'exclusivité de distribution ou autres.

Bien sûr, une telle stratégie implique l'existence de relations harmonieuses entre le fabricant et les distributeurs. Seule la force de vente ou la communication personnelle peuvent créer l'acceptation privilégiée par les intermédiaires d'une marque particulière et susciter éventuellement l'intérêt et la préférence des consommateurs.

Les petits producteurs qui doivent absolument obtenir l'appui des distributeurs pour accéder au marché ont souvent recours à la stratégie de pression. Il en va de même pour les entreprises commerciales désireuses de lancer un nouveau produit ou celles œuvrant dans des secteurs où la concurrence est féroce. Le danger qui guette une pratique orientée exclusivement vers les distributeurs est le développement d'une dépendance envers ces derniers. Il faut alors s'efforcer de garder un certain contrôle pour éviter d'être à la merci d'un ou de quelques gros distributeurs.

La **stratégie d'aspiration (*pull*)** oriente les efforts de promotion et de publicité directement vers la demande finale, c'est-à-dire les consommateurs finals. L'objectif est de stimuler la demande auprès des consommateurs pour que les détaillants se voient « contraints » d'offrir les produits désirés par les consommateurs. À leur tour, les détaillants demandent ces produits aux grossistes qui, enfin, s'appprovisionnent auprès du producteur. La stratégie d'aspiration crée donc une coopération forcée de la part des intermédiaires.

Les grandes entreprises disposant de ressources financières considérables et bénéficiant d'une image de marque favorable peuvent se permettre de miser presque entièrement sur cette stratégie. Comment, en effet, l'épicier du quartier pourrait-il se passer de tenir en magasin des produits tels les céréales *Quaker Oats*, les soupes *Campbell* ou les fromages *Kraft* ? Le pouvoir d'attraction des grandes marques nationales est trop important pour qu'un détaillant puisse se permettre de ne pas les offrir à sa clientèle. La publicité et la promotion intensives des grandes marques ont précisément pour but de créer et de soutenir la demande des consommateurs pour ces marques auprès des détaillants.

Quoique opposées en apparence, les stratégies de pression et d'aspiration sont étroitement complémentaires dans la pratique. En effet, les entreprises adoptent souvent des **stratégies combinées**. La promotion, la publicité et la force de vente sont utilisées conjointement à différents niveaux de la chaîne de distribution. On stimule alors à la fois la demande pour les produits chez les intermédiaires et chez les consommateurs. Ceci permet de neutraliser, autant que possible, le pouvoir de négociation détenu soit par le fabricant, soit par les intermédiaires.

Les 3 modes de couvertures du marché

Pour un fabricant, couvrir le marché, c'est s'assurer que tous les consommateurs potentiels et réels du marché visé peuvent se procurer facilement le produit que l'on veut leur vendre, grâce à un nombre de points de vente suffisant et bien réparti sur le marché. Une fois encore, l'entreprise doit se poser la question de ses objectifs. Veut-elle pénétrer faiblement sur un grand marché géographique ? Veut-elle se limiter à une région ? Veut-elle offrir son produit dans des magasins spécialisés, dans des supermarchés, dans tous les points de vente possibles ? Avec les objectifs viennent les contraintes : la nature du produit distribué, les habitudes d'achat des consommateurs et les niveaux de support et de contrôle recherchés dans les opérations de vente sont autant de considérations qui interviennent dans le choix d'un mode de couverture. Trois modes de couverture de marché s'offrent au fabricant :

- *distribution intensive*
- *distribution sélective*
- *distribution exclusive*

En adoptant une **distribution intensive**, l'entreprise recherche le plus grand nombre de points de vente et de stockage possible pour un produit, de façon à assurer une couverture maximale du territoire de vente. Ce type de couverture favorisant une facilité d'accès au produit, est notamment préconisé pour tous les produits de commodité ou d'achat courant qui ont avantage à être présents partout. Les consommateurs s'attendent en effet à pouvoir se les procurer dans de multiples points de vente. On trouve du savon aussi bien dans une pharmacie que dans un supermarché, une épicerie, un magasin à rayon ou une station-service. Plus la distribution est large, plus elle accroît la notoriété du produit. Inversement, plus le produit est connu et demandé, plus large en sera sa distribution. Le seul inconvénient possible d'une distribution intensive est que l'image du produit risque d'être **banalisée**, c'est-à-dire imprécise dans l'esprit du consommateur. Un produit que l'on trouve partout devient vite un produit courant. Il est difficile de concilier une image de luxe ou de haute qualité et une distribution intensive, mais ce n'est pas impossible, comme l'ont prouvé *Kleenex* et *Heinz*, par exemple.

Lorsque le producteur recourt à un nombre limité de distributeurs dans une région donnée, il fait de la **distribution sélective**. Souvent, les distributeurs sélectionnés se voient octroyer une clause d'exclusivité pour un territoire. La qualité du service, la compétence technique, de même que la taille et le rendement du distributeur influencent le choix de cette politique pour des articles de nécessité tels qu'appareils électroménagers, automobiles, etc. Cependant, le risque de la distribution sélective est de ne pas assurer une couverture suffisante du marché et d'entraîner ainsi des pertes d'opportunité de vente. Le fabricant doit donc s'assurer que la réputation et l'image de marque projetées par le produit compenseront le déplacement nécessaire pour se rendre au point de vente (par exemples : les pneus *Michelin*).

Quant à la **distribution exclusive**, elle est une forme extrême de distribution sélective. Dans une région donnée, un seul distributeur reçoit le droit exclusif de vendre une marque spécifique. Ce droit est généralement assorti d'une concession exclusive, signifiant que le distributeur ne peut vendre aucune marque concurrente. Une telle politique de distribution vise essentiellement à stimuler le dynamisme du distributeur pour que celui-ci promeuve et vende le produit. L'exclusivité de la distribution tend également à rehausser l'image du produit et permet de réaliser des marges bénéficiaires plus élevées. Les produits de luxe ou haut de gamme font souvent l'objet d'une distribution exclusive (par exemple : aspirateurs *Hoover*, montres *Rolex*).

Le franchisage, étudié précédemment, est une forme de distribution exclusive. L'accord de franchise permet à une entreprise (franchiseur) de concéder à d'autres (franchisés) le droit d'exploiter un commerce dans un territoire délimité, sous une enseigne ou une marque donnée.

La distribution physique

Telle que définie en début de chapitre, la distribution physique fait référence à la mise en place de flux physiques de biens, en vue de leur disponibilité aux points de vente. Si un produit n'est pas disponible dans un magasin spécifique ou si les délais de livraison sont trop longs, les consommateurs n'hésiteront pas à s'approvisionner autrement, soit en choisissant une marque concurrente ou soit en allant chez un détaillant concurrent disposant du produit recherché. Les décisions en matière de distribution physique sont donc essentielles au succès d'un produit et doivent être prises en considérant l'impact qu'elles auront sur l'ensemble des autres décisions de distribution et de marketing.

Combien de fois vous êtes-vous présenté chez un détaillant pour acheter un produit mais celui-ci n'était pas disponible sur les tablettes ? Comment avez-vous réagi et à qui en avez-vous attribué la faute ? Avez-vous déjà eu à attendre parfois un mois pour recevoir votre nouvelle voiture, alors que le représentant vous avait assuré qu'elle vous serait livrée dans quelques jours ? Vous est-il arrivé d'expédier un colis et que celui-ci se soit perdu ou qu'il soit parvenu abîmé à destination ? Ces quelques incidents font référence à des erreurs au niveau de la gestion de la distribution physique. Ils ont pour conséquence de nuire à l'image de la compagnie productrice et entraînent des pertes de vente souvent irrécupérables. Reconnaissons toutefois que les produits et les services désirés sont habituellement disponibles ou, si ce n'est pas le cas, les délais de livraison sont respectés.

L'intérêt accru porté à la gestion efficace de la distribution physique témoigne de son importance au niveau des coûts de marketing. En effet, les activités d'acheminement du produit vers les consommateurs absorbent jusqu'à 50 % de tous les coûts de marketing, principalement en raison des frais élevés de transport et de financement des inventaires. C'est pourquoi on recherche activement à faire des économies dans les diverses phases du processus de distribution physique. Ces économies de coûts doivent toutefois être évaluées au regard du service à la clientèle que le producteur désire maintenir.

Quel est l'objectif de la distribution physique? Plusieurs entreprises formulent une réponse du type : *« faire parvenir les bons produits aux bons endroits, au bon moment et au moindre coût »*. Cet objectif est malheureusement utopique, car il est bien difficile de maximiser le service à la clientèle tout en minimisant les coûts de distribution. D'une part, maximiser le service à la clientèle implique l'établissement de stocks importants, l'utilisation de modes de transport rapides et la construction de nombreux entrepôts, qui contribuent tous à augmenter les coûts de distribution. D'autre part, la minimisation des coûts ne peut se faire que par le maintien de niveaux de stock relativement bas, par l'utilisation de modes de transport plus lents, donc plus économiques, et par un nombre limité d'entrepôts, ceci nuisant en partie au service offert aux clients. De façon plus opérationnelle, l'objectif de la distribution physique est de concilier la gestion des coûts et le respect de normes de service à la clientèle bien définies et ce, par la mise en place d'un système efficace, si ce n'est optimal.

La base d'un bon système de distribution physique repose sur l'analyse des désirs des clients en matière de service, et des services offerts par les entreprises concurrentes. Le directeur du marketing doit donc quantifier des normes de service à la clientèle à dispenser qui soient à la fois réalistes et concurrentielles. Ces normes peuvent se formuler de différentes façons. Par exemple, assurer la livraison des commandes en moins de sept jours dans 95 % des cas, faire en sorte que les erreurs lors du remplissage des commandes ne s'élèvent pas à plus de 2 %, limiter à 1 % les dommages aux marchandises en transit. Des normes trop élevées, bien que satisfaisantes pour la clientèle, entraîneront inévitablement des coûts prohibitifs pour l'entreprise et l'empêcheront d'être concurrentielle. À l'opposé, des normes trop faibles auront pour résultat un service déficient, l'insatisfaction de la clientèle et la perte de ventes. Il importe donc de bien doser les normes de façon à faciliter, par la suite, l'élaboration des moyens par lesquels les objectifs de distribution physique pourront être atteints.

Éléments d'un système de distribution physique

Les principaux éléments du mix de distribution physique sont le traitement de la commande (comment traiter rapidement la demande ?), l'entreposage (où et comment localiser la marchandise ?), la gestion des inventaires (quelle quantité stocker ?) et le transport (comment acheminer la marchandise ?). Nous allons maintenant analyser en détails ces éléments pour mieux saisir leurs implications tant au niveau de la distribution qu'au niveau du marketing dans son ensemble.

Le traitement de la commande

Tout le système de distribution physique repose d'abord sur l'obtention de commandes pour un produit. Selon la demande réelle ou anticipée, les différents intermédiaires de la chaîne de distribution passent des commandes à la compagnie productrice, soit directement, soit par le biais d'une force de vente ou d'autres intermédiaires. C'est alors que s'amorce le processus du traitement des commandes. Afin de répondre à une commande, le fabricant peut fournir la marchandise directement en se servant de son stock déjà produit, ou il peut, dans le cas d'articles non stockés ou d'une production à la commande, en entamer sa fabrication dès son obtention. Des factures en plusieurs copies sont alors rédigées et envoyées aux divers départements ainsi qu'au client afin d'assurer un contrôle. Un traitement rapide et efficace permet ainsi de satisfaire la clientèle et de répondre aux commandes subséquentes dans les plus brefs délais.

L'entreposage

L'entreposage est une fonction essentielle des entreprises productrices. On entrepose les produits en attente de mise en marché. Afin de satisfaire rapidement les commandes reçues, toute entreprise se doit de disposer d'un stock minimum de produits prêts à être livrés et distribués aux lieux de vente. L'entreposage fait le lien entre les cycles de production et de consommation qui sont rarement parfaitement synchronisés. Pensons à des produits saisonniers tels les skis, les souffleuses à neige, les meubles de jardin. Ces produits sont fabriqués pendant toute l'année, mais vendus en saison seulement. Il faut donc les entreposer temporairement. Parfois, c'est la production qui est saisonnière et la consommation étalée dans le temps, comme c'est le cas pour certains fruits et légumes.

Les considérations de temps et d'espace justifient donc à elles seules la nécessité de l'entreposage. D'une part, l'entreposage minimise les délais de livraison suite à la réception d'une commande, et augmente par conséquent le service à la clientèle — les produits seront souvent stockés dans des entrepôts situés près des marchés. D'autre part, les biens en attente dans divers entrepôts, permettent de produire de façon plus régulière et de mieux gérer les périodes de fluctuation de la demande, sans qu'il y ait engorgement au lieu de production.

L'organisation physique d'un entrepôt doit favoriser l'efficacité de ses opérations. L'identification rapide des marchandises, la classification des produits, leur accessibilité et leur préservation en bon état, ainsi que le maintien d'un niveau de stock suffisant sont autant de points à prendre en considération dans la gestion de l'entreposage. L'informatique, l'automatisation et la robotisation ont fortement contribué à faciliter cette gestion. La majorité des entrepôts s'étendent sur un seul plancher de façon à minimiser la manutention. Des entrepôts hautement automatisés, ceux de *Canadian Tire* par exemple, ou de certains gros distributeurs de produits alimentaires, disposent même d'ordinateurs et de chariots programmés en mesure d'assurer la majorité des opérations de manutention des marchandises : identification des produits, comptage des stocks, chargement des camions, mise à jour des registres, etc. L'automatisation, bien que coûteuse, permet un meilleur contrôle, diminue les bris et les désuétudes et réduit les coûts de main-d'œuvre.

L'entreprise productrice doit déterminer le nombre d'endroits où elle entreposera ses marchandises. Il est évident que plus les entrepôts sont nombreux, plus les marchés seront atteints facilement et rapidement. Cependant, un nombre élevé d'entrepôts augmente les coûts. Vouloir livrer ses marchandises rapidement à sa clientèle est en soi louable, mais il faut déterminer un point d'équilibre à maintenir entre le service offert et les coûts qui y sont associés. Le responsable du marketing doit concilier les facteurs de nature économique et la satisfaction des consommateurs et éviter que la décision ne se prenne au détriment de l'un ou l'autre.

Deux types d'entrepôts s'offrent à l'entreprise : l'**entrepôt privé** et l'**entrepôt public**. L'entrepôt privé est la propriété de l'entreprise qui l'utilise et nécessite souvent un important investissement en capital. Plus adapté aux besoins spécifiques de la compagnie, ce type d'entrepôt se justifie généralement lorsque le volume de produits mis en marché est important et lorsque la demande est relativement stable durant toute l'année. Les entrepôts privés favorisent également un meilleur contrôle des opérations. Gérés à pleine capacité, ils ont l'avantage de permettre des économies de coûts. Cependant, leur localisation fixe peut affecter la flexibilité des actions commerciales de l'entreprise et requérir des investissements supplémentaires lors de changements de marchés.

L'entrepôt public est constitué d'espaces locatifs mis à la disposition de divers utilisateurs. Ces derniers ne paient que pour l'espace utilisé et le temps d'occupation nécessaire, par opposition aux frais fixes inhérents à l'entreposage privé. Toute compagnie n'ayant pas besoin d'un entrepôt permanent ou ne disposant pas de capital suffisant pour posséder son propre entrepôt peut opter pour un entreposage public. En plus du service d'entreposage courant, les entrepôts publics peuvent offrir des services additionnels de financement, d'inspection, d'empaquetage ou d'expédition. L'entreprise qui choisit d'utiliser les entrepôts publics bénéficie également d'un vaste choix de localisations appropriées à ses besoins et marchés. Parmi ces entrepôts, se retrouvent les entrepôts réfrigérés pour les produits périssables, les entrepôts spécialisés (par exemple : blé, pétrole) et les entrepôts sous douane *(bonded warehouse)* pour les produits importés et exportés.

En plus des entrepôts vus précédemment, une entreprise peut également faire appel à des **centres de distribution**. Ces derniers sont aussi des entrepôts, mais leur vocation est quelque peu différente. Ils desservent un marché régional, ne servent pas au stockage de longue durée de la marchandise, mais permettent plutôt d'en accélérer leur distribution. Ainsi, plusieurs produits provenant de divers points de fabrication peuvent être regroupés puis redistribués et acheminés plus rapidement vers les intermédiaires ou les clients. Le mouvement des produits vers les acheteurs est donc facilité tout en permettant la réduction des coûts de transport et d'inventaire. L'efficacité des centres de distribution se mesure par la rapidité de traitement depuis l'entrée de la marchandise dans le centre jusqu'à sa sortie.

La localisation des entrepôts et des centres de distribution est un élément important à considérer dans l'édification d'un système de distribution. Une localisation optimale réduit les coûts de distribution et fournit le niveau de service à la clientèle requis par l'entreprise. Les coûts d'entreposage et de manutention, de même que le coût de livraison doivent être évalués dans le choix d'un site. À l'opposé d'un entreposage près des lieux de fabrication, l'entreposage local ou régional permet de diminuer les frais de livraison, en raison de la faible distance qui sépare l'entrepôt du marché et de la clientèle. Cependant, le volume d'activités d'un tel entrepôt limite les économies d'échelle au niveau des coûts d'entreposage et de manutention, puisque les quantités de marchandises qui y circulent sont plus faibles que dans le cas d'un entrepôt central, de grande surface, près du lieu de fabrication.

D'autres facteurs viennent influencer le choix d'un site d'entreposage, tels l'accessibilité aux modes de transport, l'importance du marché, les lois et les taxes en vigueur et la disponibilité de la main-d'œuvre qualifiée. La prise en considération de ces facteurs et des coûts cités précédemment nécessite un travail d'optimisation et une révision constante des opportunités. Ainsi, le développement d'une région ou une modification du réseau routier peuvent survenir et entraîner une relocalisation des entrepôts ou des centres de distribution d'une entreprise.

Les inventaires

Les inventaires maintenus à chaque étape d'un circuit de distribution sont d'une importance capitale pour l'entreprise productrice. Ils assurent le flux continu des marchandises vers les marchés et évitent les **ruptures de stock** coûteuses. Deux décisions-clefs doivent être prises en matière de stocks : quand commander et quelle quantité commander?

Chaque entreprise ou intermédiaire impliqué dans le processus de distribution doit d'abord déterminer le temps propice pour passer une commande de marchandise. Le niveau d'inventaire associé à ce moment est appelé **point de commande**. Ainsi, par exemple, un point de commande de 20 signifie qu'une nouvelle commande est passée chaque fois que le nombre d'unités en stock devient inférieur à 20. Ce point de commande est fixé pour chaque produit après avoir pris en considération le délai entre le moment de la demande en approvisionnement et celui de la réception de la commande, et la demande moyenne prévue pendant ce délai de livraison. Bien sûr, le niveau désiré de satisfaction de la clientèle, la fiabilité d'approvisionnement, de même que le taux de rotation de la marchandise jouent aussi dans la détermination du point de commande. Plus le point de commande est élevé, plus le risque de rupture de stock est faible, et le coût d'inventaire élevé.

Pour assurer une disponibilité constante de la marchandise et pallier les imprévus, la fixation du point de commande doit prévoir un **stock de sécurité**. Ce stock est établi de telle sorte qu'il n'ait pas à être utilisé dans des conditions normales. Il sert seulement en cas de retard d'approvisionnement, d'une hausse imprévue de la demande ou de tout autre événement incontrôlable. Évidemment, le maintien d'un stock de sécurité entraîne des coûts de stockage supplémentaires.

Sachant **quand** commander, examinons maintenant **combien** commander. La détermination des **quantités économiques à commander (Q.E.C.)** cherche le meilleur compromis possible entre le coût de traitement des commandes et le coût de maintien des inventaires. D'une part, des frais doivent être encourus à chaque commande pour la préparation, le dénombrement des unités, leur réception, etc. D'autre part, le stockage des unités entraîne des déboursés en capital et des frais d'assurances, d'avarie et parfois de perte de la marchandise. Tous ces coûts doivent être évalués pour permettre la fixation des quantités économiques à commander. La Figure 10.8 permet de visualiser les différents coûts impliqués dans la détermination de la quantité optimale à commander (Q*).

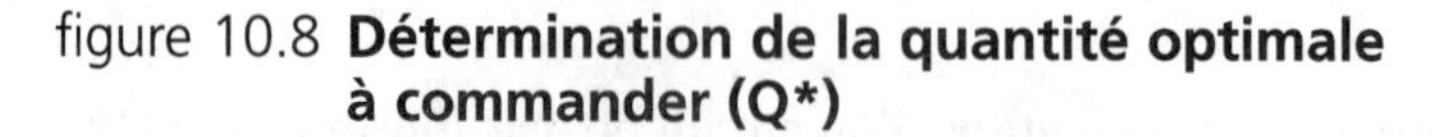

figure 10.8 **Détermination de la quantité optimale à commander (Q*)**

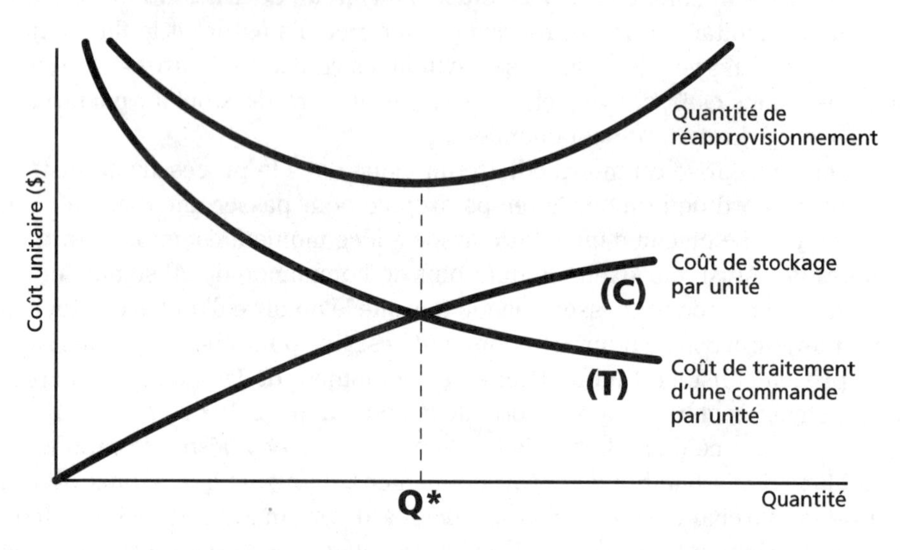

On constate que plus une commande est importante en quantité, plus le coût du traitement de la commande par unité diminue du fait qu'il est réparti entre un plus grand nombre d'unités. À l'opposé, le coût de stockage par unité augmente avec l'importance de la commande parce que chaque unité est, en moyenne, gardée plus longtemps en entrepôt. La courbe des coûts totaux s'obtient par l'addition des deux courbes (C) et (T). La quantité économique à commander Q* est le point de la courbe où le coût unitaire est le plus faible. Une formule simple permet de calculer les quantités économiques :

$$Q = \sqrt{\frac{2RS}{i}}$$

où **Q** représente le nombre d'unités à commander **(Q. E. C.)** à chaque période; **R**, la quantité annuelle vendue ou utilisée; **S**, le coût de traitement d'une commande; et **i**, le coût de stockage par unité. À titre d'exemple, supposons qu'une quincaillerie vende annuellement 1 000 marteaux d'un certain modèle, que le coût de la commande chez le fournisseur soit de 10 $ et que celui du stockage se chiffre à 1 $ par unité (soit 20 % du prix de vente fixé à 5 $). Les **Q.E.C.** seront de :

$$Q = \sqrt{\frac{2 \times 1000 \times 10\ \$}{1\ \$}} = 142 \text{ unités}$$

Les commandes devraient être de 142 unités. À quel moment? Ces commandes devraient être passées au point de commande préalablement déterminé par le quincaillier afin d'éviter la rupture de stock. Normalement, la marchandise devrait, quant à elle, être reçue au moment où le niveau de stock de sécurité est sur le point d'être entamé.

Une bonne gestion des inventaires, qu'elle soit permanente ou périodique, ainsi qu'un contrôle efficace devraient permettre à toute entreprise de satisfaire à la fois sa clientèle et les contraintes économiques auxquelles elle est soumise. Il demeure toutefois que l'ensemble des décisions reliées aux inventaires est dynamique et doit fréquemment faire l'objet d'une réévaluation, afin d'améliorer son efficacité.

Le transport

Le rôle du transport en distribution physique est critique. Les dépenses liées au transport représentent environ 20 % de la valeur des marchandises et peuvent s'élever à plus de 50 % dans certains cas. Les coûts de transport constituent un fort pourcentage des coûts totaux de distribution. C'est pourquoi les décisions relatives au transport doivent faire l'objet d'une analyse, d'une planification et d'un contrôle serrés. La principale décision en matière de transport concerne le choix du mode de transport. Plusieurs facteurs doivent effectivement être examinés et pondérés à cet effet : les coûts associés à chaque mode de transport, les avantages et les désavantages de chacun d'eux, la nature du produit à expédier, la destination de la marchandise, les objectifs et contraintes de l'entreprise et les actions concurrentielles. Ces facteurs doivent être étudiés en concordance avec les autres composantes de la distribution physique.

Pour acheminer physiquement ses produits vers les marchés et les lieux de vente, une entreprise peut choisir parmi cinq principaux **modes de transport** : les **transports ferroviaire**, **maritime**, **routier**, **aérien** ou les **pipelines**.

Le transport ferroviaire

Le train constitue le mode de transport le plus important en terme de tonnes/kilomètre transportées. Il est principalement utilisé sur de longues distances pour le transport de produits pondéreux, volumineux ou livrables en vrac. Les matières premières comme le blé, le charbon, le minerai ou le bois empruntent fréquemment ce moyen de transport. Le réseau canadien de chemins de fer est développé depuis de nombreuses années et a longtemps constitué le seul moyen pour accéder aux provinces de l'ouest. Malgré ses 20 000 kilomètres de voies, le système ferroviaire ne se développe plus et a perdu beaucoup de sa part de marché depuis les années '50, au détriment du système routier. Il faut d'ailleurs constater que le train manque de flexibilité, puisqu'il se limite au réseau de voies ferrées existant. Par conséquent, ce mode de transport permet seulement de transporter la marchandise d'un terminus à l'autre, et non du point d'origine aux derniers lieux de destination et de vente. C'est pourquoi le **système rail-route** (en anglais : *piggyback)* a fait son apparition il y a quelques années et est maintenant fortement utilisé. Il permet de combiner les avantages du transport par rail et par route grâce à la mise en place d'une remorque de camion sur une plate-forme ou un wagon à fond plat. Une fois rendu au terminus, cette technique permet d'attacher la remorque à un camion qui lui, se charge de livrer la marchandise directement au(x) destinataire(s). Les constructeurs automobiles entre autres, utilisent souvent ce type de transport combiné qui allie la grande flexibilité du transport routier et le coût peu élevé du transport ferroviaire. Le train offre en effet des coûts qui se comparent avantageusement à ceux des transports routier et aérien. En outre, l'acheminement des marchandises est assuré de façon plus sécuritaire par train dans le cas de produits chimiques ou dangereux. Toutefois, la lenteur des transits ferroviaires et la faible fréquence du service défavorisent ce mode de transport.

Le transport maritime

Les transporteurs maritimes occupent une place privilégiée au Canada, tant au niveau des voies navigables intérieures (Voie maritime du St-Laurent, Grands Lacs) qu'au niveau de la navigation côtière (provinces maritimes et Colombie-Britannique) ou internationale. Le transport par bateau, tout comme le transport ferroviaire, convient surtout au déplacement de matières premières ou de produits non périssables en grande quantité et de faible valeur unitaire comme les grains, le pétrole et le bois. Ce moyen de transport offre d'ailleurs le coût par tonne le moins élevé. Cependant, le bateau est le transporteur le moins rapide et est par conséquent emprunté dans les situations où les délais de livraison sont longs. De plus, le transport maritime est évidemment limité aux étendues d'eau existantes et il est subordonné aux conditions atmosphériques telles le gel, les tempêtes, etc.

Avec l'internationalisation grandissante des échanges commerciaux, le transport maritime continuera d'être fortement utilisé. La venue du **conteneur** *(container)* a aussi contribué à faciliter et à favoriser l'utilisation des bateaux. Les transferts du transport maritime au transport ferroviaire (« train-bateau ») ou routier *(« fishyback »)* sont de plus en plus fréquents et combinent les avantages de chacun des modes de transport.

Le transport routier

Le transport routier est certes le plus visible et le plus utilisé des modes de transport. Partout et à toute heure, on remarque la présence sur les routes de camions assurant le transport urbain et interurbain. Les camions de toutes sortes offrent de fait une grande flexibilité en matière d'itinéraires et d'horaires. Le réseau routier canadien s'étend sur plus de 30 000 kilomètres de routes importantes, sans compter les nombreuses routes secondaires. La couverture de marché des transporteurs routiers est donc pratiquement illimitée. Les camions ont l'avantage de pouvoir transporter des marchandises de tous genres, qu'elles soient réfrigérées, périssables, manufacturées ou autres. D'abord surtout utilisés pour les trajets de courte et moyenne distance, les camions sont aussi maintenant fréquemment préconisés pour les grands trajets. Ils permettent l'acheminement direct de la marchandise de l'expéditeur au(x) destinataire(s), ce qui évite les transferts et diminue les manipulations et les dommages.

Le service rapide et les tarifs concurrentiels donnent au transport routier un avantage concurrentiel sur le transport ferroviaire, ce qui explique le déclin actuel de ce dernier. L'apparition des **trains routiers** (convoi de deux remorques) rend le camion encore plus économique et permet le transport d'une plus grande quantité de marchandises.

Le transport aérien

Le transport aérien ne compte que pour approximativement 1 % du trafic tonnes/kilomètre, mais sa présence est grandissante. L'avion est le moyen idéal pour véhiculer rapidement des produits vers des marchés éloignés. Cependant, à cause des coûts élevés de fret aérien, seuls les produits de grande valeur et de peu de volume, comme les bijoux, les articles de mode ou les instruments techniques et industriels, de même que les produits périssables comme les poissons ou les fleurs, empruntent habituellement ce mode de transport. En effet, la valeur élevée de la marchandise doit permettre d'absorber les frais de transport plus élevés. Il faut que les coûts additionnels du transport aérien soient compensés par la réduction des coûts d'inventaire, d'entreposage et de conditionnement.

Le transport par pipeline

Les pipelines sont surtout utilisés pour le transport des produits pétroliers (oléoducs), des produits chimiques et du gaz naturel (gazoducs). Au Canada, des pipelines se dirigent de l'ouest vers l'est puisque les produits pouvant emprunter ce moyen de transport proviennent des provinces de l'Ouest. Les pipelines assurent un service très sécuritaire et ce, à un prix relativement bas. De fait, une fois les infrastructures installées, les frais d'entretien sont minimes. Par contre, le nombre de produits susceptibles d'être transportés par les pipelines est assez restreint.

*

Les modes de transport vus ci-dessus peuvent être classés en trois catégories : le **transport privé**, le **transport sous contrat** et le **transport public**. Le transporteur privé est la propriété de l'entreprise qui l'utilise pour ses propres produits et ne sert pas au transport de marchandises d'autres compagnies (par exemple, la flotte de camions de service à la clientèle de la compagnie *Sears*). Aucune réglementation des tarifs n'affecte les transporteurs privés, si ce n'est qu'ils doivent se plier aux normes de sécurité en vigueur.

Les transporteurs sous contrat desservent une clientèle très limitée. Liés par contrat, ils effectuent le transport de marchandises d'une entreprise donnée pour une période précise. D'importantes compagnies, telles Location de camions *Locam inc.*, Location *Brossard inc.*, se spécialisent dans ce type de location de leur flotte de camions. En raison de la présence d'un contrat écrit entre deux parties, la réglementation touchant ce type de transporteur est plus sévère.

Finalement, les transporteurs publics s'adressent à la population en général. Ils assurent le transport d'envois particuliers par le maintien d'un service régulier. On inclut dans cette catégorie les compagnies de courrier ou de messagerie des entreprises comme *Purolator*, *Dicom*, *Federal Express* ou encore le service *Parbus* de la compagnie *Voyageur*. Les tarifs et les services offerts par ces transporteurs sont sévèrement réglementés.

La gestion intégrée de la distribution physique

Au moment de choisir un mode de transport, il faut que l'entreprise évalue ses besoins et opte pour la solution offrant le meilleur rapport coût/bénéfice. De plus en plus d'entreprises choisissent des solutions mixtes : rail-route, *fishyback* ou train-bateau qui sont devenues très économiques depuis l'apparition des conteneurs, compartiments ou remorques de dimensions standardisées s'adaptant facilement aux modes de transport coordonnés. Grâce aux conteneurs, on évite les **ruptures de charge**, c'est-à-dire la manutention de la marchandise pour la transborder d'un véhicule à un autre.

Toute décision de distribution physique, que ce soit en matière d'entreposage, d'inventaire ou de transport, se doit d'être abordée dans une optique de gestion intégrée. Une décision, par exemple, au niveau du mode de transport, affectera les autres éléments de la distribution, de même que d'autres aspects du marketing-mix dans son ensemble. Le **concept du coût total** aide les administrateurs à gérer de façon optimale les diverses composantes du système de distribution physique. Il consiste essentiellement à identifier et à considérer tous les coûts avant de décider d'opter pour différentes alternatives. En effet, il arrive parfois qu'une vision étroite, dans le but de réduire les coûts d'un élément de distribution, se solde par un accroissement des coûts totaux parce que d'autres aspects liés à cette décision ont été négligés. Si les décisions en matière de distribution physique ne sont pas coordonnées, il peut en résulter une sous-optimisation du profit. C'est effectivement le cas dans de nombreuses entreprises qui n'utilisent pas les outils modernes de prise de décision concernant, entre autres, les quantités économiques de stock à commander, les modes d'expédition des marchandises et les modes de localisation des entrepôts. Plutôt que de tenter de réduire le coût de chaque activité de distribution, il vaut mieux minimiser les coûts totaux de l'ensemble des éléments. La Figure 10.9 illustre le concept du coût total qui intègre les différents coûts de distribution concernés.

On remarque que l'axe horizontal reflète le niveau de service offert à la clientèle. La gestion des coûts de distribution d'une entreprise affecte en effet la satisfaction de ses clients. À titre d'exemple, en augmentant ses niveaux de stocks et son nombre d'entrepôts, une entreprise serait plus en mesure de satisfaire sa clientèle en offrant davantage de produits, mais cela impliquerait des coûts plus élevés.

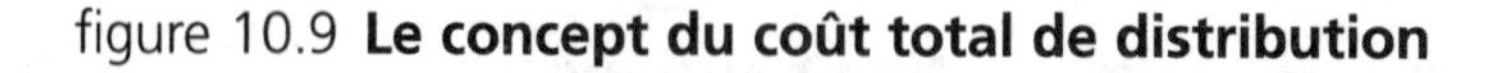

figure 10.9 **Le concept du coût total de distribution**

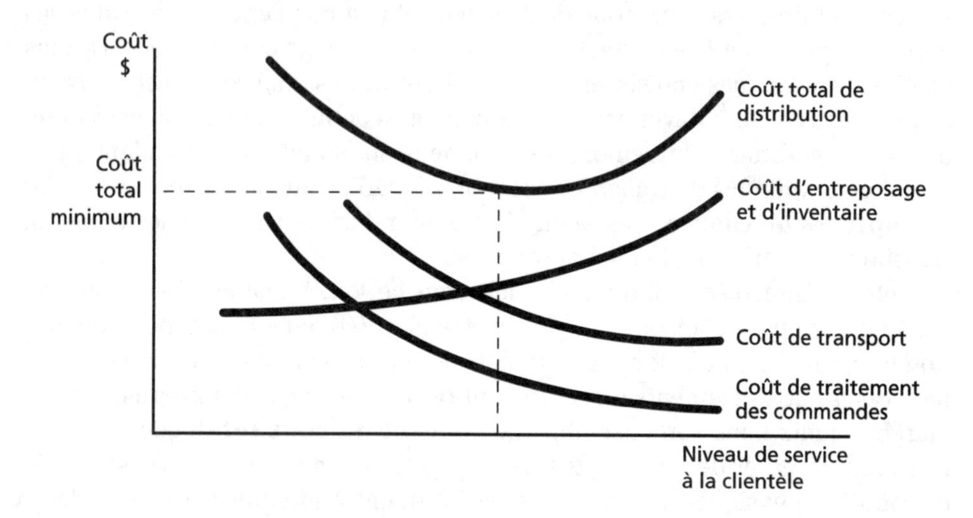

Le coût total minimum identifié par un point dans le graphique, s'obtient par la sommation des divers coûts et correspond à un certain niveau de service offert à la clientèle. Ce niveau ne permet toutefois pas de satisfaire l'ensemble de la clientèle, puisque le nombre d'entrepôts doit être limité et que le mode de transport emprunté, bien que relativement peu coûteux, offre un service moins rapide. Le responsable de la distribution physique doit donc trouver les meilleures façons d'améliorer le service au client et d'éviter les ventes perdues tout en réduisant les coûts. Le compromis qui en découle n'est pas toujours évident. Pour convenir à toute sa clientèle, une entreprise doit à l'occasion recourir à différentes modalités de distribution. Ainsi, par exemple, un niveau supérieur de service peut être offert à un segment de clientèle plus exigeant quant au délai de livraison. Les coûts additionnels doivent cependant être absorbés, soit par l'entreprise, en raison de la réalisation de gains supplémentaires grâce à un service accru, soit par le clientèle qui devra débourser davantage pour se procurer le produit désiré.

Retenons que :
Les éléments du mix de distribution physique sont :

- le traitement des commandes
- l'entreposage
- les inventaires
- le transport

À chaque élément du mix correspond un ensemble d'options possibles. Le responsable du marketing doit choisir entre ces options à la lumière des objectifs de l'entreprise, des coûts encourus et des bénéfices retirés par l'entreprise et ses clients.

CONCLUSION

À bien des égards, la distribution est la fonction de base du marketing : acheminer les biens et services du producteur au consommateur. On peut imaginer un système de marketing étriqué dans lequel il n'y aurait ni publicité, ni promotion, mais le marketing des biens et des services ne peut pas se passer de la distribution.

La distribution coûte cher et les erreurs de distribution coûtent très cher, non seulement en investissements, mais surtout en ventes perdues. C'est pourquoi les experts en marketing qui avaient quelque peu délaissé les questions de la distribution jugées terre-à-terre, en particulier la distribution physique, s'intéressent à nouveau à cette fonction critique du marketing.

On peut dégager trois grandes lignes d'évolution dans la distribution au cours des deux dernières décennies :

1. La gestion scientifique de la distribution physique

La gestion intégrée de la distribution physique est un champ d'application rêvé pour certaines techniques mathématiques, calculs d'optimisation, programmation linéaire, théorie des files d'attente. On n'a qu'à visiter un entrepôt moderne pour constater que toutes les tâches sont gérées scientifiquement par application de ces techniques et des progrès technologiques au niveau de l'automatisation, la robotisation, le comptage électronique, etc. Il existe aujourd'hui des logiciels informatiques de gestion intégrée de la distribution physique qui permettent à l'entreprise, même petite ou moyenne, de gérer scientifiquement et dans les meilleures conditions de rentabilité cette fonction essentielle du marketing.

2. La gestion politique des canaux de distribution

Les canaux de distribution sont des lieux de conflits potentiels entre les intermédiaires, **conflits horizontaux** entre intermédiaires du même niveau (par exemple, deux types de magasins de détail en concurrence : magasins de peintures vs quincailleries), et **conflits verticaux** entre plusieurs niveaux (par exemple, certains producteurs court-circuitent leurs distributeurs en faisant de la vente directe aux détaillants, certains grossistes court-circuitent leurs détaillants en faisant des ventes au consommateur final).

Les conflits ont existé de tout temps dans les canaux de distribution, mais leur mode de résolution a évolué. Pendant longtemps, les relations de force ont prédominé : le plus fort faisait la loi. Parfois, c'était le producteur, souvent c'était une grosse chaîne de distribution qui dictait ses conditions à ses fournisseurs. Cela pouvait aller jusqu'à la faillite de petits producteurs qui étaient entièrement tributaires de leur distributeur, ou à leur acquisition forcée par ce dernier.

Même si les relations de force existent toujours, il semble que la distribution moderne s'oriente vers une gestion politique ou « démocratique » — par opposition à « dictatoriale » — des canaux. Les conflits nuisent à l'efficacité du système de distribution tout entier. Résoudre un conflit par la force affaiblit soit le producteur, soit un intermédiaire, mais toute la chaîne de distribution en souffre. Une bonne gestion politique des canaux privilégie la coopération et l'entente entre tous les intervenants de la chaîne pour une meilleure efficacité globale du système. Les intérêts divergeants cèdent le pas à l'intérêt commun de ceux qui sont après tout, selon le mot de Harry Kursh, des *« partenaires dans le profit »*.

3. L'essor du marketing numérique

Le marketing numérique donne le pouvoir au consommateur. Celui-ci décide quoi acheter, de qui, quand et comment. Il ne se pose plus la question de savoir si la marchandise est disponible, à quelle distance de chez lui, quels seront les délais de livraison et s'il doit croire au boniment du vendeur. Moins visible mais tout aussi important est le développement du marketing industriel numérique. *Internet* globalise les approvisionnements dans la mesure où la distance n'existe pas dans le cyberespace. Ainsi, les fabricants d'antan deviennent des assembleurs, profitant des facilités accrues d'approvisionnement. Le cas de l'industrie automobile est particulièrement frappant. Les pièces arrivent juste à temps pour être assemblées selon les spécifications de l'acheteur. À la limite, toute la fabrication peut être sous-traitée *(outsourcing)* et la firme qui vous vend l'auto n'a fait qu'en inventer le *design* et y apposer sa marque. C'est le cas de *Volkswagen* qui possède au Brésil une usine de montage où tous les postes sont « franchisés » à des tiers. Entre Pierre Cardin et *Volkswagen*, la différence des modes d'opération est minime !

EXERCICES ET SUJETS DE RÉFLEXION

1. Identifiez un bon produit qui, à votre avis, est mal distribué, et un mauvais produit qui est bien distribué. Justifiez vos choix.

2. Supposez qu'il y ait dans un marché 4 producteurs et 4 clients. Combien de transactions possibles y aurait-il entre eux ? a) sans intermédiaire b) avec un intermédiaire. Connaissant le nombre de producteurs, d'intermédiaires et de clients, pouvez-vous déduire à partir de cet exemple une formule générale permettant de calculer le nombre de transactions ?

3. Quels sont les circuits de distribution possibles pour les produits suivants :

   - le « *homard* »
   - la montre ROLEX-Président (d'une valeur de 12 000 $)
   - le ciment
   - le savon de luxe
   - les cours de formation à distance

4. La firme *DIM* a innové en distribuant des bas nylon par machine distributrice. Un peu de créativité à votre tour !... Choisissez un produit et imaginez une façon radicalement différente de le distribuer.

5. « *Dans un système vertical dirigé, les intérêts des intervenants dans la chaîne de distribution sont divergents. Ce que gagne l'un, l'autre le perd. Dans une franchise tous gagnent ou perdent ensemble.* » Commentez.

6. Un de vos amis qui veut se lancer dans la restauration rapide s'exclame dubitativement « *Pourquoi investirais-je plusieurs centaines de milliers de dollars pour qu'un franchiseur m'apprenne à faire cuire un hamburger ou du poulet ! ?* »

   Que lui répondez-vous ?

7. Êtes-vous d'accord avec les assertions suivantes :

   a) les producteurs devraient toujours choisir le canal de distribution le moins dispendieux ;

   b) les producteurs devraient toujours choisir les intermédiaires ayant les coûts d'opération les plus faibles.

8. Ajoutez une rangée au bas du tableau de la figure 10.7 intitulée « de particulier à entreprise » et imaginez des téléservices que des particuliers pourraient offrir aux entreprises. Comment les promouvoir ?

9. Visitez les trois sites suivants et faites-en une analyse critique :

   www.cdnow.com

   www.renaud-bray.com

   www.archambault.ca

CAS-DISCUSSION

Et si *Wal-Mart* venait chez nous...

Wal-Mart est la plus grande chaîne de magasins à rayons aux États-Unis, surpassant *K-Mart* et *Sears*. Elle démarra avec un seul magasin dans l'Arkansas en 1962 et en compte aujourd'hui près de 2 000, avec un chiffre d'affaires total avoisinant les 80 milliards de dollars canadiens. La stratégie de *Wal-Mart* a été de s'implanter dans les petites villes, en commençant par le Sud et le Mid-West américain pour s'étendre ensuite vers l'Est et l'Ouest, jusqu'à ce que la compagnie soit présente dans tous les états américains. Prochaine étape : le Canada où naturellement les concurrents directs tels *Zellers* et *Canadian Tire*, et les commerçants indépendants des petites villes, voient d'un très mauvais œil la venue d'un géant du sud. Comment résister à l'envahisseur ?

Le professeur Kenneth Stone de l'université d'Iowa a réalisé une étude en 1993 portant sur 32 villes de l'Iowa ayant entre 5 000 et 30 000 habitants. Le but de l'étude, visant une période de 5 ans, est de permettre aux commerçants et aux édiles locaux de mieux comprendre l'impact probable d'un magasin *Wal-Mart* sur leur communauté. En voici les résultats riches d'enseignement pour les commerçants des localités canadiennes où viendrait tout à coup s'implanter une grande chaîne de magasins à rayons, que ce soit *Wal-Mart* ou une autre.

tableau 1 **Superficie comparée des magasins de détail**

Type de magasin	Superficie
Magasin d'accommodation	Moins de 200 m²
Superette	Entre 200 et 400 m²
Supermarché	Entre 400 et 2 400 m²
Hypermarché	Plus de 2 500 m²

Résultats

Dans la plupart des villes où se trouve *Wal-Mart*, on a constaté que les ventes et la zone d'achalandage ont augmenté au cours des premières années qui ont suivi l'ouverture du magasin. Il appert que :

1. Les commerçants qui vendent des produits ou offrent des services distincts de ceux de *Wal-Mart* ont tendance à augmenter leurs ventes à cause de l'achalandage additionnel créé par *Wal-Mart* dans la localité où le magasin se situe ;
2. Les commerces qui vendent les mêmes produits que *Wal-Mart* ont tendance à voir leurs ventes diminuer après l'ouverture d'un *Wal-Mart*.

Attention ! Ces résultats s'appliquent à une région dont la population est statique, résultant en un marché saturé. Dans une telle situation, lorsqu'un détaillant majeur bien connu vient s'établir dans une ville, il s'accapare d'une partie importante du marché de la consommation, laissant ainsi moins de ventes pour les autres commerces. Dans les régions où la population est en expansion et dans les grandes villes, l'impact est dilué.

Le tableau 1 montre le changement en pourcentage réel cumulatif des ventes de certains types de commerce dans des municipalités de l'Iowa où *Wal-Mart* s'est établi, comparativement à une municipalité de même importance sans magasin *Wal-Mart*.

Les zones ombragées indiquent des commerces qui ont réalisé des gains sur leurs ventes dans les années suivant l'ouverture d'un *Wal-Mart*. Les chiffres après 3 ans sont probablement plus significatifs puisque 15 municipalités avaient des magasins *Wal-Mart* pendant la période de temps considérée.

tableau 2 **Évolution des ventes dans les villes WAL-MART et les villes de même taille sans WAL-MART (% réel cumulatif)**

TYPE DE COMMERCE	VILLES WAL-MART			VILLES SANS WAL-MART			CENTRES URBAINS		
Après x années x -->	I	3	5	I	3	5	I	3	5
Matériaux de construction	-12,5	-10,3	-12,1	-6,9	-I3,9	-20,9	-8,3	-13,4	24
Marchandises générales	51,3	43,9	43,8	-5,1	-7,7	-I 2,5	-2,4	-6,7	-8,2
Alimentation	-4,5	-6,1	-4,5	-2,9	2,4	0,3	-1,1	-2,7	-3,3
vêtement	-7,2	-9,1	-16,1	-7,6	-6,6	-12,5	1,2	3,5	2,8
Meubles et accessoires de maison	-2,4	11,8	10,8	-4,9	-I3,6	-17,3	2,6	1,7	1,8
Restauration	2,1	3,4	2,1	-3,1	-4,2	-7,7	0,4	2,7	3,1
Boutiques spécialisées	-8,9	-11,8	-16,1	-6,2	-12,1	-20,5	1,2	5,2	5,8
TOTAL DES VENTES	5,3	5,3	6,1	-3,5	-6,3	-10,1	1,7	4,4	6,6

Calcul net des ventes

Afin de mieux mesurer l'impact d'un *Wal-Mart* sur une ville d'accueil, il convient d'estimer le chiffre global des ventes d'un magasin *Wal-Mart*. On a évalué que dans une ville moyenne de l'Iowa, un *Wal-Mart* a un chiffre d'affaires d'environ 28 millions de dollars canadiens. Le tableau 2 montre la variation des ventes moyennes pour toutes les entreprises d'une ville *Wal-Mart*. On peut en conclure que :

1. Si le magasin *Wal-Mart* a un chiffre d'affaires de 28 $ millions et le total des ventes de la ville augmente de 12,6 $ millions, les détaillants en place voient leurs ventes baisser globalement de 15,4 $ millions.

2. Si le magasin *Wal-Mart* a un chiffre d'affaires de 28 $ millions, dont 18,2 $ millions en ventes de marchandises générales, les détaillants de marchandises générales ont perdu 9,8 $ millions de ventes.

3. Si la baisse des ventes des magasins de marchandises générales est de 9,8 $ millions, sur une baisse totale de 15,4$ millions, les autres détaillants voient leurs ventes baisser de 6,4 $ millions.

tableau 3 **Variation des ventes moyennes nettes après 3 ans dans une ville d'accueil WAL-MART**

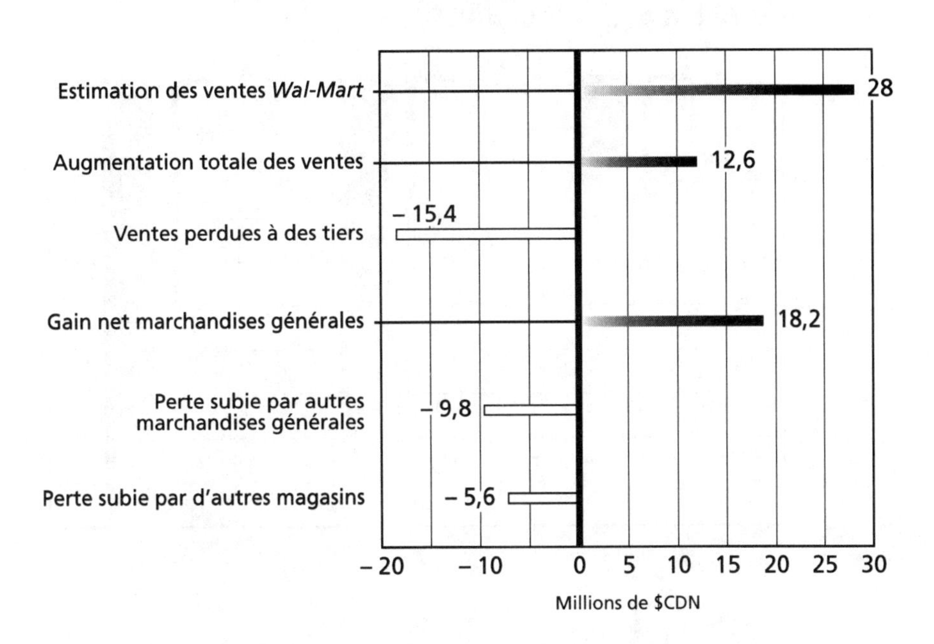

Impact comparatif : petites villes vs grands centres urbains

Le tableau 3 montre la diminution de ventes des commerçants des villes situées à l'intérieur et à l'extérieur d'un rayon de 30 km d'un *Wal-Mart*.

tableau 4 **Diminution des ventes des commerçants des villes situées à l'intérieur et à l'extérieur d'un rayon de 30 km d'un WAL-MART**

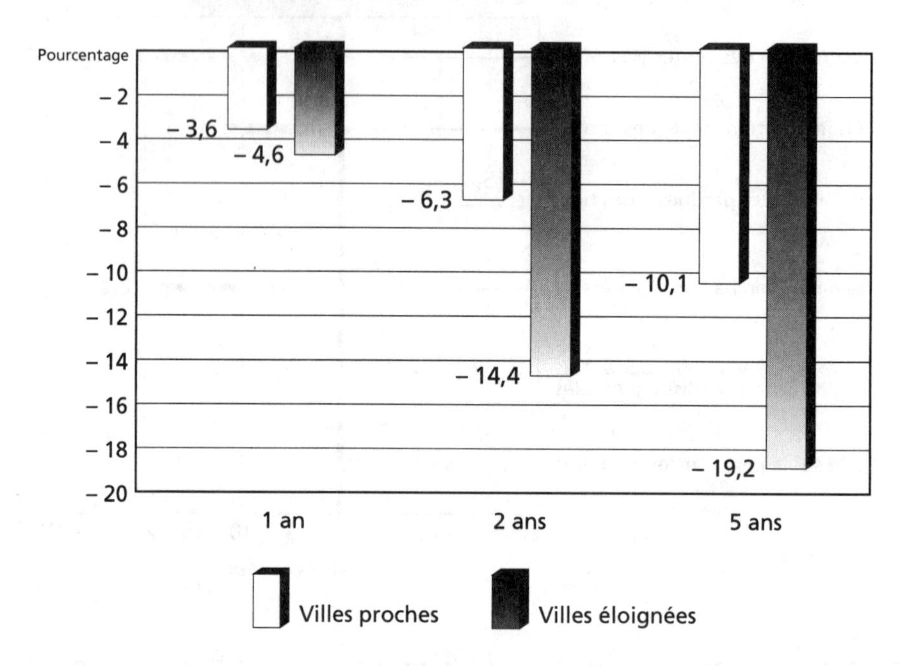

Comment faire face à *Wal-Mart*

Le professeur Stone formule les recommandations suivantes pour les commerçants d'une petite ville dans laquelle *Wal-Mart* viendrait s'implanter :

Mettez en place un service à la clientèle supérieur

Un service à la clientèle de première qualité peut s'avérer un atout concurrentiel important pour plusieurs détaillants indépendants. Habituellement, les grandes chaînes de magasins n'ont pas la flexibilité pour offrir de tels services.

- Mettez l'emphase sur la consultation en expertise technique.
- Offrez un service de livraison si possible.
- Offrez un service de réparations sur les lieux pour certains articles.
- Développez une stratégie afin d'être en mesure de répondre aux commandes spéciales.
- Offrez des services d'appoint requis par la clientèle.

Procédez à une meilleure gestion de votre inventaire

- Essayez de ne pas vendre la même marchandise.
- Identifiez les absences dans l'inventaire Wal-Mart.
- Essayez d'avoir des marchandises complémentaires ou accessoires.
- Découvrez une « niche » que vous pourrez développer.
- Envisagez une marchandise haut de gamme.

Améliorez votre marketing

- L'extension de vos heures d'ouverture est une nécessité.
- Envisagez une façon d'améliorer votre politique de retour des marchandises.
- Développez davantage vos connaissances de fixation de prix.

Faites des relations avec votre clientèle votre première priorité

- Assurez-vous que la clientèle reçoit un accueil chaleureux.
- Souriez au client plutôt que de faire la moue.
- Faites de vos employés des « associés » et donnez-leur la formation nécessaire.
- Sollicitez les réclamations.

QUESTIONS

1. Quelle conclusion tirez-vous du tableau 2 ?
2. À la lumière des informations contenues dans les tableaux 3 et 4, si vous étiez échevin d'une petite ville du Québec dans laquelle *Wal-Mart* fait une demande de permis de construire avec l'intention d'y faire commerce, comment réagiriez-vous ?
3. Commentez les recommandations du professeur Stone à l'usage des commerçants locaux.

NOTES

1. Rudl C. : www.marketingtips.com
   Bulletin marketing intéractif : www.interactif.com
2. Pour obtenir des données à jour sur l'évolution du commerce électronique au Canada, consulter : http://strategis.ic.gc.ca/SSGF/ca01119f.html
   Autres sites sur le commerce électronique :
   – en général : www.commerce.net
   – au Canada : www.ecc.ca
3. Evans P., Wurster T. : « Getting real about virtual commerce », *Harvard Business Review*, novembre-décembre 1999.
4. Davis S., Meyer C. : *BLUR : the speed of change in the connected economy*, Warner Books, 1999.
5. Canfield J., Hansen M.V. : *Chicken soup for the soul*, Health Communications, 1999.

Chapitre 11

L'action marketing

Le marketing est une activité éminemment pratique. Regardez autour de vous, dans la vie de tous les jours, et vous observerez à tout bout de champ le marketing en action. Vous constaterez la diversité des formes que peut prendre l'**action marketing** : vous entendez une annonce publicitaire à la radio, un démarcheur frappe à votre porte, vous insérez votre carte dans un guichet automatique, vous entrez dans un magasin, vous comparez les prix… voilà autant de gestes quotidiens qui révèlent l'omniprésence du marketing dans notre société.

À part quelques ermites, nul n'échappe au marketing, comme **consommateur**, bien entendu, mais aussi comme **acteur** de marketing, car nous nous livrons tous à des activités de marketing pour vendre nos talents, nos idées, nos opinions, nos produits et nos services.

Durant les dix premiers chapitres de ce livre, nous avons suivi la démarche logique du marketing, de l'idée innovatrice à l'action commerciale qui la concrétise.

Le périple de marketing nous a conduit à nous poser trois questions fondamentales :

1. que veut le consommateur ?
2. y a-t-il un marché ?
3. que veut l'entreprise ?

Pour répondre à ces questions, nous avons fait appel à des notions de psychologie, d'économie, de stratégie, en plus d'introduire des concepts nouveaux propres au marketing. Riches de ce bagage de connaissances, nous pouvons maintenant réfléchir ensemble à la **nature** de l'action marketing et en montrer quelques **applications**.

Le marketing : de l'analyse à l'action

Du point de vue de la stratégie de l'entreprise, la fonction du marketing est d'identifier, de choisir et de gérer le portefeuille de domaines de la firme. Cela va plus loin que la conception traditionnelle de la direction commerciale fondée sur la fonction de vente. Les meilleurs vendeurs se fient à l'intuition et à l'expérience. Lorsqu'ils sont promus à des postes de gestionnaires en marketing, ils doivent à tout prix acquérir les outils analytiques qui leur éviteront de tomber dans le piège de la gestion intuitive et de la « navigation à vue ». L'analyse marketing est un outil de management au même titre que la comptabilité ou la gestion du portefeuille financier. Or, combien parmi les entreprises qui demandent à leur directeur financier d'être rompu aux techniques de l'analyse financière embauchent un directeur commercial sur la seule base de son entregent ou de son bagou ! Le gestionnaire en marketing est un professionnel qui doit posséder le bagage conceptuel et technique correspondant à son poste. Il doit savoir en particulier :

1- effectuer une **analyse** marketing

2- élaborer une **stratégie**

3- diriger et contrôler l'**action** marketing

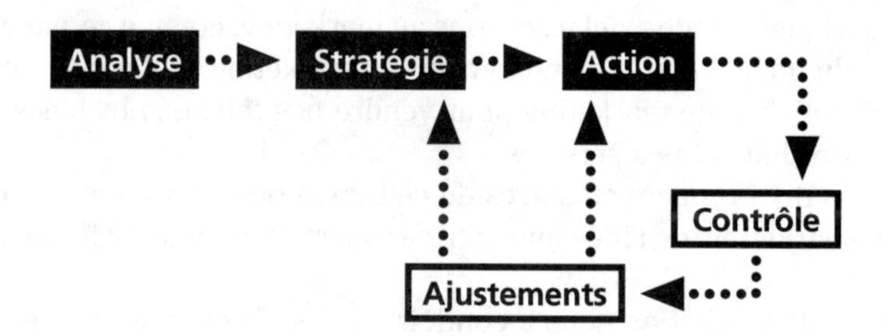

Nous avons déjà traité de l'analyse et de la stratégie de marketing aux chapitres 6 et 7. Rappelons-en quelques caractéristiques importantes avant de passer à l'action marketing :

- l'analyse marketing est double :
  1- analyse interne ➔ identification des forces et faiblesses commerciales
  2- analyse externe ➔ identification des opportunités et contraintes de marché

- l'analyse externe porte sur :
  - le comportement du consommateur
  - la concurrence
  - la demande et les marchés
  - les facteurs d'environnement affectant la demande (aspects légaux, démographiques, saisonniers, etc.)

- la stratégie de marketing énonce :
  - les objectifs commerciaux
  - le plan et les programmes de marketing à mettre en œuvre
  - les ressources à déployer

- la stratégie exploite un avantage concurrentiel et vise à le renforcer.

On appelle **action marketing** ce qui résulte de la mise en œuvre de la stratégie. Une stratégie n'est en fin de compte qu'un plan de jeu, tandis que l'action est le jeu lui-même tel qu'il se déroule… pas toujours selon le plan. Cinq règles d'or sont de mise pour aider le dirigeant à mieux gérer l'action marketing :

1. Pas de stratégie sans objectif
Ce n'est pas tant dans le détail opérationnel que les stratégies commerciales échouent, que dans la conception : elles sont trop souvent fondées sur des objectifs irréalistes ou des prémisses non vérifiées.

2. Pas d'action sans stratégie
On demande à une équipe de hockey d'être disciplinée, de suivre un plan de match. La même rigueur de travail est valable pour une équipe commerciale. Chacun à son poste (gestionnaire de produit, publicitaire, vendeur, personnel de service, etc.) a un rôle précis à jouer et doit le faire en harmonie avec les autres joueurs pour en arriver à une « belle pièce de jeu », disons plutôt : une action commerciale efficace.

3. Jouez sur vos forces !
Les concurrents s'affrontent dans l'arène concurrentielle avec des forces différentes. Le supermarché s'attaque au dépanneur en baissant les prix. Le dépanneur ne contre-attaque pas sur les prix, mais plutôt en jouant sur ses forces : le service à la clientèle et les heures d'ouverture.

Il est toujours plus efficace en marketing d'éviter de se battre avec les mêmes armes que l'adversaire, mais ce n'est pas toujours possible. *Métro* et *Provigo* peuvent difficilement éviter de se battre sur les prix.

Une force en marketing s'exploite par un **positionnement concurrentiel**.

On a vu (chapitre 2) qu'il existe une **segmentation perceptuelle** du marché qui reflète des similarités de croyances et d'attentes de la part de plusieurs groupes ou **segments** de consommateurs. Il s'agit d'une segmentation passive, c'est-à-dire d'un découpage du marché selon des critères perceptuels. Le stratège en marketing exploite son avantage concurrentiel en faisant une segmentation active, dite **segmentation concurrentielle**, c'est-à-dire qu'il dirige son produit vers les segments de clientèle les plus enclins à reconnaître les forces de son produit, ou les moins susceptibles de juger les faiblesses de son offre.

La segmentation concurrentielle est proactive : c'est le responsable du marketing qui choisit la meilleure façon de procéder à un découpage du marché qui mette en valeur ses forces sur les segments cibles choisis. En cours de route, il peut être amené à modifier son produit pour en faire ressortir les avantages par rapport aux produits concurrents. Cette politique de différenciation du produit alliée à la segmentation du marché aboutit à un positionnement concurrentiel qui met en valeur les forces de la firme.

Comment le dirigeant responsable peut-il savoir si sa segmentation est bonne ?

Il existe quatre règles fondamentales de la segmentation des marchés : un segment doit être mesurable, accessible, substantiel et réactif.

Mesurable : il faut pouvoir évaluer le nombre de consommateurs potentiels dans un segment cible. Une maison de disques qui définirait son marché cible comme « le marché des jeunes » ferait une mauvaise segmentation en ce sens que sa définition est trop imprécise pour quantifier le potentiel du marché. De quels jeunes s'agit-il ? Entre quel âge et quel âge ? Où vivent-ils ? etc.

Accessible : il faut pouvoir atteindre et desservir le marché cible dans des conditions économiquement rentables. Tous les gauchers se plaignent de ne pas trouver facilement des outils (comme les ciseaux, par exemple) conçus pour eux. Pourquoi ? Il n'est vraisemblablement pas rentable pour un manufacturier d'outils de segmenter son marché selon le critère de dextralité, ou pour un magasin de se spécialiser dans la vente aux gauchers.

Substantiel : le marché des gauchers est-il de taille suffisante pour justifier les investissements en différenciation de produits, d'emballage et de distribution ? Non, et tant pis pour les gauchers !*

Réactif : du point de vue de l'entreprise, le marketing est avant tout un exercice de **communication** entre elle et ses segments cibles. Aussi bonne la communication soit-elle sur le plan technique, il arrive parfois que « le courant ne passe pas », on « parle à un mur »… le segment ne réagit pas aux stimuli de marketing émis par l'entreprise.

Retenons que : Le positionnement concurrentiel doit refléter les forces de l'entreprise. Il combine la différenciation du produit et la segmentation concurrentielle.
Le choix des segments cibles est l'une des décisions critiques en marketing. Un bon segment est mesurable, accessible, substantiel et réactif.

4. Les produits passent, l'image reste

En marketing, la perception compte plus que la réalité. Voilà une affirmation osée et pourtant nos décisions d'achat sont fondées sur nos perceptions tout autant que sur notre expérience de consommation. Au chapitre 2, nous avons souligné l'importance de l'**image** en marketing. L'image est un actif permanent, les produits sont passagers. Une image ternie fait baisser les ventes de tous les produits de l'entreprise. Au contraire, une bonne image de marque ou une bonne image corporative facilite la vente et sécurise l'acheteur.

Quelles que soient les actions marketing entourant les produits, l'entreprise doit se préoccuper avant tout de valoriser son image.

5. Pas de planification sans contrôle

Le mot **contrôle** a deux acceptions, l'une **négative,** l'autre **positive**. Le contrôle négatif a pour but de faire respecter une règle en punissant les infractions, ex. : contrôle douanier, contrôle fiscal.

---

* En fait, heureusement pour les gauchers, certains manufacturiers ont pensé à faire des produits conçus spécialement pour eux. Malheureusement, ils devront les payer plus cher que s'ils étaient droitiers.

En marketing, et plus généralement en management, on utilise le contrôle positif conçu comme un mécanisme régulateur visant à mesurer les écarts entre l'action marketing et le plan de marketing. Le but du contrôle en marketing n'est pas de punir les responsables, mais de les aider à prendre les mesures correctives nécessaires pour suivre le plan. En ce sens, le contrôle évoque l'image d'un tableau de bord sur une automobile : l'indicateur de vitesse ne donne pas de contravention, il peut même vous éviter d'en recevoir... Si une lumière rouge s'allume au tableau de bord, il se peut que le véhicule continue à rouler, mais on est averti que quelque chose ne va pas et qu'il faut y remédier pour éviter la panne. Le contrôle en marketing a la même fonction préventive, il donne des signaux, indiquant au responsable du marketing qu'il faut prendre des actions correctives sur une ou plusieurs variables du marketing-mix, de façon à assurer l'efficacité globale du marketing. L'action marketing se traduit par des décisions touchant à toutes les variables du marketing-mix; le contrôle en vérifie la cohérence et l'efficacité.

*

L'action marketing a des champs d'application évidents — la commercialisation des biens de consommation par exemple — d'autres sont moins visibles, soit parce qu'on y fait moins attention ou bien qu'on les affuble d'un autre nom. Exemple : la « politique » est-elle plus que le marketing des partis ? Que chacun réponde selon sa conscience ou ses convictions...

Jusqu'à présent, nous avons emprunté la plupart de nos exemples au domaine des biens de consommation parce que c'est celui que la majorité des lecteurs connaissent le mieux. Dans le but de ne pas confiner le marketing à ce qui se passe au supermarché, nous vous invitons dans les sections suivantes à explorer quatre champs d'applications du marketing particulièrement importants pour l'économie canadienne, même si la plupart d'entre nous ne les évoquent pas spontanément en pensant au marketing :

- le marketing industriel
- le marketing des services
- le marketing de l'information
- le marketing international

LE MARKETING INDUSTRIEL

Le marketing vise à satisfaire des besoins. Considérons, par exemple, ce livre de marketing que vous avez acheté. Ce produit est le fruit d'une idée qu'ont eue deux personnes, expertes en marketing, et qui ont perçu le besoin d'un livre sur le marketing qui soit différent, adapté à un marché spécifique composé de gens comme vous. Entre cette idée et votre décision d'achat, il s'est passé bien des choses. D'abord, la conception de l'ouvrage, fondée sur l'évaluation des besoins du marché. Ensuite, la réalisation qui a nécessité de nombreuses heures et a été influencée par les résultats des tests auprès de collègues et d'étudiants. Enfin, la mise en marché du livre : fixation du prix, promotion et distribution. Toutes ces activités, qui sont le propre du marketing, n'ont qu'un but : faire que ce livre comble les besoins du marché visé et, par conséquent, soit préféré aux livres concurrents. Que d'efforts pour atteindre cet objectif, direz-vous ! En réalité, nous avons à peine entrevu la complexité du processus…

Songez à tout ce qui est nécessaire pour produire ce livre. Les matériaux de base, papier et carton, proviennent d'usines à papier. Celles-ci doivent s'approvisionner de matières premières (bois), produits semi-finis (pâte) ou finis (produits chimiques) et produits recyclés (journaux). Ces usines utilisent des équipements (déchiqueteurs, convoyeurs, machines à papier, …) qui ont été manufacturés par différentes entreprises. L'impression du livre a nécessité l'emploi d'une machinerie spécialisée. Le texte a été produit sur un micro-ordinateur construit à partir d'une multitude de composantes : microprocesseurs, écran, plastique, etc. Bref, les personnes et les entreprises qui ont été associées de près ou de loin à la production de ce manuel sont très nombreuses, comme le sont d'ailleurs toutes les transactions commerciales, les activités liées à la production, la recherche, le contrôle de la qualité, etc. qui ont précédé votre achat. Ces activités ne sont pas apparentes lors de l'achat final par le consommateur. Pourtant, elles représentent une part importante de l'action marketing des entreprises et constituent le champ d'application du marketing industriel.

Marketing industriel : Ensemble des activités liées à la conception et la commercialisation de produits ou de services destinés à des entreprises, des institutions publiques ou privées, ou des gouvernements.

Pour bien saisir le rôle et la nature du marketing industriel dans l'économie canadienne, examinons la Figure 11.1 qui offre une représentation simplifiée du système économique. Dans cette figure, les transactions entre les acteurs sont multiples. Ainsi, les firmes du secteur primaire vendent leurs matières premières aux industries manufacturières. Elles s'approvisionnent elles-mêmes en équipements et en fournitures d'autres entreprises manufacturières. À l'intérieur du secteur manufacturier, des transactions impliquant des équipements, des composants et des fournitures de toutes sortes ont lieu.

figure 11.1 **Le système économique**

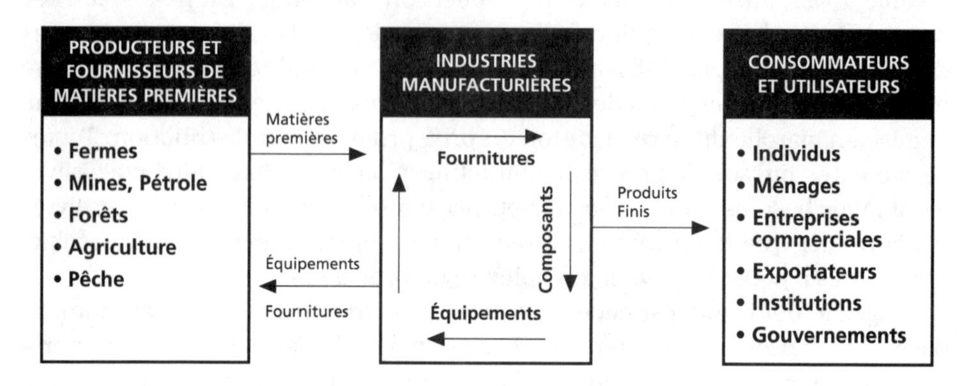

Lorsqu'on parle du marketing des biens de consommation, on s'intéresse spécifiquement aux échanges qui se produisent entre les entreprises manufacturières et les consommateurs (personnes ou ménages). Tous les autres échanges qui sont représentés à la Figure 11.1 sont du ressort du marketing industriel. C'est dire toute l'importance de ces activités dans notre système économique. Voyons ensemble quelques spécificités du marketing industriel.

La demande dérivée

Nous avons vu au chapitre 4 que le succès commercial de l'entreprise dépend en partie de sa capacité à évaluer la demande pour les biens qu'elle produit ou qu'elle désire produire. L'évaluation de la demande est tout aussi importante lorsqu'il s'agit de biens industriels. Par exemple, il est vital pour une aciérie de connaître la demande d'acier en tonnes sur le marché canadien à plus ou moins long terme. Cette connaissance permet de planifier le calendrier de production et d'établir des prévisions financières. Comment peut-on évaluer la demande industrielle ? Dans le cas de l'acier, il est clair que la demande est influencée par la demande de produits dérivés de l'acier. Ainsi, les ventes d'automobiles, de bateaux et d'outils ont une influence sur la demande globale d'acier. De même, la demande de papier dépend en dernière analyse de la demande de produits de consommation qui utilisent le papier dans leur fabrication : produits emballés dans du papier, journaux, livres, affiches, etc.

On dit de la demande industrielle qu'elle est **dérivée**, c'est-à-dire qu'elle dépend en bout de ligne de la demande finale au niveau des consommateurs. Pour évaluer la demande de biens industriels, l'entreprise doit donc en plus d'analyser la demande de ses acheteurs immédiats, se préoccuper des fluctuations de la demande chez les consommateurs finals.

Le fait que la demande de biens industriels soit dérivée a des implications quant aux stratégies que la firme doit mettre en œuvre pour la stimuler. En effet, puisqu'en définitive la demande industrielle est tributaire de la demande finale, il importe d'envisager des actions promotionnelles à la fois au niveau des acheteurs directs et des consommateurs finals. Par exemple, pour stimuler la demande pour son succédané de sucre, la compagnie *Nutrasuc* a utilisé une campagne publicitaire dirigée vers les utilisateurs finals, les incitant à rechercher les produits contenant du *Nutrasuc* (au Québec, la campagne utilisait le slogan « *Quand y'a l'rond, c'est bon* », faisant référence au logo concentrique de la marque). Cette stratégie de type communication-aspiration (voir chapitre 8) a permis de faire connaître la marque auprès des consommateurs, de créer une demande finale et d'accélérer le processus d'adoption de *Nutrasuc* par les firmes fabriquant des produits alimentaires ayant comme ingrédient du sucre ou un autre succédané de sucre. Dans l'exemple de campagne de communication que nous avons présenté au chapitre 8, la compagnie *Betflex* a orienté une partie de ses efforts de communication vers les détaillants de produits de construction et de rénovation afin que ceux-ci recommandent les panneaux de béton de la compagnie à leurs clients.

L'achat industriel

L'entreprise qui œuvre dans le secteur industriel doit être à l'écoute de ses marchés. Cela suppose en particulier de comprendre le comportement d'achat des clients actuels ou potentiels. Le processus d'achat dans les organisations a fait l'objet de nombreuses recherches en marketing. La Figure 11.2 présente un modèle qui identifie les étapes types d'une décision d'achat dans une organisation[1]. *A priori*, ce modèle s'apparente à celui présenté au chapitre 3 où nous avons examiné le processus de décision des consommateurs. Il s'en distingue cependant sur bien des points. D'abord, il faut noter que, contrairement à l'achat de biens de consommation, la décision d'achat industriel implique habituellement plusieurs individus dans l'organisation. Par exemple, supposons qu'une institution d'enseignement veuille faire l'acquisition de micro-ordinateurs pour le secrétariat parce que l'appareillage actuel est désuet et insuffisant (reconnaissance d'un problème). Il est probable que les usagers (secrétaires, responsables des secrétariats) seront consultés afin d'établir les spécifications que devront avoir les appareils. De même, la ou les personnes responsables des budgets auront leur mot à dire sur les montants à allouer aux achats. Enfin, c'est le service des achats de l'institution qui aura la tâche de commander les appareils auprès du fournisseur et de les réceptionner.

figure 11.2 **Le processus d'achat industriel**

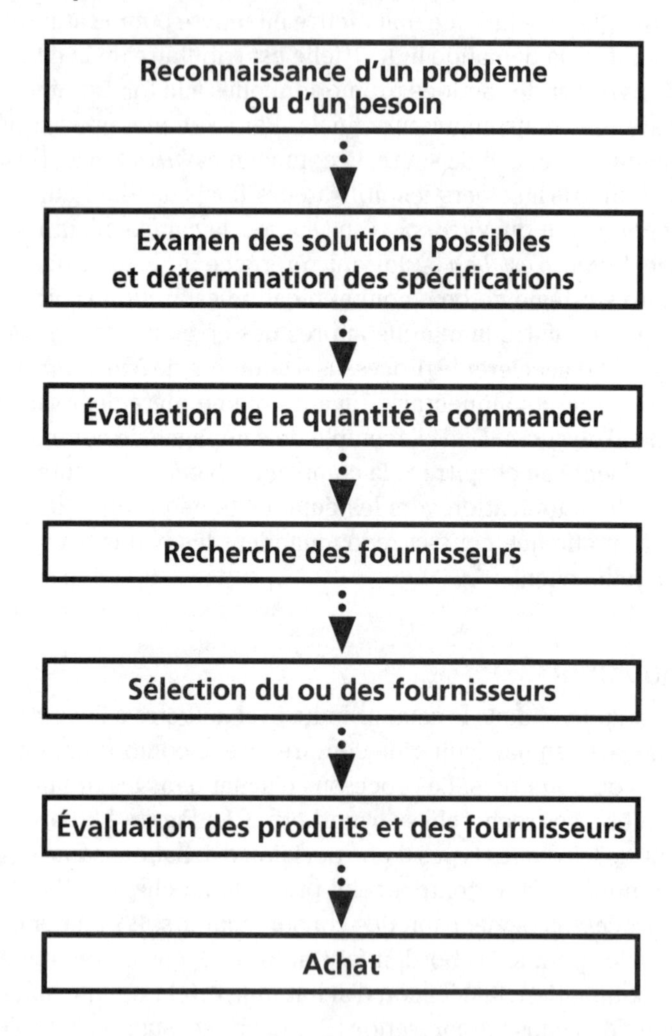

Parmi toutes les personnes associées plus ou moins directement à la décision d'achat dans l'organisation, il faut noter l'importance des **influenceurs**. Ce sont des personnes dont les opinions et les préférences ont du poids dans la décision; soit parce qu'elles possèdent une expertise technique pertinente ou encore qu'elles ont un statut organisationnel qui leur confère du pouvoir. Dans notre exemple, les professeurs qui enseignent dans l'institution pourraient avoir une influence significative sur la décision finale, même s'ils ne sont pas les utilisateurs de l'équipement, entre autres parce qu'ils souhaitent que leurs propres outils de travail soient compatibles avec ceux utilisés par leurs secrétaires.

Bien sûr, les décisions d'achat dans les organisations ne sont pas toujours aussi complexes (par ex., l'achat de trombones ou de stylos). De plus, l'expérience de l'organisation peut varier d'une situation à l'autre. Il importe de distinguer trois types d'achats [2] :

- le simple réapprovisionnement
- le réapprovisionnement modifié
- le nouvel achat

Le **simple réapprovisionnement** constitue la situation d'achat industriel la plus courante. Dans ce cas, le processus de décision d'achat se limite généralement à placer une commande auprès du fournisseur habituel lorsque les stocks sont épuisés ou en voie de l'être. Dans une situation de **réapprovisionnement modifié**, l'entreprise doit renouveler ses stocks et différents facteurs l'amènent à reconsidérer le choix du ou des fournisseurs. Par exemple, il se peut que dans l'organisation, des utilisateurs se soient plaint des produits, un nouveau fournisseur peut offrir des meilleurs prix, le fournisseur actuel peut avoir fait faillite, les services de l'actuel fournisseur peuvent être insatisfaisants, etc. Enfin, la situation de **nouvel achat** est celle où le problème d'approvisionnement apparaît pour la première fois. Dans ce cas, il est probable que la majorité des étapes du processus de décision illustré à la Figure 11.2 devront être franchies.

Étant donné la multitude d'achats qu'une organisation doit faire et, par conséquent, les sommes importantes qui sont dépensées, la plupart des firmes intègrent la fonction d'approvisionnement dans la structure organisationnelle. Dans sa forme la plus simple, cette fonction est occupée par une seule personne, un **acheteur**, qui a la responsabilité de gérer les achats de la firme. Dans les grandes organisations, on trouve généralement un **service des achats**, c'est-à-dire une unité fonctionnelle regroupant plusieurs personnes qui se partagent les responsabilités liées à l'approvisionnement. Le fait que la fonction d'achat soit définie formellement dans l'organisation influence le processus décisionnel de deux façons importantes. Premièrement, pour des fins d'efficacité et de contrôle, il est nécessaire de définir des procédures qui doivent être suivies de façon stricte par les participants à l'achat. En comparaison avec le processus de décision du consommateur, on peut donc affirmer que l'achat industriel est plus **structuré**. Deuxièmement, les acheteurs sont engagés par la firme pour faire les meilleurs achats. C'est donc dire que les critères qu'ils utilisent pour choisir les fournisseurs et les produits doivent être rigoureux et **objectifs**. Ici, pas question de se laisser influencer par des considérations émotionnelles ou irrationnelles. Les critères de choix des acheteurs sont la performance technique des produits, le service après vente, l'assistance technique offerte par les fournisseurs, le prix et les délais de livraison.

En ce qui concerne le prix, il faut noter que ce critère est plus important dans le cas d'achat d'équipements légers et de fournitures. Lorsqu'il s'agit de commandes spéciales (par ex. des wagons de métro), le prix est une considération importante, mais généralement moins que les conditions de financement de l'achat.

Bien sûr, les acheteurs sont des être humains et il est probable qu'ils ne sont pas toujours aussi rationnels qu'ils le voudraient. Ceci est d'autant plus vrai qu'ils subissent les pressions de différentes personnes à l'intérieur de l'organisation — en particulier, les utilisateurs — comme à l'extérieur (les vendeurs) qui souhaitent ardemment que les choses se fassent à leur manière.

Quatre leçons à tirer des observations précédentes guident l'action marketing :

Identifier les personnes-clés. Quelle que soit la taille du service des achats dans une entreprise (une personne ou 20 personnes), il est important de comprendre que plusieurs acteurs participent à la décision d'achat. Le fabricant qui souhaite décrocher un contrat d'approvisionnement dans une entreprise doit réussir à identifier et à persuader les gens qui ont le plus d'influence dans le processus.

Comprendre les procédures d'achat. Il ne suffit pas d'identifier les personnes les plus influentes dans la décision d'achat, il faut connaître les procédures qui régissent l'approvisionnement dans l'organisation. Cette connaissance facilite les rapports entre l'entreprise et le fournisseur en évitant les pertes de temps et les explications et crée du même coup un avantage concurrentiel non négligeable pour le fournisseur. Les vendeurs sont très importants à ce niveau. Ils doivent entretenir avec leurs clients des relations harmonieuses et amicales.

Connaître les critères de choix. Dans la majorité des cas, les acheteurs dans l'entreprise prennent leurs décision d'achat sur la base de critères de choix bien définis. Connaître ces critères et leur portée est de la plus grande importance pour les fournisseurs.

Favoriser le simple réapprovisionnement. La fidélité des clients est essentielle à la survie de l'entreprise. Dans le secteur industriel, cela correspond à une situation de simple réapprovisionnement. L'objectif d'un fournisseur doit être de maintenir une position privilégiée sur la liste des sources d'approvisionnement de l'organisation et, idéalement, d'être seul sur cette liste. Pour atteindre cet objectif, le fournisseur doit éviter la situation de réapprovisionnement modifié en maintenant une position concurrentielle sur les critères de choix importants et en convaincant l'organisation que les coûts associés à un changement de fournisseur excèdent largement les bénéfices. Il importe aussi de savoir anticiper les changements dans les besoins des clients, afin d'offrir des produits adaptés et d'éviter du même coup d'être mis à l'écart par la concurrence.

Le marketing industriel en action

Les considérations relatives à la nature de la demande et au comportement d'achat dans les organisation font du marketing industriel un champ d'application distinct de celui du marketing de consommation. Mais, ne nous méprenons pas ! L'approche pratique que nous avons développée dans cet ouvrage : *savoir d'abord ce que veut l'acheteur, déterminer s'il y a un marché, élaborer une stratégie de marketing et la mettre en œuvre* — est aussi valable en marketing industriel. L'action marketing en milieu industriel a ses particularités propres, mais la logique est la même.

La Figure 11.3 présente quelques différences importantes entre le marketing de consommation et le marketing industriel au niveau des composantes du marketing-mix. On y note que, comparativement aux biens de consommation, plusieurs produits industriels sont souvent spécialisés, ce qui oblige les fournisseurs à offrir une assistance technique. La Figure 11.3 montre aussi qu'en marketing industriel, le prix est un critère de choix objectif. Lorsque les produits offerts par une firme sont relativement standardisés (par ex. papier à lettre), le prix est un attribut important dans la sélection d'un fournisseur. On note aussi que les circuits de distribution des biens industriels sont plus courts. Dans plusieurs cas, il s'agit en fait d'un lien direct entre le producteur et l'organisation cliente. Enfin, en marketing industriel, la communication n'est pas de masse ; elle vise à rejoindre un nombre restreint d'organisations. Pour ce faire, elle doit s'appuyer sur des techniques de communication qui permettent de bien cibler le marché.

figure 11.3 **Contrastes entre le marketing de consommation et le marketing industriel**

	PRODUIT	PRIX	DISTRIBUTION	COMMUNICATION
MARKETING DE CONSOMMATION	**Types** ■ Biens de commodité ■ Biens de comparaison ■ Biens de conviction **Caractéristiques** ■ Typiquement standardisés ■ Le service est relativement important	**Types** ■ Plusieurs - dépend des objectifs de la firme (écrémage, pénétration, etc.) **Caractéristiques** ■ Plus ou moins fixes ■ Dimensions psychologiques ■ Différentes méthodes de fixation du prix	**Types** ■ Plusieurs — dépend de la nature du produit et des marchés (ventes au détail, par courrier, télé-achat, machines distributrices, etc.) **Caractéristiques** ■ Plusieurs intermédiaires ■ Stratégique (par ex. exclusivité)	**Types** ■ Plusieurs : publicité, promotion, vente personnelle **Caractéristiques** ■ De masse ■ S'appuie sur des thématiques variées (humour, émotion, information, etc.)
MARKETING INDUSTRIEL	**Types** ■ Matières premières ■ Équipements ■ Fournitures ■ Services **Caractéristiques** ■ Produits techniques ■ Produits adaptés ■ Assistance technique	**Types** ■ Prix adaptés selon les spécifications du produit ■ Prix de liste pour les produits standards **Caractéristiques** ■ Négociables ■ Escomptes de quantité	**Types** ■ Typiquement directe au client **Caractéristiques** ■ Les délais de livraison doivent être courts	**Types** ■ Emphase sur la vente personnelle **Caractéristiques** ■ Spécialisée (envois personnalisés, foires industrielles, catalogues, etc.) ■ S'appuie sur un contenu rationnel et informatif

LE MARKETING DES SERVICES

L'achat et la consommation sont des activités humaines courantes dans notre société. Quand on y regarde de près, on se rend compte que ces activités se limitent rarement aux seuls produits physiques. Pour acheter ce veston de cuir dont on a envie, il faut nous faire *servir* par un vendeur. Le repas du midi qu'on prend au restaurant du coin nous est servi par un serveur ou une serveuse. Le journal que l'on lit nous a été livré par un camelot. Notre courrier électronique n'est pas accessible sans abonnement à un serveur. Même aux derniers moments de notre vie de consommateur, il nous faudra en plus d'un cercueil nous payer le service des pompes funèbres!

Nous vivons dans une société de **services**. Les services sont partout; ils accompagnent les produits physiques (par ex. la ligne téléphonique avec le téléphone) ou encore constituent eux-mêmes des produits à part entière (par ex. un compte d'épargne dans une banque). Les secteurs de l'activité économique dans lesquels on les trouve sont nombreux :

- le transport (aérien, ferroviaire; de passagers ou de marchandises)
- l'entreposage (marchandises; personnes – hôtels)
- les communications (courrier, courriel, téléphone, télévision, …)
- l'énergie (gaz, électricité, nucléaire, …)
- les institutions financières (banques, caisses populaires, compagnies de crédit, sociétés de courtage, …)
- les assurances (collectives ou individuelles; vie, maison, auto, …)
- l'installation, l'entretien ou la réparation (automobiles, gazon, construction domiciliaire,)
- le conseil (notaires, avocats, planificateurs financiers, comptables, publicitaires, …)
- le logement (courtiers immobiliers, hôtels, …)
- l'enseignement (collèges, universités, formation professionnelle, …)
- la santé (hôpitaux, centres de réadaptation, centres de conditionnement physique, …)
- les loisirs (agences de voyage, cinémas, bars, terrains de golf, …)
- la culture (musées, spectacles, …)
- le commerce de gros et de détail

etc.

L'importance des services dans notre économie ne fait pas de doute. Plus de 70 % des travailleurs canadiens ont un emploi relié à un secteur des services. C'est une situation typique des sociétés postindustrielles. L'augmentation du niveau de vie, l'importance plus grande du temps réservé aux loisirs et la complexité technique des produits expliquent en grande partie la croissance remarquable qu'ont connue les services au Canada depuis la Seconde Guerre mondiale. Ainsi, en 1949, les services comptaient pour 46,9 % du produit intérieur brut canadien. En 1998, ils comptaient pour 67,1 % [3].

Des produits différents

Dans ce livre, nous avons considéré un service comme un type particulier de produit (voir chapitre 1). Cela s'explique par le fait que, tout comme un produit physique (par ex. un rasoir électrique), un service est conçu et livré dans le but de satisfaire des besoins. Ainsi, l'optométriste offre ses services aux consommateurs qui ont des problèmes de vision nécessitant des soins spécialisés. Ceux-ci en échange paient pour ce service. À la différence des produits physiques cependant, les consommateurs ne sont jamais réellement propriétaires des services qu'ils achètent. Certes ils en bénéficient, mais ils ne les possèdent pas. De plus, ceux qui les vendent ne s'en départissent pas comme s'il s'agissait d'objets matériels.

Service : activité qui donne lieu à un ensemble de bénéfices, qui sert de base à un échange et pour laquelle il n'y a pas de transfert de propriété.

Les services sont donc des produits, mais des produits bien spéciaux. Leurs caractéristiques distinctives créent des problèmes particuliers pour les responsables du marketing. Voyons un peu[4].

Caractéristique n° 1 : les services sont des produits intangibles

Imaginez la tête d'un directeur d'usine à qui on dirait qu'à partir de maintenant, la chaîne de montage fabriquera un produit qu'on ne peut ni voir, ni toucher, ni goûter, ni même sentir ! Sa réaction probable serait : « *Mais, comment pourra-t-on jamais en vendre ?* ». En effet, nous l'avons vu dans les chapitres précédents, les produits ne se vendent pas seuls. On doit les emballer, les annoncer, les distribuer, leur fixer un prix, etc. Comment peut-on annoncer un produit intangible ? Comment peut-on en fixer le prix ? Comment le consommateur peut-il faire des comparaisons entre des marques concurrentes ? Comment le consommateur peut-il juger objectivement de la qualité d'un produit intangible ? Pourtant, l'intangibilité est une caractéristique de base des services qui sont disponibles sur le marché.

Caractéristique n° 2 : les services sont souvent produits et consommés en même temps

Notre pauvre directeur d'usine ne pourrait sans doute pas supporter l'idée que le nouveau produit intangible qu'il est appelé à fabriquer sera consommé au fur et à mesure qu'il est produit. Comment s'assurer d'une production standardisée et efficace si les consommateurs sont dans l'usine et consomment les produits sur la chaîne de montage ! ? Cela est cependant une caractéristique propre aux services. Ainsi, la cliente d'un salon d'esthétique est littéralement sur la chaîne de montage lorsqu'elle consomme, à mesure qu'ils sont produits, les divers traitements (épilation, manucure, maquillage, ...) qu'elle a demandés, comme le sont d'ailleurs les clients de *Subway* au comptoir de service et les voyageurs d'*Air Canada* sur le vol en provenance de Paris.

Caractéristique n° 3 : les services sont des produits périssables

La déception sera grande quand notre directeur d'usine apprendra qu'il ne peut stocker les produits qu'on lui a demandés de fabriquer lorsque la demande est faible. Pas moyen de faire des réserves pour faire face aux éventuelles poussées de la demande. Ainsi, dans les restaurants *St-Hubert*, on ne peut malheureusement pas entreposer les places vides en période creuse pour pouvoir en faire usage en période de grand achalandage. Le caractère périssable des services entraîne des problèmes de production importants : sous-utilisation de la capacité de production lorsque la demande est faible et difficulté de satisfaire à la demande lorsqu'elle est trop forte (par ex. le service téléphonique interurbain à la Fête des mères ou à Noël).

Caractéristique n° 4 : la qualité des services est variable

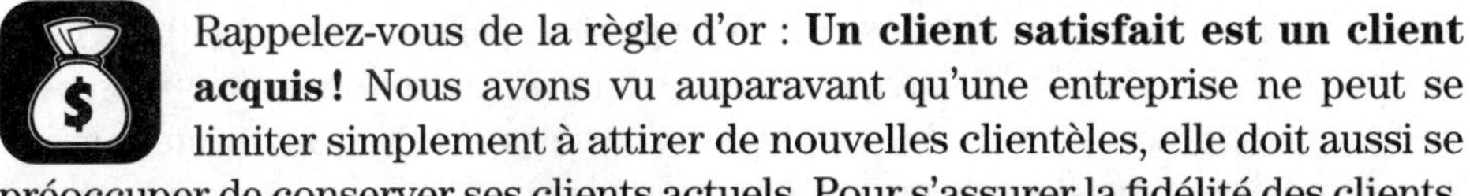

Rappelez-vous de la règle d'or : **Un client satisfait est un client acquis !** Nous avons vu auparavant qu'une entreprise ne peut se limiter simplement à attirer de nouvelles clientèles, elle doit aussi se préoccuper de conserver ses clients actuels. Pour s'assurer la fidélité des clients, celle-ci doit les satisfaire et vendre des produits de qualité : c'est le meilleur moyen d'atteindre cet objectif. Dans le contexte du marketing des produits tangibles, il est relativement simple de maintenir un niveau de qualité constant ; la production de masse est standardisée et l'évaluation de la qualité se fait de façon continue en examinant par exemple des échantillons de produits à divers stades de leur production. Les services sont la plupart du temps livrés par des personnes et, par conséquent, leur production est nécessairement non uniforme. Il est donc difficile de fournir une qualité constante. Pensez aux quelques mauvaise expériences que vous avez eues avec des préposés au service (banques, restaurants, magasins à rayons, ...) !

Le marketing des services en action

Le marketing est une philosophie d'entreprise. Quel que soit le type de produit, bien de consommation, bien industriel, idée ou service, les étapes fondamentales de la démarche marketing restent toujours pertinentes : connaître les besoins des consommateurs, évaluer la demande, élaborer une stratégie de marketing et passer à l'action. Les services, nous l'avons vu, sont des produits d'un type bien particulier. Par conséquent, il importe d'adapter l'action marketing en fonction de ces particularités.

Dans la plupart des entreprises de services, les employés jouent un rôle très important. Dans certains cas (par ex. salons de coiffure, plomberie), le service et le personnel de service sont même indissociables. Pour évaluer la qualité des services qu'ils reçoivent, les clients ont donc tendance à évaluer la façon dont ils sont traités par les employés. Par exemple, si un client est mal servi dans un restaurant, c'est probablement du restaurant dont il se souviendra plutôt que du serveur. Cette observation témoigne de l'importance que les responsables du marketing dans les entreprises de services doivent accorder à la sélection, la formation, la motivation et la supervision des personnes qui sont en contact direct avec les clients. Idéalement, chaque interaction client-employé doit être fondée sur la courtoisie et les bonnes manières de l'employé et sur son désir de répondre adéquatement aux besoins du client.

Afin d'uniformiser la qualité des services, l'entreprise peut tenter de standardiser l'interaction client-employé. Une trop grande standardisation risque cependant de conduire à la dépersonnalisation du service. Par exemple, l'introduction des guichets automatiques dans les banques et les caisses populaires correspond à une standardisation extrême qui donne lieu à une dépersonnalisation totale du service. Certains clients réagissent de façon très négative à cette initiative des institutions financières si on ne leur offre aucune autre option pour se faire servir. Le défi pour l'entreprise de services est de trouver un compromis satisfaisant entre le service entièrement personnalisé qui est sujet à des variations de qualité, et le service standardisé qui lui ne peut s'adapter aux besoins spécifiques des clients que dans une certaine mesure.

La nature intangible des services complique la communication de l'entreprise avec ses marchés. En effet, il est difficile de dépeindre les aspects intangibles dans une annonce publicitaire, quel que soit le média utilisé. C'est pourquoi la communication publicitaire pour un service s'appuie fréquemment sur des éléments tangibles qui traduisent de façon directe ou symbolique la qualité du service. Ainsi, la publicité pour la carte de crédit *VISA* montre de façon directe comment il est facile d'acheter à crédit des produits tangibles *(« Avec* VISA *ça va »)*, les compagnies de téléphone font la promotion de leur service téléphonique interurbain par des publicités à caractère émotionnel montrant qu'il en coûte si peu pour faire plaisir à un être cher, les banques nous présentent dans leur publicité ce qu'on peut faire concrètement avec un prêt personnel : voyager, s'acheter une voiture, s'offrir un nouveau téléviseur.

L'ajustement de l'offre et de la demande représente sans doute le plus gros défi des entreprises de services. La rentabilité de l'entreprise de services est fonction des fluctuations de la demande. Même s'il n'a à son bord que la moitié des passagers qu'il peut transporter, l'avion doit néanmoins effectuer le vol qui a été planifié. Les coûts associés à un vol sont à peu près les mêmes, que l'avion soit vide ou plein. De même, les restaurants *Valentine* ne peuvent fermer leurs portes et congédier tous les employés l'après-midi sous prétexte que les clients sont peu nombreux à ce moment-là. La variation de la demande pour les services est un problème sérieux pour lequel il n'existe pas de solution véritable. Cependant, on peut mettre en œuvre des stratégies de marketing qui offrent des solutions partielles. Ainsi, il est possible d'ajuster les prix pour stimuler la demande en période creuse et la freiner en période forte. Par exemple, les firmes de location de voitures offrent des tarifs avantageux pour la location de fin de semaine ; les transporteurs aériens et les hôtels n'ont pas la même structure de prix selon la saison ; le service téléphonique interurbain coûte moins cher en soirée et durant la fin de semaine ; les billets de saison pour le ski ou le golf coûtent moins cher s'ils sont achetés avant l'ouverture de la saison ; le prix de location d'un film dans un club vidéo est moins élevé durant la semaine que durant la fin de semaine. Par ailleurs, l'entreprise de service peut aussi utiliser la publicité pour encourager les consommateurs à réduire leur consommation en période de forte demande. Par exemple, certaines annonces publicitaires d'*Hydro-Québec* suggèrent aux abonnés de conserver l'énergie électrique durant les heures de repas et en période de froid intense. De même, *Postes Canada* demande aux consommateurs canadiens de penser à envoyer leurs cartes de Noël un peu plus tôt.

Le marketing au service des entreprises de services

Le marketing n'est pas aussi bien développé dans le secteur des services que dans celui de la mise en marché des produits tangibles. Plusieurs facteurs expliquent cette situation. D'abord, il faut noter que beaucoup d'entreprises de services sont de petite taille. Par conséquent, elles ne possèdent pas les ressources financières ou humaines pour véritablement intégrer le marketing dans leur action commerciale. C'est généralement le propriétaire de l'entreprise qui assume de façon rudimentaire les tâches propres au marketing (conception du service et de la publicité, fixation des prix, analyse de la concurrence, contrôle de la qualité, ...). Par ailleurs, beaucoup d'entreprises de services sont sans but lucratif. Elles voient plus le marketing comme un ensemble de techniques leur permettant d'obtenir du financement (par ex. la publicité de *Centraide*) que comme un moyen de stimuler la demande pour leurs services et d'assurer leur croissance. Dans le secteur des services professionnels, les firmes sont réticentes à utiliser le marketing de peur d'entacher leur réputation fondée sur le professionnalisme et s'adonnent plutôt à des activités de relations publiques.

Dans l'économie nord-américaine, le secteur des services est en phase de maturité. Depuis plusieurs années, sa croissance est ralentie. Certains domaines tels la vente au détail et la restauration rapide n'utilisent pas pleinement leur capacité de production. Il est probable que plusieurs entreprises de services connaîtront bientôt une stagnation et même un baisse de leurs profits. Ces symptômes sont les précurseurs d'une ère de confrontation pour les entreprises de services[5]. Dans ce nouveau contexte, l'action marketing est encore le meilleur gage de succès face à la concurrence.

LE MARKETING DE L'INFORMATION

Avec le XXIe siècle, nous entrons dans l'ère de la connectivité : tous les agents économiques (fournisseurs, fabricants, commercants, clients, consultants...) sont interconnectés par des réseaux électroniques. Ils peuvent désormais avoir accès à tout moment à une quantité d'informations jusqu'ici inimaginable. Avant l'apparition des technologies *Internet*, l'information était jalousement gardée par ceux qui la détenaient et qui voyaient en elle une source de pouvoir. Aujourd'hui, elle est disséminée dans des réseaux publics *(Internet)* ou privés (*Extranets* : réseaux entre les entreprises et leurs clients; *Intranets* : réseaux inter-entreprises). Le pouvoir n'appartient plus à celui qui garde l'information, sinon à celui qui lui donne de la valeur en la disséminant.

L'expression « marketing de l'information » recouvre plusieurs activités. En voici quelques facettes, et il en viendra sûrement d'autres à l'esprit du lecteur :

- Les recueils de données, soit par les méthodes traditionnelles de la recherche en marketing (entrevues, enquêtes, etc.), soit par comptage mécanique, filmage, fichiers-clients, etc. ne servent plus seulement à guider l'action marketing de l'entreprise, mais à constituer et à gérer des **bases de données** (anglais : *databases*) susceptibles d'être commercialisées.
- Supposez qu'une entreprise de vente d'huile de chauffage constitue une base de données sur ses clients, contenant à la fois de l'information sur le client, son domicile, sa chaudière, sa consommation mensuelle et ses habitudes de chauffage. L'information accumulée a non seulement un intérêt évident pour l'entreprise en question, mais aussi pour d'autres firmes offrant des services reliés au chauffage. Ex : services d'isolation thermique, gardiennage de maison pour les « *snowbirds* » qui passent l'hiver en Floride, assurance et service de maintenance de chaudières, etc.
- Un concurrent vendant du chauffage au gaz aimerait bien lui aussi avoir accès à une telle base de données.
- La base de données devient un produit en soi. L'entreprise d'huile à chauffage citée en exemple, doit alors décider des modalités d'accès à sa base de données : la vendre (le cas est rare) ou en louer l'accès avec des tarifs différents selon la quantité et la richesse des informations que désirent obtenir les entreprises intéressées. Elle devra aussi se garder de l'ouvrir à ses concurrents directs.
- Les données brutes sont généralement de peu d'utilité, il faut les analyser afin d'en tirer l'information utile pour l'action marketing. Un nouveau type d'entreprise est apparu ces dernières années, ce sont des firmes spécialisées dans le **forage de données** (anglais : *data mining*). Elles analysent les bases de données au moyen de méthodes statistiques avancées afin d'en tirer l'information que recherchent ses clients. Par exemple, le forage de données peut conduire à une invention de produit, une segmentation originale ou un repositionnement sur le marché.
- L'information est un produit, elle a de la valeur. Ainsi, ne croyez pas que lorsque vous allez sur un site *Internet* comme *yahoo.com* ou *altavista.com*, vous obtenez des « services gratuits » de courriel, de cours de la bourse ou de petites annonces. En réalité, une transaction a lieu, parfois à votre insu (cf. Illustration 7.1 : « *Des biscuits insidieux* »), car vous donnez des renseignements personnels en échange des services reçus. Votre profil d'acheteur va enrichir la base de données du site *Web* que vous visitez, ajoutant ainsi de la valeur au site. La valeur économique d'un site est liée à deux facteurs principaux : 1- la richesse de sa base de données et 2- son pouvoir d'attraction : plus le site est intéressant, plus de gens le visitent, plus la base de données s'enrichit, et plus le site attire de bannières publicitaires (anglais : *banners*) et gagne des commissions sur les ventes faites à partir des **touches** (anglais : *hits*) sur les bannières.

L'essor actuel du marketing de l'information est lié à l'évolution technologique. Au siècle dernier, les gens du marketing faisaient face à un choix douloureux lorsqu'ils disséminaient l'information : ils pouvaient soit transmettre une information pauvre à de nombreux clients cibles (anglais : *targets*), par exemple, par la publicité de masse, ou atteindre peu de gens avec une information riche (exemple : vente personnelle). Internet met fin à ce dilemme. On peut désormais mettre une information riche à la portée d'un public illimité. Mais comment s'assurer que dans le cyberespace encombré, le public cible, dont le temps est limité, verra effectivement l'information qu'on lui présente ? Voilà un autre défi de marketing à relever !

LE MARKETING INTERNATIONAL

Toute entreprise en croissance finit par croître hors de son marché initial. Cela l'amène à développer de nouveaux produits et de nouveaux marchés (voir Figure 6.1). Certains de ces marchés seront situés hors des frontières du pays d'origine de la firme, on parlera alors de marketing international.

Comment une entreprise peut-elle se développer ? Considérez la matrice suivante (Figure 11.4) qui met en évidence quatre formes de développement de l'entreprise[6].

figure 11.4 **Quatre formes de développement de l'entreprise**

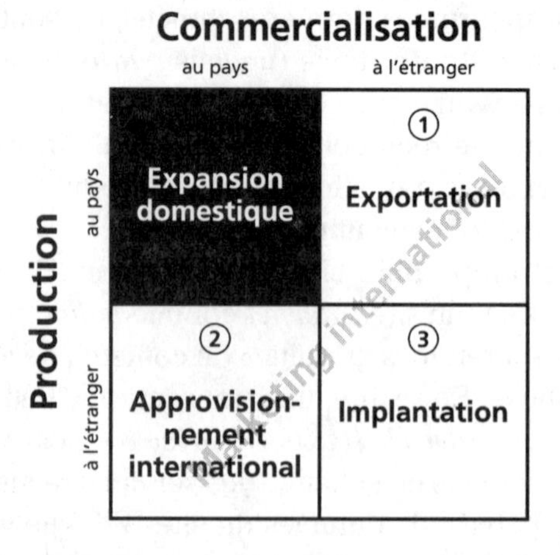

Première option du développement : l'**expansion domestique**. L'entreprise fabrique et commercialise ses produits dans un seul pays, soit parce que la taille du marché domestique est suffisante pour absorber sa production, soit parce que des contraintes financières, légales ou logistiques entravent la production ou la commercialisation à l'étranger.

Les trois autres options de développement constituent le champ du marketing international :

1. **l'exportation :** l'entreprise produit dans son pays d'origine et vend une partie de sa production à l'étranger.

   L'exportation est le mode de développement recommandé quand les conditions suivantes sont réunies :

   – il est plus avantageux de produire au pays, pour des raisons de coût, d'infrastructure, de disponibilité de matières premières, de personnel qualifié et de technologie ;

   – le produit est transportable dans des conditions économiques (facteurs importants : poids, durée de conservation, fragilité, stabilité, volume, température ;

   – le produit est adapté aux conditions de consommation du marché étranger ;

   – le pays d'exportation (pays étranger) ne met pas d'entrave à l'importation (droits de douane, règlements divers) ;

   – l'entreprise est raisonnablement certaine d'être payée.

2. **l'approvisionnement international :** une firme achète à l'étranger soit des composants en vue d'assembler le produit fini au pays, soit le produit lui-même pour le commercialiser ensuite au pays. L'achat à l'étranger fait partie du champ du marketing international. La plupart des produits électroniques vendus au Canada par des firmes canadiennes, contiennent des composants étrangers. Si vous avez un ordinateur personnel, ouvrez-le (après l'avoir éteint !) et regardez les puces électroniques des cartes de mémoire : certaines viennent de Taiwan, d'autres de Singapour, de Malaisie, du Mexique, même si l'ordinateur est réputé être fabriqué au Canada.

   L'approvisionnement international est souhaitable quand :

   – le produit désiré n'existe pas au pays ;

   – le produit désiré est disponible à de meilleures conditions à l'étranger ;

   – il est économiquement avantageux pour l'entreprise de faire fabriquer le produit à l'étranger (anglais : *off-shore manufacturing)*, souvent pour des raisons de coût de main-d'oeuvre ou de disponibilité de matières premières ;

   – il est possible de transporter et d'importer le produit ou les composants au pays dans des conditions économiques satisfaisantes.

3. **l'implantation :** alors que l'exportation a trait au transport de marchandises à l'étranger, l'implantation à l'étranger requiert le transfert de ressources humaines, financières et technologiques.

Exemple : *La firme canadienne de télécommunications Nortel Networks est implantée au Mexique, en Irlande, en Corée, en Colombie et en Turquie - entre autres pays. Son implantation a différentes formes :* ***filiale de fabrication*** *en Irlande,* ***filiale de vente*** *au Mexique, en Turquie elle détient une participation minoritaire dans une* ***société conjointe*** *(anglais : joint-venture) qui fabrique sous licence et commercialise certains équipements de Nortel, en Autriche et en Colombie, les équipements de la compagnie sont fabriqués par des licenciés indépendants.*

Les trois options de développement international ne sont pas mutuellement exclusives. Elles donnent lieu à de multiples combinaisons possibles d'achat à l'étranger et d'exportation de marchandises, de capitaux, de ressources humaines et technologiques. On peut juger de la diversité des formes du marketing international à travers quelques exemples :

Lavalin - SNC est l'une des plus grandes firmes d'ingénierie au Canada. Elle fait de la **gestion de projets** industriels à étranger. Elle réalise soit seule, soit le plus souvent en association avec d'autres firmes (consortium), des travaux d'infrastructure (routes, ponts, etc.) ou des ensembles industriels **clé en main** (anglais : *turnkey project*). Dans ce dernier cas, elle livre à l'acheteur étranger une usine prête à fonctionner, d'où le terme clé en main qui suggère que l'acheteur n'a plus qu'à tourner la clé pour que l'usine fonctionne.

Appui inc. est une petite entreprise sherbrookoise qui offre des services d'**assistance technique** dans les pays du Tiers Monde, en particulier dans le domaine éducatif. *Appui* gère des projets de développement, souvent financés par des organismes d'aide, comme *l'ACDI (Agence Canadienne de Développement International)*, et exporte les services d'experts canadiens auprès des organisations étrangères qui y font appel.

Domtar fabrique à Windsor (Québec) 1 400 tonnes de papier fin : papier à photocopie, papier offset destiné aux imprimeurs, à la production de formulaires d'affaires et d'enveloppes. Près de 80 % de la production est exportée aux États-Unis.

Le yogourt est périssable. Pas question de l'exporter. Cela n'a pas empêché *Yoplait* (marque de commerce de la coopérative française *Sodima)* de s'implanter au Québec à travers un accord de **franchise industrielle** signé avec la coopérative agricole de Granby *Agropur*. Aux termes de cet accord, *Agropur* fabrique et commercialise les produits lactés *Yoplait* selon les recettes du franchiseur *(Sodima)* et lui verse des redevances, c'est-à-dire un pourcentage prélevé sur les ventes.

Le marketing international n'est pas une science à part, distincte du marketing tel qu'on l'a étudié dans les dix premiers chapitres de ce livre. C'est simplement du marketing hors frontières, qui met en application les principes de base du marketing — prééminence du consommateur, segmentation, différenciation, positionnement, etc. — et y ajoute certains éléments dûs à l'éloignement géographique des marchés étrangers et aux différences économiques, sociales et culturelles pouvant exister entre le pays importateur et le pays exportateur. Ces différences conduisent l'entreprise à reconsidérer ses produits et ses segments cibles en fonction de la réalité du marché étranger.

La règle d'or selon laquelle **il ne faut jamais lancer un produit sans faire un test de marché** est plus que jamais de mise en marketing international. Le même produit qui a eu beaucoup de succès au Canada, peut très bien échouer à l'étranger parce qu'il n'est pas adapté à la réalité du pays importateur (voir le cas *Shower to Shower* à la fin de ce chapitre et l'Illustration 1.1). Les différences culturelles, sociales, climatiques, géographiques etc. amènent souvent l'entreprise à modifier son produit pour l'exporter. Bien entendu, il faut l'adapter aux normes d'emballage, de sécurité, etc. du pays importateur Il faut toujours que le mode d'emploi et les textes relatifs au produit soient écrits dans la langue du pays importateur, il faut parfois changer le nom du produit, la couleur, le design parce qu'ils ne conviennent pas dans le pays importateur. Les canettes de bière sont plus grandes dans certains pays équatoriaux, car il faut les faire à la mesure de la soif ! Les boissons gazeuses de ces mêmes pays contiennent généralement plus de sucre qu'au Canada, parce qu'elles constituent un élément nutritif important dans la diète des consommateurs locaux et qu'ils préfèrent un goût sucré.

Enfin, le marketing doit s'adapter, en milieu international, aux structures locales de la distribution et aux habitudes commerciales du pays. Pas question d'avoir des prix fixes dans un pays où la coutume veut que l'on marchande. Inutile de courtiser les supermarchés dans un pays où 80 % du commerce est réalisé par des vendeurs ambulants qui vont de village en village ou qui installent un stand dans la rue. Impossible de pénétrer légalement dans un pays qui taxe fortement les importations et qui permet par ailleurs le développement du commerce de **contrebande**. Dans certains pays sud-américains, par exemple, des secteurs entiers de l'économie sont impénétrables par des voies légales car les importations légales, donc taxées, ne peuvent concurrencer les prix des produits qui se vendent au **marché noir** (contrebande).

Illustration 11.1
À votre santé !

Il est difficile d'évaluer le potentiel des marchés de consommation à l'étranger. En effet, les goûts et les habitudes de consommation diffèrent énormément d'un pays à l'autre, et rendent vaine toute estimation du marché par application de ratios de consommation. Ce n'est pas par exemple, parce que le français mange en moyenne 48 pots de yogourt par an, que le marché québécois du yogourt est égal à 48 fois la population de la Belle Province; les habitudes de consommation ne sont pas les mêmes dans les deux pays.

Comparez la consommation de bière et de vin dans les pays de l'Union Européenne.

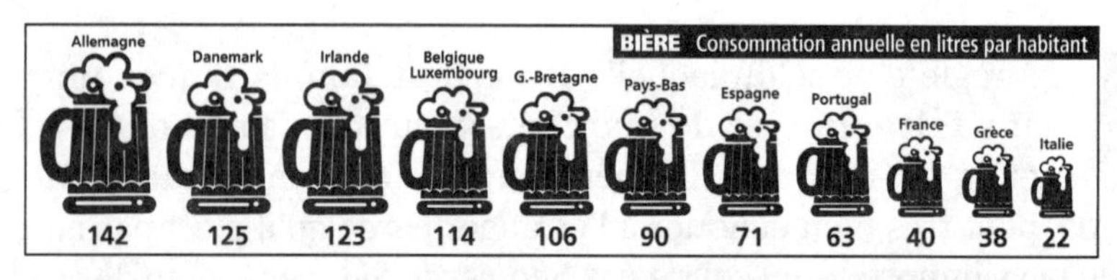

Source : Eurostat

On boit de la bière dans les pays nordiques et du vin dans le sud. On peut certes trouver à cela une explication logique : la vigne pousse mieux sur les bords de la Méditerranée, et le houblon dans les régions nordiques. Mais comment expliquer que ce soient les Islandais qui boivent le plus de Coca-Cola au monde !

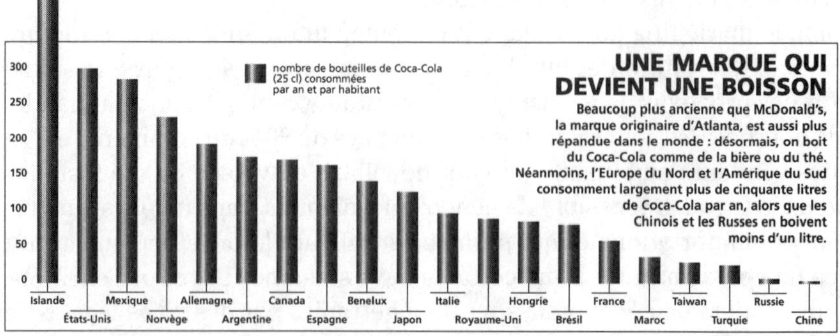

Source : Coca-Cola

Les décisions-clés

Toutes les décisions importantes en marketing « domestique » sont aussi importantes en marketing international. Toutes les questions fondamentales doivent également être posées : que veut le consommateur ? Y a-t-il un marché ? que veut l'entreprise ? Il y a bien des chances pour que les réponses à ces questions diffèrent d'un pays à l'autre. Il n'y a pas de marketing universel ; chaque domaine ou couple produit-marché requiert une action marketing différente. Lorsqu'on change de marché, il faut donc toujours réviser la stratégie de marketing. Cela est vrai en particulier lorsque l'entreprise veut pénétrer les marchés étrangers ; elle doit prendre quatre décisions-clefs :

1- choix du produit (ou des produits)

2- choix du pays (ou des pays)

3- choix du moment propice

4- choix du mode de pénétration

Choix du produit (ou des produits)

Un produit n'existe que pour un pays

Faute d'avoir observé cette règle d'or, de nombreuses firmes ont échoué sur les marchés étrangers. Il faut adapter le produit au marché. Cela peut amener l'entreprise à modifier

- le **produit lui-même** :

  Coca-Cola contient plus de sucre dans certains pays que d'autres, pour répondre au goût de la population locale;

- le **nom du produit** :

  Le talc Shower to Shower est vendu au Brésil sous le nom Banho a Banho et en Colombie sous le nom Sport.

- l'**emballage**, non seulement pour répondre aux normes du pays local, mais encore pour veiller à ne pas utiliser des symboles ou des couleurs mal perçues dans le pays étranger :

  Une brasserie japonaise s'étonnait de sa piètre performance à l'exportation à Hong Kong. On lui fit remarquer que l'étiquette portait une étoile rouge, ce qui à Hong Kong évoque le spectre de la Chine communiste.

Attention aux ***couleurs*** *! Chaque pays a ses couleurs préférées : les Canadiens aiment les tons marrons, les Français adorent le bleu, les Allemands optent pour le vert... Les couleurs sont des symboles. Chez nous, le blanc est symbole de la pureté, alors qu'en Corée, il fait penser à la mort.*

Ce n'est pas toujours le produit qui se vend le mieux dans le pays d'origine qui sera aussi le meilleur vendeur à l'étranger. En effet, les conditions d'utilisation et de concurrence sont souvent différentes, si bien qu'un produit jugé peu esthétique ou désuet dans le pays d'origine peut très bien réussir dans certains pays étrangers.

figure 11.5 **Caractéristiques types de la demande à l'étranger**

	Pays industrialisés	**Pays semi-industrialisés**	**Pays en voie de développement**
PRODUITS	• produits complexes • nombreuses innovations • nombreux substituts	• produits complexes et robustes • quelques produits substituts	• produits robustes • peu de substituts
MARCHÉS	• marché développé • besoin de se différencier par rapport à la concurrence • demande de remplacement	• marché en expansion • besoin de service • demande primaire et demande de remplacement	• marché à éduquer • demande primaire
CONCURRENCE	• forte concurrence sur la performance technique, le service, le prix • marché très segmenté • concurrents établis	• entrée de nouveaux concurrents • les concurrents croissent avec le marché	• peu de concurrents du fait de l'étroitesse du marché actuel

Choix du pays (ou des pays)

Le choix du ou des pays étrangers que l'entreprise cherche à pénétrer procède d'une décision stratégique qui tient compte de la demande espérée, de la concurrence, de la disponibilité de partenaires locaux, des rapports avec les intermédiaires locaux de distribution, etc.

Chaque type de pays a des caractéristiques différentes quant à la nature de la demande, de l'offre et de la concurrence (voir Figure 11.5). Il s'agit donc pour l'entreprise de trouver un pays où les conditions de marché et de concurrence la favorisent.

Choix du moment propice

Il faut s'attaquer à un marché étranger au bon moment, ni trop tôt - quand le marché n'est pas encore prêt à accepter le produit ou que ce dernier n'est pas encore adapté au marché étranger — ni trop tard — quand la concurrence locale est déjà fortement implantée.

À la fin des années '50, Renault a pénétré trop tôt sur le marché automobile nord-américain avec un modèle (« Dauphine ») qui n'était pas adapté aux conditions de conduite locales. Les moteurs ne résistaient pas aux longues randonnées sur les autoroutes.

Dans les années '70, Renault mit tellement de temps à adapter la R-5 pour le marché américain qu'elle arriva trop tard et dût affronter la concurrence de la Honda Civic qui était apparue sur le marché deux ans plus tôt, car Honda avait développé ce modèle dès sa conception initiale, pour le marché nord-américain.

figure 11.6 **Diversité des modes de pénétration**[6]

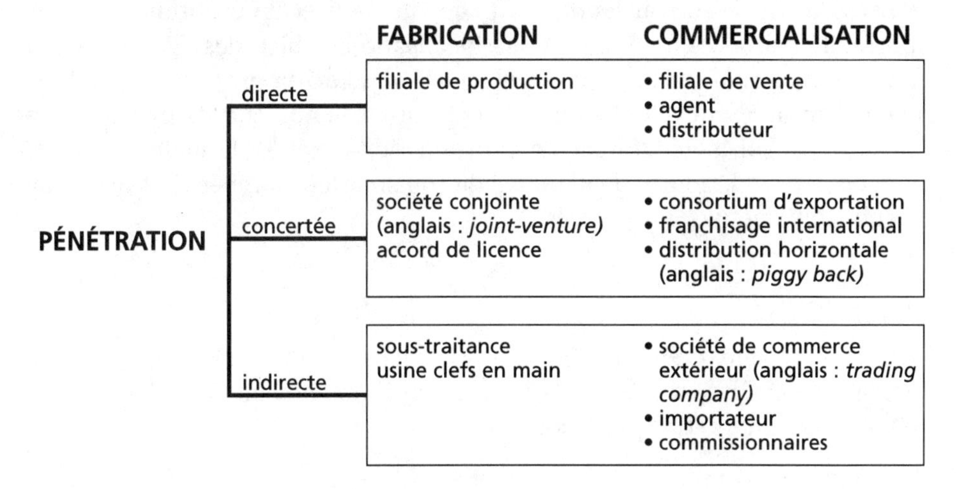

Choix du mode de pénétration

Il existe de nombreuses façons de pénétrer un marché étranger. L'entreprise doit choisir celle qui correspond le mieux à ses objectifs à long terme sur le marché en question. S'il s'agit de vendre des surplus de production à court terme, elle optera peut-être pour l'**exportation**, alors que la même entreprise désireuse de s'établir solidement sur le marché étranger choisira sans doute d'**implanter** ses activités dans le pays étranger via une filiale de vente, une société conjointe ou un accord contractuel avec un partenaire local.

La Figure 11.6 illustre la diversité des modes de pénétration des marchés étrangers.

Du marketing international au marketing global

Le marketing international est en pleine évolution du fait de l'accroissement rapide des échanges internationaux, facilité par l'abaissement progressif des barrières douanières, mais aussi des frontières politiques, idéologiques et culturelles. Les progrès des transports modernes rapetissent la planète. Ce qui était autrefois une expédition se mesure aujourd'hui en quelques heures d'avion, si bien que les pays étrangers ne sont plus aussi étrangers qu'autrefois. L'homme d'affaires moderne voyage, connaît plusieurs pays, parle souvent plusieurs langues, et n'a plus autant de réticence à commercer avec des clients ou des partenaires étrangers.

Alors qu'autrefois le marketing international opposait souvent l'exportateur et l'importateur, chacun essayant de réaliser son profit au détriment de l'autre, il évolue aujourd'hui vers des formes plus sophistiquées de partenariat entre entreprises désireuses d'unir leurs efforts en vue de tirer un profit mutuel d'une opportunité d'affaires, peu importe sa localisation. À bien des égards, le marketing international est mort, il fait place au **marketing global**, c'est-à-dire à une conception du développement de la firme axée non sur les frontières nationales, mais sur la géographie de la production (quel est la meilleure localisation de la production ?), de la demande (où sont les marchés ?) et de la concurrence (qui sont les adversaires ?).

CONCLUSION

Nous voilà presque rendus à la fin de notre discussion du marketing. Cette quatrième partie du livre a été la plus longue, car il nous fallait examiner toute la complexité du marketing en action.

Qu'avons-nous appris ?

- que la mise en oeuvre d'une stratégie de marketing nécessite que l'on prenne des décisions concernant les variables-clefs de l'action commerciale (le prix, les produits, la communication, l'effort de vente, la distribution) ;
- que les champs d'application du marketing sont variés (marketing industriel, des services, de l'information, international), mais que l'action marketing résulte toulours de la même démarche logique : identifier les besoins

du consommateur, évaluer la taille du marché, concevoir et réaliser une stratégie de marketing ;

Il nous faut maintenant tourner la page, mais avant de le faire, nous allons parler encore du marketing, non pas comme philosophie d'entreprise cette fois, mais plutôt en tant que phénomène de société. Comme on le verra, l'histoire est loin d'être finie…

EXERCICES ET SUJETS DE RÉFLEXION

1. Un dentiste se rend chez *Zellers* pour acheter des ampoules électriques. Il en achète pour sa résidence et aussi pour son bureau. Selon notre définition du marketing industriel, l'achat d'ampoule pour le bureau est de type industriel alors que l'achat pour la résidence est du ressort du marketing de consommation. Expliquez pourquoi ces deux achats sont différents. En quoi le processus d'achat pour ces deux situations est-il différent ?

2. Comparez le processus d'achat dans l'organisation et le processus d'achat en famille. Quelles sont les différences et les similarités ?

3. La notion de segmentation est-elle pertinente en marketing industriel ? Montrez comment une étude de segmentation en secteur industriel pourrait être faite. Quelles différences voyez-vous avec la segmentation des marchés de grande consommation ?

4. Au chapitre 2, nous avons présenté une classification des types d'achats de biens de consommation, celle de John Howard. En quoi cette classification diffère-t-elle de celle présentée dans ce chapitre pour les biens industriels (simple réapprovisionnement, réapprovisionnement modifié et nouvel achat) ? En quoi est-elle semblable ?

5. Éva et Alain voient grand. Les voilà qui envisagent de commercialiser le *homard* partout dans le monde. Ils ont à prendre quatre décisions-clés. Aidez-les.

6. Un dirigeant de l'Association des manufacturiers canadiens doit faire une représentation auprès du Ministre de l'Industrie et du Commerce dans le but de l'inciter à promulguer des lois qui protègent les manufacturiers canadiens de micro-ordinateurs contre la concurrence étrangère, en particulier celle qui provient des pays asiatiques.

Quels sont les arguments généraux qu'il pourrait faire valoir? Que pourrait lui répondre le ministre?

7. Faites la liste des raisons qui pourraient pousser une PME manufacturière québécoise à axer son développement sur les marchés extérieurs plutôt que sur l'expansion domestique.

8. Comparez le marketing des services et le marketing des biens tangibles au niveau des aspects suivants :
   - fixation du prix
   - politique de prix (par ex. écrémage, ...)
   - développement international
   - communication (en particulier la publicité)

   Quelles sont les différences majeures?

9. Vous allez dans une parfumerie et vous trouvez un parfum qui vous plaît. Le prix a l'air correct. Vous regardez la marque : « *Sueño contigo* ». Cela ne vous dit rien. Au bas de l'étiquette, en petites lettres, vous lisez : « *Made in Colombia* ». L'achetez-vous? En sortant de la parfumerie vous entrez dans un supermarché pour acheter du café. Juan Valdez vous propose du « *Café de Colombia* ». L'achetez-vous?

   Pourquoi vos réponses aux deux questions risquent-elles d'être différentes?

CAS-LECTURE

Shower to Shower et le bicarbonate de soude

Jusqu'au début des années 70, le bicarbonate de soude n'était pas un produit très excitant à commercialiser. Connu depuis l'antiquité, ce produit était essentiellement utilisé pour trois types d'usages :

1. produit basique (antiacide), il entre dans la composition de médicaments tels ceux qui soulagent les brûlures d'estomac ou, plus couramment encore, la fameuse « gueule de bois »;

2. les cuisiniers l'utilisent aussi dans la préparation de certains plats pour les « adoucir »;

3. le bicarbonate de soude a des propriétés désodorantes. On peut l'utiliser par exemple pour saupoudrer la litière du chat.

Photo n° 1

Photo n° 2

Photo n° 3

Photo n° 4

Photo n° 5

Photo n° 6

Inutile de dire que les ventes de bicarbonate de soude stagnaient depuis longtemps lorsqu'au début des années '70 la firme américaine *Arm & Hammer* eut une idée géniale, celle de présenter aux consommateurs le bicarbonate de soude comme un « produit nouveau », ou plutôt de suggérer une nouvelle application du produit. Une seule campagne publicitaire suffit à faire grimper les ventes de *Arm & Hammer*. Le message disait : *« Mettez un paquet de Arm & Hammer dans votre réfrigérateur pour enlever les mauvaises odeurs ».*

Le succès fut tel qu'il fit l'éducation du public nord-américain quant aux vertus désodorantes du bicarbonate de soude. Jusque-là, le grand public n'en connaissait que les propriétés antiacides.

Ainsi, lorsqu'en 1973 *Johnson & Johnson* (J & J) lança le talc *Shower to Shower « avec bicarbonate de soude »* cela ne choqua personne, au contraire. Les consommateurs associèrent la longue durée *(« d'une douche à l' autre »)* à la présence désodorante du bicarbonate de soude. Le succès fut instantané et *Shower to Shower* devint le talc le plus vendu en Amérique du Nord. (Photo n° l)

En 1977, le directeur du marketing de *Johnson & Johnson de Colombia*, filiale de *J & J* située à Cali, Colombie (Amérique du Sud), reçut la directive de commercialiser *« Shower to Shower ».*

On introduisit donc *(Shower to Shower) « con bicarbonato de sodio »* (Photo n° 2). Échec total! Personne ne l'acheta, et pourtant les ventes de talc en Colombie étaient en croissance, mais c'était le concurrent principal de *Johnson & Johnson de Colombia* qui en profitait en accroissant ses ventes du talc le plus vendu en Colombie *Mexsana* (Photo n° 3).

Comment expliquer cet échec en Amérique du Sud d'un produit qui connaissait un grand succès en Amérique du Nord? Regardez bien le produit sur la photo n° 2, il contient deux erreurs capitales de marketing international. Premièrement, le nom de *Shower to Shower*. Ce nom est excellent pour un marché anglophone, il est déjà moins bon pour le marché québécois, mais il est totalement imprononçable dans un marché hispanique où la lettre w (comme dans « shower ») n'est pas courante et où la signification du mot « shower » échappe à la majorité des consommateurs. Imaginez donc qu'un consommateur colombien entre dans une pharmacie pour acheter du talc. Il voit deux marques sur la tablette, l'une *(Mexsana)* qu'il connaît et peut prononcer, l'autre *(Shower to Shower)* inconnue et imprononçable. Laquelle choisira-t-il?

Mais admettons qu'il parle bien l'anglais et veuille impressionner la vendeuse en le lui montrant. Il est prêt à lui demander du *« Shower to Shower »* lorsqu'il lit sous la marque la mention *« con bicarbonato de sodio ».* Il prend aussitôt peur et s'empresse d'acheter du *Mexsana* qui lui contient du *« triclosan ».* Bien sûr, il ne sait pas ce qu'est du « triclosan » mais le nom a l'air scientifique et propre, tandis qu'il sait bien ce qu'est le bicarbonate de soude; c'est ce qu'il prend quand il a la « gueule de bois ». L'idée de mettre dans du talc un produit qui évoque vomissements et crampes d'estomac lui paraît être encore une idée folle des *gringos. Arm & Hammer* n'avait pas fait l'éducation du public sud-américain quant aux vertus désodorantes du bicarbonate de soude, et ce produit est strictement asssocié dans l'esprit des consommateurs sud-américains aux moments pénibles qui sont la rançon des *fiestas*.

Johnson & Johnson de Colombia retira « *Shower to Shower* » du marché colombien au bout de quelques mois, mais revint à la charge cinq ans plus tard avec le même produit sous un autre nom « *Sport* » plus facilement prononçable, cependant on faisait toujours mention du bicarbonate de soude (Photo nº 4). Il fallut encore attendre deux ans avant de réparer cette erreur et de supprimer la mention « *con bicarbonato de sodio* » pour dire tout simplement qu'il s'agissait d'un talc désodorisant (Photo nº 5).

Pendant ce temps, au Brésil, *Shower to Shower* était commercialisé sous le nom *Banho A Banho* (Photo nº 6) c'est-à-dire « *d'un bain à l'autre* », nom pour le moins bizarre dans un pays où la majorité des gens prennent des douches plutôt que des bains…

NOTES

1. Il s'agit dune adaptation d'un modèle proposé par Patrick J. Robinson, Charles W. Faris et Yoram Wind, *Industrial Buying and Creative Marketing*, Boston, Allyn & Bacon, 1967.
2. *Ibid.* page 28.
3. Source : Statistique Canada (http://www.stacan.ca/).
4. Valerie A. Zeithaml, A. Parasuraman et Leonard Berry, « Problems and Strategies in Services Marketing », *Journal of Marketing* printemps1985, pp. 33-46. Pour en savoir davantage sur la gestion des services, voir l'ouvrage suivant : Jean-Charles Chebat, Pierre Filiatrault et Jean Harvey, *La gestion des services*, Montréal, Chenelière/McGraw-Hill, 1999.
5. Michael Allen, « Competitive Confrontation in Consumer Services », *Planning Review*, janvier-février 1989, pp. 4-8.
6. G., Leroy, G. Richard et J.-P. Sallenave, *La conquête* des *marchés extérieurs*, Agence d'Arc, Montréal, 1978.

Chapitre 12

Marketing & société

Alors que les onze premiers chapitres de ce livre abordaient le marketing dans une **perspective individuelle,** que ce soit celle de l'inventeur qui se dit *« j'ai une idée... »* ou du consommateur qui se dépêtre dans un tissu de besoins, de désirs et de préférences plus ou moins explicites, ou encore celle du responsable de marketing face à la nécessité d'élaborer et de mettre en œuvre une stratégie de marketing, nous étudierons dans ce douzième et dernier chapitre le marketing dans une **perspective sociétale** : quel est le rôle du marketing dans la société moderne ?

Le sujet est d'autant plus vaste que nous vivons dans une société de consommation. On peut certes déplorer que la société de consommation ne soit pas la société d'abondance pour (presque) tous et que le marketing ait contribué à promouvoir une société occidentale matérialiste qui oublie parfois ses valeurs essentielles. Il serait cependant injuste de reprocher au marketing d'être à la source de tous les maux de notre société. Après tout, la société c'est nous tous, et nous seuls sommes responsables de ses abus.

Au XIXe, siècle, on blâmait la **révolution industrielle** d'avoir renforcé les inégalités sociales entre les capitalistes et les travailleurs. À partir de la deuxième moitié du XXe siècle, c'est la **révolution commerciale,** autrement dit l'essor des techniques de marketing, qui écope parfois du blâme : les nantis peuvent acheter, les autres non. Cependant, à y regarder de près, n'en a-t-il pas toujours été ainsi, même avant l'avènement du marketing moderne ? La différence est qu'aujourd'hui, les inégalités sont plus visibles car la quantité de biens et de services sur le marché a augmenté de façon exponentielle et les moyens de communication de masse permettent à chacun de mesurer ce qu'il possède ou ne possède pas par rapport au reste du monde.

L'évolution du commerce

Le marketing a toujours existé, même si le mot « marketing » n'est apparu qu'au XXe siècle. Depuis la plus haute antiquité, les hommes ont commercé; les transactions commerciales et les échanges de produits **(troc)** ont fait évoluer l'humanité d'un état de guerre tribale à une situation d'interdépendance économique où, pour la plupart des pays, la paix est devenue la norme et la guerre, l'exception. Le troc entre deux tribus préhistoriques peut paraître bien éloigné du marketing moderne, pourtant au niveau international, le troc est actuellement un mode d'échange en pleine croissance entre les pays industrialisés et les pays en voie de développement. Ces derniers n'ayant pas de devises pour payer leurs importations, sont obligés de les régler en nature, c'est-à-dire avec des produits locaux. C'est ainsi que lorsque la firme *Bombardier* a voulu vendre des motoneiges en Roumanie, il y a quelques années, elle s'est vu offrir des tonnes de sel de déneigement en échange. Dans une autre transaction, la Pologne voulait que la firme française *Schneider* lui livre une aciérie, en échange de... pétales de roses. Connu sous le nom d'**accord de compensation**, cette forme moderne du commerce international nous ramène aux origines mêmes du marketing. Mais, si l'on semble revenir au point de départ, que s'est-il passé entre-temps?

On peut diviser l'histoire du commerce en six âges, chacun marqué par une philosophie des échanges commerciaux bien différente :

1. L'âge de la production

Jusqu'au siècle dernier, pour la plupart des produits, la demande était supérieure à l'offre. En situation de pénurie, situation qui prédomine dans les pays en voie de développement et dans les pays communistes, l'accent est mis sur la production des biens plutôt que sur la commercialisation. La disponibilité des produits est jugée essentielle; on investit donc d'abord en capacité de production; à quoi servirait-il en effet de dépenser de l'argent à faire de la publicité, par exemple, pour des produits que le consommateur ne trouverait pas chez les détaillants? L'âge de la production donne la primauté au producteur. Le consommateur n'a pas le choix; qu'il s'estime heureux s'il arrive à se procurer le produit!

Il est intéressant de remarquer que le passage de l'âge de la production à celui du marketing n'est pas facile. La Russie en donne un exemple actuel : les consommateurs ayant toujours vécu à l'âge de la production ne savent pas comment réagir à la nouvelle économie de marché qui donne des droits aux consommateurs sans toutefois mettre fin à la pénurie d'un grand nombre de produits. Le marketing est-il tributaire d'une économie d'abondance? Nous laissons au lecteur le soin de poursuivre sa réflexion sur cette question...

2. L'âge du produit

Nous voici rendus dans la première moitié du XXe siècle dans les pays occidentaux. La révolution industrielle et les progrès dans les moyens de transport des marchandises réduisent peu à peu les pénuries chroniques qui étaient le lot quotidien de nos ancêtres. Les producteurs découvrent un fait nouveau : la concurrence. Comment la vaincre? Le plus facile, se disent-ils, est d'avoir un *meilleur produit*, car le consommateur le préférera aux autres.

Malheureusement pour eux, le raisonnement est spécieux. Celui qui veut acheter un crayon n'achètera pas forcément un stylo à plume d'or parce qu'il est « meilleur ». Le consommateur ne recherche pas toujours le meilleur produit, mais plutôt celui qui correspond au besoin du moment et à ses possibilités d'achat.

L'âge du produit a enfin donné le jour à une maladie grave du marketing : la myopie[1] ! Les entreprises et les responsables de marketing atteints de ce mal se préoccupent tellement de perfectionner leur produit, qu'ils risquent de ne pas se rendre compte que son concept ou sa technologie sont tombés en désuétude. N'a-t-on pas vu dans les années '30 les compagnies ferroviaires aux États-Unis s'entretuer pour augmenter leurs parts du marché, sans se rendre compte que l'avion était en train de supplanter le train comme moyen de transport favori des américains. Elles auraient dû se rappeler un proverbe pourtant américain selon lequel *« il ne sert à rien de cravacher un cheval mort »*.

3. L'âge de la vente

Si le produit ne se vend pas, en dépit des améliorations que nous y avons apportées, c'est que notre *effort de vente* est insuffisant, se disent les managers des années '50. Ce fut l'avènement de l'âge de la vente, durant lequel les entreprises investirent beaucoup d'argent et d'effort dans les activités de promotion et de vente. Le vendeur était roi. Les écoles de vente mettaient au point des méthodes de vente sous pression soi-disant irrésistibles. Qui d'entre-nous n'a jamais eu à faire avec un de ces vendeurs du troisième âge (du commerce !) convaincu qu'il était capable de vous faire acheter de l'assurance vie ou des encyclopédies, ou même de vous convertir à son église !

4. L'âge du marketing

L'âge du produit et celui de la vente mettaient l'accent respectivement sur le produit et sur le vendeur. L'âge du marketing marque l'avènement du consommateur comme acteur principal dans l'échange commercial. C'est en satisfaisant les besoins et les désirs des consommateurs, mieux que les concurrents sur un ou plusieurs segments de marché, que l'entreprise connaîtra le succès. L'âge du marketing esquisse une approche globale de l'échange commercial, qui sera amplifiée à l'âge du marketing sociétal : on ne met plus l'accent sur **un** aspect, le produit ou le vendeur, mais sur la satisfaction globale du consommateur. Tous les acteurs (concepteurs, producteurs, vendeurs, promoteurs, etc.), toutes les variables et toutes les actions du marketing sont également importantes; la réussite finale dépendra de l'intégration de tous ces éléments dans un effort de marketing cohérent.

Si le but poursuivi par le marketing, la satisfaction du consommateur, est louable en soi, la pratique a conduit à des effets secondaires discutables : la prolifération de produits inutiles, le gaspillage de ressources non renouvelables dans la production de ces produits, la manipulation des désirs et des besoins des consommateurs, le conditionnement de masse qui érige la consommation en une vertu, alors que d'aucuns la considèrent comme une simple activité de subsistance. Nos grand-parents ont consommé environ 10 000 produits différents dans leur vie, nous en consommerons près d'un million. Est-ce à dire que nous avons cent fois plus de besoins?

5. L'âge du marketing sociétal

Les tenants du marketing sociétal répondent « non » à la question ci-dessus. Il faut, disent-ils, protéger le consommateur face aux manipulations dont il peut faire l'objet. Il faut l'éduquer en tant que consommateur, de la même façon qu'on l'éduque à l'école en tant qu'individu. Le bien-être à court terme de consommateurs égoïstes et voraces met en péril le bien-être collectif : non seulement celui de notre société, mais encore celui des générations à venir.

En effet, nous gaspillons nos ressources et nous polluons notre environnement de façon irréversible pour satisfaire de faux besoins, inventés et promus par les gens de marketing, ces satans de la société contemporaine… voir plus loin « *Le marketing : un fléau social* » pour un renchérissement sur ce thème.

Il faudrait donc éduquer le consommateur, lui montrer les paisibles baleines qu'il faut tuer pour obtenir certains ingrédients de produits cosmétiques, lui dire de combien le taux de cancer de la peau va augmenter au Canada si l'on continue de produire des aérosols et des réfrigérateurs qui utilisent des CFC*, etc. À l'âge du marketing sociétal, la préoccupation de l'entreprise ne peut plus être unidimensionnelle : il ne s'agit plus de *maximiser* le profit, ou de *satisfaire* le consommateur, mais plutôt d'*équilibrer* trois objectifs :

* CFC : Chlorofluorocarbones — produit jugé responsable de la destruction partielle de la couche d'ozone dans l'atmosphère. La couche d'ozone absorbe les radiations ultraviolettes du soleil.

- le profit de l'entreprise, sans lequel cette dernière n'est pas économiquement viable ;
- la satisfaction des besoins et des désirs du consommateur, sans laquelle ce dernier n'achète pas ;
- le respect de l'intérêt de la société, sans lequel nous nous appauvrissons en tant qu'êtres humains et hypothéquons l'avenir des générations futures.

Comment ne pas être d'accord avec ceux qui prônent une vision sociétale du marketing ! Ils ont raison, certes, mais un problème délicat reste à résoudre : qui décide de l'intérêt de la société ? La question n'est pas seulement d'ordre philosophique, elle est aussi pratique car elle revient à mettre dans la balance la liberté individuelle de consommer ce que l'on veut, même des produits inutiles ou nocifs, et les contraintes du bonheur collectif. Voilà un débat passionnant, que nous invitons le lecteur à poursuivre avec son professeur ou ses amis.

figure 12.1 **Les 6 âges du commerce**

	EMPHASE	PROBLÈMES
L'ÂGE DE LA PRODUCTION	• augmentation de la **capacité de production**	• pénurie • insastisfaction des consommateurs
L'ÂGE DU PRODUIT	• amélioration du **produit**	• « myopie » des responsables de marketing
L'ÂGE DE LA VENTE	• **vente** à tout prix	• produits qui ne correspondent pas nécessairement aux besoins des consommateurs
L'ÂGE DU MARKETING	• satisfaction des **besoins** et des **désirs** des consommateurs	• gaspillage, produits inutiles
L'ÂGE DU MARKETING SOCIÉTAL	• satisfaction des **intérêts** de l'ensemble des consommateurs (société)	• qui va décider de l'intérêt du consommateur ?
L'ÂGE DE L'HYPERMARKETING	• créer et conserver la préférence du consommateur	• l'hypermarketing réduit la capacité de concurrence des PME

6. L'âge de l'hypermarketing

Alors que l'action marketing traditionnelle se déployait dans un environnement relativement stable, caractérisé par une demande prévisible et une concurrence visible, le panorama de l'action marketing change radicalement avec l'avènement du XXIe siècle.

Les entreprises se répartissent en quatre catégories : planètes, satellites, navigateurs, indépendants[2].

- Les **planètes** sont les entreprises dominantes d'un secteur qui se sont converties en maîtres d'œuvre afin de garder le contrôle de l'ensemble de la chaîne économique. Elles n'exercent pas leur contrôle par le capital ou la rétention de l'information, mais au contraire, par la sous-traitance systématique et la connectivité entre les fournisseurs-satellites. Leur principal atout est la marque, autour de laquelle tous orbitent.
- Les partenaires, fournisseurs, agents logistiques, prestataires de services ou distributeurs, qui ajoutent de la valeur à chaque maillon de la chaine de la planète sont ses **satellites.** Parfois, l'un d'entre eux croît plus vite que les autres et forme son propre système planétaire. C'est ainsi que naissent de nouvelles affaires, au terme d'un processus de reconfiguration continue de la chaîne économique.
- Au fur et à mesure que les métiers se fragmentent et que se multiplient les satellites et les nouvelles planètes, les autres acteurs du système ont de plus en plus de difficulté à se diriger dans un univers chaque jour plus peuplé et complexe. Bien sur, l'information est disponible sur les offres et les technologies de chacun, mais elle est tellement dense et abondante que les astronautes-internautes se perdraient sans l'aide d'un nouveau type d'acteur dans l'univers des affaires de l'ère postinternet : le **navigateur**. On retrouve dans cette catégorie des consultants, des distributeurs et des prescripteurs. Ils guident les acheteurs astronautes-internautes dans leurs voyages cyberspatiaux et les aident à former leurs préférences. Dans plusieurs secteurs, les navigateurs ôtent du pouvoir aux fabricants, étant donné qu'en fin de compte, le pouvoir appartient à celui qui détermine la préférence du consommateur. A.I. [Avant Internet] le producteur investissait en publicité, se dotait d'une marque et renforçait son image pour convaincre les consommateurs qu'il représentait la meilleure option d'achat. P.I. [Post-Internet] dans la plupart des secteurs à contenu technologique, l'acheteur ne s'aventure pas à choisir un produit sans l'aide d'un navigateur, que ce soit un consultant, un guide de l'acheteur ou un détaillant-conseiller.

Le commerce électronique facilite la navigation. Plusieurs sites Internet offrent des services d'optimisation d'achat selon des paramètres choisis par le client. Ils enlèvent de fait le pouvoir aux détaillants traditionnels, dans des secteurs comme les agences de voyage, le courtage en bourse et les services financiers. Parfois, le navigateur remet tout le pouvoir au consommateur, comme dans le cas de *priceline.com*, un site Internet où le voyageur mentionne sa date de voyage, sa destination et le prix qu'il est prêt à payer, puis attend qu'une ligne aérienne accepte son offre d'achat, au lieu de lui faire une offre de vente. Marketing à l'inverse !

- Quelle place reste-t-il pour les **entreprises indépendantes** ? À vrai dire : peu. Dans le contexte actuel des affaires, elles se répartissent les miettes du festin laissées par les trois autres types d'entreprises et se réfugient dans des niches de plus en plus étroites. Leur meilleure chance de croissance consiste à se transformer soit en navigateur, soit en satellite, car si elles se positionnent sur un secteur en croissance, elles seront vite absorbées par une planète en quête d'expansion… ce qui d'ailleurs peut être fort rentable pour les fondateurs de l'entreprise acquise.

La convergence de l'informatique et du marketing donne lieu à de nouvelles **applications**, plus qu'à de nouveaux « produits » ou « marchés » au sens traditionnel. Il peut s'agir de nouvelles opportunités d'affaires, de nouveaux procédés, systèmes d'information de marketing en temps réel, ou nouveaux canaux de distribution (ex : marketing numérique).

Les consommateurs sont mieux informés et mieux éduqués ; ils connaissent les pratiques de marketing et les alternatives d'achat.

C'est dans ce contexte de changements technologiques et concurrentiels rapides que prend naissance **l'hypermarketing**.[3]

Hypermarketing : marketing visant principalement à renforcer la compétitivité de l'entreprise.

L'hypermarketing donne lieu à des guerres commerciales sans merci.

Exemples :

– les firmes dominantes dans leur secteur créent des barrières à l'entrée de nouveaux concurrents. Les indépendants ne peuvent pas pénétrer sur ces marchés faute d'avoir accès au capital, à la technologie ou au système de distribution. Ex : *Microsoft.* Parfois, on donne le produit pour s'assurer la fidélité du consommateur. Ex : *Yahoo*, *Tucows*, *Alta Vista* et tous les sites Internet qui offrent des logiciels gratuits.

- les grandes chaînes de distribution gagnent du terrain (cf. Le cas-discussion *« Et si Wal-Mart venait chez nous »*, à la fin du chapitre 10); les lignes aériennes forment des alliances (ex : Star Alliance, OneWorld, LatinPass) afin d'offrir un service « sans couture » (anglais : *seamless*), c'est-à-dire sans que le client se rende compte qu'il fait affaire avec plusieurs lignes aériennes au cours d'un même voyage.
- en marketing industriel, les appels d'offres sur les grands projets industriels donnent lieu à des guerres qui dépassent le cadre commercial et débordent dans les domaines diplomatique et politique. Les grandes entreprises-planètes en lice sont en fait des **métacorporations** qui représentent les intérêts commerciaux de leur pays d'origine à l'étranger, et qui bénéficient d'appuis politiques et financiers de la part de leurs gouvernements.

Une application généralisée du concept de marketing

Le concept de marketing s'est avéré tellement puissant qu'il a donné lieu depuis une vingtaine d'années, à une application généralisée à toutes les organisations, les services et les personnes. C'est ainsi que l'on parle aujourd'hui de marketing dans les cercles politiques ou religieux et dans les institutions sans but lucratif. Toute action de communication institutionnelle, politique ou sociale est perçue comme un effort de marketing de la part d'organisations ou de personnes désireuses de se promouvoir elles-mêmes sous le couvert d'idées, de valeurs, d'images et de cultes. Les lecteurs moins cyniques peuvent penser que la promotion porte davantage sur les idées, les valeurs, les images et les cultes que sur les organisations et personnes qui les colportent... Le débat reste ouvert. Quoiqu'il en soit, le marketing que l'on accusait de s'attaquer au portefeuille des consommateurs, s'adresse maintenant à leur tête et à leur cœur : on ne cherche plus à vendre seulement des produits, mais encore des convictions, des candidats, des donations, des styles de vie... De là à dire que le marketing est un instrument de manipulation de masse, il n'y a qu'un pas que plusieurs observateurs n'hésitent pas à franchir. En réalité, une fois de plus, ce n'est pas le marketing qui est en cause, mais l'usage qui en est fait par certains. Nous sommes entourés d'entreprises et d'institutions qui se disputent notre attention et nos faveurs, la concurrence est telle qu'elles doivent utiliser des techniques de marketing de plus en plus puissantes pour parvenir à leurs fins.

Constatons la diversité des applications modernes du marketing à travers quelques exemples :

Le marketing des services publics

Les services publics découvrent le marketing. Ils croyaient jouir d'un monopole garanti par l'état, or voilà que le monopole est battu en brèche, la concurrence du secteur privé se fait de plus en plus vive et les services publics doivent enfin soigner la qualité de leur service au public pour survivre dans un contexte de **déréglementation** (abolissement des privilèges et monopoles de certaines sociétés de la couronne) et de **privatisation** (retour de sociétés d'État au secteur privé).

- *Nortel Networks* a longtemps vécu dans l'ombre de sa société-mère *Bell Canada* qui lui achetait systématiquement tous ses équipements (téléphones, commutateurs, appareils divers de télécommunication). En 1980, *Nortel* et *Bell Canada* ont dû vite apprendre le marketing pour faire face à la nouvelle concurrence issue de la décision du *CRTC* (*Conseil de la radiodiffusion et des télécommunications canadiennes)* de permettre aux usagers d'acheter leurs téléphones au lieu de les louer. *Bell Canada* décida d'ouvrir des magasins de détail de téléphones sous le nom de **téléboutiques**.
- Les écoles publiques du Québec ressentent d'autant plus durement la concurrence des écoles privées que la natalité est en baisse. Il y a trop de places disponibles et pas assez d'élèves. Les écoles doivent se préoccuper de publicité (campagnes à la radio et dans la presse) et de compétitivité (qualité de l'éducation, encadrement des élèves, condition des locaux, etc.). Le marketing arrive à l'école, aux collèges et dans les universités. Le marché de l'éducation est concurrentiel.

Chassez la concurrence, elle revient au galop. Aucun bastion ne lui résiste. Pas même les services d'incendies n'en sont à l'abri : la ville de Rock Forest (Estrie) fait appel aux services de pompiers d'une compagnie privée. Les hôpitaux, les corps de police, la *Société canadienne des postes*, tous les services publics font finalement face à une forme ou une autre de concurrence. Or, dès qu'il y a concurrence, il faut penser en termes de marketing.

Le marketing institutionnel

Dans un contexte concurrentiel, les institutions, pensez par exemple à la *Croix-Rouge canadienne*, aux *Forces armées canadiennes* ou à l'*Église catholique*, se doivent de « faire du marketing », c'est-à-dire de mettre sur pied un plan de marketing et de mener à bien des programmes qui leur permettent de maintenir ou d'augmenter leur part de marché (mesurée en nombre de recrues, de donneurs de sang, de fidèles, etc.) et d'assurer leur équilibre financier. Le « triangle du profit » (Figure 7.7) devient le « triangle du succès » (Figure 12.2), mais c'est essentiellement de la même approche marketing qu'il s'agit :

- **Pertinence :** L'institution doit s'efforcer d'améliorer le bien-fondé de sa présence (pertinence) dans le milieu social par une action de relations publiques. La gestion de l'image est tout aussi importante pour une institution que pour une marque de produit.
- **Efficience :** L'institution doit remplir sa mission sociale avec la meilleure économie de ressources possibles (efficience). Feriez-vous un don à une association philanthropique si vous saviez que 80 % de votre don servira à défrayer les dépenses administratives de l'association ?

figure 12.2 **Le triangle du succès**

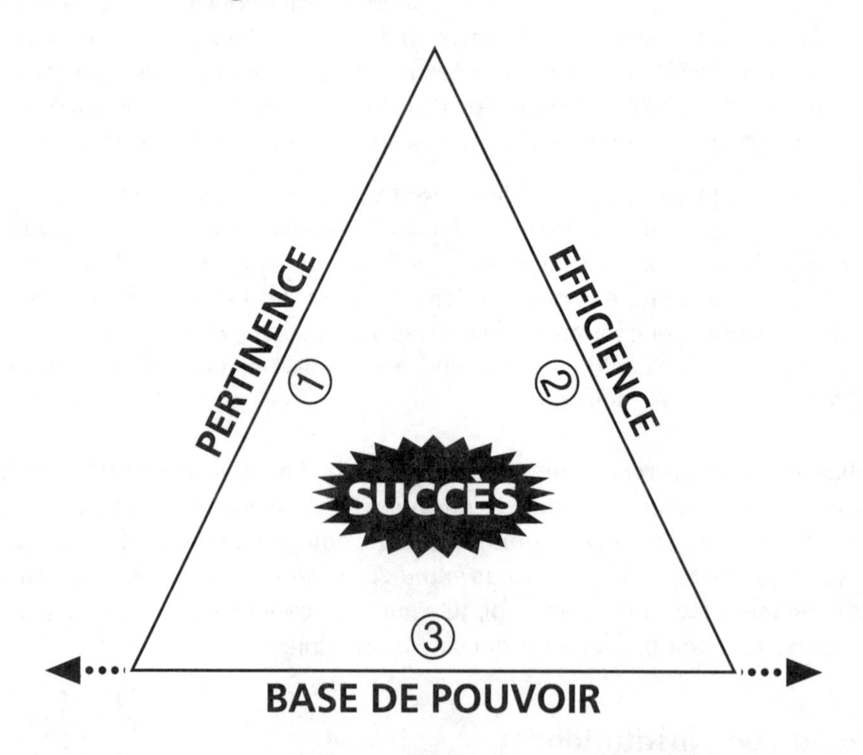

- **Base de pouvoir :** En dirigeant les regards sur le bien-fondé de sa présence et son efficience, l'institution parvient à augmenter sa base de pouvoir, c'est-à-dire son impact sur la société et, en fin de compte, sa capacité à accroître son influence et ses ressources. Du point de vue du marketing, l'objectif premier d'une institution est d'élargir sa base de pouvoir auprès de tous ses **publics**.

Publics : au sens du marketing institutionnel, un public est un groupe homogène de personnes dont la collaboration est essentielle au bon fonctionnement de l'institution.

On peut distinguer quatre types de publics d'une institution :

- les **contributeurs** : ceux qui apportent des ressources à l'institution sous forme de dons de temps, d'argent, de sang, etc.;
- les **récipiendaires** : ceux qui bénéficient des services de l'institution;
- les **régulateurs** : généralement une agence du gouvernement chargée de réglementer ou de contrôler les activités de l'institution;
- le **grand public** : nous tous, qui pouvons faire pression collectivement sur les régulateurs, et qui sommes potentiellement des contributeurs et des récipiendaires.

Le marketing des personnes

La vente des personnes est interdite depuis l'abolition de l'esclavage, mais le marketing moderne s'intéresse à la promotion (sinon à la vente) de candidatures politiques et à celle de personnes célèbres du monde du spectacle ou du sport. L'élection d'un premier ministre est le résultat d'une campagne de marketing mettant en application les principes de recherche de motivation, de segmentation de l'électorat, de différenciation de plate-forme électorale, etc., qui ressemblent de très près aux principes du marketing commercial exposés dans les onze premiers chapitres de ce livre. Un nom a une valeur. Jack Nicklaus ne gagne plus beaucoup de tournois de golf et Wayne Gretzky ne chausse plus les patins, mais tous deux, grâce à leur célébrité, tirent aujourd'hui des revenus du marketing qui sont supérieurs à ce qu'ils gagnaient lorsqu'ils étaient au faîte de leur carrière sportive. Ils le font en endossant des produits, en parrainant des organismes et des activités sociales (encore qu'ils le fassent souvent à titre gratuit), en animant des séminaires, etc. La gestion de l'image est la clef du maintien de la valeur de marché d'un nom. Attention à ne pas dilapider cette valeur en endossant n'importe quel produit! Le nom « Pierre Cardin » n'est plus aussi prestigieux depuis qu'on le retrouve sur des objets aussi disparates et éloignés de la mode que des téléphones, des céramiques et des cigarettes. Que pensez-vous de *Nike*?

Illustration 12.1
Une publicité sociétale

Distinguons deux types de publicité sociétale. Il y a d'abord la publicité sociétale d'entreprise et la publicité dite de grande causes humanitaires.

La première permet à des entreprises privées ou à des gouvernements de faire connaître leur implication dans leur environnement sociétal, en démontrant leur appui à des causes qui touchent une population, qu'elles soient environnementales ou autres. Ces sociétés ou ces gouvernements investissent dans la fabrication de ces campagnes de communication et tentent généralement d'en tirer un bénéfice auprès des consommateurs qui apprécient ces gestes. C'est parfois le cas de grandes pétrolières ou d'industries qui présentent les efforts qu'elles font pour enrayer la pollution. Dans le cas des gouvernements, on tente de changer des attitudes et des comportements, de façon à réduire des coûts sociaux jugés trop élevés, comme ceux des méfaits du tabac ou de l'alcool sur la santé, ou encore ceux des femmes battues et des enfants maltraités.

La seconde, celle des grandes causes humanitaires, implique généralement du bénévolat de la part des intervenants à tous les niveaux. Elle est réalisée pour des organismes sans but lucratif, qui ont d'ailleurs besoin d'entrées de fonds plutôt que de dépenses pour soutenir leur action. Il ne s'agit pas seulement de changer des comportements, mais d'apporter une aide concrète, souvent financière, à ces organismes. C'est le cas notamment de *Centraide*, d'*Amnistie internationale* et des différents téléthons.

Richard Leclerc, Vice-Président Création du *Groupe Everest* raconte :

« *De retour du festival de films publicitaires de Cannes en juin 1989, je reste impressionné par la réalité et la simplicité des messages de la catégorie sociétale. Soudain, l'idée jaillit : le crayon, cet outil qui permet d'écrire des lettres ou de signer des cartes pour libérer des prisonniers devient la clé de la cellule. Une idée simple, un message fort : "Écrivez !" Les images se précipitent. Une plume se promène dans un espace carcéral inimaginable, à la "Midnight Express". Elle se dirige vers la cellule d'un prisonnier. Elle pénètre dans le verrou, tourne..., la porte s'ouvre. La signature est claire :* **"Avec Amnistie Internationale, vous tenez la clé dans votre main".** *Tout est dit.*

On réalise un scénario-maquette, on contacte Amnistie Internationale. *Ce n'est pas à leur demande que ce concept est né, c'est vraiment le fruit du hasard. On fixe un rendez-vous, on présente le concept. C'est l'étonnement. C'est bien, mais ça va coûter combien ? Rien, rétorquai-je. C'est ça une grande cause humanitaire !*

Une maison de production est approchée, Vidéo 30. *Le réalisateur Christian Duguay succombe à l'idée. Le producteur Jean-Marc Gagnon embarque. C'est un véritable effet d'entraînement ! La présidente d'honneur de la campagne de financement d'*Amnistie Internationale *accepte de prêter sa voix au message. Pas n'importe quelle voix ! Celle d'Andrée Lachapelle, une des comédiennes les plus respectées et les plus impliquées au Québec. Il nous faut une musique... Jean Robitaille, de* Paroles et Musiques, *s'implique aussi. La cascade de gracieusetés se poursuit. Toute l'équipe de production accepte de travailler bénévolement : les électriciens, techniciens, tous. D'ailleurs, la plupart d'entre eux sont membres d'*Amnistie internationale. »

Grâce au bénévolat de chacun, à commencer par celui de Richard Leclerc et du *Groupe Everest,* un message de 30 secondes pour la télé a été produit pour quelques milliers de dollars seulement. Un visuel international, et un message universel pour une question de vie... ou de mort.

Le marketing des idées

Comment convaincre les électeurs de voter ? les fumeurs de s'abstenir ? les pollueurs de respecter l'environnement ? les paresseux de faire de l'exercice *(« Participaction »)* et nous tous de changer d'habitudes de consommation *(« plus lait que ça, tu meurs ! »)* et de vie *(« l'alcool au volant, c'est criminel »)* ?

Dans une perspective de marketing, la vie est une suite d'actes de consommation à tous les niveaux : alimentation, loisirs, éducation, vie intellectuelle et vie sexuelle. Changer les habitudes de vie revient donc à modifier la consommation de certains produits-clefs en propageant une image favorable de ceux qui les utilisent. Les adeptes de *Participaction* et les buveurs de lait on l'air tellement heureux et en santé à la télévision !

Le marketing des idées, aussi appelé parfois **marketing social**, consiste à modifier les attitudes et les comportements des segments cibles, dans le but de leur faire accepter de nouvelles valeurs et schémas de comportement et de consommation. Le marketing social peut être un instrument utile de renforcement de la cohésion et de la convivialité de notre société. Il peut parfois donner lieu à des guerres concurrentielles farouches. Pensons par exemple aux débats sur l'avortement, la peine de mort, le rôle du Québec dans la Confédération; dans chaque cas, partisans d'un côté et de l'autre essayent avec la dernière énergie, de nous convaincre d'« acheter » leur point de vue. Le marketing social peut enfin être un instrument insidieux de manipulation de masse car la distinction devient ténue entre marketing social et lavage de cerveau, lorsque ce puissant instrument de contrôle du comportement tombe dans les mains de groupes prêchant l'intolérance ou le génocide. À quels pays pensez-vous ?

Le marketing : un fléau social ?

Le marketing a ses détracteurs. Les accusations sont souvent injustes dans la mesure où elles affublent du mot « marketing » des pratiques qui devraient porter d'autres noms (abus de confiance, manipulation psychologique) et qui ont existé de tous temps, avant l'avènement du marketing moderne. Cependant, il faut bien reconnaître que le perfectionnement des techniques modernes du marketing a eu certaines conséquences sociales regrettables, même si personne ne dispute le fait qu'il a permis à un plus grand nombre de gens d'avoir accès à davantage de produits et de services. Quels sont donc ces effets néfastes du marketing qui en font aux yeux de ses accusateurs un véritable fléau social ? (notons en passant que ces accusateurs profitent par ailleurs des bienfaits du marketing — notamment de la meilleure information sur les produits et de la disponibilité d'un grand choix de biens et services — même s'ils passent les bienfaits sous silence).

Écoutons, de la bouche d'un accusateur, à quoi aboutit la consommation débridée et le matérialisme frénétique promus par « le marketing » :

- **Des produits inutiles :** *« pourquoi mettre sur le marché des homards, alors qu'on n'a qu'à asujettir le coffre de l'auto avec une corde. »*
- **La duplication de produits faussement différenciés :** *« shampoing vs shampoing pour bébé; lotion "avant" et "après" rasage... jusqu'où la vanité nous mènera-t-elle ? »*
- **Des produits de mauvaise qualité :** *« On met sur le marché des céréales sucrées qui donnent de mauvaises habitudes alimentaires aux enfants; on nous vend des autos qui rouillent pour nous inciter à payer en supplément un plan de protection antirouille ».*
- **L'obsolescence planifiée :** *« Autrefois, les biens durables étaient durables, aujourd'hui, ils semblent ne pas dépasser la durée de la garantie... Non seulement les fabricants planifient la désuétude du style des produits (1), mais encore celle de ses fonctions (2) et de ses composantes.*

(3). Je dois changer d'auto plus souvent parce que (1) elle n'est plus à la mode, (2) elle n'a pas le dernier dispositif antipollution et (3) elle tombe en morceaux. »

- **Le gaspillage d'argent :** ex : promotion et publicité : « *un million de dollars serait mieux investi en production de biens nécessaires qu'en un spot publicitaire d'une minute pendant la série mondiale de baseball.* »
- **Les coûts élevés de distribution :** « *quand j'achète de l'eau au supermarché, 60 % du prix que je paie va aux intermédiaires* » (voir Illustration 6.1).
- **Des pratiques immorales :** « *la publicité s'adresse parfois à des gens incapables de faire la différence entre l'information et l'incitation : je trouve immoral de faire autant de publicité pour les jouets le samedi matin à la télévision »… «le vendeur qui va prendre l'argent d'un pauvre retraité en le pressant d'acheter une encyclopédie en 30 volumes est un criminel »… «la publicité érotique devrait être interdite.* »
- **La détérioration de l'environnement :** « *nos forêts, notre eau, notre air disparaissent ou sont pollués, pour répondre aux caprices de consommation de la génération actuelle. Nous détruisons le patrimoine des générations futures.* »
- **L'insuffisance des services sociaux :** « *on n'investit que dans ce qui rapporte et on manque d'argent pour financer les écoles, les hôpitaux et les services sociaux en général.* »
- **Le matérialisme excessif :** « *l'homme est plus que ce qu'il consomme. Moins c'est mieux !* »
- **La pollution culturelle :** « *les gens aujourd'hui ne pensent plus, ils consomment comme des bêtes, ils ne savent plus d'où ils viennent et qui ils sont. Ils ne lisent plus, n'ont plus de vie de famille, et perdent les valeurs traditionnelles de la société québécoise.* »

La liste des méfaits imputés au marketing est longue. On peut l'allonger à loisir en chargeant de tous les maux de la société moderne le pauvre marketing qui n'est, après tout, qu'un phénomène partiel d'une évolution sociale globale. Si la société moderne a mauvais goût, est-ce la faute du marketing, ou celui-ci ne fait-il qu'offrir les produits et services qui répondent au mauvais goût des consommateurs ? Le procès du marketing n'est pas prêt de finir. Coupable pour les uns, bouc-émissaire pour les autres, il est un facteur important, controversé, et finalement inéluctable de l'évolution de notre société.

Les mouvements de réaction

Face aux abus du mercantilisme, sinon du marketing, les sociétés occidentales ont amorcé trois mouvements de réaction : le consumérisme, la protection légale du consommateur et le mouvement écologique. Ces mouvements ont pour but de protéger les consommateurs non seulement contre certaines pratiques abusives de marketing, mais encore contre eux-mêmes qui seraient parfois tentés de consommer des produits nocifs ou dommageables pour l'environnement. Ces mouvements ont un point commun, ils veulent éduquer le consommateur, changer ses attitudes et son comportement d'achat. Bref, ils doivent faire, eux aussi, du marketing.

Le consumérisme

Plus les producteurs et les intermédiaires de distribution ont augmenté leur emprise sur les consommateurs au cours du XXe siècle, plus ces derniers ont cherché à exercer un pouvoir compensateur, en particulier face aux grandes entreprises qui pouvaient parfois imposer leurs produits et forcer la main des législateurs pour que ceux-ci passent des règlements souples en matière de normes de qualité, de sécurité, de pollution, etc. Peu à peu, l'idée émergea que le consommateur a des droits. Le président John Kennedy, lors d'un discours au Congrès des États-Unis en 1962, affirma clairement quatre droits fondamentaux du consommateur :

- le droit à la sécurité
- le droit d'être informé
- le droit de choisir
- le droit d'être entendu

En proclamant ces droits, il reconnaissait le consumérisme.

Consumérisme : (parfois appelé « ***consommateurisme*** ») : mouvement social des consommateurs visant à faire valoir leurs droits et revendications dans le processus d'échange de biens et de services.

Le consumérisme a été à l'origine de la création des associations de consommateurs, du *Ministère fédéral de la consommation et des corporations* (maintenant le *Bureau de la consommation d'Industrie Canada*), de *l'Office de pro-*

tection du consommateur du Québec, et de nombreuses campagnes de *boycott* de certains produits jugés dangereux ou dommageables pour l'environnement. Les associations de consommateurs jouent le rôle de groupes de pression (en anglais : *lobby*) non seulement auprès des gouvernements, mais encore auprès des organismes professionnels ; c'est ainsi que l'on a vu les publicitaires, regroupés au sein du *Bureau consultatif de la publicité du Canada*, s'autoréglementer en matière d'éthique publicitaire. Plus récemment, les banques décidaient d'afficher clairement les frais facturés à leurs clients pour les services bancaires.

Alors que le consumérisme d'il y a trente ou quarante ans était souvent polémique sous la plume d'auteurs à succès comme Vance Packard[4] et l'impulsion de réformistes comme Ralph Nader[5], le consumérisme d'aujourd'hui a une action plus profonde dans la société. Il vise moins à la réformer, qu'à l'éduquer et à la protéger. En fait, l'éducation du consommateur est la clef de voûte du consumérisme : un consommateur éduqué sait se protéger et devient plus exigeant dans ses achats.

La protection légale du consommateur

Le législateur doit veiller à ce que les droits fondamentaux du consommateur soient respectés. Dans cet esprit, en 1971, l'*Assemblée nationale du Québec* a adopté une loi ayant pour but d'assurer la protection du consommateur tant contre sa propre inexpérience, contre les sollicitations et les pressions de toutes sortes auxquelles il est exposé tous les jours, que contre les abus et les fraudes de commerçants peu scrupuleux.

La Loi 45 de 1971 prévoit aussi la création de l'*Office* et du *Conseil de la protection du consommateur*. L'Office a été institué pour surveiller l'application de la loi et recevoir les plaintes des consommateurs concernant les infractions. La loi est de portée générale, elle est complétée par les règlements visant divers aspects de la protection du consommateur, notamment la publicité destinée aux enfants, les normes d'emballage, les renseignements que tout vendeur d'automobile usagée doit divulguer, etc.

La loi 45 régit la plupart des **contrats commerciaux accordant un crédit** : elle protège le consommateur qui emprunte de l'argent en obligeant les commerçants à énoncer et à calculer les taux de crédit selon des règles précises. Elle interdit par ailleurs l'émission d'une carte de crédit non sollicitée par écrit. Elle édicte des normes concernant le **crédit accessoire** et la **vente à tempérament** : dans un contrat assorti de crédit accessoire, l'acheteur devient immédiatement propriétaire du bien vendu jusqu'au paiement complet ou partiel du prix par le consommateur, c'est-à-dire, jusqu'à une date de transfert de la propriété du bien prévu au contrat.

La loi régit l'activité des **vendeurs itinérants**, c'est-à-dire des commerçants qui sollicitent des contrats de vente par du porte-à-porte, par lettre, par téléphone, etc. Le vendeur itinérant, tout comme le vendeur d'automobiles usagées, doit être détenteur d'un permis délivré par l'*Office de la protection du consommateur*.

La loi interdit les **ventes pyramidales** (voir l'Illustration 12.2), les ventes par « chaînes de lettres » et autres systèmes frauduleux de marketing « à paliers multiples ». Elle protège aussi le consommateur contre la **publicité trompeuse** et les **fausses garanties**. Enfin, la loi 45 contient des directives relatives aux **dossiers de crédit** (tout consommateur a le droit d'examiner le dossier de crédit qu'un commerçant a fait établir sur lui) et prévoit des sanctions civiles contre les contrevenants.

L'*Office de la protection du consommateur* publie régulièrement des brochures d'information gratuites à l'intention des consommateurs, ainsi que la revue mensuelle *« Protégez-vous »*.

Illustration 12.2
Les ventes pyramidales

On vous offre parfois des occasions d'affaires mirobolantes. Neuf fois sur dix, ce sont des *fraudes*. Une fraude classique est la vente pyramidale : une compagnie prétend vouloir mettre en marché des produits domestiques ou d'usage courant (savon, aspirateurs, encyclopédies, vêtements, cours par correspondance, etc.). On vous invite à une « réunion d'opportunité » lors de laquelle, sous le couvert de la mise en marché du produit, on vous offre de devenir « distributeur » moyennant un prix assez élevé (par exemple, 5 000 $). Lorsqu'une personne a acheté le titre de « distributeur », elle peut vendre le produit de porte-à-porte, mais aussi et surtout recruter d'autres distributeurs. Chaque fois qu'elle fera entrer un autre distributeur dans le système, elle recevra une commission. Chaque recrue fera la même chose. Bien vite, tous s'aperçoivent qu'il est plus rentable et facile de recruter des « distributeurs » que de vendre le produit.

Supposez qu'un « distributeur » achète sa charge 5 000 $ et reçoive 500 $ pour chaque recrue. Il doit faire 10 victimes pour récupérer sa mise. Chacune devra en faire dix autres. La pyramide croît géométriquement. Les derniers recrutés sont toujours perdants.

Au Québec, 92 % des « investisseurs » dans l'une de ces fraudes pyramidales, la compagnie *Koskot Interplanetary of Canada* ont perdu entre 5 000 $ et 50 000 $. *Le Code criminel* rend ces opérations illégales et prévoit deux ans de prison et de fortes amendes pour les organisateurs et même pour les participants.

Le mouvement écologique

Au cours des vingt dernières années, on a assisté à la montée du mouvement écologique un peu partout dans le monde, c'est-à-dire à la prise de conscience généralisée d'une responsabilité collective de préserver notre environnement. L'industrialisation et les besoins grandissants de consommation menacent l'environnement et la santé des populations, si celles-ci ne parviennent pas à imposer des normes visant à préserver la qualité de l'environnement. La pollution de l'air, de l'eau, du milieu urbain et rural, des océans et même de la ionosphère est liée directement ou indirectement à la consommation. Le mouvement écologique est planétaire. Les organismes comme *Greenpeace* ont pour ambition de préserver l'environnement de tous, et non celui d'un pays ou d'une population. Dans certains pays d'Europe en particulier, le mouvement écologiste est devenu une force politique sous le nom de « Parti Vert ». Dans d'autres, au Canada par exemple, ce mouvement se manifeste au sein d'associations de citoyens et essaie de faire pression à la fois sur les producteurs, les consommateurs et les gouvernements pour assainir l'environnement.

Les producteurs sont incités à :

- utiliser des ingrédients non-toxiques, non polluants;
- utiliser des technologies de production non-polluantes;
- défrayer le coût et réparer les dommages de toute pollution éventuelle;
- ne pas faire usage de produits végétaux ou animaux en voie de disparition.

Les pressions sur les différents paliers de gouvernement ont pour but de :

- mettre la défense de l'environnement à l'agenda des priorités;
- négocier des conventions internationales, car la pollution n'a pas de frontières : la destruction de la forêt amazonienne et la pollution industrielle au Michigan affectent le Canada (effet de serre, pluies acides);
- légiférer pour empêcher la destruction de l'environnement et sa pollution.

Exemples :

- *émission maximale de bruit par les véhicules automobiles;*
- *quotas de chasse et de pêche;*
- *recyclage des bouteilles;*
- *normes pour disposer des déchets toxiques.*

Les consommateurs, enfin, jouent un rôle clef dans l'action du mouvement écologique. S'ils ne participent pas, s'ils n'y croient pas, s'ils sont indifférents ou cupides, toutes les pressions sur les producteurs et les gouvernements n'aboutiront pas, car elles seront finalement perçues comme provenant d'un groupe marginal. Le mouvement écologique essaie donc, depuis quelques années, de faire prendre conscience au grand public de la responsabilité collective des consommateurs. Il y va de l'intérêt de chacun d'assainir ses habitudes de vie et de consommation (par exemple, de plus en plus de produits naturels apparaissent dans les supermarchés), et de l'intérêt de tous de préserver la qualité de vie des générations actuelles et futures.

Le marketing au XXIe siècle

Il est sans doute présomptueux, à l'aube du XXIe siècle, de vouloir prédire la physionomie du marketing pour les décennies à venir. Tout au plus peut-on faire ressortir certaines tendances profondes et présumer qu'elles se poursuivront dans le futur prévisible. Il se produira certainement des **discontinuités**, c'est-à-dire des événements, des découvertes, des changements radicaux et imprévisibles qui feront prendre au marketing des virages inattendus. Contentons-nous donc, dans ces dernières pages, de prévoir l'avenir probable du marketing à la lumière des grandes tendances qui se dessinent dès à présent.

Illustration 12.3
Du GATT à l'OMC

Après la Seconde Guerre mondiale, de nombreux pays, dont le Canada, signèrent l'*Accord général sur les tarifs douaniers et le commerce,* mieux connu sous son acronyme anglais GATT.

L'objectif du GATT était de libéraliser le commerce international en s'appuyant sur quatre principes fondamentaux :

1. la non-discrimination commerciale entre les pays;
2. le respect des engagements négociés entre les pays quant à l'abolition progressive des obstacles au commerce (ex. : droits de douane);
3. l'interdiction des restrictions à l'importation (quotas, embargos);

4. aider les pays en voie de développement à développer leur commerce international.

La levée des obstacles au commerce international fut négociée au cours de « rondes » successives (Genève, 1947; Annecy, 1949; Torquay, 1951; Genève, 1956, « Dillon Round », 1960-61; « Kennedy Round », 1964-67; « Tokyo Round », 1973-79; « Uruguay Round », 1986-93). Au terme de l'Uruguay Round, 115 pays décidèrent de transformer le GATT en une institution permanente : l'Organisation mondiale du commerce (OMC).

L'OMC poursuit les mêmes buts que le GATT mais dans un cadre d'action élargi. Alors que le GATT se préoccupait surtout d'abaisser les barrières tarifaires (droits de douane) et non-tarifaires (ex : quotas d'importation, contrôles phytosanitaires, normes techniques, etc.), l'OMC intervient aussi en matière de subventions, investissemnents à l'étranger, propriété intellectuelle (ex : produits piratés) et supervise l'application des politiques macroéconomiques de ses membres, dans la mesure où elles affectent les échanges internationaux.

À l'instar du *Fonds monétaire international* (FMI) et de la *Banque mondiale,* l'OMC réduit la marge de manoeuvre économique de ses États membres en faveur d'un nouvel ordre économique mondial orienté vers le bien-être commun.

La globalisation des marchés

Le terme « interdépendance » serait sans doute préférable à l'anglicisme *« globalisation »*, mais c'est le nouveau mot qui émerge à la fin des années '80 pour désigner le fait que, dans la perspective commerciale, la planète se rétrécit. Les américains l'affublent même de l'appellation *« global village »*. Plusieurs facteurs contribuent à renforcer l'interdépendance des marchés, qui ne peut que s'accroître au cours des années à venir :

- Le *progrès des transports et des télécommunications* réduit les distances. Il permet aux personnes, aux produits et à l'information de circuler très rapidement d'un bout à l'autre de la planète. Il devient possible pour une entreprise canadienne de se démultiplier géographiquement et d'opérer de façon efficace avec, par exemple, une usine de composants en Malaisie, une usine de montage au Mexique, des entrepôts aux États-Unis et le siège social de la compagnie à Montréal.

- *La tendance actuelle des pays à s'organiser en zones de libre-échange* crée de vastes marchés là où, autrefois, il y en avait plusieurs petits séparés par des barrières douanières. L'accord de libre-échange entre le Canada et les États-Unis signé le 1er janvier 1989, puis étendu au Mexique en 1993, devint l'Accord de libre-échange nord-américain *(Alena)*. Vendre aux États-Unis n'est plus du marketing « international ». Les pays de l'*Union européenne* (UE) ont suivi la même voie pour constituer en 1992, le deuxième plus grand marché du monde après le marché nord-américain. Les pays sud-américains et asiatiques ont aussi des zones de libre-échange. Au niveau global, et non plus régional, les accords du GATT *(General Agreement on Tariffs and Trade)* prévoient un abaissement progressif des barrières tarifaires entre les pays signataires. Toutes ces initiatives vont dans le sens d'une plus grande circulation des personnes, des marchandises et des capitaux entre les pays.

Illustration 12.4

L'accord de Libre-Échange Nord-Américain

Le GATT prévoit la création de zones de libre-échange ; il s'agit d'ententes de coopération entre deux ou plusieurs pays qui acceptent de réduire substantiellement les barrières tarifaires et non-tarifaires à leurs échanges réciproques.

L'accord sur le libre-échange nord-américain signé en 1993, crée une nouvelle zone de libre-échange entre le Canada, les États-Unis et le Mexique. Il prévoit :

- l'abolition complète des droits de douane entre les pays signataires ;
- la levée des embargos, c'est-à-dire la suppression des interdictions d'importer certains produits, ex., avant cet accord, les automobiles usagées de plus de huit ans en pouvaient pas être importées au Canada ;
- l'autorisation de séjour temporaire pour gens d'affaires : les formalités d'entrée dans les deux pays seront simplifiées ;
- l'interdiction des barrières discriminatoires à l'encontre des fournisseurs de services ou des investisseurs de l'autre pays signataire ;
- la création d'un mécanisme de règlement des différends entre les trois pays, quant à l'interprétation et à l'application de l'accord.

- *La multinationalisation des entreprises* n'est pas un phénomène nouveau. Il existe de grandes entreprises multinationales dans tous les secteurs intensifs en capitaux. Le phénomène va en s'accroissant au fur et à mesure que les marchés s'agrandissent en zones de libre-échange et que les progrès des transports et des télécommunications rendent possible la commercialisation transnationale. En fait, il est difficile de dire la « nationalité » de certaines entreprises aujourd'hui canadiennes, car leurs capitaux, leurs implantations, leurs marchés et leur personnel seront disséminés dans un grand nombre de pays, à tel point que la notion de nationalité ne veut plus dire grand chose (ex : *Bombardier, Nortel Networks, Power Corporation*).
- La *convergence technologique* désigne le processus d'amalgamation progressive de secteurs industriels jusqu'alors distincts. Il y a vingt ans, la différence était marquée entre l'informatique et les télécommunications par exemple : chaque secteur avait ses leaders, *IBM* en informatique, *AT&T* en télécommunications. Peu à peu cependant, l'informatique a pénétré dans d'autres industries à tel point que les distinctions traditionnelles entre secteurs industriels s'estompent. Saviez-vous que l'équipement électronique représente 60 % du coût d'un avion Airbus ? Dans ces conditions, est-il juste de parler de l'industrie aéronautique en tant que telle, n'est-ce pas plutôt une sous-section de l'industrie électronique ? De la même façon que le libre-échange agrandit la taille des marchés, la convergence technologique agrandit celle des secteurs industriels. Ces grands ensembles marchés/industries sont dominés par des multinationales.

La concurrence internationale

La vision selon laquelle plusieurs entreprises d'origines nationales différentes se font concurrence à armes égales sur les marchés étrangers, est aujourd'hui dépassée. La concurrence sur les marchés internationaux est un jeu d'équipe : ce ne sont plus des entreprises qui s'affrontent sur le terrain commercial, mais des équipes constituées le plus souvent de plusieurs entreprises réunies au sein d'un **consortium** et appuyées politiquement par un ou plusieurs gouvernements, qui luttent en vue d'objectifs politico-économiques. Ceci est d'autant plus vrai en marketing industriel où les grands projets, tels la fourniture d'un **ensemble industriel clefs en main** ou la construction d'un métro, font l'objet de luttes féroces non seulement entre les entreprises soumissionnaires, mais aussi entre les États qui les parrainent. L'interpénétration de la politique et de l'économique va sans doute s'accentuer dans les années à venir. Sur le plan international, il est vraisemblable que la concurrence pour les grands marchés est déjà tellement coûteuse, que les entreprises privées ne peuvent plus la faire seules, elles doivent se regrouper et obtenir de l'aide de l'État pour avoir quelque chance de succès. Dans ce cas, sont-elles toujours privées (au sens de « indépendantes ») ou sont-elles des agents économiques au service du pays ?

L'évolution démograpique

Le marché nord-américain vieillit. En l'an 2000, 12,5 % des Canadiens ont plus de 65 ans. Ce pourcentage passera à 16,5 % en l'an 2016 et dans quarante ans, un canadien sur quatre aura plus de 65 ans. Ce changement dramatique dans la pyramide des âges est dû au fait que les enfant du « boom » démographique de l'après-guerre (les baby-boomers) gonflent les rangs des plus de 65 ans et que l'espérance de vie des Canadiens augmente ; elle est actuellement de 82 ans pour les femmes et de 76 ans pour les hommes. Le vieillissement de la population aura des conséquences importantes sur le marketing :

- *Au niveau des produits et des services achetés* : les habitudes de consommation des canadiens plus âgés diffèrent notablement de celles des jeunes et des jeunes adultes. Par exemple, il n'y a que 6 % des moins de 55 ans qui ne boivent jamais de boissons alcoolisées, tandis que 18 % des plus de 65 ans ne boivent pas d'alcool. 19 % seulement des plus de 65 ans fument, contre 37 % pour les moins de 55 ans. Le vieillissement de la population entraîne une augmentation de la demande pour les produits et les services de santé et de récréation. Enfin, les prestataires de services en éducation vont devoir adapter leur offre à une clientèle plus âgée : cours aux adultes, « université du 3e âge », services de thérapie occupationnelle, etc.

- *Au niveau du comportement d'achat :* par exemple, une population plus âgée réagit négativement à la publicité érotique, ou à certains thèmes publicitaires (par exemple, besoin d'évasion, besoin de plaire ou d'impressionner) ; elle est généralement plus sensible à la qualité des produits et des services qu'à leur prix.

- *Au niveau des formes de distribution :* une population plus âgée résiste davantage aux changements que la technologie lui suggère. L'introduction généralisée des guichets automatiques par l'industrie bancaire a pris environ 12 ans alors qu'en 1970, on pensait qu'elle se ferait en 4 ans. Le **télémarketing** ou encore le paiement par **carte de débit** se heurtent à la méfiance des gens âgés souvent réfractaires aux innovations qui font gagner du temps, ou qui dépersonnalisent la transaction commerciale. Eux ont du temps et ils aiment le passer à s'entretenir avec un vendeur !

La sécurité

Sécurité et marketing ? Il aurait semblé incongru, il y a seulement quelques années, de rapprocher les deux notions. Puis, il y eut le scandale du *Tylenol* (1982) : l'introduction de poison dans quelques comprimés d'analgésique par un criminel força la compagnie *Johnson & Johnson* à retirer momentanément son produit, à le réintroduire dans un flacon portant un sceau de sécurité (mesure aussitôt imitée par toute l'industrie pharmaceutique), et à investir des sommes considérables en publicité pour « sauver » la marque *Tylenol.* L'opération réussit, mais elle montra combien une compagnie est vulnérable face à des actions malfaisantes ou criminelles difficilement détectables. En mars 1989, des traces de cyanure dans deux grappes de raisins importées du Chili forcèrent les États-Unis et le Canada à arrêter temporairement leurs importations de fruits et de légumes en provenance de ce pays, dont l'économie fut durement touchée par cette mesure. En avril 1989, on découvrait en Angleterre des fragments de verre et de lames de rasoir dans des pots de nourriture pour enfants de marque *Heinz.* En février 1990, *Perrier* retirait des millions de bouteilles d'eau gazeuse des magasins, car elles contenaient des traces de benzène, à la suite d'une erreur de nettoyage. Le cours de l'action de la compagnie chuta de 30 % en un jour à la bourse de Paris. La même mésaventure devait arriver à *Molson* deux ans plus tard (voir Illustration 12.5). Au cours des deux dernières décennies, l'aviation civile a été la cible d'attentats et de détournements d'avion. Il est à craindre qu'à l'avenir, tout le domaine de la consommation devienne victime de criminels en quête de chantage économique (demande de rançon aux fabricants), politique (arrêter les importations en provenance de tel ou tel pays), ou social (un seul déséquilibré ingénieux peut exercer un chantage sur toute une population).

Entrons-nous dans l'ère du *terrorisme à la consommation* ? Quel sera le dernier havre de tranquillité du consommateur qui n'ose plus monter en avion de peur d'un détournement, dormir dans sa maison au sous-sol infiltré de radon, couverte d'amiante et entourée de murs remplis de formaldéhyde, ou consommer un produit aux ingrédients douteux ?

Illustration 12.5

80 millions de bouteilles

Le 3 août 1993, *Molson O'Keefe* a dû vérifier 80 millions de bouteilles de bière après avoir découvert de la soude caustique dans six bouteilles. Une vaste opération de gestion de crise a suivi ce rappel.

Le 9 août, la Brasserie a publié une annonce dans les quotidiens pour rassurer les consommateurs. Des employés de *Molson O'Keefe* ont visité 25 000 détaillants et débits de boisson. Des renseignement étaient disponibles gratuitement par ligne téléphonique 1-800 mise à la disposition des consommateurs.

Le 14 août, *Molson O'Keefe* a publié une autre annonce dans les quotidiens offrant une bière gratuite aux consommateurs pour les remercier de leur collaboration.

Grâce à la réaction rapide et aux mesures radicales de *Molson O'Keefe* pour régler le problème et prévenir l'inquiétude potentielle des consommateurs, l'incident n'a pas eu de conséquence.

La valeur du temps

Le temps n'a pas la même valeur pour chacun. Le businessman affairé n'a pas de temps à perdre, le retraité a tout son temps, l'étudiant a des disponibilités saisonnières.

On a déjà mentionné l'importance du temps en marketing industriel, tant au niveau des délais de livraison et de paiement qu'à celui de l'approvisionnement « juste à temps ». On découvre à présent que le temps peut servir de base de segmentation dans le marketing de certains biens de consommation. Deux exemples :

- les **loisirs** : le marché des loisirs peut être segmenté selon la disponibilité de temps des clients cibles. Rien ne sert d'offrir des croisières relaxantes à des touristes japonais qui ont peu de congés payés et veulent voir un maximum de choses en peu de temps. Par contre, un couple de retraités ne sera pas intéressé par le circuit *« 12 capitales européennes en 2 semaines »*.

- l'**alimentation** : la distribution alimentaire connaît actuellement deux tendances de développement opposées : d'une part, une tendance au gigantisme avec des magasins de grande surface – d'abord les **supermarchés** (plus de 400 m^2 de surface de vente), maintenant les **hypermarchés** (plus de 2 500 m²), d'autre part, une tendance à la prolifération des **magasins d'accommodation** de petite taille (moins de 200 m²), situés près du lieu d'habitation du consommateur. Le consommateur qui a le temps peut magasiner dans un hypermarché ou même faire le tour des supermarchés de la ville, coupons de rabais en mains, pour acheter à chaque endroit les produits *« en spécial »*. Le consommateur pressé s'arrête au dépanneur en rentrant chez lui. Il a moins de choix, paie généralement davantage, mais gagne du temps. Cette double tendance de la distribution alimentaire correspond à une segmentation du marché selon un axe temporel double : **disponibilité/fréquence**. Le magasinage en grande surface est généralement hebdomadaire et prend du temps. La visite au dépanneur est plus fréquente, non planifiée et rapide.

Selon une enquête de la firme américaine *Harris*, le temps de loisir de l'Américain moyen a diminué de 37 % entre 1973 et 1989 et la semaine de travail, incluant le temps de transport pour se rendre au lieu de travail et en revenir, est passée de 41 heures à 47 heures. Dans certaines professions (médecine, professions juridiques et financières), il n'est pas rare de travailler plus de 80 heures par semaine. Cette tendance à la **rareté du temps** modifie le panorama du marketing pour les années à venir. Le facteur « économie de temps » pèsera beaucoup plus dans la balance de la formation des préférences de la plupart des consommateurs. La technologie, alliée à l'imagination des entrepreneurs, va donner naissance à des produits et à des services nouveaux dont le seul but sera de gagner du temps. Déjà une nouvelle profession voit le jour dans les grands centres urbains : celle d'*organisateur professionnel*, « homme à tout faire » prêt à rendre les services qui font gagner du temps : conduire les enfants à l'école, magasiner, entretenir la maison, etc. Et des laboratoires très sérieux travaillent à la recherche d'une pilule qui réduira la fatigue, tout en écourtant le temps de sommeil…

CONCLUSION

Le XXᵉ siècle a été très marqué dans les économies occidentales par l'âge du marketing; chaque siècle a connu ses idoles : ce fut l'explorateur de l'ère des grandes découvertes (XVᵉ siècle), l'honnête homme de l'Âge des Lumières (XVIIIᵉ siècle), le capitaine d'industrie au siècle dernier, et il semble que le XXᵉ siècle passera à la postérité comme ayant été celui du marketing et de la technologie. La convergence des deux a permis l'avènement du marketing numérique au début du XXIᵉ siècle et donné lieu à la seconde révolution industrielle[6].

Il y a peu d'aspects de notre vie quotidienne qui ne soient marqués par la technologie ou le marketing. La technologie donne des clefs d'accès à des applications nouvelles de la science, mais c'est le marketing qui les transforme en réalités en suscitant la symbiose des produits et des marchés. Il ne faut pas croire cependant que la société évolue vers le mercantilisme et la technocratie incontrôlés, car au centre de l'évolution, il y a encore un acteur indécis, susceptible de changer le cap de l'évolution au gré de sa fantaisie individuelle ou des mythes de la société : le consommateur.

Le consommateur, toujours lui !

EXERCICES ET SUJETS DE RÉFLEXION

1. Pensez-vous que les gouvernements provinciaux et fédéral devraient avoir le droit de faire de la publicité concernant leurs réalisations (à la télévision, dans les journaux et à la radio) alors qu'ils sont au pouvoir ?

2. Un meurtrier est condamné à la prison à vie pour une série de crimes atroces. Son procès a fait les manchettes de tous les journaux. Le meurtrier est très célèbre. Il s'apprête à publier ses mémoires, qui seront vraisemblablement un grand succès financier à la fois pour lui et pour vous, l'éditeur à qui il offre son livre. Que faites-vous ?

3. Dans une foire de village, un forain astucieux attira les curieux en plaçant devant sa tente un panneau qui annonçait « *Entrez voir un phénomène unique : la vache qui a la tête à la place de la queue – Prix d'entrée : 1 $* »

   À l'intérieur, les gens trouvèrent une paisible vache attachée à sa mangeoire par la queue. Un écriteau au-dessus de la mangeoire indiquait « *On vous a eu ! Ne le dites pas aux autres !* » La « vache qui avait la tête à la place de la queue » valut au forain de gagner une petite fortune en quelques jours de foire.

   Devrait-on interdire ce genre d'attrape-nigaud ?

4. Un auteur français contemporain, Henri Laborit, écrit : « *Toute **communication** humaine implique **négociation** et **manipulation*** ». Pourrait-on dire la même chose du marketing ?

5. La *Société canadienne des postes* devrait-elle être privatisée ?

6. À quel point la société a-t-elle le droit, ou le devoir, de protéger l'individu contre lui-même, c'est-à-dire contre sa décision de consommer des produits qu'il sait être nocifs ?

7. En septembre 1988, les laboratoires *Roussel-Uclaf,* filiale française du groupe industriel allemand *Hoechst,* mirent sur le marché français la pilule RU-486. Par simple ingestion de la pilule RU-486, une femme enceinte peut mettre fin à la grossesse en provoquant « l'avortement sans opération, sans risque, chez soi » jusqu'à la 13e semaine après la conception. Les associations contre l'avortement firent tant de pression sur la compagnie, qu'en février 1989, elle décida de retirer RU-486 du marché. Quelques jours plus tard, le Ministre de la santé du gouvernement français obligeait *Roussel-Uclaf* à remettre RU-486 en marché, sa vente et son administration en milieu hospitalier étant soumises à un strict contrôle. 15 % des avortements contrôlés en France en 1989 furent réalisés par l'administration de RU-486. En 1996, la proportion avait augmenté à 25 % des interruptions volontaires de grossesse. La « pillule d'avortement » a aussi connu un grand succès en Suède et en Angleterre. Cependant, depuis 1988, les associations contre l'avortement, trés puissantes aux Etats-Unis, ont exercé des pressions sur le gouvernement américain pour interdire l'importation de RU-486 et ont organisé un boycottage de tous les médicaments vendus par Roussel-Uclaf. Le 21 juin, jour de l'assemblée annuelle des actionnaires de Roussel-Uclaf, fut déclaré en 1992 « Journée internationale de protestation à l'encontre de Roussel-Uclaf ». Considérant que ses intérêts commerciaux étaient menacés par ces groupes de pression, l'entreprise Roussel-Uclaf tenta de calmer les esprits en annoncant qu'elle ne distribuerait pas RU-486 dans les pays en voie de développement, même si l'on pense généralement que c'est là où se trouve le marché potentiel le plus important. L'annonce n'apaisa pas les *lobbies* américains. Sous leur pression continue, en avril 1997, Roussel-Uclaf « abandonne définitivement et irrévocablement la production et la commercialisation de RU-486 » et cède ses droits à une nouvelle entreprise : *Exelgyn.*

À votre avis, devrait-on commercialiser la pillule RU-486 ?

8. Considérez l'extrait suivant d'un article traitant de l'industrie des «clubs érotiques » :

« On devient danseuse parce qu'il existe une demande, parce que des consommateurs cherchent à assouvir leurs désirs de domination et d'avilissement, certes pas pour des raisons liées à un plaisir sexuel. De quel sexe parle-t-on, puisque à première vue, il s'agit ici de manque et de voyeurisme? Payer engage une hiérarchisation des individus. L'acte de payer a le pouvoir de donner l'illusion au client qu'il possède et contrôle son environnement et la danseuse. Il s'agit ici d'un simple rapport de domination où la sexualisation vénale de l'une permet à l'autre l'expression de sa virilité et de sa puissance ».[7]

Tous les besoins des consommateurs doivent-ils être satisfaits? Qui doit en décider et comment peut-on le décider? L'existence des clubs érotiques est-elle un fléau social qu'on peut attribuer au marketing?

CAS-DISCUSSION

Aquanaute Ltée

Le 1er septembre dernier, M. Marchand, Président-directeur général de la firme *Aquanaute Ltée*, convoquait de toute urgence une réunion du Conseil de direction. Raison principale : les appareils *Aquanaute* au cours de la saison dernière ont provoqué de nombreux accidents : 1 conducteur désintégré, 12 morts par noyade, 2 décapités, 16 brûlés et 9 blessures diverses. L'Association pour la Protection de la Race Humaine vient d'informer *Aquanaute*, par lettre recommandée, qu'elle intente une action en justice contre *Aquanaute*, réclame 10 millions de $ en dommages et intérêts, le retrait immédiat de tous les appareils *Aquanaute* en circulation, et la cessation des opérations d'*Aquanaute*. L'APRH entreprend parallèlement des démarches auprès des pouvoirs publics pour faire interdire l'*Aquanaute*.

Rappelons brièvement la description que les trois inventeurs (M. Marchand, M. Berliet, M. Quancard) faisaient du premier *Aquanaute*, il y a 10 ans déjà :

Équivalent nautique de la motoneige, l'*Aquanaute* ressemble à un moto-scooter dont la roue avant serait une roue à aubes surmontée d'un petit moteur hors-bord (2.5 c.v.). L'ensemble avant est mobile et manœuvré par un guidon. Le châssis du moteur ou « caisson avant » est un caisson de flottaison en plastique moulé étanche et creux. Le bloc moteur est ainsi insubmersible. Le corps de l'*Aquanaute* se compose de deux autres caissons (avant et arrière), chacun supportant une selle.

Enregistrement de la réunion du 1er septembre

Étaient présents :

- M. Marchand, Président-directeur général
- M. Quancard, Vice-président et directeur de production
- M. Berliet, Directeur des Finances
- Mlle Johanne Latulippe, Directrice commerciale
- Me Diafoirus, Avocat-conseil, chargé du contentieux

M. Marchand :
« L'objet de la réunion est clair. Il s'agit ni plus ni moins de la survie de notre entreprise. Cette entreprise, nous l'avons bâtie ensemble. Le succès nous l'avons connu ensemble, l'Aquanaute nous l'avons construit ensemble. Ne laissons pas un groupement, qui en fait ne représente que son propre intérêt financier, réduire à néant tant d'années d'efforts. »

Me Diafoirus :
« Ne dramatisons pas. J'ai bien étudié le problème et il n'y a pas lieu de s'inquiéter. Tous les cas d'accidents qui nous ont été rapportés sont imputables à des ***fautes graves*** *de la part des conducteurs. En aucun cas, on ne pourra relier les accidents à des vices cachés, et de plus, le manuel du propriétaire remis à chaque acheteur met formellement en garde les utilisateurs contre les manœuvres dangereuses. Faisons preuve de fermeté dans notre réponse à l'APRH. Ceci est purement une question juridique, laissez-moi rédiger une réponse qui découragera toute poursuite. »*

M. Quancard :
« Cher Maître, moi aussi j'ai étudié le problème. Et même bien avant vous, en fait depuis la conception de l'Aquanaute. Il s'agit d'un problème de conception de la machine et de contrôle de qualité de trois composants : le bloc-moteur, le caisson-avant et les roues à aubes. Bien entendu, il n'est pas question de vice caché, mais seulement de fabriquer des modèles plus sécuritaires. Il y a 10 ans, nous ne produisions qu'un modèle, aujourd'hui nous en avons 9. La tendance a été d'alléger les nouveaux modèles et de les doter de moteurs de plus en plus puissants. La Direction commerciale a d'ailleurs fondé sa dernière campagne publicitaire sur les attributs suivants : "léger", "puissant", "souple et sportif", "le véhicule de l'évasion", etc. Or, moi je ne peux pas faire de miracles : on me dit d'alléger, j'allège… ne venez pas me reprocher que les blocs-moteurs en aluminium supportent mal le contact avec l'eau froide (causant parfois l'explosion du moteur), que les caissons-avant de flottaison en polyuréthane crèvent au contact du moindre obstacle (transformant l'Aquanaute en sous-marin) et

que les aubes tendent à se détacher à grande vitesse (pour aller décapiter quelque paisible baigneur). De plus, je vous rappelle que, depuis deux ans, nos moteurs émettent 93 décibels à plein régime en violation de la réglementation sur le bruit.

Tous ces défauts je vous les ai déjà signalés. D'un côté, je suis presque heureux que les événements vous forcent à suivre mes recommandations :

- *à court terme : supprimer les modèles A4, A5, A6, A7, A8, A9 qui ont tous été mêlés à ces accidents.*
- *redessiner des modèles sécuritaires avec des blocs traditionnels plus lourds, mais plus résistants : caissons métalliques, pales en alliage de vanadium (avec une grille de protection), et nouveaux silencieux. Bien sûr, ces modèles seront plus chers et plus lourds (donc moins rapides), mais en me regardant dans le miroir tous les matins, je ne ferai plus figure d'assassin. »*

M. Berliet :
« Si l'on vous écoutait, mon cher Quancard, nous fabriquerions des Aquanaute en or massif! Pourtant, je suis en partie d'accord avec vous : il faut supprimer les modèles A5, A6, A7, A8, A9, j'ajouterais même le A1 à la liste. Regardez ce tableau. » (M. Berliet montre à ses collègues le tableau situé ci-dessous).

MODÈLES	NOMBRE D'ANNÉES EN PRODUCTION	VENTES EN % DU TOTAL	CROISSANCE DES VENTES	CONTRIBUTION AU PROFIT
A1	10	2	– 20 %	5 %
A2	7	20	0	20 %
A3	7	20	0	30 %
A4	4	30	5 %	30 %
A5	3	10	30 %	15 %
A6	2	3	500 %	5 %
A7	2	5	500 %	0 –
A8	1	5	—	0 –
A9	1	5	—	– 5 %
		Somme = 100		Somme = 100

« Vous constatez que nous réalisons 80 % du profit avec 3 modèles seulement (A2, A3, A4). Notre problème est que nous avons introduit trop de modèles sur le marché, trop vite. Revenons à une gestion saine, avec des modèles rentables. Ce n'est pas à vous, mon cher Quancard, que j'apprendrai qu'en

diminuant le nombre de modèles, nous pourrions rationaliser la production, diminuer le prix de revient et augmenter les bénéfices. Pourquoi voulez-vous vous remettre à la planche à dessin, alors que nous possédons 3 modèles rentables et appréciés par le public ? »

M. Marchand :
« Il me semble que nous nous éloignons du sujet de la réunion : que faire face à l'action de l'APRH ? »

Mlle Johanne Latulippe :
« En parlant du public, M. Berliet nous ramenait justement au problème. Que veut le public ? Si nous pouvons répondre à ses besoins, nous coupons l'herbe sous le pied de l'APRH qui ne pourra plus prétendre défendre le public alors que celui-ci se dit satisfait. L'enquête de l'an passé, réalisée par le Dynamic Marketing Institute, révèle que notre public est jeune, qu'il veut des véhicules légers et rapides, tout en étant sécuritaires. Or, tout ce que vous me proposez, c'est de fabriquer des véhicules lourds et lents (M. Quancard) ou bien des modèles vieux de 7 ans (M. Berliet).

Les accidents sont le fait d'un certain mal de la jeunesse actuelle, du désir de pousser leurs facultés physiques et celles des machines jusqu'à la limite. Je dirais même qu'ils obéissent à une pulsion sous-jacente, inavouée, au suicide. Si nous ne leur fournissons pas des machines leur permettant d'assouvir leurs besoins, ils opteront pour d'autres sports tels la moto, le deltaplane, etc. Tout ce que nous pouvons faire, c'est réécrire le manuel du propriétaire remis à chaque acheteur en nous assurant, certes, que toutes les manœuvres dangereuses sont clairement identifiées en dernière page de façon à ce que nous soyons couverts contre toute action en justice, mais le plus important, c'est que le propriétaire lise le manuel, et pour cela, je vous propose de l'éditer en quadrichromie avec un texte un peu plus alléchant et des photos. »

M. Marchand :
« Je remercie chacun d'entre vous d'avoir exprimé son point de vue ; je sens qu'il va me falloir prendre plusieurs décisions, à très court terme, affectant chacun d'entre vous. »

QUESTION

Quelles décisions M. Marchand devrait-il prendre ?

NOTES

1. Voir Théodore Levitt « Marketing Myopia » *Harvard Business Review*, juillet-août 1960.
2. Philip Evans & Tom Wurster « *Blow to bits : how the new economics of information transforms strategy* », Harvard Business School Press, 1999, www.blowntobits.com
3. Jean-Paul Sallenave, « *L'hypermarketing* », document non publié.
4. Vance Packard, *La persuasion clandestine*, Calmann-Lévy, Paris, 1960.
5. Ralph Nader, *Unsafe at Any Speed*, Pocket Books, New York, 1966.
6. John Donovan, *The second industrial revolution*, Prentice-Hall TPR, New Jersey, 1997.
7. Richard Poulin « Les bars de danseuses nues : une industrie comme les autres ? », *La Presse*, 3 décembre 1989.

Les 15 règles d'or du marketing

- Ne jamais lancer un produit sans faire un test de marché !
- Pas de commercialisation sans plan de marketing !
- Pas d'action de marketing sans stratégie !
- Pas de stratégie sans objectif !
- Pas de planification sans contrôle !
- Un problème bien défini est à moitié résolu !
- En marketing la perception importe plus que la réalité !
- Il faut avoir les moyens de sa stratégie et la stratégie de ses moyens !
- Si l'information ne vaut rien, la stratégie qui s'ensuivra ne vaudra rien !
- La guerre des prix se gagne dans la bataille des coûts !
- Il vaut mieux être grand sur un petit marché, que petit sur un grand marché !
- Jouez sur vos forces !
- Les produits passent, l'image reste !
- Un client satisfait est un client acquis !
- Un produit n'existe que pour un pays !

Index